Kaɪ

Liszt

Eine Biographie

Kapp, Julius

Liszt

Eine Biographie

Inktank publishing, 2018

www.inktank-publishing.com

ISBN/EAN: 9783747790212

All rights reserved

L I S Z T

EINE BIOGRAPHIE

VON

DR. JULIUS KAPP

MIT 114 ABBILDUNGEN

VIERTE UND FÜNFTE AUFLAGE

VERLEGT BEI SCHUSTER & LOEFFLER
BERLIN 1916

ZUR EINFÜHRUNG

Die Liszt-Literatur weist zwar eine Unmenge sog. „Erinnerungsbücher" auf, die allerdings meist nur mit Vorsicht zu verwerten sind, besitzt auch kürzere Abhandlungen über den Menschen und Künstler Liszt von bleibendem Wert (z. B. Louis, Reuß, C. Wagner), aber eine auch nur bescheidenen Ansprüchen genügende B i o g r a p h i e dieser gewaltigen Kunsterscheinung sucht man vergebens. Liszts erster Biograph, Lina Ramann, hat (mit Unterstützung des Meisters selbst) für den ersten Abschnitt von Liszts Leben, die Kindheit und Virtuosenjahre 1811—1847, die biographische Aufgabe nahezu gelöst. Von 1847 an aber versagt ihr Buch vollständig, da das Biographische hinter glorifizierenden musikalischen Analysen zurücktritt und unter dem Einfluß der Fürstin Wittgenstein mehrfach tendenziös entstellt ist. Die bedeutendste Epoche dieses Künstlerlebens: Weimars musikalische Glanzzeit und das Werden der „neudeutschen Schule" bleibt nahezu unberücksichtigt.

In meinem 1909 erschienenen großen Lisztbuch wagte ich zum erstenmal den Versuch, aus der kaum zu bewältigenden Fülle an Material das buntschillernde, vielbewegte Leben Liszts in einem großen Zuge zu gestalten. Als Richtschnur diente mir dabei vor allem: u n b e d i n g t e W a h r h e i t. Ich verzichtete daher darauf, Liszts Leben zu schreiben, so wie es hätte sein k ö n n e n oder wie manche es heute vielleicht sehen möchten, zerstörte unbesorgt manchen durch Freundeshand oder geschickt erhaltene Tradition widerrechtlich behüteten Glorienschein und suchte statt einer beweihräucherten Idealgestalt ein Bild aus Fleisch und Blut zu formen, s o, wie es auf Erden gewandelt, hell bestrahlt von dem Adel seines Wesens, aber auch belastet mit den Schwächen und Menschlichkeiten, die ihm anhafteten. Diese zu verschweigen oder gar abzuleugnen, scheint mir töricht, denn auch das größte Genie ist schließlich doch nur ein M e n s c h und nur als solcher dem Verständnis und Mitgefühl erreichbar.

Die Hauptschwierigkeit einer Lisztbiographie liegt in der glücklichen Vereinigung der Schilderung des glanzvollen äußeren Rahmens mit der Gestaltung des inneren Werdeganges. Ich habe in meiner Darstellung das Hauptgewicht auf das B i o g r a p h i s c h e gelegt, von einem Eingehen auf einzelne Werke oder gar Analysen abgesehen und mich darauf beschränkt, das Charakteristische, Neue im Schaffen Liszts hervorzuheben. Hierzu veranlaßte mich zweierlei: einmal die Überzeugung, daß die eminente Bedeutung Liszts für die Musikgeschichte in höherem Grade in seiner Nachwirkung als B a h n - b r e c h e r und A n r e g e r liegt, die nur aus einer genauen Kenntnis des Zeitbildes verständlich ist, als in dem Ewigkeitswert seiner eigenen Schöpfungen, und zweitens die Ansicht, daß eine sachliche, allgemeingültige Würdigung des Komponisten Liszt heute, wenn auch das Gezänk der Parteien verstummt zu sein scheint, noch großen Schwierigkeiten begegnen würde; diese, wenn man will, Lücke meiner Lisztbiographie zu schließen, sei einer späteren Betrachtung vorbehalten.

Die vorliegende N e u a u f l a g e des Buches unterscheidet sich textlich in mehrfacher Hinsicht von der ersten Fassung. Irrtümer sind berichtigt und die Darstellung an Hand des inzwischen neu erschlossenen oder von mir gesammelten (mehrere Hundert noch u n veröffentlichter Briefe umfassenden) Materials erweitert. Die zahlreichen in der früheren Auflage erstmalig veröffentlichten Dokumente und Briefe, die oft unwillkommen den Gang der Erzählung unterbrachen, konnten jetzt im ganzen Umfang entbehrt und nur im Auszug in den Text mitverarbeitet werden. Ebenso konnte zu Gunsten einer strafferen Fassung und genußreicheren Lektüre auf alles wissenschaftliche Beiwerk (Quellenangaben, Fußnoten, Bibliographie und dergl.) verzichtet werden. Zu wissenschaftlichen Zwecken ist auch künftighin die e r s t e Auflage erforderlich, die deshalb in ganz kleiner Anzahl noch im Handel verbleibt. Am Schlußkapitel des Werkes, gegen das natürlich von betroffener Seite (allerdings ohne je den geringsten Gegenbeweis zu versuchen) Anklagen erhoben wurden, konnte nach nochmaliger gewissenhafter Prüfung aller in Betracht kommenden Faktoren im Interesse der Wahrheit keine einschneidende Änderung vorgenommen werden.

Zum Schluß möchte ich noch Herrn Stadtarchivar J o h a n n e s B a t k a , (Preßburg), A r t h u r F r i e d h e i m (München) und E m e r i c h K a s t n e r (Wagner-Archiv, Wien) für die selbstlose Mitwirkung auch bei dieser Neuauflage aufrichtigsten Dank sagen.

Berlin-Westend, 1. Oktober 1911.

Dr. J u l i u s K a p p.

INHALTSVERZEICHNIS

Höher als der Künstler steht
mir noch der Mensch Liszt.

(Rohlfs zum Großherzog von Weimar)

JUGENDZEIT 1811—1834

I. Kinderjahre in Raiding, 1811—1820

Der Name Liszt ist ein alter ungarischer Adelsname. Franz Liszt meinte einmal: „Unser Name Liszt in ungarischer Sprache bedeutet Mehl; wir wollen gutes Weizenmehl liefern." Über die Familie selbst jedoch, ihre Herkunft und das Schicksal der einzelnen Generationen haben wir keine zuverlässige Kunde. Die jahrhundertelangen inneren Unruhen Ungarns haben uns jede Spur davon verwischt. Die Familientradition überliefert die Abstammung von der eines Freiherrn Listy zu Kitsee (im Komitat Wieselburg). Die Schreibweise des Namens Liszt hat mannigfache Änderungen erfahren, Listy, auch Liszty, Listhius, Listius, List und schließlich Liszt sind verschiedentlich anzutreffen. Mit Bestimmtheit können wir erst von dem Urgroßvater unseres Franz, Sebastian Liszt, Angaben machen, und auch von ihm ist nur bekannt, daß er ein Offizier niederen Ranges im 1. Kaiser-Husaren-Regiment war. Sein am 14. Oktober 1755 zu Ragendorf bei Ödenburg geborener Sohn Georg Adam war Verwalter auf einem Gut des Fürsten Esterhàzy und hatte aus drei Ehen 26 Kinder. Da seine Vermögensverhältnisse ziemlich beschränkte waren, konnte er seinen zahlreichen Sprößlingen keine kostspielige Erziehung angedeihen lassen. Sie ergriffen meist einen praktischen Beruf, wurden vom Schicksal bald in alle vier Winde zerstreut und verloren sich rasch aus den Augen. Der Älteste von ihnen aus erster Ehe (geb. 1780) führte ebenfalls den Namen Adam. Von seinen Geschwistern sind uns nur noch zwei bekannt, der aus zweiter Ehe am 5. Juli 1801 geborene Anton, der als begüterter Uhrmacher 1876 in Wien starb, und der jüngste Sohn aus dritter Ehe, Eduard (geb. 30. I. 1817), der in Franz Liszt Leben später eine große Rolle spielt. (Näheres s. Stammbaum.)

Adam wählte die Laufbahn seines Vaters und trat früh als Schreiber in Esterhàzysche Dienste. Er war in seinem Amt sehr tüchtig und rückte rasch auf. Eigentlich wäre er gern Musiker geworden, aber die Mittel reichten nicht für seine Ausbildung. Seine große Liebe zur Musik hat er sich zeitlebens bewahrt und es selbst als Dilettant zur großer Fertigkeit gebracht. Besondere Förderung erfuhr seine musikalische Veranlagung, als er zu Eisenstadt, der Residenz des Magnaten Esterhàzy, wo er eine Assistentenstelle bei der fürstlichen Administration erhielt, mit den Mitgliedern der berühmten

9

fürstlichen Musikkapelle, der einst ein J o s e p h H a y d n vorstand, enge Fühlung gewann. Auch mit Haydn selbst kam er bald in regen, freundschaftlichen Verkehr. Noch eine andere Musikgröße übte auf Adam einen starken Einfluß aus, N e p o m u k H u m m e l, den er im Schloß kennen gelernt hatte, und der dann häufig zu ihm ins Haus kam. Durch Hummels glänzendes Klavierspiel begeistert, widmete er, der neben dem Spinett hauptsächlich die Gitarre liebte, sich immer ausschließlicher dem Klavier und verwandte jede freie Minute für die Musik. Häufig beklagte er sein verfehltes Leben, das ihn seinem wirklichen Beruf ferngehalten habe; doch er harrte treu auf dem einmal übernommenen Posten aus und erfüllte mit größter Pflichttreue seine Amtsgeschäfte. Da wurde ihm 1810 vom Fürsten, der ihn seiner Tüchtigkeit halber sehr schätzte, die Verwalterstelle des Gutes Raiding übertragen, das gleichfalls im Komitat Ödenburg, aber mehrere Stunden von Eisenstadt entfernt lag. Bedeutete dies zwar ein günstiges Avancement in seinem Beruf, so war es für ihn doch ein herber Schlag. So plötzlich aus dem anregenden Eisenstädter Musikkreis in die Einsamkeit dieses Gutes versetzt, fühlte sich Adam Liszt anfangs sehr unglücklich. Er sah sich bald nach einer Lebensgenossin um, die mit ihm seine Verlassenheit teile, und führte im Herbst des Jahres die neunzehnjährige Österreicherin A n n a L a g e r heim, die er bei Geschäftsfreunden in Wien kennen gelernt hatte. Sie, das vierzehnte Kind eines Kurzwarenhändlers in Krems, stammte aus kleinen Verhältnissen und war eine tüchtige Hausfrau, von großer Herzensgüte und tiefem Gemüt. Die jungen Eheleute waren strenggläubige Katholiken, doch ohne Bigotterie.

Dienstag, den 22. Oktober 1811 wurde ihnen ein Sohn geboren, der den Namen F r a n z erhielt. Ein Komet hatte der Nacht seiner Geburt geleuchtet. Er war ein schwächliches Kind und seine schwankende Gesundheit bereitete den Eltern viel Sorge. Früh zeigte sich sein aufgeweckter Sinn, der an allem in seiner Umgebung regsten Anteil nahm. Stets war er heiter, zu allen zutunlich und sehr gehorsam. Seine Mutter liebte er zärtlich und wich kaum von ihrer Seite; vor dem Vater hegte er scheuen Respekt. Starken Eindruck rief schon bei dem Kind jedesmal das Erscheinen der Pusztasöhne hervor, und mit großen Augen schaute er ihrem geheimnisvollen Treiben zu und lauschte ihren seltsamen Weisen. Musik liebte er leidenschaftlich. Wenn sein Vater spielte, kam er immer herbei und setzte sich stumm neben das Klavier, andächtig zuhörend. Über diese ersten Lebensjahre finden sich in seines Vaters Tagebuch folgende Aufzeichnungen: „Nach der Impfung begann eine Periode, worin der Knabe abwechselnd mit Nervenleiden und Fieber zu kämpfen hatte, die ihn mehrmals in Lebensgefahr brachten. Einmal, in seinem zweiten oder dritten Jahre, hielten wir ihn für tot und ließen seinen

10

Sarg machen. Dieser beunruhigende Zustand dauerte bis in sein sechstes Jahr fort. In seinem sechsten Jahre hörte er mich ein Konzert von Ries in Cis-Moll spielen. Er lehnte sich ans Klavier, war ganz Ohr. Am Abend kam er aus dem Garten zurück und sang das Thema. Wir ließen's ihn wiederholen, er wußte nicht, was er sang: das war das erste Anzeichen seines Genies. Er bat unaufhörlich, mit ihm das Klavierspiel zu beginnen." Wenn er gefragt wurde, was er werden wolle, dann deutete er stets auf ein Bild im Musikzimmer und sagte: „Ein solcher." Es war das Bild Beethovens. Der Vater gab seinem Flehen nach und begann ihn im Klavierspiel zu unterrichten. Franz lernte fieberhaft und machte unglaubliche Fortschritte. Die Liebe zur Musik kam so elementar zum Durchbruch, daß er kaum mehr vom Klavier zu trennen war. Sein absolut zuverlässiges Gehör und sein fabelhaftes Gedächtnis erregten das Staunen aller, die ihn sahen. Nach drei Monaten Unterricht kehrte die Krankheit zurück und nötigte zur Unterbrechung. Der schwächliche Körper vermochte der rapiden geistigen Entwicklung nicht mehr zu folgen. Man gab ihn schon für verloren. Endlich kam er langsam wieder zu Kräften. (Eine ähnliche Krisis wiederholte sich später zur Pubertätszeit.) Seine heiße Liebe zur Musik war jedoch die gleiche geblieben, ja noch gesteigert. Er begann zu improvisieren, sich Melodien zusammenzusuchen und aufzuzeichnen. Doch raubte ihm die Freude am Musizieren nicht die Lust, mit Kindern seines Alters zu spielen, obwohl er von nun an mehr für sich allein zu bleiben suchte. „Er blieb in seinen Übungen nicht gleich, doch immer folgsam", schreibt sein Vater im Tagebuch. Da es in Raiding keine Schule gab, so wurde er nebenher vom Dorfkaplan im Lesen, Schreiben und Rechnen unterrichtet. Von einem geregelten Unterrichtsgang konnte dabei — wie auch in Zukunft immer — nicht die Rede sein. Liszt beklagte später öfters den empfindlichen Mangel jeder methodischen Schulbildung: „Ich kleckste bereits Noten, ehe ich je einen Buchstaben des Alphabets geschrieben, und versenkte mich in mystische und philosophische Bücher, bevor ich mit den Regeln der Grammatik ins Reine gekommen war." Da seine Eltern stets deutsch sprachen, so hat er das Ungarische nie gelernt, auch später nicht gesprochen und nur wenig verstanden. Vater Liszt war hocherfreut über die musikalischen Anlagen seines Sohnes und hoffte im Stillen, in ihm verwirklicht zu sehen, was ihm selbst vom Leben versagt worden war. Er nahm ihn öfters zu Freunden und Bekannten auch nach Ödenburg mit, und überall erregte der Knabe größtes Aufsehen. Alle rieten, ihn doch Musiker werden zu lassen. Doch es fehlten die Barmittel zur Ausbildung. Da brachte ein Zufall die Entscheidung.

Ein blinder Musiker, Baron von Braun, der sich von der Mitwirkung des Wunderknaben reiche Einnahmen versprach, bat den Vater, Franz doch

11

in seinem in Ö d e n b u r g geplanten Konzert auftreten zu lassen. Adam Liszt
willigte gern ein, er wollte dieses Auftreten als Talentprobe gelten lassen.
Somit geschah die erste öffentliche Tat des kleinen Franz für einen wohltätigen Zweck, die erste von ungezählten späteren. Er spielte das Es-dur-Konzert von Ries mit Orchesterbegleitung und eine „Improvisation" über bekannte
Melodien mit solchem Erfolg, daß der Vater sofort noch ein eigenes Konzert
in Ödenburg arrangierte, das ebenfalls glänzend verlief. (Oktober 1820.)
Kurz darauf stellte er Franz auf der Reise nach Preßburg, wo er ihn nochmals vor einem maßgebenden Publikum öffentlich auftreten lassen wollte,
dem Fürsten Esterházy in Eisenstadt vor. Auch hier fand des Knaben Talent
reichste Anerkennung, und der Fürst stellte für das P r e ß b u r g e r K o n -
z e r t sein dortiges Palais zur Verfügung. Sonntag, den 26. November 1820
fand dieses statt. Da es gewissermaßen unter dem Protektorat des Fürsten
stand, war der ganze Adel Preßburgs versammelt. Alles war entzückt und begeistert. Man redete Adam Liszt zu, ein solches Talent doch nicht verküm-
mern zu lassen. Ermutigt durch die ermunternden Worte der einflußreichen
Zuhörer, entdeckte er einem der Magnaten seine pekuniäre Lage. Sofort
taten sich fünf Mäzene zusammen, um ihm für die Ausbildung des Knaben
auf die Dauer von sechs Jahren ein jährliches Stipendium von 600 österr. Gulden zur Verfügung zu stellen. Es waren die Grafen Amade, Apponyi, Michael
Esterházy, Szápary und Viczay. Hiermit war Franz' Geschick entschieden,
und zwar in Preßburg, der Stadt, die sich später noch so große Verdienste um
Liszts Werke erwerben sollte. Die „Städtische Preßburger Zeitung" brachte
unter dem 28. November 1820 aus der Feder von Professor H. Klein, des
Lehrers von Erkel, der dabei zugegen war, eine Besprechung dieses Konzerts.
Dieser überhaupt e r s t e öffentliche Bericht über Franz Liszt lautet:
„Verflossenen Sonntag, am 26. dieses, in der Mittagsstunde hatte der
neunjährige Virtuose Franz Liszt die Ehre, sich vor einer zahlreichen Versammlung des hiesigen hohen Adels und mehrerer Kunstfreunde, in der Wohnung des hochgeborenen Grafen Michael Esterházy auf dem Klavier zu produzieren. Die außerordentliche Fertigkeit dieses Künstlers, sowie auch dessen
schneller Überblick im Lesen der schwersten Stücke, indem er alles, was
man ihm vorlegte, vom Blatt wegspielte, erregte allgemeine Bewunderung und
berechtigt zu den herrlichsten Erwartungen."
Frohen Mutes kehrten Vater und Sohn nach Hause zurück. Unterwegs
schon hatte sich Adam zu der Überzeugung durchgerungen, daß er seinen
Sohn, unbeschadet seiner Weiterentwicklung, nicht allein in die Fremde
schicken dürfe, sondern daß er ihm das Opfer bringen müsse, ihm zuliebe
seine sichere Lebensstellung aufzugeben und mit ihm zu ziehen. Die rührenden Bitten ihres Lieblings, der immer meinte, man stehe in Gottes Hand,

12

ließen schließlich auch die Mutter nach langem, bangen Zögern dem gewagten Schritt zustimmen. Adam Liszt nahm seine Entlassung aus fürstlichen Diensten, die ihm mit Bedauern gewährt wurde. Wegen eines Lehrers für Franz wandte er sich zunächst an Hummel, mit dem er ja von Eisenstadt her befreundet war. Dieser war inzwischen Hofkapellmeister in Weimar geworden. Er erklärte sich zwar zu dem Unterricht bereit, verlangte aber ein Honorar von einem Louisdor pro Stunde. Das erlaubten nun die zur Verfügung stehenden Mittel nicht. Adam Liszt beschloß daher, zunächst nach Wien zu ziehen und die Lehrerfrage an Ort und Stelle zu regeln. Schweren Herzens nahmen sie von der liebgewonnenen Heimat Abschied, begleitet von den herzlichsten Wünschen der Dorfbewohner, die den kleinen Franz sehr lieb hatten und ihm eine glänzende Rückkehr „in gläsernem Wagen" prophezeiten.

II. Lehrjahre unter des Vaters Führung, 1820—1827

Nach reiflicher Überlegung wählte Adam Liszt zum Lehrer C a r l C z e r n y. Dieser, ein Schüler und anerkannter Verkünder Beethovens, galt neben Hummel als das bedeutendste Klaviertalent und genoß namentlich als Lehrer in Wien einen glänzenden Ruf. Trotzdem er übermäßig beschäftigt war, erklärte er sich, als er das große Talent des Jungen sah, bereit, ihn zu unterrichten, und zwar zum Stundenpreis von einem Gulden. Als der Vater nach zwölf Stunden das Honorar überbringen wollte, verweigerte Czerny die Annahme, „da er durch die unglaublichen Fortschritte seines Schülers für die angewandte Mühe völlig entschädigt würde". Diese Uneigennützigkeit Czernys währte anderthalb Jahre und er hat sich damit für alle Zeiten ein Denkmal gesetzt. Czerny widmete dem kleinen „Putzi" oder „Zisy", wie er ihn nannte, stets den Abend, da er am Tage zu beschäftigt war. Anfangs gab es häufig kleine Verstimmungen, weil der systematische Unterricht und das methodische Üben von Stücken, die der Kleine einfach vom Blatte spielen zu können glaubte, dem Feuergeist und der kühnen, selbstschöpferischen Phantasie des kleinen Franz unsympathisch waren. Da mußte denn der Vater, der, weiterblickend, einsah, daß diese harte Zuchtschule mit der starken Betonung der technischen Form gerade das war, was dem Jungen noch fehlte, oft den ausgleichenden Vermittler spielen. Bei Franz, der den inneren Gehalt eines Stückes künstlerisch spielend erfaßte, kam es vor allem darauf an, ihn zur Selbstzucht, zur Maßhaltung zu erziehen und durch eine systematische Ausbildung seiner Technik in den Stand zu setzen, das, was er in sich fühlte, unbehindert durch irgendwelche äußere Schwierigkeiten zum Ausdruck brin-

13

gen zu können. Beides in ihm bis zu einem Punkt gefördert zu haben, an dem sich dann die selbständige Weiterentwicklung und spätere Reife anschließen konnte, ist Czernys großes Verdienst. Aus dem Lehrer wurde für Franz bald ein väterlicher Freund, der auch in der Folgezeit regsten Anteil an seiner Fortentwicklung nahm, und zahlreiche Briefstellen aus den folgenden Jahren an Adam Liszt, wie z. B. „Nur soll der Zisy fleißig mit dem Metronom exerzieren. Denn Taktfestigkeit ist in seinen Jahren das Seltenste und Bewunderungswürdigste," (3. IV. 1824), geben davon das schönste Zeugnis.

Neben Czerny übernahm der siebzigjährige A n t o n i o S a l i e r i die musiktheoretische Ausbildung. Er ließ eifrig Partituren lesen und analysieren, harmonische Satzübungen und Kompositionsversuche machen und gab ihm ein gediegenes, musikalisches Fundament.

Einen Beweis für die Güte von Salieris Unterricht liefert die aus jener Zeit noch erhaltene Komposition Liszts, eine Variation zu dem Diabellischen Walzer, zu dem auch Beethoven seine 33 Variationen geschaffen hat. Daß der Knabe vom Verleger zur Teilnahme an diesem Werk, das von allen österreichischen Komponisten je eine Variation über das Thema brachte, überhaupt aufgefordert wurde, läßt erkennen, welches Ansehen er damals schon genossen haben muß. Sein prima vista-Spiel war durch seinen Triumph mit dem Hummel-Konzert bereits stadtbekannt. Man hatte nämlich versucht, den kleinen Kraftmenschen, dem nichts von allem, was man ihm in den Musikalienhandlungen vorlegte, schwer genug sein konnte, in Verlegenheit zu setzen und ihm das eben erschienene, sehr schwierige a-moll-Konzert von Hummel auf das Klavier gestellt. Er spielte es fehlerlos vom Blatt! In Privatkreisen ließ sich Franz schon häufig hören, er spielte in der vornehmsten Wiener Gesellschaft, deren Tore ihm die Protektion der ungarischen Magnaten geöffnet, bereits eine große Rolle. Schon in früher Jugend wurde er dadurch auf dem Parkett der Salons und in der vornehmen Welt heimisch.

Nach anderthalbjährigem Studium hielt der Vater den Zeitpunkt für gekommen, den Knaben nun auch der Öffentlichkeit vorzustellen. Am 1. Dezember 1822 fand das Konzert im landständischen Saale in Wien statt. Er spielte das a-moll-Konzert von Hummel und eine freie Phantasie, in der der „kleine Herkules" das Andante-Thema der Beethovenschen A-dur-Symphonie mit einer Kantilene aus Rossinis „Zelmira" sehr geschickt zu vereinen wußte. Der Erfolg war beispiellos, Enthusiasmus bei Publikum und Kritik gleich stürmisch. „Est deus in nobis", schließt der Referent der Allgem. Musikal. Zeitung seinen begeisterten Bericht. Mit einem Schlag war der kleine Franz bis an die Spitze der berühmten Pianisten vorgerückt; sein Auftreten in Konzerten bedeutete jedesmal ein Ereignis. Er wirkte während der nächsten Monate wiederholt in Konzerten mit, und ganz Wien war erfüllt von seinen Erfolgen. Den Höhe-

14

punkt und vorläufigen Abschluß erreichte jedoch die Begeisterung in seinem zweiten eigenen Konzert am 13. April 1823 im Redoutensaal. Hier erhielt der kleine Wundermann von einem ganz Großen im Reiche der Kunst seine künstlerische Weihe, seine Taufe als Musiker — B e e t h o v e n küßte ihn auf die Stirn. Der um Beethoven außerordentlich verdiente Anton Schindler hatte den kleinen Franz und seinen Vater bei Beethoven, der damals sehr schwer zugänglich war, eingeführt. Er selbst schreibt darüber: „. . . im Jahre 1823, als ich Beethoven den hoffnungsvollen Knaben Liszt samt seinem Vater vorstellte. Die Aufnahme war nicht die gewöhnlich freundliche, und ich hatte Ursache, damals mit dem großen Meister wegen seiner Unfreundlichkeit nicht besonders zufrieden zu sein, weil der Wunderknabe mich ungewöhnlich interessiert hatte. Beethoven merkte selbst, daß er es an Beweis von Teilnahme bei dem kleinen Franz etwas fehlen ließ, daher er bald zu bereden war, das nächst gegebene Konzert des kleinen Liszt mit seiner Gegenwart zu beehren und dadurch seine früher gezeigte Kälte wieder gutzumachen. Da er mehr aus Widerwillen gegen das ganze Virtuosentum, welches damals bereits eine schiefe und verderbliche Richtung genommen, als wegen seiner Taubheit niemals derlei Konzerte besuchte, so machte sein Erscheinen in dem Konzerte des kleinen Liszt großes Aufsehen." Franz spielte diesmal das h-moll-Konzert von Hummel und zum Schluß eine freie Phantasie. Der Saal war überfüllt, der Beifall stürmisch. Mit diesem Konzert begann die europäische Berühmtheit Liszts als Klavierspieler. Alle Zeitungen Wiens und auch die auswärtigen Blätter enthielten begeisterte Berichte. Aber noch einen anderen großen Umschwung brachte dieser Abend: den pekuniären Erfolg. Er setzte den Vater in den Stand, seinem „Buben" noch eine bessere Ausbildung zuteilwerden zu lassen, als dies in Wien möglich war. Seine technische Erziehung durch Czerny war beendet, er sollte nun noch durch einen Meister in seinen Kompositionsversuchen zur Reife geführt werden. Adam Liszts Augen richteten sich nach Paris, wo Cherubini als hochverehrter Opernkomponist und Direktor des weltbekannten Konservatoriums lebte. Dort sollte Franz seine letzten Studien absolvieren. Denn der Vater sah die bisher errungenen Erfolge nur als eine Vorstufe zum „wirklichen Musiker" an, der sich in eigenen Schöpfungen betätigen sollte. Es war beabsichtigt, diesen Plan im Herbst in die Tat umzusetzen. Eine Reihe von Konzerten sollte zur Deckung der Reiseunkosten vorausgehen. Am 1. Mai 1823 fand das erste in Budapest im Saal „Zu den sieben Churfürsten" statt, wobei Franz Variationen von Moscheles, ein Konzert von Ries und eine „freie Phantasie" spielte. Die Ankündigung des Abends lautete:

„Hoher gnädiger Adel! Löbliches K. K. Militär! Verehrungswürdiges Publikum! Ich bin Ungar und kenne kein größeres Glück, als die ersten

15

Früchte meiner Erziehung und Bildung meinem teueren Vaterlande als das Opfer der innigsten Dankbarkeit und Anhänglichkeit vor meiner Abreise nach Frankreich und England ehrfurchtsvoll darzubringen; was diesen noch an Reife mangelt, dürfte ein anhaltender Fleiß zur größeren Vollkommenheit führen, und mich vielleicht einstens in die glücklichste Lage versetzen, auch ein Zweig der Zierden des teueren Vaterlandes geworden zu sein."

Einige Tage später folgte ein Konzert in Preßburg. Eine kleine reizende Episode ist uns aus dieser Zeit überliefert: Franz besuchte in Preßburg seinen Kindheitsfreund namens Zirkel. Dieser war ein Schüler des Malers und Radierers Ferd. v. Lütgendorff-Leinburg. Durch ihn kam Franz auch in das Haus des Künstlers. Dessen Tochter erinnerte sich noch im hohen Greisenalter an den frischen, munteren Knaben, der trotz der Auszeichnung, mit der er überall behandelt wurde, nichts von der Natürlichkeit seines Wesens eingebüßt hatte. Er balgte sich im Garten fröhlich mit den übrigen Kindern herum und entwickelte einen gesegneten Appetit, als es zum Essen ging. Man hatte auf seinen Wunsch Sauerkraut und Schweinefleisch mit Paprika (das sog. Székelyi Gulyáshus) gekocht; es schmeckte ihm ausgezeichnet, und, als die Gesellschaft sich nach Tisch ins Rauchzimmer begeben hatte, wurde Lütgendorff plötzlich von seiner Frau leise aufgefordert, einen Blick in die Küche zu tun. Da saß der junge Künstler, die Krautschüssel auf dem Schoß, und holte mit denselben Fingern, mit denen er eben noch eine Sonate von Beethoven so meisterlich gespielt hatte, vergnügt die letzten Reste heraus. Lütgendorff hat in einer wohlgelungenen Zeichnung das Bild des kleinen Wildfangs festgehalten.

Am 20. September 1823 verließ Adam Liszt mit Frau und Knaben Wien, um mit verschiedentlichen Unterbrechungen die Reise nach Paris zu bewerkstelligen. Die erste Station war M ü n c h e n. Der Aufenthalt wurde hier bis Ende Oktober ausgedehnt, da der Erfolg sich von Konzert zu Konzert steigerte. Auch in der Gesellschaft wurde der Wunderknabe fast allabendlich gefeiert und selbst vom König aufs Gnädigste wiederholt ausgezeichnet. Nur schwer trennte man sich von der neugewonnenen Freundesschar, um über A u g s b u r g, S t u t t g a r t und S t r a ß b u r g die Reise nach Paris fortzusetzen, das man endlich am 11. Dezember erreichte.

In all diesen Städten hatten mehrere Konzerte stattgefunden, die stets die gleiche Begeisterung erweckten.

Die Kritiken waren überall geradezu überschwenglich und gipfelten meist in dem Satz: „Ein neuer Mozart ist uns erschienen". Besonders bemerkenswert hinsichtlich der späteren Anfeindungen ist folgende Konstatierung des Schwäbischen Merkur vom 5. XI. 1823: „Hierzu kommt seine tiefe

Kenntnis im Kontrapunktlichen und Fugensatz, welche er in Ausführung einer freien Phantasie entwickelte."

Der erste Gang in P a r i s galt natürlich dem Konservatorium, dem Franz künftig angehören sollte. Doch hier harrte seiner eine schwere Enttäuschung. Liszt hat später diese Szene folgendermaßen geschildert: „Gleich nach dem Tage unserer Ankunft eilten wir zu Cherubini. Ein sehr warmes Empfehlungsschreiben des Fürsten Metternich sollte uns bei ihm einführen. Gerade schlug es zehn Uhr — und Cherubini befand sich bereits im Konservatorium. Wir eilten ihm nach. Als ich kaum das Portal, wohl richtiger gesagt den greulichen Torweg, Rue du Faubourg-Poissonière durchschritten, überkam mich ein Gefühl gewaltiger Ehrfurcht. ‚Das also,' dachte ich, ‚ist der verhängnisvolle Ort. Hier in diesem ruhmvollen Heiligtume thront das Tribunal, das für immer verdammt oder für immer begnadigt' — und wenig hätte gefehlt, so wäre ich vor einer Menge Menschen, die ich alle für Berühmtheiten hielt und die ich doch zu meiner Verwunderung wie einfache Sterbliche auf- und niedergehen sah, in die Knie gesunken. Da endlich, nach einer Viertelstunde peinlichsten Wartens öffnete der Kanzleidiener die Türe zum Kabinett des Direktors und machte uns ein Zeichen einzutreten. Mehr tot als lebend, aber in diesem Moment wie von überwältigender Macht getrieben, stürzte ich auf Cherubini zu, die Hand ihm zu küssen. In diesem Augenblick aber, und zum erstenmal in meinem Leben, kam mir der Gedanke, daß dies in Frankreich vielleicht nicht Sitte sei und meine Augen füllten sich mit Tränen. Verwirrt und beschämt, ohne wieder das Auge aufzuschlagen zu dem großen Komponisten, der sogar gewagt, Napoleon die Stirne zu bieten, richtete ich mein ganzes Bemühen darauf, kein Wort aus seinem Munde, keinen seiner Atemzüge zu verlieren. Zum Glück dauerte meine Qual nicht lange. Man hatte uns schon darauf vorbereitet, daß sich meiner Aufnahme ins Konservatorium Schwierigkeiten entgegenstellen würden, aber unbekannt war uns bis dahin jenes Gesetz der Anstalt, das entschieden jeden Fremden von der Teilnahme an ihrem Unterricht ausschließen sollte. Cherubini machte uns zuerst damit bekannt! Welch ein Donnerschlag! Ich bebte an allen Gliedern. Nichtsdestoweniger verharrte, flehte mein Vater; seine Stimme belebte meinen Mut und ich versuchte ebenfalls einige Worte zu stammeln. Allein das Reglement war unerbittlich — und ich untröstlich. Alles schien mir verloren, selbst die Ehre, und ich glaubte an keine Hilfe mehr. Mein Klagen und Seufzen wollte gar nicht enden. Die Wunde war zu tief und blutete noch lange Zeit fort."

Niedergeschmettert verließen sie das Sprechzimmer des Allmächtigen. Aber es war doch wohl ein Glück, daß es so kam, denn für ein Genie wie Liszt wäre ein schematischer Lehrgang, der der Individualität kaum Rechnung tragen konnte, nicht der rechte Platz gewesen. Die Öffentlichkeit sollte nun seine Lehrmeisterin werden. Daneben gewann der Vater den Komponisten F e r d i n a n d   P a ë r als Kompositionslehrer für Franz. Die zahlreichen Empfehlungsschreiben, die er von der ungarischen und Wiener Aristokratie mitbekommen hatte, öffneten ihm rasch die Tore aller Gesellschaften. Hier errang sich Franz durch sein Spiel den Platz des gesuchtesten Künstlers. Es gab fast keine größere Soiree, bei der er nicht mitwirkte. Er gewann aller Herzen im Sturm. Auch der Herzog von Orléans zählte zu seinen Bewunderern. Auf ein Privatkonzert, das nahezu 2000 Franken Reingewinn gebracht, folgte am 7. März 1824 ein großes öffentliches Konzert im kgl. Operntheater, das durch höchste Protektion unentgeltlich zur Verfügung gestellt wurde. Adam Liszt berichtet darüber an einen Eisenstädter Freund: „Dieses Konzert war ein öffentlicher Triumph für meinen Buben; sobald er auftrat, war des Applaudierens kein Ende; nach jeder Passage sprach sich der Enthusiasmus in lebhaftester Bewunderung aus, nach jedem Stück wurde er zwei- und dreimal gerufen und applaudiert . . . . Schon vorher beschäftigten sich die Zeitungen damit, das Talent meines Buben zu erheben; allein nach dem Konzert war es außerordentlich, und stelle Dir vor, am 9. März wetteiferten 14 Journalisten, über das Talent zu schreiben und noch ist kein Ende. Man nennt ihn allgemein das Wunderkind, den in Jünglingsgestalt neu erstandenen Mozart. Freund! Weißt, was ich zu allem diesen sage? — ich weine — und aufrichtig Dir gesagt, seine Phantasie am Klavier ist wirklich außerordentlich und dieses ist's eben, was die Herrn und Damen in Paris zum höchsten Grad des Erstaunens und der Bewunderung bringt. Und stelle Dir vor, wir gehen fast jeden Tag in Gesellschaften, überall wird nur phantasiert, improvisiert und über aufgegebene Thema gespielt und dennoch bekennen alle einstimmig, daß sie ihn stets neu spielen hören. Auch hat er hier schon mehrere Sachen fürs Klavier und Gesang geschrieben, die man immer zu hören wünscht und die man mir recht gut bezahlen wollte; allein ich hoffe, eine bessere Spekulation in London damit zu machen."

Die Preßberichte über das Konzert vom 7. März 1824 klingen wie ein Märchen. Franz soll nach der Angabe des „Drapeau Blanc" die ihn begleitenden Orchestermusiker durch sein Spiel so gefesselt haben, daß sie beim Ritornell den Einsatz vergaßen. Dieselben Szenen des Beifalls und der Begeisterung bei Publikum und Kritik wiederholten sich bei allen folgenden Konzerten. „Le petit Litz", wie man ihn überall nannte, war das allgemeine Gesprächsthema, die Sensation von Paris geworden. Man besang ihn, seine Bilder prangten in allen Schaufenstern, und in der Gesellschaft kursierten die unglaublichsten Anekdoten von ihm und seiner Kunst. Daß mit diesen stetig wachsenden äußeren Erfolgen auch die innere Entwicklung gleichen Schritt

18

hielt, dafür sorgte der Vater mit Eifer. Paër, Franz' Meister im Kontrapunkt, dem die Versuche seines Zöglings sehr vielversprechend schienen, ermutigte ihn, ein leichtes kleines Libretto zu komponieren. Er war für den Plan sofort Feuer und Flamme, und seine Wahl fiel auf ein einaktiges Stück des sehr produktiven Dichters Théaulon (er hat im ganzen über 300 Stücke geschrieben), das dieser gemeinsam mit de Rancé verfaßt und „Don Sancho ou le Château d'amour" betitelt hatte. Unter Paërs Anleitung wurde bereits im Frühjahr 1824 die Komposition in Angriff genommen.

Inzwischen hatte sich an Franz' Ruhmeszug auch die dunkle Schar der Neider und Mißvergnügten geheftet. Seine Rivalen, die durch sein rasch aufsteigendes Gestirn fast völlig in den Schatten gestellt wurden, suchten ihn durch Verleumdungen aller Art zu verdächtigen und zu schädigen. Zwar prallte alles an ihm ab, aber die Mißgunst nahm doch solche Formen an, daß Adam Liszt es als eine wahre Erlösung empfand, als sich eine glänzende Gelegenheit bot, alledem aus dem Wege zu gehen. Sein Freund, der Chef des Hauses Erard, besaß in London eine große Filiale seiner Pianofortefabrik und trat gerade eine Reise nach England an. Er forderte Liszt auf, mitzukommen und, da die Konzertsaison in Paris bereits beendet war, Franz in London einige Konzerte geben zu lassen. An diese englische Expedition sollte sich dann noch eine Tournee durch die französische Provinz anschließen. Da Adam Liszt aber seine Frau nicht den Strapazen des fortwährenden Herumreisens aussetzen wollte und es außerdem für wünschenswert hielt, daß Franz, der in den Salons verhätschelt und verwöhnt worden war, einmal ganz dem weiblichen Einfluß entzogen würde, so veranlaßte er sie, zu einer Schwester in Steiermark zurückzukehren. Die Trennung von der heißgeliebten Mutter war für Franz recht bitter und blieb auch in der Folgezeit, wo ihm ein sorgendes Mutterherz sehr nötig gewesen wäre, nicht ohne nachteilige Folgen.

Ende Mai 1824 trafen sie in London ein. Da die Saison hier schon in vollem Gange war und Neid und Eifersucht der Rivalen große Schwierigkeiten bereiteten, ließ sich nur ein öffentliches Konzert (21. Juni) ermöglichen. Der Erfolg stand dem in Paris nicht nach. In allen Gesellschaften mußte sich Franz produzieren, selbst der König Georg IV. wünschte ihn in Schloß Windsor zu hören. Er war entzückt von dem Spiel des Knaben und äußerte wiederholt: „So was habe ich in meinem Leben nicht gehört, dieser Knabe übertrifft Moscheles, Cramer, Kalkbrenner und alle übrigen großen Klavierspieler, nicht nur im Vortrag und Execution, sondern in dem Reichtume der Ideen und Durchführung."

An Czerny berichtet Adam Liszt frohen Herzens: „Der Franzi spielt und schmiert fleißig darauf los. Sein dermaliges Spiel dürfte Ihren Beifall erhalten, er spielt rein und mit Ausdruck, seine Mechanik ist auf einem hohen Grad;

ich lasse ihn noch immer Skalen und Etuden beim Metronom spielen und gehe nicht ab von Ihren Prinzipien, indem mir der Erfolg zeigt, daß es die besten sind. Im Phantasieren hat er es bereits auf einen hohen und für sein Alter bewunderungswürdigen Grad gebracht. An Kompositionen hat er bereits fertig zwei Rondo di bravura, die man hier kaufen will, die ich aber noch nicht hergebe. Ein Rondo, eine Phantasie, Variationen über mehrere Thema, ein Amüsement oder besser ein Quodlibet über verschiedene Thema von Rossini und Spontini, welches er mit großem Beifall bei S. M. spielte. Seine Hauptarbeit ist aber eine französische Oper: Don Sancho ou le château d'amour; dieses Sujet wurde eigens für ihn bearbeitet; außer den Rezitationen hat er alles übrige hier bearbeitet, und da er in mehreren Gesellschaften einiges davon sang, wurde es auch S. M. bekannt und aufgefordert, etwas davon zu produzieren und erhielt den größten Beifall. Ich bin sehr neugierig, wenn diese Arbeit ganz ausgesetzt ist, was erfolgen wird; soviel ist gewiß, daß die Oper in Paris im großen Opernhaus gegeben werden soll."

Nach einem kurzen Abstecher nach M a n c h e s t e r , wo zwei Konzerte stattfanden, kehrten Vater und Sohn Anfang August nach P a r i s zurück. Franz spielte zwar hin und wieder in Gesellschaften, aber es war jetzt außerhalb der Saison eine ruhigere Zeit, in der er nach dem Arbeitsplan seines Vaters den Studien oblag. Die Hauptbeschäftigung bildete die Fertigstellung des Don Sancho, die Ende August bereits soweit gediehen war, daß mit Hilfe Paërs die Instrumentierung beginnen konnte. Paër war befriedigt von der Arbeit seines Schülers und suchte die Annahme der Oper bei der Académie royale durchzusetzen. Doch gab es da noch manche Schwierigkeit eifersüchtiger Rivalen zu überwinden. Den Winter über wurde fleißig gearbeitet und die Partitur des Don Sancho beendet. Hierauf begann im März 1825 die schon früher geplante Tournée durch die französischen Departements. Die Reise berührte die Städte Bordeaux, Toulouse, Lyon, Marseille u. a. und war ein ununterbrochener Triumphzug. Es schloß sich ein zweiter Aufenthalt in London an. Franz gab hier diesmal mehrere Konzerte, zwei in Manchester und wurde auch wieder vom König empfangen. Zur Erholung von den ziemlich beträchtlichen Anstrengungen der vergangenen Monate begab sich Adam Liszt von London aus mit seinem „Buben" für vierzehn Tage nach Boulogne sur mer. Ein Konzert deckte die Kosten des Aufenthalts. Von hier kehrten sie Mitte Juli direkt nach P a r i s zurück, wo sich das Schicksal des Don Sancho jetzt entscheiden mußte. Ein Brief Adam Liszts an Czerny schildert diese aufregenden Tage: „Wir kamen nach Paris an und wollten 14 Tage incognito bleiben, um uns zu arrangieren und nach und nach unsere guten Freunde zu besuchen; allein unser Plan wurde schon am fünften Tage zerstört, indem wir einen Brief vom Ministerio des arts erhielten, daß wir binnen

20

8 Tage die Oper (Don Sancho) vom Franzi vor der Jury sollen hören lassen. Nun stellen Sie sich vor, in welcher Verlegenheit wir waren. Nichts war kopiert, kein einziger Sänger war vorbereitet; ich verlangte einen Verschub von 14 Tagen, welcher aber nicht angenommen wurde; doch gewährte man einige Tage. Die Jury oder Richterstuhl (bestehend aus Cherubini, Berton, Boieldieu, Lesueur, Catel) hielt ihre Sitzung und die Oper wurde angehört und mit größten Beifallsbezeugungen angenommen. — Lieber Freund, jetzt bedaure ich, daß Sie nicht Vater sind; hier wäre ein Feld, etwas über die seligsten Gefühle der Eltern zu sprechen und wo man alle Leiden vergißt. Die Oper ist also angenommen und wird, berechnet auf den Eifer, den sich die Theater-Administration gibt, längstens die ersten Tage des Oktober gegeben werden. Die Neugierde ist im höchsten Grade gespannt und der Neid in größter Erwartung; bisher konnte er nicht reussieren und ich hoffe, daß er später sich gar die Flügel verbrennen dürfte.

Franzi hat zwei artige Konzerte geschrieben [unveröffentlicht]. Er ist so sehr gewachsen, daß er fast so groß ist wie ich, welches alles in Erstaunen setzt. Er kennt keine andere Leidenschaft als die Komposition, nur diese gewährt ihm Freude und Vergnügen. Eine Sonate auf vier Hände, ein Trio und ein Quintetto dürfte Ihnen viel Vergnügen machen. Seine Konzerte sind zu streng, und die Schwierigkeiten für den Spieler sind ungeheuer; ich hielt immer die Hummelschen Konzerte für schwierig, allein diese sind im Vergleich sehr leicht. Über seine linke Hand werden Sie Freude haben. Er spielt noch täglich zwei Stunden zur Übung und eine Stunde Lesen, alle übrige Zeit, wenn wir zu Hause sind, wird der Komposition geweiht."

Montag, den 17. Oktober 1825 fand schließlich die Erstaufführung des D o n S a n c h o in der Académie Royale de Musique statt und erregte, da durch allerhand tolle Gerüchte und Sensationsmeldungen die Erwartungen aufs höchste gespannt waren, eine gelinde Enttäuschung. Verführt durch die verblüffenden, weit über sein Alter hinausgehenden pianistischen Leistungen des Knaben, hatte man ein Meisterwerk erwartet und fand eben ein gut gemachtes Jugendwerk, das, abgesehen von wenigen Stellen, alltägliche Bahnen wandelte, starke Anlehnungen an andere Komponisten zeigte und eine Eigenart vermissen ließ. Die große Beliebtheit des Autors sicherte dem Werk immerhin eine gute Aufnahme, und er konnte sich auf der Bühne zeigen. Das Werk erlebte noch drei Wiederholungen, am 19., 21. und 26. Oktober, um dann vom Spielplan zu verschwinden. Die Kritik war sehr geteilter Meinung, größtenteils ablehnend. Am sachlichsten dürfte wohl die Besprechung der „Gazette de France" gehalten sein, die folgendes berichtete: „Die Personen, die ein fehlerloses Werk von einem Kind erwarteten, diese Personen können nicht befriedigt gewesen sein, denn es sind in der Partitur des jungen Liszt sehr schwache Stellen, namentlich da, wo der bartlose Verfasser sich genötigt sah, Schmerz, Eifersucht, Haß, traurige und verhängnisvolle Leidenschaften, die er eben noch nicht kennt, wiederzugeben. Die vernünftigen Leute dagegen (diejenigen, will ich sagen, die das Unmögliche nicht verlangen) waren mit den außerordentlichen Anlagen unseres kleinen, größeren Mozart zufrieden; mit vielem Glück und Geschick wußte er den Ausdruck der milderen und zarten Gefühle zu finden. Was könnte man mehr fordern?" Nach der Wiederholung hieß es: „Die zweite Aufführung des Don Sancho ist günstiger aufgenommen worden. Wirklich ist der junge Liszt eines der außerordentlichen Kinder, doch ist er eben nur ein Kind, und so kann man nicht Beweise eines reifen und ausgebildeten Talents fordern, ohne ungerecht zu sein."

Als am 31. Oktober 1873 die große Oper abbrannte, wurde ein großer Teil des Archivs ein Raub der Flammen, und man glaubte allgemein, daß auch der Don Sancho verloren sei. Erst 1904 machte Jean Chantavoine (Paris) in der „Musik" Mitteilung von der Rettung dieses Opus und gab eine eingehende Analyse mit mehreren Musikbeilagen. Die aufgefundene Partitur stammt n i c h t von Liszts Hand, sie ist eine Kopistenabschrift. Die beiden Textdichter, die den Stoff übrigens einer Erzählung des Novellisten Claris de Florian (1755—94) entnahmen, gaben dem Libretto folgende Vorrede: „Als wir dieses lyrische Werk verließten, verfolgten wir den einzigen Zweck, dem Wunderkind, dem wir die Partitur verdanken, Szenen zu liefern, deren Mannigfaltigkeit seinem Talent alle Mittel bieten könnte, sich von den verschiedensten Seiten zu zeigen. So setzten wir nach dem Ausbruch der Eifersucht den Ausdruck gleichgültiger Ruhe und ließen auf die Lieder der Freude, auf die Hymnen der Liebe den Ausdruck tiefsten Schmerzes folgen. Diese Bemerkung glauben wir den Schöngeistern und Leuten aus der Gesellschaft schuldig zu sein, die vielleicht zwischen einigen Szenen dieser bescheidenen Oper wenig Zusammenhang finden könnten. Hier hat die Dichtung auf ihre Ansprüche zugunsten der Musik vollständig verzichtet." Die Personen der Handlung und die Namen der Sänger sind:

Alidor, Zauberer: M. Prévost.   Elzire: Mlle. Grassari.
Don Sancho: M. Adolphe Nourrit.   Zélis, Elzires Vertraute: Mlle. Frémont.
Ein Page: Mlle. Jowurek.
Ritter, Hofdamen, Bauern, Bauernmädel, Schildträger usw.

Nach einer längeren Ouvertüre öffnet sich der Vorhang und die Bühne stellt eine „bezaubernde Landschaft dar, in deren Mitte ein Schloß, es ist mit einem Graben und Wällen umgeben und hat keinen anderen Zugang als über eine Zugbrücke". Die Oper beginnt mit einem Bauernchor. Landleute tanzen

22

vor dem Schloß. Die Zugbrücke wird niedergezogen und man sieht nacheinander eine große Anzahl paarweise schreitender Ritter und Damen ins Schloß gehen. Am Ende des Zuges erscheint Sancho. Ein Page verwehrt ihm den Eintritt, denn dieser ist nur denjenigen gestattet, die nicht nur lieben, sondern auch geliebt werden. Don Sancho liebt zwar die Prinzessin Elzire, findet aber bei ihr kein Gehör. Sancho bleibt allein auf der Bühne zurück. (Liebes-Arie.) Nun erscheint der Besitzer des Schlosses, der Zauberer Alidor, und teilt ihm mit, daß Elzire im Begriff stehe, den Prinzen von Navarra zu heiraten. Sancho drückt seine glühende Eifersucht aus. (Duett mit Alidor.) Alidor will ihm helfen. Er wird Elzire, die auf der Fahrt nach Navarra in der Nähe des Liebesschlosses ist, irreführen und ein Unwetter losbrechen lassen. Nachdem Alidor abgegangen, zieht ein Gewitter auf. Elzire und ihr Gefolge wollen im Schloß Zuflucht suchen, der Eintritt wird ihr aber verwehrt, solange sie Sancho ihre Liebe versagt. Doch sie weigert sich trotz der Bitte ihrer Vertrauten Zélis und des immer stärker drohenden Ungewitters. „Allmählich ist auch die Dämmerung herabgestiegen. Die Schildträger haben die Fahne von Sancho neben einer Grasbank aufgepflanzt und damit ein Schirmdach gebildet. Die Nacht ist dunkel, Liebesfackeln brennen auf den Kuppeln des Schlosses. Die Prinzessin läßt sich auf der Grasbank nieder. Leise singt Sancho eine große Liebesarie. Leichte, vom Boden aufsteigende Nebel tragen Amoretten, die die Prinzessin mit azurnen und goldenen Schleiern bedecken. Dann werden die Mauern des Schlosses durchsichtig. Helles Licht beleuchtet das Innere, und man sieht die glücklichen Paare im Rausch aller Liebeswonnen. Großes, dem Milieu angepaßtes Ballet im Schloß. Im Vordergrund der Bühne vollführen inzwischen die Waldgeister ihrer Wesensart angemessene Tänze." Der Page erscheint auf der Zugbrücke und lädt die Liebenden ein, in das Schloß zu gehen. Trompeter verkünden das Herannahen eines Feindes. Der furchtbare Roumalde (Alidor) zieht heran, um die Prinzessin zu rauben. Sancho wird sie verteidigen und fordert ihn zum Zweikampf. Elzire fühlt plötzlich, als er für sie in einen gefahrvollen Kampf eilt, daß ihr Sancho doch nicht gleichgültig ist, und sie betet für ihn zum Gott der Liebe. Doch vergebens. Sancho wird schwer verwundet (unter den Klängen eines Trauermarsches) zurückgebracht. Um ihn zu retten, verzichtet nun Elzire auf die Navarrische Krone und schwört ihm ewige Liebe. Der Zauberer Alidor bittet um Vergebung für seine gelungene List, und die beiden besingen in einem Duett ihr Liebesglück. Die Bühne verwandelt sich inzwischen und stellt jetzt das Innere des Liebesschlosses dar, in dem für Sancho und Elzire ein glänzendes Fest gefeiert wird. Mit einem Jubelchor schließt das Stück.

Man sieht aus dieser Inhaltsskizze: an die Gefühlswelt eines 12jährigen Knaben stellt das Libretto unerfüllbare Anforderungen. Da er die Empfindun-

23

gen, die er hier vertonen sollte, aus eigener Anschauung noch nicht kannte, so mußte er sich an Vorbilder anlehnen. Eine persönliche Note konnte sich nur an wenigen Stellen, wie z. B. dem Trauermarsch, durchsetzen. —
Nach den Aufführungen des Don Sancho blieb Adam Liszt noch bis Ende des Jahres in Paris. Anfang 1826 trat er dann mit Franz eine zweite Tournee durch die französischen Städte an, die zu einem längeren Aufenthalt in Marseille führte, wo Franz seine „Etudes en douze exercices" veröffentlichte. Nach Paris zurückgekehrt, wurde er Schüler Anton Reicha's, der ihn in die Geheimnisse des Kontrapunkts einweihte. Nach halbjährigem eifrigen Studium beherrschte er auch dieses Gebiet. Der Winter 1826/27 wurde dann durch eine Konzertreise durch Südfrankreich und die Schweiz ausgefüllt, der sich im Mai 1827 ein dritter Aufenthalt in London anschloß. Diese Reisen waren alle sehr erfolgreich und trugen ihm mancherlei Ehrungen ein. Im Inneren aber war eine große Veränderung mit Franz vor sich gegangen. Schon seit seiner zweiten englischen Reise (1824) machte ihm das Konzertieren nicht mehr die selbe Freude wie früher. In dem sonst so muntern Knaben scheint, wenn auch ihm selbst noch unbewußt, das Gefühl des Überdrusses und der Verächtlichkeit dem Publikum gegenüber aufgekeimt zu sein. Er fühlte instinktiv, daß er eigentlich nur zur Unterhaltung, zum Schaustück diene, und dagegen sträubte sich sein erwachender Kunstsinn. Er wurde ernst und mißmutig und sehnte sich nach einer liebevoll führenden Hand. Jetzt machte sich das Fehlen des fürsorgenden Mutterherzens sehr fühlbar. Der Vater merkte mit Befremden die Veränderung, hatte dafür aber nicht das richtige Verständnis. Franz war als gläubiges Kind erzogen und besuchte fast täglich mit seinem Vater die Messe. In der Kirche suchte er Trost für seine Sehnsucht. Er befand sich eben in den Entwicklungsjahren, dem gefährlichen Stadium, in dem die meisten Wunderkinder zugrunde gehen. Es ist das Aufblühen der Seele, die schmerzvollen Wehen, unter denen das Kind den Jüngling gebiert. Der sorglos heitere Blondkopf wird ernst und sinnig, hat Stimmungen und Launen, Ohnmachten und Visionen. Er will nichts mehr von Konzerten hören und spricht von Weltentsagung und Priesterstand. Er vertieft sich in religiöse Schriften, liest die Bibel und mehrere asketische Bücher, wie „Les pères du desert", die „Nachfolge Christi" von Thomas a Kempis und Geschichten von Heiligen, namentlich die seines Schutzpatrons, des heiligen Franziskus von Paula. Eines Tages tritt er vor den Vater mit der Bitte, ihn Priester werden zu lassen. Dieser, sehr bestürzt, gibt seinem Flehen kein Gehör: „Du gehörst der Kunst, nicht der Kirche." Da er die andauernde Beschäftigung mit geistlicher Lektüre für eine Verirrung ansah, so entzog er ihm jetzt mit unerbittlicher Strenge alles, was seine religiöse Schwärmerei fördern konnte. Franz mußte sich dem Befehl des Vaters fügen, aber sein inbrünstiges Sehnen

24

nach Gebet und Kirche war damit nicht gewichen. Er las jetzt immer im Geheimen nachts, oft bis zum frühen Morgen. So schädigte er seine Gesundheit, die durch die anstrengenden Konzertreisen ohnehin schon angegriffen war. Da sich auch Adam Liszt gesundheitlich nicht wohl fühlte, verordneten ihnen die Londoner Ärzte Seebäder und absolute Ruhe. Sie begaben sich daher im Juli 1827 wieder nach Boulogne sur Mer. In der erfrischenden Seeluft, frei von den beengenden Fesseln der Konzerte, blühte Franz rasch wieder auf, und mit Zunahme seiner Körperkräfte wurde auch seine Stimmung lebensfroher und heiterer. Da traf ihn der härteste Schlag: Sein Vater wurde von einem gastrischen Fieber befallen und in drei Tagen dahingerafft. Als er sein Ende herannahen fühlte, rief er Franz zu sich und gab ihm gute Ratschläge und Ermahnungen für die Zukunft. „Auf seinem Totenbette in Boulogne sagte mir mein Vater, daß ich ein gutes Herz und Verstand besäße, aber daß er fürchte, daß die Frauen mein Leben verwirren und mich beherrschen würden. Diese Vermutung war sonderbar, denn ich hatte mit 16 Jahren noch keine Ahnung, was ein Weib ist, und bat treuherzig meinen Beichtvater, mir das 6. und 9. Gebot zu erklären, da ich fürchtete, sie vielleicht unbewußt übertreten zu haben." Am 28. August 1827 starb Adam Liszt und wurde in Boulogne bestattet. Das Verhältnis zwischen Vater und Sohn war namentlich in den letzten Jahren kein allzu herzliches gewesen, aber Adam war stets ein treuer Führer und hatte das ihm anvertraute kostbare Gut zu voller Entwicklung geführt und auf eine sichere Grundlage gestellt, auf der es sich nun aus eigner Kraft entfalten konnte. —

Von den Kompositionen aus Liszts Jugendzeit sind uns sehr viele verloren gegangen, weil sie damals nicht gedruckt wurden und die Manuskripte bei dem vielen Herumreisen abhanden gekommen sind. Vom Hörensagen kennt man aus dieser Zeit neben mehreren anderen hauptsächlich ein „T a n - t u m e r g o", das noch der Wiener Zeit, den Studien bei Salieri, entstammt und das Liszt später in seinen Briefen öfters erwähnt, und ein K l a v i e r - k o n z e r t i n a - m o l l,[1]) das auf einem Londoner Konzertprogramm figuriert und von dem Moscheles schrieb, „daß es chaotische Schönheiten enthalte". In Abschrift besitzen wir die Partitur des Don Sancho und in Druck erschien damals ein I m p r o m p t u über ein Thema von Rossini und Spontini, ein A l l e g r o d i B r a v u r a, ein S c h e r z o in g-moll und E t u d e s e n d o u z e e x e r c i c e s, die Liszt später zu seinen zwölf großen Konzert-Etuden umgearbeitet hat.

---

1) Es ist nicht unmöglich, daß dieses a-moll-Konzert die im Lisztmuseum befindliche Symphonische Phantasie über Motive aus Berlioz „Lelio" für Klavier und Orchester ist.

III. Seelenkämpfe und schliesslicher Sieg, 1827—1834

Der kaum Sechzehnjährige stand nun allein und hilflos in der Welt. Des Vaters plötzlicher Tod traf ihn um so wuchtiger, als er bisher kaum eine Stunde auf sich allein angewiesen oder genötigt war, sich mit den Angelegenheiten des praktischen Lebens irgendwie zu befassen. Der Vater hatte stets alles für ihn besorgt, seine Erziehung mit strengem, zielbewußten Willen geleitet, seine Studien nach festem Plan gelenkt, kurz, ihn ganz unselbständig aufwachsen lassen. Hieraus erklären sich viele Handlungen seiner nächsten Lebensjahre, das Unstete in seinem Tun und Treiben, das Unregelmäßige in seiner Lebensweise, das oft ganz Ziellose seiner Pläne und das Übertreiben jedes Maßes und Zieles bei manchen Vorfällen. Er folgte meist ganz den Eingebungen des Augenblicks. Daß er trotz seiner Unerfahrenheit mit den Dingen der Welt den zahllosen Gefahren entgehen konnte, keinen dauernden Schaden gelitten und immer wieder von selbst den rechten Weg eingeschlagen hat, bewirkten vornehmlich drei Dinge: sein von Natur aus ehrenwerter Charakter, seine hohe Intelligenz und seine tiefe Religiosität. Ersterer offenbarte sich sofort nach dem Tod seines Vaters: als er sich von dem dumpfen Schmerz einigermaßen wieder aufgerichtet, bat er seine Mutter nach Paris zu kommen, wo er mit ihr zusammenwohnen und durch Unterrichten für den Lebensunterhalt sorgen wollte. Um die großen Kosten, die das Hinscheiden seines Vaters verursacht hatte, begleichen zu können, griff er keineswegs die Summe von mehreren tausend Talern an, die in Wien von seinen Ersparnissen für seine Mutter im Lauf der Jahre deponiert worden waren, sondern er verkaufte lieber seinen kostbaren Erard-Flügel mit großem Verlust, nur um die Mutter ihres kleinen Besitzes nicht berauben zu müssen. Er bezog mit ihr im September 1827 eine bescheidene Wohnung in der Rue Montholon in Paris, und es gelang ihm bei seiner Berühmtheit rasch zahlreiche Schüler aus den vornehmsten Häusern zu erhalten. Bald war er so überhäuft mit Stunden, daß „alle Tage von ½9 Uhr in der Früh bis 10 Uhr Abends keine Zeit zum Atmen blieb". Das Konzertieren verhieß ihm bei seiner Unerfahrenheit in praktischen Dingen nicht so sichere Einnahme, und das Virtuosengetriebe war ihm verhaßt.

Die nächsten Monate zählten zu den glücklichsten seines Lebens: zum erstenmal erwachte in seinem Innern die Liebe mit dem ganzen unschuldigen Hauch einer neuaufknospenden Blüte. Zu seinen Schülerinnen zählte ein anmutiges 17jähriges Mädchen von lichter Schönheit, geistreich und ideal veranlagt: K a r o l i n e, die Tochter des Grafen S t. C r i q, des Ministers des Innern. Ihre Mutter, die meist den Unterrichtsstunden beiwohnte, fand bald Gefallen an der gewinnenden Art des jungen Künstlers, der mit jugendlicher Begeisterung seiner Schülerin die Höhen seiner Kunst zu erschließen strebte.

26

Die beiden jungen Enthusiasten kamen sich näher, zumal sie beide viele gemeinsame Interessen und Gemütseindrücke hatten. Die Gräfin sah mit Wohlgefallen in beiden, ihnen selbst allerdings noch unbewußt, eine Leidenschaft aufkeimen, und als sie, die schon lange leidend war, ein neuer Anfall auf das Krankenlager warf, bat sie ihren Gemahl innig, er solle, falls die beiden sich wirklich liebten, ihrer Vereinigung nicht im Wege stehn. Kurz darauf starb sie, und damit schied der gute Genius, der so lange über dieses Liebesidyll seine schirmenden Fittiche gehalten hatte. Die Trauer und der Schmerz um die edle Frau brachten die beiden einander noch näher und ihr nun täglicher Verkehr war zunächst unbehinderter. Die Musik war Karolinens Trösterin in ihrem Leid. Doch auch auf andere Gebiete erstreckten sich ihre gemeinsamen Interessen; sie schwelgten in den Schönheiten der Literatur, wobei sie seine Lehrmeisterin wurde. Kein Wunder, daß die Stunden sich oft länger, ja sogar manchmal bis zum späten Abend ausdehnten. Kurze Zeit genossen sie so ein ungetrübtes Glück. Da zerstörte der Zufall mit roher Hand diesen edlen Herzensbund. Dem Grafen wurde eines Tages hinterbracht, daß Liszt bis abends spät bei Karoline geblieben sei, und er fürchtete, daß die Worte seiner Frau, die er bisher nur für Fieberphantasien angesehen und daher nicht beachtet hatte, auf Wahrheit beruhen könnten. Da er aber als strenger Aristokrat keineswegs gewillt war, seine Tochter einem Musikanten zur Frau zu geben, ließ er Liszt zu sich kommen und sagte ihm, zwar sehr höflich, aber mit rücksichtsloser Kälte, es wäre wohl das beste, den Musikunterricht einzustellen, da die sich anspinnende Neigung bei den Standesunterschieden niemals zu etwas führen könne, Liszt, der plötzlich das, was er kaum im geheimsten seines Herzens still zu hoffen gewagt und wie ein Heiligtum behütet hatte, mit kalter Hand an das Tageslicht gezerrt sah, stand wie betäubt. Lautlos verließ er das Haus; Karoline sah er nicht mehr. Sein beleidigter Stolz hieß ihn sich in die Verborgenheit zurückziehen. So wurden durch kleinliche Bedenken diese zwei Menschen, die füreinander geschaffen zu sein schienen, getrennt. Beide haben den Schmerz ihr Leben lang nie völlig verwunden. Hätte Liszt damals das über alles geliebte Wesen, das ihm noch sein ganzes Leben hindurch als das Ideal der Weiblichkeit vorschwebte, das er nie vergaß, sogar in seinem Testament 1860 noch bedacht hat, nicht verloren, so wäre ihm wohl manches tragische Lebensschicksal erspart geblieben. Karoline erkrankte schwer und wollte später in ein Kloster eintreten. Doch ihr Vater zwang sie, seinen Freund, den Grafen d'Artigaux, zu heiraten, und sie lebte in unglücklicher Ehe neben ihm her. Auch sie hat Liszt nie vergessen können. Einmal noch, in späteren Jahren, sollten sie sich wieder begegnen. —

Die weiche, empfindsame Seele des jungen Künstlers hatte einen fast tödlichen Stoß empfangen. Scheu zog er sich von allem zurück. Seine einzige

27

Zuflucht war wieder die Religion; und wie früher vor den Vater, so trat er jetzt vor die Mutter mit der Bitte, ihn Priester werden zu lassen. Aber auch ihren Bitten gab er schließlich nach, es siegte die Sohnespflicht. „Meine Mutter hatte keine andere Stütze als mich, ihr einziges Kind, und mein Beichtvater Bardin, der genügend Musikliebhaber war, trug vielleicht meiner frühzeitigen Berühmtheit zu viel Rechnung, als er mir riet, Gott und der Kirche in meinem Künstlerberufe zu dienen." Franz liebte seine Mutter so sehr, daß er ihr seinen Herzenswunsch zum Opfer brachte. Liszt sagte später: „Sie liebte mich und ihr zuliebe trat ich nicht in das Seminar ein, denn ihr aufrichtiger kindlicher Glaube hielt meine Berufung zum Priestertum nicht für notwendig. Ihretwegen blieb ich daher weltlich, und ich habe nur zu weltlich gelebt. Mein Trost ist, daß mir ihr Segen bis zu ihrer letzten Stunde geblieben ist. Sie pflegte stets zu sagen: ‚Was man auch Gegenteiliges über meinen Sohn sagen mag, mich täuscht es keineswegs, denn ich weiß, was er ist.' " Zu dieser Zeit verkehrte er nur mit dem Musiker Christian Urhan, der seine mystische Schwärmerei verstand und teilte. Die fortgesetzten Seelenkämpfe, verbunden mit der seiner Verzweiflung entsprungenen ungeregelten Lebensweise, rieben seine Körperkräfte auf und brachten ihn an den Rand des Grabes. Die Stunden mußte er schließlich ganz aufgeben, da er zu schwach war. Er verfiel in eine schwere Apathie, die Monate hindurch währte. Da er das Haus garnicht mehr verließ und auch seine Freunde ihn nicht zu Gesicht bekamen, verbreitete sich in Paris das Gerücht von seinem Tod, und die „Etoile" brachte bereits einen wehmütigen Nekrolog (Winter 1828). Liszt schilderte in einem Brief an George Sand 1837 die damaligen Erlebnisse mit folgenden Worten:

„Zwei Entwicklungen meines Lebens haben sich bereits in Paris vollzogen. Zuerst als väterlicher Wille mich den Steppen Ungarns, wo ich frei und ungezähmt mitten unter wilden Horden aufgewachsen, entführte und mich, das arme Kind, in die Salons einer glänzenden Gesellschaft warf, die mich mit dem schmeichelhaften Beinamen ‚le petit prodige' brandmarkte. Von da an bemächtigte sich meiner eine frühzeitige Melancholie, und nur mit Widerwillen ertrug ich die schlecht verhehlte Erniedrigung des Künstlers zum Bedientenstande. Später, als der Tod mir den Vater geraubt und ich allein nach Paris zurückgekehrt war und zu ahnen begann, was die K u n s t werden k ö n n t e, was der K ü n s t l e r werden m ü ß t e, war ich wie erdrückt von den Unmöglichkeiten, welche sich auf allen Seiten dem Wege entgegenstellten, den sich mein Gedanke vorgezeichnet hatte. Überdies nirgends ein sympathisches Wort des Gleichgesinntseins findend — nicht unter den Weltleuten und noch weniger unter den Künstlern, die in bequemer Gleichgültigkeit dahinschlummerten, die nichts von mir und nichts von den Zielen wußten, die ich mir gestellt, nichts von den Fähigkeiten, die mir zuerteilt waren — über-

28

kam mich ein bitterer Widerwille gegen die Kunst, wie ich sie vor mir sah: erniedrigt zum mehr oder minder einträglichen Handwerk, gestempelt zur Unterhaltungsquelle vornehmer Gesellschaft. Ich hätte alles in der Welt lieber sein mögen als Musiker im Solde großer Herren, patronisiert und bezahlt von ihnen wie ein Jongleur. Um diese Zeit machte ich eine Krankheit von zwei Jahren durch, während welcher mein ungestümes Bedürfnis des Glaubens und der Hingabe sich an die ernsten Übungen des Katholizismus verlor. Meine brennende Stirn beugte sich über die feuchten Stufen von Saint-Vincent de Paule! Ich brachte mein Herz zum Bluten und meine Gedanken zum Fußfall. Ein Frauenbild, keusch und rein wie der Alabaster heiliger Gefäße, war die Hostie, die ich unter Tränen dem Gott der Christen darbot. Entsagung alles Irdischen war der einzige Hebel, das einzige Wort meines Lebens. Aber eine solche Abschließung konnte nicht immer währen. Die Armut, diese alte Vermittlerin zwischen den Menschen und dem Übel, entriß mich meiner der Betrachtung geweihten Einsamkeit und stellte mich oft vor ein Publikum, von welchem meine sowie die Existenz meiner Mutter abhing. Jung und übertrieben wie ich damals war, litt ich schmerzlich unter den Reibungen mit äußeren Verhältnissen, welche doch mein Beruf als Musiker mit sich brachte, die mich aber um so intensiver verwundeten, als mein Herz ganz und gar erfüllt war von dem mystischen Gefühl der Liebe und der Religion . . . Weil ich mich gab, wie ich war: ein enthusiastisches Kind, ein warmfühlender Künstler, ein strenger Gläubiger, mit einem Wort alles, was man mit 18 Jahren ist, wenn man Gott und die Menschen mit heißer, glühender Seele liebt und unberührt ist von dem erstarrenden·Hauch des sozialen Egoismus; weil ich es nicht verstand, Komödie zu spielen, kam ich in den Ruf — ein S c h a u - s p i e l e r zu sein."

In diese Zeit fällt der Besuch des Beethoven-Biographen Wilhelm von L e n z bei Liszt. Er schildert ihn als einen „hageren, blaß aussehenden jungen Mann mit unendlich anziehenden Gesichtszügen. Er lagerte tief nachdenklich, in sich verloren auf einem breiten Sofa und rauchte inmitten von drei herumstehenden Klavieren an einer langen türkischen Pfeife. Er machte nicht die geringste Bewegung bei meinem Eintritt, schien mich vielmehr gar nicht zu bemerken". Lenz machte ihn mit mehreren Weberschen Klavierkompositionen bekannt, die ihn so begeisterten, daß er bereit war, ihm Stunden zu geben, und Lenz meinte: „Im Andante der As-Dur-Sonate lernte ich in den ersten vier Takten mehr bei Liszt als in Jahren bei meinen früheren guten Lehrern." Von da ab gehörte Weber zu Liszts Lieblingen auf dem Klavier.

Doch ein so reger Geist wie der Liszts konnte nicht zu lange in tatenlosem Zustand verharren. Er raffte sich langsam zu geistiger Arbeit auf und griff zur Lektüre, zunächst religiöser Werke. Chateaubriands René wurde sein

Lieblingsbuch. Er traf darin auf verwandte Stimmungen und fand für seine gegenwärtige Lage Trost und Rat. Da seine Erziehung eine einseitige gewesen war, neben der Musik alles andere vernachlässigt hatte, bemerkte er jetzt die vielen Lücken in seinem Wissen. Mit heißer Gier stürzte er sich auf alles Neue, das ihm entgegentrat. Ruhelos schweifte sein Wissensdrang von einem Buch zum anderen. Literatur, Kunst, Philosophie, politische und religiöse Richtungen; alles suchte er zu erforschen und in sich aufzunehmen. Chateaubriand, Pascal, Montaigne, Lamennais, Victor Hugo, Lamartine, Voltaire, Rousseau, auch Kant, Schelling, Hegel waren auf seinem Tisch zu finden. So bat er einst den Advokaten Crémieux: „Lehren Sie mich die g a n z e französische Literatur," worauf dieser meinte: „Eine große Begriffsverwirrung scheint in dem Kopf des jungen Mannes zu herrschen." Da rief ihn ein äußerer Vorfall aus seinen einsamen Studien und rüttelte ihn vollständig wach. Ein frischer Ruf drang in das Rekonvaleszentenzimmer. Vor dem Fenster zieht eine Schar junger Geister vorbei und ruft die Jugend unter ihr Banner. Sie verkündet, eine neue Zeit sei angebrochen, schmäht den alten Gott und spricht von Reformation an Haupt und Gliedern: Die Juli-Revolution 1830 durchzittert Paris. Ein scharfer Luftzug geht durch die Welt und bläst die Perücken von den Köpfen. Die Romantik beginnt, die „Flegeljahre unseres Jahrhunderts". Liszt stürzt sich mit Feuereifer in die Bewegung, er fraternisiert mit jedem Streben und Drängen: „Die Wahrheit ist, daß ich in jener Zeit die Welt vollständig ignorierte und mich um nichts kümmerte — indem ich mich ungescheut auf die Wege der Leidenschaften treiben ließ, ausgenommen den Egoismus!" „C'est le canon qui l'a guéri," sagte seine Mutter später immer im Hinblick auf diese Tage. Temperamentvoll, wie er von Natur war, gab er sich ohne Bedenken ganz einer Sache hin, bis er selbst die Sackgasse, in die er gerannt war, erkannte. Das Erfreulichste an diesem Verhalten war jedoch die Tatsache, daß er sozusagen von Neuem zum Leben erwacht war und aus dem nutzlosen Grübeln zu Taten schritt. Er verkehrte jetzt wieder häufiger in Gesellschaft, nahm die Stunden auf und wurde ein reger Besucher der Theater; auch in Konzerten ließ er sich ab und zu wieder hören. Der l i t e r a r i s c h e n Revolution bei Liszt folgte zunächst die p o l i -t i s c h e: er schwärmt für „Volkssouveränität", jubelt General Lafayette zu und entwirft eine „R e v o l u t i o n s - S y m p h o n i e", die allen Menschen eine Siegeshymne der Humanität verkünden sollte. Sie blieb Skizze. Dann die s o z i a l e: er ist ständiger Gast der S t. S i m o n i s t e n und schwärmt für Menschenrechte und allgemeine Menschenliebe. Ihn bestach an dieser Lehre ihre Anschauung von der Zusammengehörigkeit von Kunst und Religion und der daraus entspringenden hohen Stellung, die die St. Simonisten den Künstlern einräumten und die so ganz mit seinen eignen Gedanken harmonierte.

30

Für seine Kunstanschauungen waren die hier gewonnenen Eindrücke von weitestgehendem Einfluß. Doch stand er der Ausartung der Bewegung durch Pater Enfantin vollständig fern; er ist auch nie, wie oft behauptet wurde, Mitglied des Bundes gewesen. Die Sticheleien in Heines Schriften, der sich in dieser Sache arg kompromittiert hatte, sind wohl auf persönlichen Ärger zurückzuführen und als Ablenkungsversuche von sich auf andere anzusehen.

Zu diesen, die geistige Entwicklung Liszts wesentlich fördernden Einflüssen trat nun noch eine, den Musiker in ihm zu neuen Taten treibende äußere Anregung, die für die Folgezeit von eminenter Bedeutung geworden ist. Am 9. März 1831 trat Nicolo Paganini, der unheimliche Mann mit dem dämonischen Blick, um den die aufgeregte Phantasie der Leute ein tolles Märchengewebe gewunden hatte, in der Großen Oper zum ersten Mal in Paris auf. Liszt wohnte dem Konzert bei, und wie ein Zauber ergriff es ihn. Seit seines Vaters Tod hatte er wie in seinem äußeren Leben, so auch in seiner Kunst keinen festen Pfad mehr verfolgt. Jetzt erschloß sich ihm plötzlich durch Paganinis fabelhaftes Können ein neuer Weg. Hier sah er, zu welchen Wirkungen absolute Meisterschaft über das Instrument befähigte. Mit solchen Mitteln konnte auch die geheimste Regung der Seele zum Ausdruck gebracht werden. Hatte er sich auch bisher schon die ganze klavierspielende Welt untertan gemacht, so war doch noch nicht die Leistungsmöglichkeit seines Klaviers erschöpft. Zu dieser Erkenntnis kam noch sein starker künstlerischer Ehrgeiz, der auch in späteren Jahren aus dem Können Anderer rasch Funken schlug. Mit Feuerglut stürzt er sich jetzt auf sein Instrument. „Seit vierzehn Tagen arbeitet mein Geist und meine Finger wie zwei Verdammte: Homer, die Bibel, Plato, Locke, Byron, Hugo, Lamartine, Chateaubriand, Beethoven, Bach, Hummel, Mozart, Weber sind um mich. Ich studiere, befrage und verschlinge sie mit Glut. — ‚Auch ich bin ein Maler,‘ rief Michel Angelo, als er das erstemal ein Meisterwerk sah . . . . Obgleich dein Freund klein und arm ist, hört er nicht auf, sich diese Worte zu wiederholen seit dem kürzlichen Auftreten Paganinis!“ In der Öffentlichkeit sah man ihn allerdings nur selten. Er übte täglich vier bis fünf Stunden nur Terzen, Sexten, Oktaven und andere technische Dinge, und er konnte ohne Übertreibung behaupten, „daß er entweder närrisch oder ein Künstler werden würde, wie die Welt ihn jetzt brauche“. Er suchte sich dieselbe Meisterschaft auf dem Klavier zu erringen, wie Paganini sie auf seiner Geige besaß. Doch hatte er sein künstlerisches Ziel noch höher gesteckt. Paganini war absoluter Virtuos, es mangelte seinem Spiel die königliche Seele; der Mensch in ihm stand weit unter dem Künstler. Liszt wollte diese Technik nur erringen, um ausdrücken zu können, was er wollte, sie sollte ihm nur Mittel zum Zweck, nie Hauptzweck selbst sein. Als Paganini 1841 starb, widmete ihm Liszt einen warmen Nachruf, in dem noch die gewaltigen Eindrücke, die er durch sein Spiel empfangen hatte, nachzitterten, der aber auch das Unkünstlerische an seiner Erscheinung, seinen krassen Egoismus, nicht verschwieg. Dieser Nekrolog schloß:

„Möge der Künstler der Zukunft mit freudigem Herzen auf eine eitle, egoistische Rolle verzichten, welche, wie wir hoffen, in Paganini ihren letzten glänzenden Vertreter gefunden hat; möge er sein Ziel i n und nicht a u ß e r sich setzen und ihm die Virtuosität M i t t e l, nie Z w e c k sein; möge er dabei nie aus dem Gedächtnis verlieren, daß, obwohl es heißt: ‚noblesse oblige‘, ebensosehr und mehr als Adel: ‚Génie oblige‘.“

Diese großherzigen Worte sind die Devise in Liszts ganzem an Wohltaten so reichen Leben geblieben!

Neben seinem Studium versuchte Liszt Paganinis 24 Capricci für Klavier zu übertragen. Doch mit einer einfachen notengetreuen Wiedergabe, wie man solche Arbeiten bisher zu machen pflegte, war ihm nicht gedient, er wollte eine vollständige Nachdichtung mit Wahrung aller Eigenarten schaffen. Hiermit betrat er ein Gebiet, auf dem er später bahnbrechend wurde und selbst so Großes geleistet hat: das künstlerische Übertragen fremder Werke für Klavier, die K l a v i e r p a r t i t u r. Auf diesem neuen Weg ging er sogleich noch einen kühnen Schritt weiter: er begann ein anderes Werk, diesmal sogar für Orchester, das ihn beim ersten Anhören sehr gefesselt hatte, dem Klavier zu erobern, die Symphonie Fantastique von H e c t o r B e r l i o z.

Dieser hatte, von seiner italienischen Reise zurückgekehrt, am 9. Dezember 1832 seine Symphonie in einem eigenen Konzerte im Konservatoriumssaal zur Aufführung gebracht. Liszt war so begeistert, daß er noch am gleichen Tag die Klavierpartitur begann. Das war nicht mehr das bisherige Transponieren, es war ein Neukomponieren für Klavier unter völliger Wahrung des Kolorits der einzelnen Sätze, ihrer Eigentümlichkeiten und Instrumental-Effekte. Diese „Klavierpartitur“ war so vollendet, daß Robert S c h u - m a n n einzig und allein nach ihr, ohne Kenntnis der Orchesterpartitur, Begeisterung für das Werk faßte und seine auch heute noch gültige Analyse schrieb. Daß Liszts nach allem Neuen lechzende Feuerseele sich an Berlioz' kühner Musik berauschte, ist nicht verwunderlich. Inwiefern dieser momentane Einfluß auf sein eigenes Schaffen von Dauer gewesen ist, wird sich später zeigen. Jedenfalls hatte Berlioz einen aufopferungsfreudigen Freund und einen unschätzbaren Förderer und Verkünder seiner Kunst gewonnen. Hatte Paganini den V i r t u o s e n in Liszt geweckt, so wurde durch Berlioz der Keim zum T o n d i c h t e r in ihn gelegt; die Blüten, die später auf Weimarer Boden herrlich aufgingen, reichen mit ihrer Wurzel noch in den französischen Boden der dreißiger Jahre.

Für Liszt bestand jetzt nur eine Gefahr, in dem Kampf der Romantiker gegen die Klassik sich auf Seiten der Neuerer rückhaltlos auch in deren Exzesse zu verlieren, über dem Kampf und Streit die Poesie zu vergessen. Hiervor bewahrte ihn eine Künstlergestalt, die unerwartet in Paris auftauchte wie der Mond aus finsteren Wolken: F r é d é r i c C h o p i n. Er paßte eigentlich schlecht in diese Kampfsphäre. Seine Natur hatte etwas von der Mimose an sich, die bei der leisesten Berührung von außen sich zusammenzieht. „Ich passe nicht dazu, Konzerte zu geben, das Publikum macht mich scheu,“ sagte er einmal zu Liszt. Doch in den Salons einiger polnischer Comtessen, wenn in warmen Sommernächten durchs offene Fenster Mondschein und Fliederduft strömten und der Glanz der vielen Lichter, des Geschmeides und der schönen Frauenaugen sich ihm um die Sinne legten, da setzte sich der schöne Jüngling an das Klavier und spielte poesievolle Träumereien. Eine so weiche Natur konnte nicht lange leben, eine Kerze, die, während sie leuchtet, sich selbst verzehrt. Diese Ruhe, diese Lyrik in Chopins Spiel wirkte auf die Kraftnatur Liszts ungemein beruhigend und festigend. „Unseren Versuchen, unserem damals noch so sehr der Sicherheit entbehrenden Ringen, das zu jener Zeit mehr kopfschüttelnden Weisen als ruhmvollen Gegnern begegnete, verlieh er die Stütze einer ruhigen, gegen Erschlaffung wie gegen Verlockung gewappneten unerschütterlichen Überzeugung,“ sagt Liszt in seinem Buche „Chopin“. Hatten ihn Paganini und Berlioz dazu aufgereizt, gegen alles Hergebrachte Sturm zu laufen, alle Grenzen der Kunst kühn zu überspringen, so lehrte ihn Chopin den Wert der sicheren Mäßigung schätzen. In ihm lernte Liszt die Anmut der Romantik kennen; bisher hatte er nur deren Tragik miterlebt. Liszt und Chopin wurden bald herzliche Freunde. Ihre sonst gegensätzlichen Naturen ergänzten sich ebenso aufs glücklichste, wie ihr Spiel. Fehlte Chopin die titanenhafte Kraft Liszts, die über die Grenzen des Klaviers hinausstrebte, ganze Orchestermassen in ihm ersetzen wollte, so übertraf er ihn durch sein lyrisch weiches, in poetischen Träumen alle Schönheiten ausschöpfendes Spiel. Liszts Vortrag gewann jetzt an poetischem Gehalt, ja er vertiefte sich so in die Art seines Freundes, daß er bald der beste Interpret der Chopinschen Muse wurde und man im Dunkeln ihren Vortrag Chopinscher Werke nicht mehr unterscheiden konnte. Chopin wiederum gewann in kompositorischer Hinsicht durch den Umgang mit Liszt. In vielen seiner Stücke sind Lisztsche Einflüsse leicht nachweisbar. Liszt dagegen wurde als Komponist von ihm keineswegs beeinflußt; die weiche Natur seines Freundes war ihm zu fremd. Es entstanden damals die A p p a r i t i o n s , die im äußeren Gewande wohl zuweilen an Chopin gemahnen, aber doch innerlich der Muse des Polen recht fernstehen. Die herrlichste Schilderung dieses Freundschaftsbundes, den man vielleicht zu dem späteren des gereiften Liszt zu Richard Wagner in Parallele stellen könnte, hat Liszt selbst nach Chopins frühzeitigem Ende

3   K a p p , Liszt.   33

in seinem wie ein Gedicht anmutenden Buch „Chopin" gegeben, das auch heutigentags noch die beste Würdigung des Menschen und Künstlers erschließt. Keiner von Chopins Biographen hat den unvergleichlichen Zauber, der in diesem Buche liegt, übertreffen können. Hier hat eben ein Genie das andere mit warm empfindender Künstlerseele erfaßt und gestaltet.

Eine ähnliche Rolle wie Chopin in musikalischer Beziehung spielte A b b é L a m e n n a i s in sozialpolitischer im Leben Liszts. Hatte Chopin ihn vor einseitigem, ungestümen Vorwärtsdrängen auf künstlerischem Gebiet bewahrt, so fand er in Lamennais eine starke Persönlichkeit, die ihm im Strudel von Weltanschauungen und Lebensmächten, die in erdrückender Wucht auf den Wehrlosen eingestürmt waren, einen sicheren Pfad wies. Liszt hatte sich ihm genähert, hingerissen durch seine Beredsamkeit und seine Unerschrockenheit, mit der er in der Zeitschrift „Avenir" seine humanen Ideen gegen Staat und Kirche zu vertreten wagte. Nach seinem berühmten „Essai sur l'indifférence en matière de religion" hatte man ihn zuerst als den Retter des Katholizismus gepriesen, und die Kirche setzte große Hoffnungen auf ihn. Als er aber mit Vorschlägen zu einer seiner Ansicht nach unbedingt erforderlichen Reformierung der Kirche auftrat, verwandelte sich diese Huld der Kirche in Feindseligkeiten. Da Lamennais sah, daß er weder bei der Regierung noch beim Klerus Unterstützung für seine Pläne fand, wandte er sich direkt an das Volk, indem er in einer Verteidigungsschrift: „Paroles d'un croyant" seine Absichten darlegte. Der Bannfluch der Kirche war die Antwort. Liszts schon von den St. Simonisten gefestigte Anschauungen von Kunst und Religion gelangten jetzt bei Lamennais' Lehre zur völligen Klärung und Reife. Seine Verkündigungen: Der Zweck der Kunst sei die Vervollkommnung und Veredlung der Menschen, und ihre stetige Entwicklung sei an keine Schranken oder Traditionen gebunden, begeisterten ihn aufs äußerste. Ja er griff sogar selbst zur Feder, um in einem kleinen Aufsatz seine künstlerischen Anschauungen niederzulegen. Liszt schloß sich eng an Lamennais an und holte auch später noch häufig den Rat seines „väterlichen Freundes und Lehrers", wie er ihn zu nennen pflegte, ein. Neben solchen Erörterungen empfing Liszt noch eine andere hochwichtige Belehrung durch seinen Freund: er lernte zum erstenmal klar erkennen, daß Religion und Kirche durchaus verschiedene Begriffe sind. Der Bannfluch, mit dem der tiefgläubige Lamennais belegt wurde, führte ihm das am deutlichsten vor Augen. Tiefempört stellte er sich auf Seite seines Lehrers und schrieb (1835) folgende scharfe Anklage:

„Die katholische Kirche, einzig beschäftigt, ihre toten Buchstaben zu murmeln und ihre erniedrigende Hinfälligkeit im Wohlleben zu fristen, nur Bann und Fluch kennend, wo sie segnen und aufrichten sollte, bar jedes Mitgefühls für das tiefe Sehnen, welches die jungen Geschlechter verzehrt, weder

34

Kunst noch Wissenschaft verstehend, zur Stillung dieses qualvollen Durstes, dieses Hungers nach Gerechtigkeit, nach Freiheit, Liebe nichts vermögend, nichts besitzend, — die katholische Kirche so, wie sie sich gestaltet hat, so, wie sie gegenwärtig in Vorzimmern und auf öffentlichen Plätzen dasteht, geschlagen auf beiden Wangen von Völkern und Fürsten — diese Kirche, sagen wir es ohne Rückhalt: sie hat sich der Achtung und Liebe der Gegenwart völlig entfremdet, Volk, Leben, Kunst haben sich von ihr zurückgezogen und es scheint ihre Bestimmung zu sein, erschöpft und verlassen unterzugehen."

Hat Liszt auch später diese radikale Form, in der er damals seine Entrüstung zum Ausdruck brachte, sicherlich gemißbilligt, so konnte er sich doch sein ganzes Leben lang, auch als er selbst das Priesterkleid trug, mit der Hierarchie Roms nie befreunden.

Liszt war wie Lamennais strenger D e m o k r a t. Hatte er selbst, der schon seit frühester Jugend in den Salons der Aristokratie heimisch war, nicht darunter zu leiden, so erbitterte ihn doch die hochmütige Verachtung, mit der der Adel auf Kunst und Künstler herabsah. Liszt machte hier in edelmütigem Künstlerstolz die Sache des ganzen Standes zu der seinen, und er hat sich um die Hebung des Ansehens der Künstler unschätzbare Verdienste erworben. Stets war er bemüht, von den höchsten Persönlichkeiten als vollberechtigtes Mitglied ihrer Kreise behandelt zu werden. Dadurch, daß er sich in aristokratischen Kreisen durchzusetzen wußte, leistete er für die Sache selbst viel mehr, als wenn er, wie es seine Parteigenossen taten, sich feindlich davon abschloß; und die niedrigen Vorwürfe, die ihm von demokratischer Seite gemacht wurden, namentlich von Heine, der, wie Liszt einmal später sagte, „sich stets ganz miserabel benahm", waren ganz unberechtigt. Zwischen diesen schroffen Gegensätzen einherzugehen, verlangte große Formengewandtheit. Seine weltmännische Sicherheit, mit der er in allen Gesellschaftskreisen sich zu bewegen wußte, und die sich in diesen Pariser Jahren noch ständig befestigte, hat ihm im späteren Leben vieles erleichtert. —

Liszt, der nach wie vor seinen Unterhalt durch Stundengeben bestritt, verkehrte wie früher ständig in den Salons der höchsten Aristokratie und ließ sich dort öfters hören. Öffentlich hatte er seit Paganinis Konzerten nie mehr gespielt. Als er jetzt nach einer Pause von nahezu drei Jahren wieder vor das Pariser Publikum trat (1834), war er ein völlig anderer geworden. Das war nicht mehr „le petit Litz", das war ein himmelstürmendes Genie, das den Zuhörern den Atem benahm. Durch seine fabelhafte Technik, die er sich, durch Paganini aufgerüttelt, erworben, übertraf er jetzt alle Pianisten, er war ein vollkommen Eigener, Einzigartiger geworden. Das Publikum war wie elektrisiert, der Beifall frenetisch. Die Kritik dagegen nahm größtenteils

3*

eine feindliche Stellung ein. Die Vertreter des klassischen, althergebrachten Vortragsstils empfanden ein Schaudern bei den Teufelskünsten dieses Neu-erers. Liszts Spiel bot ja auch für solche, die die Größe der neuen Kunst-erscheinung nicht verstanden oder verstehen wollten und sich an Einzelheiten klammerten, noch Angriffspunkte genug. Sein überschäumendes Tempera-ment scheute nicht davor zurück, die Stücke alter Meister zuweilen mit Will-kürlichkeiten zu versehen. Es war dies keineswegs „Effekthascherei", „Schar-latanismus" oder wie die Gegner es sonst bezeichneten, es war einfach das Überströmen der eigenen Persönlichkeit. Liszt spielte eben immer sich selbst und konnte anfangs nicht immer genügend Selbstzucht bewahren. Doch bald hatte er auch diese Jugendunart überwunden. Die Angriffe dauerten immer nur so lange, bis er wieder öffentlich auftrat; wenn e r sprach, mußte alles andere verstummen. Eine rühmliche Ausnahme unter den damaligen Rezen-senten machte d'Ortigue mit folgender interessanten Besprechung in der „Gazette musicale de Paris" (1834):

„Sein Vortrag ist seine Sprache, seine Seele. Er ist der poetischste, vollendetste Inbegriff aller Eindrücke, die er empfangen hat, alles dessen, wovon er eingenommen ist. Diese Eindrücke, die er allem Anscheine nach vermittels der Sprache gar nicht wiedergeben und in klaren und bestimmten Gedanken aussprechen könnte, diese reproduziert er in ihrer ganzen unbe-grenzten Ausdehnung mit einer Kraft der Wahrheit, mit einer Gewalt der Natur, mit einer Energie der Empfindung, mit einem Zauber der Anmut, welche nie erreicht werden können. Aber bald ist seine Kunst leidend, ein Instrument, ein Echo: sie drückt aus, sie übersetzt. Bald ist sie wieder tätig: sie spricht, sie ist das Organ, dessen er sich zur Entfaltung seiner Ideen bedient. Daher kommt es, daß Liszts Vortrag kein mechanisches materielles Exerzitium, sondern vielmehr und im eigentlichen Sinne eine Komposition, eine wirk-liche Schöpfung der Kunst ist."

In den Jahren 1834 und 1835 spielte Liszt wieder häufig öffentlich in Paris. Mehrere Konzerte veranstaltete er mit Berlioz und spielte seine Be-arbeitung der „Fantastique". Den Ertrag überließ er stets dem Freund. Auch für wohltätige Zwecke war seine Mitwirkung leicht zu haben. Es zeigten sich also damals schon zwei Züge seines Wesens, die sich später so glänzend bewähren sollten: seine propagandistische Tätigkeit für die Werke aufstre-bender Künstler und seine große Uneigennützigkeit und Wohltätigkeit. Liszt war zum zweitenmal in Paris Mode geworden. Zu seinem Verkehr zählte jetzt die ganze Kunstwelt, Literaten und Musiker. Von den vielen Namen seien hier nur genannt: V i c t o r H u g o, der eines Abends im Freundeskreis sein Gedicht: „Ce qu'on entend sur la montagne" vortrug, das Liszt so fesselte, daß er es später seiner „Berg-Symphonie" unterlegte; A l f r e d d e M u s s e t,

36

der ihn bei George Sand einführte; M e y e r b e e r und F e r d i n a n d H i l -
l e r, mit denen er öfters bei Berlioz oder Chopin zusammentraf und sich,
namentlich mit letzterem, befreundete. Auch mit dem jungen F e l i x M e n -
d e l s s o h n verband ihn bald enge Freundschaft. Sie trafen sich häufig bei
Chopin oder Hiller. Eines Tages legte ihm Mendelssohn sein eben vollendetes,
sehr unleserlich geschriebenes g-moll-Konzert im Manuskript vor und Liszt
spielte es vollendet vom Blatt. „Man kann es gar nicht schöner spielen, als
er es gespielt hat — es war wunderbar!" sagte Felix begeistert zu Hiller.
Auch als Mendelssohn dann Paris verließ, blieben sie durch Hiller stets mit-
einander in Fühlung. Selbst auf die Bildhauer der damaligen Zeit hat Liszts
Charakterkopf mit seinem „profil d'ivoire" große Anziehungskraft ausgeübt.
An vielen Statuen und Bildwerken der damaligen Zeit sind ihm verwandte
Züge anzutreffen; so soll namentlich die bekannte Statue des Spartacus von
Foyatier im Tuileriengarten nach Liszt modelliert sein.

Die Stellung, die Liszt jetzt in den Salons einnahm, war eine andere als
ehemals. Nicht mehr das „Wunderkind", das man überall verhätschelte, war
er jetzt, sondern ein schlanker aristokratischer Jüngling, der mit dem Locken
seiner Töne aller Herzen im Sturm gewann und zu dem manch schönes Frauen-
auge glühende Blicke sandte. Man verwöhnte ihn ebenso wie früher, nur war
aus der kindlichen Spielerei jetzt feuriges Liebesgetändel geworden. Zuweilen
war Liszt für kurze Zeit den Blicken der Gesellschaft entrückt, man munkelte
alles mögliche, aber niemand wußte etwas Gewisses. So war es der als
Schönheit gefeierten Komtesse A d è l e L a p r u n a r è d e, die sich in den
Salons für die Langeweile an der Seite ihres sehr gealterten Gatten zu entschädigen suchte, der späteren Duchesse de Fleury, gelungen, den jungen
Schwärmgeist in Bann zu schlagen. Er folgte ihr für fast einen ganzen Winter auf ihr herrliches Alpenschloß. Erst im Frühjahr 1833 kehrte er nach Paris
zurück, und von hier aus entspann sich bald ein reger Briefwechsel, „höhere
Stilübungen in der französischen Sprache", wie Liszt sie später nannte, mit
der schönen Frau, der aber wohl bald durch eine neue Leidenschaft zum
Verstummen gebracht wurde. In Paris wußte man von diesem fernen „Liebes-
schloß" nichts, aber das Geheimnisvolle, das sich durch sein Verschwinden an
seine Person geheftet, machte ihn nur noch interessanter und begehrenswerter.
Daß dieses Liebesidyll jedoch nicht das einzige und erste Abenteuer dieser
Art war, zeigt der hierauf bezügliche Satz d'Ortigues: „Weltmänner ahnten
hinter seinem Verschwinden eine n e u e Leidenschaft." Näheres ist hierüber
nicht mehr in Erfahrung zu bringen.

Durch Alfred de Musset wurde Liszt 1834 auch bei G e o r g e S a n d
eingeführt. Es war gerade die Zeit, als ihre Romane „Indiana" und „Lélia"
das größte Aufsehen erregten. Ihre wohl von St. Simonistischen Emanzipa-

37

tionsgelüsten beeinflußten, aber doch dichterisch weit über diese hinausgehenden glühenden Verteidigungsreden für die Freiheit des Weibes, sein
Recht auf Liebe und Glück, schlugen die Gemüter in Bann. Ihre anfänglich
gewiß gutgemeinten, aber weit das Ziel überschreitenden Moralthesen wurden
bald in den ohnehin schon freien Kreisen der französischen Aristokratie von
verderblichstem Einfluß. Auch Liszts Anschauungen wurden davon ange-
kränkelt, und er war eine Zeitlang ein eifriger Verfechter der Sandschen
Theorien. Die persönlichen Beziehungen zu der Dichterin wurden sehr rege
und freundschaftliche, doch ist ihr Verhältnis nie über ein herzlich kamerad-
schaftliches hinausgegangen. Ihre Persönlichkeit war ihm zu wenig weiblich.
er nannte sie „kaltherzig und selbstsüchtig, sie hat nur Wärme in der Phantasie, aber ein ganz kaltes Herz". Auch waren seine Sinne damals bereits
stark von einer anderen Leidenschaft gefangen.

Berlioz hatte Liszt während des Winters 1833/34 in den Kreis der G r ä -
f i n d ' A g o u l t eingeführt, die in ihrem Salon die Elite der Kunst- und Literatenwelt zu versammeln strebte. Hier hatte sie Liszt, die „greatest attrac-
tion", schon lange vermißt. Auf ihre Bitten brachte Berlioz ihn endlich eines
Tages mit, nachdem er den Freund zuvor gewarnt hatte: „Sie ist eine be-
rechnende Schönheit, die mit den Wogen des Mannes steigt, ihm aber im Un-
glück kalt gegenübersteht. Sie hat Geist und Feuer, aber nicht Wahrhaftigkeit." Liszt hielt sich daher vorsichtig zurück. Doch seine Kälte und Gleichgültigkeit ihr gegenüber reizte die Frau, die gewohnt war, von den Herren
und der Künstlerwelt verehrt zu werden. Sie ließ ihm gegenüber ihre weiblichen Künste spielen, und bald war es um seinen Widerstand getan. Eine
glühende Leidenschaft für das schöne Weib keimte in ihm auf, er war jetzt
häufiger Gast in ihrem Salon und huldigte ihr öffentlich. Aber auch sie, die
zunächst vielleicht nur aus gekränktem Stolz dieses gefährliche Spiel begonnen, blieb nicht mehr Herrin ihrer Gefühle. Um einer gefährlichen Leidenschaft, für die er keine Möglichkeit einer Verwirklichung sah, zu entfliehen.
flüchtete Liszt im Herbst 1834 zu seinem väterlichen Freund, dem Abbé Lamennais, in das friedlich stille La Chênaie in der Bretagne. Doch er hatte seine
Kraft überschätzt. Es war bereits zu spät. Mit zwingender Macht zog es ihn
in ihre Nähe nach Paris zurück. Da schien das Schicksal selbst die rettende
Hand zu bieten: das älteste Töchterchen der Gräfin, die 6jährige Louison erkrankte und starb. Der Schmerz der Mutter betäubte für kurze Zeit ihre
glühende Leidenschaft, um sie bald darauf in noch verstärktem Maße wieder
erstehen zu lassen. Sie wurde die Seine. Liszt mietete mit Rücksicht auf die
Gräfin eine Vorstadtwohnung, und hier genossen sie in aller Verborgenheit
glückliche Stunden ihres Liebesglücks. Doch wurde dieser Zustand der Gräfin
bald unerträglich, und sie beschloß, dem Geliebten zuliebe Mann und Kinder

38

zu verlassen und mit ihm zu fliehen. Liszt, dem vor der Verantwortung dessen, was er mit diesem Schritte auf sich laden würde, bangte und der die Unhaltbarkeit eines solchen Verhältnisses für die Zukunft voraussah, suchte sie von diesem unüberlegten Schritte zurückzuhalten. Doch vergebens! Auch die Bitten ihrer Mutter, die Vorstellungen Lamennais' und ihres Beichtvaters Abbé du Guéry blieben erfolglos. Ihre Leidenschaft schlug jeden noch so verständig begründeten Einwand zu Boden. Liebe geht über Vernunft. So war es auch bei ihr. Die Gräfin reiste zunächst, Frühjahr 1835, mit ihrer Mutter, der Gräfin de Flavigny, nach Bern. Liszt folgte einige Tage später nach und stieg in einem anderen Gasthof ab. Es sollte hierdurch die Möglichkeit einer Rückkehr offen gehalten werden. Doch eines Tages ließ sie ihr Gepäck in Liszts Zimmer schaffen, und damit war die Sache endgültig besiegelt. Frau von Flavigny kehrte allein nach Paris zurück.

WANDERJAHRE 1835—1840

I. Gräfin Marie d'Agoult

Marie Sophie de Flavigny wurde 1805 zu Frankfurt a. M. geboren. Ihr Vater, ein junger Offizier aus alter französischer Adelsfamilie, ein Vicomte de Flavigny, (geb. 1770, gest. 1819), war in der Revolutionszeit aus Frankreich ausgewandert und hatte sich in Frankfurt a. M. niedergelassen, wo er 1797 die Tochter des reichen Bankiers Simon Moritz Bethmann heiratete. Diese hatte wider den Willen ihrer Eltern die Verbindung mit Gewalt durchgesetzt. 1809 kehrte der Vicomte mit seiner Familie, die inzwischen auf vier Köpfe — ein Knabe Moritz und ein Mädchen Marie — angewachsen war, nach Frankreich zurück und kaufte sich in der Touraine an. Hier, auf Schloß Mortier, wurde die kleine Marie in aller Freiheit erzogen, während der Knabe ein Institut in Paris besuchte. Von der Mutter lernte sie deutsch, vom Vater französisch. Den Winter über, den die Eltern meist in Paris zubrachten, nahm sie am Lehrkursus des Abbé Gauttier, den dieser für die Kinder der höchsten Aristokratie eingerichtet hatte, teil. Daneben wurde sie auch eifrig im Tanz und den gesellschaftlichen Künsten des Salons unterrichtet. Als sie 13 Jahre alt war, starb ihr Vater, den sie sehr geliebt. Die Mutter kehrte mit ihr nach Frankfurt ins Elternhaus zurück. Hier wurde dem schönen Mädchen, das schon früh körperlich und geistig sehr entwickelt war, von den Gästen des Hauses stark der Hof gemacht. Eines Tages sah sie in ihrem Garten Goethe

39

im Gespräch mit ihren Großeltern. Als er sich verabschiedete, legte er seine Hand auf ihren Kopf, ließ sie dort einige Zeit ruhen und streichelte ihre blonden Locken. „Ich wagte nicht zu atmen," sagt sie später von dieser Szene in ihren Souvenirs. Da das gesellschaftliche Treiben im Bethmannschen Hause für die Erziehung der jungen Komtesse sehr ungünstig war, wurde sie in das jesuitische Erziehungsinstitut des Klosters Sacré Coeur de Marie in Paris geschickt. Für die äußerliche Romantik des Klosterlebens war ihr Gemüt sehr empfänglich, und sie zeigte bald eine tiefe Frömmigkeit, obwohl sie sich daneben ihre lebhafte Geistes- und Denkfreiheit bewahrte. Die Prüfung der Dogmen, die Auslegung von Bibelstellen machten ihr große Freude. Nach ungefähr einem Jahr kehrte Marie in das Haus ihrer Mutter in Paris zurück und wurde nun in die höchste Gesellschaft eingeführt. In der eleganten Welt der Salons, Theater und Bälle genoß sie eine ungetrübte, aber auch ungebändigte Jugend. 1827 reichte sie dem 20 Jahre älteren Grafen C h a r l e s D'A g o u l t ihre Hand. Dieser stammte aus einer altadeligen Offiziersfamilie und besaß sehr einflußreiche Verbindungen bei Hof und in der Gesellschaft. Es war eine Konvenienzheirat, die ihr eine glänzende Stellung in der vornehmen Welt erschloß. Der Graf war ein vollendeter Ehrenmann, der ihr volle Freiheit gewährte und nur die nötige Rücksicht auf seine Ehre und Stellung verlangte. Ihr Haus wurde bald der Sammelpunkt aller Geistesgrößen des politischen, literarischen und künstlerischen Lebens. Die Komtesse war eine Schönheit und besaß alle Reize der Blondinen; von seltener Fülle und wunderbarer Farbe war ihr Haar, das stets große Bewunderung erregte. Als sie in Venedig einmal mit Liszt den Apollosaal betrat, rief ein Italiener, der verzückt auf das fließende Gold, das ihr Haupt umwallte, starrte: „Ecco la una capigliatura da Apollo!" Leider war sie sich ihrer Schönheit zu sehr bewußt und darum überaus eitel. Wenig glücklich und ungeordnet erzogen, von Jugend an verwöhnt und hofiert, hatte sie sich daran gewöhnt, ihrer eigenen Persönlichkeit zu viel Gewicht beizulegen und ihrem eigenen Gefallen gemäß zu leben. Ganz unbewußt war allmählich ein kalter Egoismus und eine stolze Eitelkeit in ihr großgewachsen. Das Gefühlsleben war infolge ihrer Jugendumgebung zugunsten von Äußerlichkeiten zurückgeblieben; in Sachen der Toilette dagegen war sie Meisterin und eine Zeitlang in Pariser Salons tonangebend. Intelligent und leidenschaftlich, blieb sie bemüht, in der Gesellschaft eine Rolle zu spielen, und da sie, wenn sie wollte, jeden durch ihr Wesen bezauberte, so erreichte sie auch meist, was sie wollte. Sie war gewohnt zu siegen und zu herrschen. Dieser Frau trat nun plötzlich L i s z t gegenüber. Es ist leicht verständlich, wie sehr sie des Künstlers anfängliche Gleichgültigkeit reizen mußte, wie elementar aber dann bei ihr, als sie endlich den Sieg über ihn errungen, die Leidenschaft zum Durchbruch kam. Es war das erste Mal, daß

40

der Unwiderstehlichen eine überlegene Persönlichkeit gegenübergetreten war und im beiderseitigen Kampf der Individualitäten ihr ganzes Innere aufgewühlt hatte. Zwei Herrschernaturen standen sich gegenüber. Da sie jedoch durch ihren Werdegang für die Aufgabe, die Lebensgefährtin dieses Künstlers zu werden, in der stillen Hoffnung, einst sogar seine Muse sein zu können, nicht befähigt war, so konnte dieses Verhältnis auf die Dauer unmöglich glücklich verlaufen. Als die Leidenschaft sich allmählich milderte und die Grundzüge der Charaktere stärker hervortraten, mußte ihre Disharmonie sich offenbaren. Entweder mußte eine Persönlichkeit die andere zerbrechen, oder sie mußten auseinandergehen.

Als Liszt und die Gräfin sich 1835 in Bern vereinigten, war sein Gefühl für sie keine Herzensneigung, sondern glühende Leidenschaft. Daß diese sich allmählich zu einem echten Gefühl entwickeln konnte, verhinderten die den seinen völlig fremdartigen Charaktereigenschaften Maries. An eine Heirat haben beide nie gedacht. Das in allen Biographien anzutreffende Märchen, die Gräfin habe Liszt auf seinen Vorschlag, protestantischen Glauben anzunehmen, um eine Heirat zu ermöglichen, hochmütig geantwortet: „die Komtesse d'Agoult wird niemals Madame Liszt," lehnt Liszt selbst mit den Worten ab: „Es gibt keine blödsinnigere Erfindung, als die meines Heiratsvorschlages zu Mme. d'Agoult, ihrer stolzen Ablehnung und des Gedankens, sie zum Protestantismus bekehren zu wollen. Wer mich auch nur ein klein wenig kennt, wird mir niemals eine ähnliche Handlungsweise zuschreiben." Die Religion zu wechseln zur Erreichung eines Zieles, wäre, selbst wenn es sich um eine Herzensneigung gehandelt hätte, für Liszt eine Unmöglichkeit gewesen. Darum versuchten beide im Vertrauen auf sich selbst gegen das Vorurteil der Welt ihr freies Bündnis durchzusetzen. Dieses Bestreben, in den Kreisen, in denen sie zu verkehren gewohnt waren, etwas Unmögliches möglich zu machen, mußte bald zu unliebsamen Konflikten führen, die auf die Dauer nicht ohne Rückwirkung auf das Verhältnis selbst bleiben konnten. Liszt übernahm Marie gegenüber alle Verpflichtungen eines rechtmäßigen Gatten. Ihre Einkünfte, die Rente aus ihrer Mitgift, betrugen nur 20 000 frs. jährlich. Für alles andere, was ihre vornehmen Lebensgewohnheiten und Bedürfnisse erheischten, die sie beibehielt und die sich nach Angabe von Liszts Sekretär zuweilen auf 200 000 frs. im Jahr belaufen haben sollen, stand Liszt ein. Seine Konzerteinnahmen und die zahlreichen Diamantgeschenke von fürstlichen Höfen ermöglichten ihm diesen Luxus. Im Hinblick hierauf schrieb er später einmal:

„Ich bin als ein halbes Kind dahin gedrängt worden, das tägliche Brot nicht nur für mich, sondern für meine Familie zu verdienen, als mein Vater gestorben war; und ich habe danach das Gold mir zuströmen sehen, und es

41

wie ein Narr mit vollen Händen fortgeworfen. Ich würde es jetzt besser zu halten und zu brauchen wissen! Aber was wollt ihr! Es hat das alles ein Gutes für mich gehabt. Die Armut, die Entbehrungen schrecken, der Reichtum und der Luxus reizen und blenden mich nicht. Ich könnte mit meinem Flügel und ein paar Menschen leben überall und wie es eben kommt! Ich bin sehr philosophisch geworden in dem Betracht!"

Als in Paris die Flucht der Gräfin bekannt wurde, gab es in der Gesellschaft einen Skandal. Die tollsten Gerüchte kamen in Umlauf. Es hieß, Liszt habe sie in einem Flügel entführt. Der Pariser Aristokratie waren die Beziehungen der beiden Liebenden zwar seit langem kein Geheimnis mehr gewesen, aber sie hatten nicht im geringsten daran Anstoß genommen. Doch als es jetzt zum Eklat kam, wurden beide verfehmt. Der Graf d'Agoult, der keine Silbe zu seiner Verteidigung, kein Wort gegen die Gräfin verlauten ließ, sagte nur: „Gut, ich werde es zu tragen wissen." Als aber allmählich der wahre Sachverhalt und Liszts Benehmen in dieser Angelegenheit, das die folgenden Jahre vollauf bestätigten, bekannt wurden, zog man mildere Saiten auf. Sogar der Graf d'Agoult sagte, als die Scheidung im Familienrat geregelt wurde: „Liszt ist ein Ehrenmann." Dieselbe Bezeichnung gab ihm der Bruder der Madame d'Agoult, Graf de Flavigny, als es ihm später gelang, Marie mit ihrer Familie wieder auszusöhnen.

II. Gemeinsamer Aufenthalt in der Schweiz, 1835—1837

Nachdem Frau von Flavigny nach Paris zurückgekehrt war, verließen Liszt und die Gräfin Bern und begaben sich nach G e n f , wo sie eine elegante Wohnung in der Rue Tabazau (heute Etienne Dumont 32) bezogen, die einen herrlichen Blick auf den See und die Alpen gewährte. Sie lebten anfangs sehr zurückgezogen. Neben eifrigen Klavierstudien widmete sich Liszt wieder fleißig seiner wissenschaftlichen Fortbildung. Er ließ sich auf der Universität inskribieren und hörte verschiedene Collegs, namentlich in Philosophie. Seine Hauptlektüre bildeten damals Byron, Ballanche und Sénacour. Noch ehe er Paris verlassen (1834), hatte er zusammen mit Berlioz, Chopin, Janin u. a. den Musikalienhändler Schlesinger bewogen, eine neue Musik-Zeitschrift, die „Gazette musicale de Paris" ins Leben zu rufen, in der die Künstler selbst zu Worte kommen könnten. Es ist ein eigenartiger Zufall, daß im selben Jahr Robert Schumann die aus ähnlichen Beweggründen entstandene „Neue Zeitschrift für Musik" begründete, die später für Liszt so wichtig geworden ist. Liszt hatte bereits in Paris begonnen, für das neue Blatt eine Artikelserie zu entwerfen, in der er sich einmal all das, was sich in den vielen Jahren an

Groll gegen die hochmütig auf den Künstler herabsehende Gesellschaft, an Unzufriedenheit mit den damaligen musikalischen Zuständen in ihm angesammelt hatte, vom Herzen herunterschreiben wollte. Diese Aufsätze, die unter dem Gesamttitel: „De la Situation des Artistes" zusammengefaßt waren, wurden jetzt in Genf beendet und in Paris veröffentlicht. Mit diesem mutigen Eintreten für das Ansehen der Kunst und ihrer Diener beginnt Liszts ersprießliche schriftstellerische Tätigkeit, auf die wir weiter unten in ihrer Gesamtheit zurückkommen werden. Liszt beschränkte sich in seinen Ausführungen nicht darauf, nur die Schäden und Mängel aufzudecken und an den Einrichtungen der Konservatorien, Theater, Konzerte und Musikpresse Kritik zu üben, sondern er entwarf auch mit einer verblüffenden Reife des Urteils und Weitsichtigkeit ein vollständig entwickeltes Reformprogramm, das selbst heute noch nicht wertlos geworden ist. Er nimmt in seiner Arbeit viele Gedanken vorweg — und zwar von einem allgemeinen Gesichtspunkt aus — die Wagner später in seiner Schrift „Kunst und Revolution" zu einem spezielleren, gewissermaßen egoistischen Zweck wieder aufgreift. An eine Verwirklichung der Lisztschen Pläne zur Zeit ihres Erscheinens war allerdings nicht zu denken. Er war seiner Zeit zu weit vorausgeeilt. Manches davon wurde erst 1859 in dem gleichfalls unter Liszts Auspizien begründeten und von ihm geförderten „Allgemeinen Deutschen Musik-Verein" zur Tat. Außer diesem Reformwerk erschienen in diesem und den folgenden Jahren in der „Gazette musicale" Reiseberichte, die jetzt unter dem Titel: „Lettres d'un Bachelier-ès-musique" im 2. Band seiner Gesammelten Schriften unter dem deutschen Titel: „Reisebriefe eines Baccalaureus der Tonkunst" gesammelt sind. Sie geben uns über das Leben und Treiben um Liszt manch interessanten Aufschluß.

Auch seine Lehrtätigkeit nahm Liszt in Genf wieder auf. Dienstag und Samstag nachmittags hielt er einen Klavierkurs ab. Als Ende 1835 ein Konservatorium in Genf eröffnet wurde, zu dessen Zustandekommen er viel beigetragen hatte, übernahm er eine Lehrklasse ohne jedes Honorar. Er wurde dafür zum Ehren-Professor ernannt und erhielt eine kostbare Uhr als Geschenk. Zu seinem Schülerkreis zählten der junge Hermann Cohen, Peter Wolf, der ihm aus Paris gefolgt war, Hermine de Musset, die Schwester des Dichters, Gräfin Marie Potocka, Gräfin de Miramont, Mlle. Valerie Boissier, Mme. Montgolfier u. a. — Die Zeugnisbücher Liszts über die Schüler sind noch heute im Genfer Konservatorium vorhanden.

Öffentlich trat Liszt in Genf nur selten auf und meist zu wohltätigen Zwecken. Sein Verkehr beschränkte sich hauptsächlich auf die Gelehrtenwelt und die Kreise der vornehmen politischen Flüchtlinge. Die Gräfin liebte Kontroverse leidenschaftlich, und es sammelte sich bald ein glänzender Kreis von berühmten Leuten um sie. „Wie gut verstand sie es, diesen Graubärten

43

mit ihren Paradoxen, ihren Tiraden, ihrem ganzen Apparat weiblicher Bered-
samkeit Sand in die Augen zu streuen!" Unter ihnen befand sich der geistvolle
Schriftsteller A d o l p h e P i c t e t, der damals eifrig in das Studium Schel-
lings vertieft war und mit dem Liszt manche Unterhaltung über den Satz:
„Das Absolute ist sich selbst identisch" pflog, der betagte Literarhistoriker
S i m o n d e d e S i s m o n d i, der der Gräfin Interesse für Politik erweckte,
der Botaniker d e C a n d o l l e, der Präsident der Republik Genf J a m e s
F a z y, der Orientalist A l p h o n s e D e n i s, der Liszt so für den Orient be-
geisterte, daß er eine Orientreise plante u. a. — Von der Aristokratie sind vor
allem zu nennen die musikalische Gräfin M a r i e P o t o c k a, die durch ihre
Berichte an Pariser Freunde viel dazu beitrug, die Stimmung für Liszt in der
Hauptstadt wieder günstiger zu gestalten, der italienische Fürst B e l g i o -
j o s o, der eine herrliche Stimme besaß und mit dem Liszt viel musizierte.

Den musikalischen Höhepunkt in Liszts Genfer Aufenthalt bildete das
am 3. Oktober 1835 von ihm, dem Fürsten Belgiojoso und dem Violinisten
Lafont veranstaltete W o h l t ä t i g k e i t s k o n z e r t zugunsten italienischer
Flüchtlinge. Liszt gibt davon im ersten seiner Reisebriefe, an George Sand
gerichtet, eine ausführliche, sehr humoristische Schilderung. Er spielte ein
von Czerny arrangiertes Potpourri für vier Klaviere mit seinen Schülern
Cohen und Wolf und einem Herrn Bonoldi, und ein Konzert von Weber.
Noch in mehreren Wohltätigkeitskonzerten trat Liszt auf und erntete bei
Publikum und Kritik lebhafteste Anerkennung. Als er jedoch auch einmal ein
eigenes Konzert veranstaltete, blieb der Saal halb leer. „Wegen meiner vie
scandaleuse, wie sie es nannten, kamen sie nicht," hat er später erklärt.
Die Genfer bezeigten damit eine sehr wenig ehrenhafte Inkonsequenz. Nahmen
sie an seinem Privatleben solchen Anstoß, daß sie sein Konzert nicht besuchen
konnten, so durften sie auch seine fortgesetzten Wohltaten nicht stillschwei-
gend entgegennehmen. Doch so weit ging ihr „Ärgernis" nicht.

Am 18. Dezember 1835 wurde Liszt ein Töchterchen geboren, das den
Namen B l a n d i n e erhielt. Sie war das Ebenbild ihrer Mutter und wurde
Liszts Liebling. Ihr danken zwei Kompositionen voll innigsten Gefühls, das
Klavierstück „Les cloches de G . . ." und das erste Lied, das Liszt kompo-
niert hat: „Englein hold im Lockengold" ihre Entstehung.

Zu Anfang des Jahres 1836 drang ein Gerücht in die Genfer Abgeschlossenheit, das Liszt aus seinen Studien aufscheuchte und veranlaßte, nach
Paris zu eilen. Es war dort nämlich ein bisher völlig unbekannter Pianist
S i g i s m u n d T h a l b e r g aufgetreten und hatte in mehreren Konzerten riesi-
gen Beifall gefunden. Die Gesellschaft, die Liszt nach seinem „Skandal" so
gut wie ausgestoßen hatte, erfreute sich dieses plötzlich auftauchenden Rivalen
und verkündete mit lauter Stimme seinen Ruhm. Thalberg war zweifellos

44

eine bedeutende Erscheinung und ein hervorragender Virtuose — aber auch nichts weiter. Er verblüffte durch seine technischen Effekte. Diese bestanden in harfenartigen Arpeggien, die sich über die ganze Klaviatur fortspannen, wobei die Daumen die Melodie heraushoben. Obwohl ihm die Autorschaft an diesem damals neuen Effekt von dem bekannten Harfenisten Parish-Alvars bestritten wurde, übertrieben die Pariser Thalbergs Bedeutung und waren bereit, ihm den ersten Platz in der Pianistenwelt zuzuerteilen. Auch die Presse, vor allem der damalige Direktor des Brüsseler Konservatoriums, Fétis, pries ihn in der „Gazette musicale" als „epochemachendes Genie". Diese Hymnen bewogen Liszt, anfangs Mai 1836 sich an Ort und Stelle von der Wahrheit der Gerüchte zu überzeugen. Als er in Paris ankam, war Thalberg schon wieder nach Wien abgereist. Aus den Berichten von Musikern ward es ihm bald klar, daß es sich hier um keine neue Kunstentwicklung handeln konnte, und er erkannte mit Bedauern, daß die Pariser trotz seines jahrelangen öffentlichen Wirkens sich durch äußerliche Kunstfertigkeit hatten täuschen lassen. Gegenüber dieser Scheinkunst wollte er das, was er unter w a h r e r Virtuosität verstand, durch sein Spiel nochmals demonstrieren. Trotzdem hielt er es nicht für gut, sich jetzt öffentlich hören zu lassen, da dies leicht den Anschein der Rivalität oder gar des Neides hätte erwecken können. Er lud daher die Musiker zu zwei Privatsoireen im Saal Pleyel und Érard ein. Auf die Kunde, daß Liszt spielen werde, fanden sich die Hörer so zahlreich ein, daß, obwohl nur 10 bis 12 direkte Einladungen ergangen waren, der Saal jedesmal von 400 bis 500 Zuhörern gefüllt war. Berlioz berichtet in einem längeren „Liszt" betitelten Aufsatz über diese Konzerte. Seinem begeisterten Widerhall seien folgende Bruchstücke entnommen:

„Liszts Wiedererscheinung war zu einer neuen Erscheinung geworden; den Liszt des vergangenen Jahres, den wir alle gekannt, hat der Liszt von heute, trotz der Höhe seines damaligen Könnens, weit hinter sich gelassen, und seitdem einen so außerordentlichen Flug genommen, sich mit solcher Schnelligkeit über alle bis jetzt gekannten Gipfel hinaufgeschwungen, daß man denen, die ihn kürzlich nicht hörten, mit Dreistigkeit zurufen kann: ‚Ihr kennt L i s z t nicht!' .... Was ich bezüglich der Technik als beträchtlich Neues unterscheiden konnte, beschränkt sich auf Akzente und Nuancen, die auf dem Klavier hervorzubringen man einstimmig für unmöglich gehalten hat und die bis jetzt tatsächlich unerreichbar waren. Hierher gehören: ein breiter, einfacher Gesang; langklingende und streng gebundene Töne; sodann ganze, in gewissen Fällen mit äußerster Heftigkeit und doch ohne Härte und ohne an harmonischem Glanz einzubüßen, nur so hingeworfene Notenbüschel; ferner Melodienreihen in kleinen Terzen, diatonische Läufe in der Tiefe und den Mittellagen des Instruments mit unglaublicher Schnelligkeit staccato ausge-

45

führt und zwar so, daß jede Note nur einen kurzen gedämpften Ton erzeugte, der sofort erlosch und vom vorhergehenden sowohl wie vom nachfolgenden gänzlich getrennt war . . . . Ein Fortschritt, der am meisten Bewunderung erregte und den man in Rücksicht auf seine Jugend und sein nervöses Temperament am wenigsten erwartet hatte, war die namhafte Reform des lyrischen Teils seines Vortrags . . . . Das ist die neue große Schule des Klavierspiels! Von heute an läßt sich alles von Liszt als Komponisten erwarten! Man weiß aber auch kaum, wo er als Klavierspieler stehenbleiben wird. Denn die schnelle und gänzliche Umwandlung spricht von einer noch in der Entwicklung stehenden Natur, die einem mächtigen inneren Trieb, dessen Tragweite unberechenbar ist, gehorcht. Als Stütze meiner Ansicht berufe ich mich auf das Urteil aller derer, die ihn die große Sonate von Beethoven op. 106, diese erhabene Dichtung, welche bis heute beinahe sämtlichen Klavierspielern das Rätsel der Sphinx war, haben spielen hören. Ein neuer Ödipus, Liszt hat es gelöst. Es ist das Ideal der Ausführung eines Werkes, das für unausführbar galt. Liszt hat, indem er dergestalt ein noch unverstandenes Werk zum Verständnis brachte, bewiesen: daß er der Pianist der Zukunft ist."

Das war eine deutliche Herausforderung an die blinden Thalberg-Enthusiasten. Aber keiner wagte unter dem frischen Eindruck von Liszts Erfolgen öffentlich dagegen aufzutreten. Die Angelegenheit schien damit beendet zu sein, und Liszt kehrte mit dem Versprechen, im Dezember d. J. (1836) in einem Konzert Berlioz' mitzuwirken, nach Genf zurück.

Der Sommer wurde zu Ausflügen in die schöne Alpenwelt verwandt. Liszt liebte die Natur sehr, sie regte ihn häufig zu künstlerischem Schaffen an. „Das sind herrliche Kerle, die Gletscher, und in meinen Jugendjahren hatte ich auch mit ihnen Freundschaft geschlossen. Ich hatte ein geheimes Sehnen, mich von einem dieser gewaltigen Eindrücke gefangen nehmen zu lassen, die Naturschönheiten auf mich machen." Er und die Gräfin nahmen zunächst in Veyrier, darauf in Mornex Sommeraufenthalt, für später war eine Reise nach Neapel in Aussicht genommen, die jedoch wieder aufgegeben wurde. Endlich im Oktober verwirklichte sich der Besuch George Sands, der schon für das Frühjahr geplant, aber wegen ihrer Scheidungsangelegenheit, die sich mehrere Male verzögerte, immer wieder hinausgeschoben worden war. Der Einladung Liszts und der Gräfin folgend, mit denen sie in regem Briefwechsel stand, traf sie mit ihren zwei Kindern und einer Kammerfrau (Ursule Josse) in Genf ein. Von einem gemeinschaftlichen mehrtägigen Ausflug nach Chamonix, den sowohl Pictet in seiner Erzählung: „Une course à Chamonix", wie ihn die Sand in ihren „Lettres d'un Voyageur" verherrlicht, ist

46

manche hübsche Episode bekannt geworden. Ernste Gespräche über Kunst und Philosophie wechselten ab mit heiterster Ausgelassenheit. Schon das Äußere der Gesellschaft erregte Aufsehen. Die Sand trug ihr historisches Blusenkostüm, die Kinder, Liszt und „Putzi", so nannte George Sand den 16jährigen Hermann, waren ebenfalls in leichten Reiseanzügen. Die Haare trugen sie alle lang à la Liszt. Diese merkwürdige Schar, die oft für eine fahrende Kunstreitergesellschaft gehalten wurde und bei der man nicht unterscheiden konnte, wer Mann oder Weib, wer Herr oder Diener sei, setzte die Bewohner des Hotel Union in Chamonix in nicht gelinden Schrecken und veranlasste den Wirt, mehrmals täglich seine silbernen Löffel zu zählen. Liszt hatte sich im Fremdenbuch als „Musicien-philosophe, né au Parnasse, venant du Doute, allant à la Vérité" eingezeichnet. Auf dem Rückweg machten sie einen Abstecher nach Freiburg, um die vom Orgelbauer Moser erbaute große Orgel der dortigen Nikolauskirche kennen zu lernen. Erst gegen Abend langten sie dort an. Liszt setzte sich sofort an die Orgel, und in die dämmrige Stille des Gotteshauses klang sein mächtiges Spiel. „Nie," schreibt G. Sand, „erschien mir die Zeichnung seines florentinischen Profils reiner und blasser als unter diesem dunklen Hauch mystischen Schreckens und religiöser Traurigkeit." Liszt begann mit einer Phantasie über Mozarts „Dies irae", dem er bald ein eigenes Thema beigesellte. „Und nun entspann sich," schreibt Pictet, „ein eigentümlicher Kampf zwischen beiden. Kühn griff das leichtere den ernsten Gegner an und entwickelte um ihn herum tändelnd alle Gaukeleien der Kunst, um ihn von seiner regelmäßigen Bahn in die Abgründe der Dissonanzen zu verlocken. In glänzenden Tönen der Orgel erging es sich anmutig in tausend neckischen Launen, bis es, ärger entflammt, über den beharrlich ernstgemessenen Gegner voll Leidenschaft und Mut in Töne des Spottes und Zornes überging. Endlich mit Aufbieten aller Kräfte umschlangen sich beide Themen: Klagelaute, Schmerzenstöne, bizarre Klänge erhoben sich aus dem Kampf, als ob Laokoon von Schlangen umstrickt den peinigenden Gewinden sich kraftvoll aber vergeblich entreißen wolle. Doch war des Kampfes Ende ein anderes. Das erste Thema behauptete seine Suprematie und zwang das zweite zurück zum Grundton. Die zerstörte Harmonie kehrte wieder, und mit unbeschreiblicher Kunst vereinigten sich beide zu e i n e m Thema, zu einem Ausdruck vollendeter Größe und Pracht, Sinnigkeit und Leidenschaft, Macht und Grazie. Und dieses neue mit der Verve des Genies entwickelte und durch alle Hilfsmittel des Instrumentes dargestellte Thema, eine Hymne der Erhabenheit, beschloß des Künstlers Improvisation." George Sand brach zuerst das feierliche Stillschweigen, begeistert stürzte sie auf Liszt zu, der in tiefer Ergriffenheit sagte: „Freunde, wir sind im Begriff zu scheiden. Möge die Erinnerung an diese Tage nie unserm Gedächtnis entschwinden, mögen wir auch

47

nie vergessen, daß die Kunst und die Wissenschaft, Poesie und Gedanke, das Schöne und das Wahre die zwei Erzengel sind, welche die goldenen Pforten öffnen zum Tempel der Humanität." Den nächsten Tag kehrten Liszt, die Gräfin und George Sand mit den Kindern wieder nach Genf zurück, wo sie bis Mitte Dezember verblieben.

Am 18. Dezember 1836 fand in Paris Berlioz' Konzert statt. Liszt begab sich Mitte des Monats mit der Gräfin d'Agoult dorthin, während George Sand auf ihren Landsitz Nohant in der Berry reiste, um dort alles für den Empfang von Liszt und Marie, die ihren Besuch zugesagt hatten, vorzubereiten. Die Gräfin traf Ende Januar in Nohant ein, Liszt jedoch erst im Mai. Liszt trat zum ersten Mal wieder vor das Pariser Publikum, dessen Gunst er sich durch so mancherlei verscherzt hatte. Hatte man auch allmählich sein Verhalten in der d'Agoult-Angelegenheit in etwas milderem Lichte zu betrachten begonnen, so war die Stimmung ihm gegenüber doch immer noch eine gereizte, und das Erscheinen seines Artikels: „Über die Künstler" hatte sie bei vielen wieder verschärft. Als der frühere Abgott der Pariser auf dem Podium erschien, rührte sich keine Hand zu seinem Empfang. Gekommen waren sie zwar alle, seine früheren Bewunderer, der Saal war überfüllt; aber es herrschte Totenstille. Er spielte nur eigene Klavierbearbeitungen Berliozscher Werke. Jedes Beifallszeichen mußte er sich bei den Hörern erst erkämpfen, aber am Schluß herrschte doch hellste Begeisterung. Dem Feuer seines Spiels konnten auf die Dauer auch die Mißvergnügten nicht widerstehen. Nach diesem ehrenvollen Siege beschloß Liszt, noch einige Zeit in Paris zu bleiben. Er spielte in sehr vielen Konzerten. Am interessantesten und wertvollsten waren v i e r K a m m e r m u s i k - S o i r e e n , die er mit seinem Freunde Urhan und dem Cellisten Alexander Batta veranstaltete und die fast ausschließlich Beethoven gewidmet waren. Liszt hat sich durch diese Veranstaltungen, die die Beethovenkonzerte des Konservatoriums unter Habenek aufs glücklichste ergänzten, ein großes Verdienst erworben; es war eine echt künstlerische Tat. Mit welchem Ernst und Eifer diese Konzerte vorbereitet wurden, zeigt folgendes Referat von Legouvé, der den Proben beiwohnte, in der Gazette musicale 1837: „Was für gewissenhafte und geduldige Studien! Mit welcher Hingabe vertiefte sich jeder einzelne in das Werk! Sich gegenseitig beratend und belehrend unterbrach und korrigierte einer den anderen. Ohne Eitelkeit, ohne Sucht, sich geltend zu machen, unterordnete sich jeder dem Kunstwerk. Wir hörten Liszt fünfmal ein und dieselbe Passage, welche keine technische Schwierigkeit darbot, ihn aber nicht im Ausdruck befriedigte, wiederholen, und wir haben hier gelernt, wie der Schattierungsgrad, der mehr und weniger hervortretende Akzent eines Tones neue geistige Streiflichter auf ganze Partien eines Tonstückes zu werfen ver-

48

mag." Daß das Publikum aber für diese ganz von Beethovens Geist erfüllten Darbietungen nicht reif war, schildert Liszt selbst:

„Sie wissen wohl, daß die Kapelle des Konservatoriums es seit einigen Jahren unternommen hat, dem Publikum Beethovens Symphonien vorzuführen. Heutigentags ist sein Ruhm allgemein bestätigt; die Unwissendsten der Unwissenden verschanzen sich hinter dem kolossalen Namen, und ohnmächtiger Neid bedient sich seiner als Keule gegen jeden Zeitgenossen, der es wagt, seinen Kopf zu erheben. Um die Ideen des Konservatoriums zu ergänzen, widmete ich diesen Winter (leider aus Zeitmangel in sehr unvollständiger Weise) einige musikalische Unterhaltungen fast ausschließlich der Vorführung Beethovenscher Duos, Trios und Quintetten. Ich war fast ganz sicher, zu langweilen, war aber ebenso fest überzeugt, daß niemand es wagen würde, es auszusprechen. Und in der Tat, es erfolgten so glänzende Ausbrüche der Begeisterung, daß man in dem Glauben, das Publikum unterwerfe sich dem Genie, sich leicht hätte täuschen lassen können, wenn nicht in einer der letzten Soireen diese Illusion durch eine Veränderung des Programms gänzlich gestört worden wäre. Ohne das Publikum zu benachrichtigen, wurde ein Trio von Pixis an Stelle eines von Beethoven gespielt. Die Bravos waren stürmischer und zahlreicher als je; als aber das Trio von Beethoven den ursprünglich für Pixis bestimmten Platz einnahm, fand man es kalt, mittelmäßig und langweilig. Ja, es gab Leute, die davonliefen, indem sie die Zumutung des Herrn Pixis, sein Werk nach dem soeben gehörten Meisterwerk vorzuführen, geradezu für impertinent erklärten!"

Die großen Erfolge Liszts ließen die Thalberg-Verehrer nicht ruhen. Da dieser in Paris nicht anwesend war, sie also den Pianisten nicht gegen Liszt ausspielen konnten, so begannen sie den K o m p o n i s t e n Thalberg unsinnig zu preisen und ihn als Liszt weit überlegen hinzustellen. Da ließ sich Liszt, des müßigen Geschwätzes müde, zu einem verhängnisvollen Schritt verleiten. Er veröffentlichte, nachdem er sich durch eifriges Studium von dem Unwert mehrerer Thalbergscher Kompositionen überzeugt hatte, einen Artikel: „Revue critique. M. T h a l b e r g Grande Fantaisie, oeuvre 22. 1er et 2er Caprices, oeuvres 15 et 19" in der 2. Januar-Nummer 1837 der Gazette musicale, in dem er seine Meinung offen aussprach. Das schlug wie eine Bombe ein. Was ihm Ausdruck seiner künstlerischen Bestrebungen war, erschien der Menge als persönlicher Neid. Der Kampf loderte hell auf. Hier Thalbergianer, hier Lisztianer! Der Höhepunkt war erreicht, als Thalberg selbst in Paris erschien und F é t i s in einem langen Artikel Liszt heftig angriff, ihm die niedrigsten persönlichen Beweggründe unterschob und zu dem Schluß kam:

„Du hast geglaubt, etwas Neues, Starkes, Bestimmtes gegen einen

4   K a p p , Liszt.   49

Künstler vorzubringen, der Deinen Schlummer stört: aber Du bist im Irrtum. Du bist ein großer Künstler, Dein Talent ist ungeheuer, die Geschicklichkeit in Überwindung von Schwierigkeiten unvergleichlich; Du hast es in dem Systeme, welches Du von anderen vorfandest, in der Ausführung so weit gebracht, als nur möglich: aber hierin bist Du s t e h e n g e b l i e b e n und hast es nur in Einzelheiten modifiziert, kein neuer Gedanke hat den Wundern Deines Spiels einen schöpferischen und eigentümlichen Charakter gegeben! Du bist der Abkömmling einer Schule, welche endet und nichts mehr zu tun hat, aber Du bist nicht der Mann einer neuen Schule, Thalberg ist dieser Mann! Das ist der ganze Unterschied zwischen euch beiden."

Das war die Antwort auf den Ausspruch Berlioz': „Liszt ist der Pianist der Zukunft!" Wer von diesen beiden das richtige Verständnis für echte Musik damals bewiesen hat, darüber hat die Zeit längst entschieden, und die von Fétis so gerühmten Kompositionen Thalbergs sind seit Jahrzehnten verstaubt.

Liszt, tief erbittert durch diese persönliche Art der Kampfesweise, widerlegte in einem offenen Brief: „An Herrn Professor Fétis" diesen aufs treffendste, indem er ihn mit seinen eigenen Argumenten glänzend schlug. Fétis suchte sich daraufhin in einer Zuschrift an den Herausgeber der Gazette musicale mit schönen Redensarten herauszuwinden und den Großmütigen zu spielen. Es war dies ein nur schlecht maskierter Rückzug. Hiermit war der Federkrieg beendet. Liszt gibt von dieser Angelegenheit, wenig später, in dem bereits zitierten Reisebrief an George Sand eine unparteiische Schilderung:

„Die anfänglich einfachste Sache der Welt ist — dank den Auslegungen! — zur unverständlichsten für das Publikum und — dank den Deutungen! — zur peinlichsten und reizbarsten für mich geworden: so will ich Ihnen nun diesen Vorgang erzählen, den einige so gefällig waren, meine ,Nebenbuhlerschaft' mit Thalberg zu nennen. Sie wissen, daß ich Herrn Thalberg am Anfang des letzten Winters, als ich Genf verließ, nicht kannte. Seine Berühmtheit war nur schwach zu uns gedrungen. Bei meiner Ankunft in Paris war in der ganzen musikalischen Welt von nichts anderem die Rede, als von der Wundererscheinung eines Pianisten, der alles weit hinter sich lasse, was man je gehört, der Regenerator der Kunst genannt zu werden verdiene, und der sowohl als ausführender Künstler wie als Komponist ganz neue Bahnen betrete, auf denen ihm zu folgen wir alle uns anstrengen sollten. Sie, die wissen, wie ich dem kleinsten Gerücht mein Ohr leihe, wie meine Sympathie jedem Fortschritt warm entgegenfliegt, Sie werden sich denken können, wie meine Seele der Hoffnung entgegenzitterte, dem zeitgenössischen Pianistentume einen großartigen Impuls gegeben zu sehen. Nur eines machte mich mißtrauisch: die

50

Eile, mit welcher die Verkünder des neuen Messias alles Vorhergegangene vergaßen oder verwarfen. Ich wurde endlich ungeduldig, diese neuen und tiefen Werke, die mir einen Mann des Genies offenbaren sollten, selbst kennen zu lernen. Ich schloß mich einen ganzen Vormittag ein, um sie gewissenhaft zu studieren. Das Resultat dieses Studiums war dem von mir erwarteten diametral entgegengesetzt. Ich staunte nur über eines: daß solche mittelmäßige, nichtssagende Kompositionen allgemein einen solchen Effekt gemacht hatten. Hieraus schloß ich, daß das Ausführungstalent des Komponisten ein außergewöhnliches sein müsse. Diese Ansicht sprach ich in der Gazette musicale aus, ohne jede andere Absicht, als die bei vielen anderen Gelegenheiten gezeigte: meinen guten oder schlechten Rat über die Klavierkompositionen abzugeben, die zu prüfen ich mir die Mühe genommen. Bei dieser Gelegenheit hatte ich weniger als je die Absicht, die öffentliche Meinung zu beherrschen oder herunterzusetzen. Ich bin weit davon entfernt, mir ein solch impertinentes Recht anmaßen zu wollen, aber ich glaubte, ungehindert sagen zu dürfen, daß, wenn dieses die neue Schule sei, ich nicht von der neuen Schule wäre, daß, wenn Herr Thalberg diese neue Richtung nehme, ich mich nicht berufen fühlte, denselben Weg zu gehen, und endlich, daß ich in seinen Ideen keinen Zukunftskeim entdecken könne, den weiter zu entwickeln andere sich bemühen sollten. Was ich sagte, sagte ich mit Bedauern und gleichsam dazu gezwungen vom Publikum, das sich zur Aufgabe gemacht hatte, uns wie zwei Renner gegenüberzustellen, die in einer Arena sich um den gleichen Preis bewerben. Es hat mich vielleicht auch das manchen Naturen eingeborene Gefühl, welches gegen die Ungerechtigkeit reagiert und selbst bei kleinen Anlässen gegen den Irrtum oder den falschen Glauben eifert, bewogen, die Feder zu ergreifen und meine Meinung offen auszusprechen. Als ich sie dem Publikum mitteilte, sagte ich sie auch noch dem Komponisten selbst, als wir uns später trafen. Es machte mir Freude, sein schönes Ausführungstalent mit lauter Stimme loben zu können, und er hat besser als alle anderen das Loyale und Freie meines Benehmens verstanden. Nun proklamierte man uns als ‚Versöhnte', ein Thema, das bald ebenso albern und weitschweifig variiert wurde, wie vordem unsere sogenannte ‚Feindschaft'. — In Wahrheit hat es zwischen uns weder Feindschaft noch Versöhnung gegeben. Sind sie denn Feinde, wenn ein Künstler dem anderen einen Wert, den die Menge ihm übertrieben zuerkennt, abspricht? Sind sie denn versöhnt, wenn sie sich außerhalb der Kunstfrage schätzen und achten? Während ich jene Zeilen über Thalberg schrieb, sah ich wohl einen Teil der Entrüstung voraus, glaubte aber dennoch nach vielem Vorhergegangenen von dem häßlichen Verdacht des Neides freigesprochen zu werden. Ich glaubte, daß die Wahrheit immer gesagt werden könne und solle, und daß der Künstler unter keinen Umständen, selbst nicht bei geringfügigen Dingen, durch ein kluges Berechnen persönlichen Interesses Verrat an seiner Überzeugung üben dürfe. Die Erfahrung hat mich zwar aufgeklärt, aber nicht geheilt."

Neben diesem Federkrieg waren auch die Ereignisse geräuschvoll von statten gegangen. Thalberg traf in Paris ein (Februar 1837) und kündete sein erstes Konzert als Matinee für den 12. März an; für diesen Tag hatte Liszt bereits seine Soiree angesetzt. Dies wurde als eine Herausforderung angesehen. Liszt, der jeden Schein von Rivalität vermeiden wollte, wich ihr aus und verschob sein Konzert um acht Tage. Thalberg spielte im „Théâtre Italien" und erzielte mit seiner „Moses-Phantasie", die er zum ersten Male spielte, einen großen Triumph. Liszt wählte, was bisher noch nie geschehen war, die G r o ß e O p e r für sein Konzert. Er spielte das Konzertstück von Weber und errang, da das Orchester höchst unglücklich zwischen ihm und dem Publikum plaziert und der Ton, der sich durch das ganze orchestrale Bacchanale hindurchwinden mußte, dadurch sehr gedämpft war — nur einen halben Erfolg.

Jetzt hatte man die beiden Künstler kurz nacheinander gehört. Doch der Streit war noch keineswegs verstummt oder gar entschieden. Offenkundig war nur die ungeheure Verschiedenheit der Beiden. Ein Zeitgenosse schildert sie folgendermaßen:

„Schon das äußere Auftreten war ein grundverschiedenes. L i s z t nahm eine verzückte Haltung am Klavier ein. Die langen Haare unaufhörlich nach rückwärts werfend, mit zuckenden Lippen und bewegtem Mienenspiel blickte er mit lächelnder Herrschermiene auf das Publikum; er hatte entschieden etwas vom Komödianten an sich, trotzdem war er es nicht — er war eben Ungar, Magyar und Zigeuner zugleich. Ganz anders T h a l b e r g. Er war die Eleganz und Vornehmheit selbst. In den Saal eintretend, ohne das mindeste Geräusch, setzte er sich nach einem würdevollen, etwas kalten Gruß an das Instrument. War das Stück begonnen, so machte er nicht die mindeste Geste! Kein Mienenspiel! Kein Blick ins Publikum! Wenn der Beifallssturm erbrauste, nichts als ein respektvolles Neigen des Kopfes. Seine innere Erregung offenbarte sich bloß durch einen starken Blutandrang, der ihm Ohren, Hals und Gesicht dunkelrot färbte. L i s z t schien gleich zu Beginn des Spieles ergriffen von der Inspiration — mit der ersten Note schon gab er sein Talent mit vollen Händen zu erkennen, gleich jenem Verschwender, der sein Geld mit vollen Händen hinauswirft, so warf er mit den glänzenden Strahlen seines Feuergeistes umher, während des ganzen Stückes ermüdete er nicht und seine Leidenschaft blieb die gleiche bis ans Ende des Spieles. T h a l b e r g begann langsam, gesetzt, mit Ruhe. Nach und nach beschleunigte er den Takt, der Vortrag wurde energischer und nach einer Serie von steigenden Creszendi führte er das brausende Finale aus, sicherte sich einen gewaltigen Schlußeffekt, der das Publikum stets zu begeistertem Enthusiasmus hinriß. Wenn L i s z t spielte, da war es, als sei die Luft mit elektrischen Funken erfüllt, man hörte das Grollen des Donners, sah das Zucken der Blitze! Bei T h a l b e r g schien es, als schwämme man in einem Meere von Licht und Wonne!"

Da kam plötzlich die überraschende Kunde, daß die beiden Rivalen am selben Abend in einem Konzert auftreten würden. Die Fürstin Belgiojoso hatte, diesen Streit der öffentlichen Meinung ausnützend, für den 31. März (1837) ein Wohltätigkeitskonzert in ihren Salons arrangiert zum Besten italienischer Flüchtlinge, in dem Thalberg seine Moses-, Liszt seine Niobe-Phantasie vortragen sollte. Das Billett kostete 40 frs.; trotzdem war alles überfüllt. Jeder der beiden wurde mit Jubel begrüßt und zum Schluß mit starkem Beifall ausgezeichnet. Auch hier konnte man sich nicht schlüssig werden, wem der Sieg zuzusprechen sei. Das Bonmot einer Dame machte damals in Paris die Runde: „Thalberg est le premier pianiste du monde!" und auf die entsetzte Frage: „Et Liszt?" rief sie entzückt: „Liszt! — c'est le seul!" Sehr angenehm war das ritterliche Verhalten der beiden Künstler gegeneinander aufgefallen. Doch der Streit der Meinungen tobte in Paris noch Jahre hindurch fort. Erst die Zeit, die unerbittliche Schiedsrichterin all solcher Fragen, brachte auch hier die Entscheidung. Ja noch ein anderes Mal sah man beide in einem Konzert vereinigt. Die Anregung war wieder von der Fürstin Belgiojoso ausgegangen und verhieß noch eine viel größere Sensation als das erste. Die sechs bekanntesten Klavierspieler damaliger Zeit: C h o p i n , C z e r n y , H e n r y H e r z , L i s z t , P i x i s und T h a l b e r g wirkten in diesem Wohltätigkeitskonzert mit und zwar spielte jeder — sechs Flügel zierten das Podium — eine eigens zu diesem Zweck komponierte Variation über Bellinis „Puritanermarsch". Liszt spielte außer seiner Variation noch eine Introduktion und das Finale, in dem er sich in geistreicher Weise über alle Mitwirkenden, außer Czerny und Chopin, lustig machte. Dieses gemeinsame Werk erschien unter dem Titel: H e x a m e r o n. Liszt spielte es auch später öfters allein in seinen Konzerten und bearbeitete es für Klavier mit Orchesterbegleitung und für zwei Klaviere allein. Bei dieser Gelegenheit hatte Liszt auch die Freude, seinen verehrten Lehrer Czerny wiederzusehen und ihn während seines Pariser Aufenthaltes bei sich zu beherbergen.

Dem Frühjahr 1837 entstammt ein Aufsatz Liszts über einige Klavierkompositionen des ihm persönlich völlig unbekannten R o b e r t S c h u m a n n , die ihm zufällig in die Hände kamen und ihn stark fesselten. Er erschien an derselben Stelle wie früher der über Thalberg und zeigt am schlagendsten, wie gern Liszt bereit war, für die Werke eines Kollegen, sowie er ihren Wert

53

erkannt, neidlos einzutreten. Bei Schluß der Konzertsaison verließ Liszt Anfang Mai Paris, um sich zu George Sand nach N o h a n t zu begeben. Er war froh, nach den aufreibenden Wochen der Pariser Tätigkeit, die ihn zeitweise sehr erschöpft hatten — Lenz berichtet z. B., daß Liszt in einer Matinee ohnmächtig vom Stuhl gefallen sei — im Freundeskreis einige Monate der Ruhe und Erholung verbringen zu können. „Ich habe sechs Monate lang ein Leben nichtiger Kämpfe und unfruchtbarer Versuche gelebt," meldete er der Sand. „Ich habe freiwillig mein Künstlerherz den Reibungen des gesellschaftlichen Lebens ausgesetzt, ich habe Tag um Tag, Stunde um Stunde, die dumpfen Qualen jenes immerwährenden Mißverständnisses ertragen, welches noch lange zwischen Publikum und Künstler obwalten wird. Man hat mir oft gesagt, daß ich weniger als jeder andere das Recht habe, derartige Klagen laut werden zu lassen, weil seit meiner Kindheit der E r f o l g vielfach mein Talent und meine Wünsche überschritten habe. Aber gerade der rauschende Beifall hat mich auf das traurigste überzeugt, daß er vielmehr dem unerklärlichen Zufall der M o d e , dem Respekt vor einem großen Namen und einer gewissen tatkräftigen Ausführung als dem echten Gefühl für Wahrheit und Schönheit galt."

Die Anmut des Aufenthaltes in Nohant „voll reichen inneren Lebens, dessen Stunden er andachtsvoll in sein Herz geschlossen" schildert Liszt selbst in einem Reisebrief an Pictet. Ihre Beschäftigungen und Genüsse bestanden im Lesen eines Naturphilosophen oder eines tiefdenkenden Dichters: Montaigne oder Dante, Hofmann oder Shakespeare, oder in langen Spaziergängen an den lauschigen Ufern der Indre. Sank aber die Dämmerung und mit ihr der Abendfriede hernieder, dann versammelten sie sich auf der Terrasse des Gartens, den Vorgängen in der Natur mit Entzücken hingegeben. Dann begann die Arbeit. George Sand schrieb ihren Roman „Mauprat", und Liszt begann hier den schon in Genf gefaßten Plan, die Klavierübertragung der Symphonien B e e t h o v e n s zu verwirklichen. „Um die Wahrheit zu sagen, diese Arbeit hat mich eine gewisse Mühe gekostet; doch ich glaube mit Recht oder Unrecht, daß sie von allen ähnlichen, die bisher erschienen, sehr verschieden, um nicht zu sagen, ihnen überlegen ist. Ich beabsichtige diese Ausgabe zum Überfluß auch mit sorgfältigen Fingersätzen zu versehen, was sie mit der Angabe der verschiedenen Instrumente sicherlich viel willkommener machen wird," schreibt er an Breitkopf und Härtel. Auch die Bearbeitung einiger S c h u b e r t s c h e r Lieder für das Klavier, darunter den „Erlkönig", begann er in Nohant. Neben solch ernsten Arbeiten herrschte zuweilen ausgelassene Lustigkeit. Liszt schildert u. a. in dem bereits erwähnten Brief an Pictet anschaulich eine reizende Episode, wie Sands Zofe einen lästigen Besucher abfertigte. So harmonisch meist dieser Kreis in Nohant,

54

der durch häufige Besuche aus Paris zeitweise vergrößert wurde, auch war, auf die Dauer konnten so konträre Charaktere wie George Sand und Marie und auch wie George Sand und Liszt nicht ungefährdet eng nebeneinander hergehen. Es zeigten sich zuweilen heftige Gewitterwolken am Horizont, die Liszt nur mit feinem weltmännischen Takt zu bannen vermochte. Zu dem fast übertrieben natürlichen Wesen der Sand mit ihrer rückhaltlosen zynischen Offenherzigkeit stand Maries Charakter in schroffstem Gegensatz, kurz, das gute Einvernehmen schien oft stark bedroht, ja es kam sogar vorübergehend zu einem Zwist. Als Liszt und die Gräfin Ende Juli 1837, etwas früher als beabsichtigt, von Nohant Abschied nahmen, um die längst ersehnte italienische Reise anzutreten, ging man zwar in Frieden und Freundschaft auseinander, aber das intime Verhältnis war gestört. Äußerlich fand dies darin seinen Ausdruck, daß der Briefwechsel zwischen ihnen jetzt weit seltener und formeller wurde; George Sand schrieb jetzt immer an die Gräfin: „Chère princesse" während die Anrede früher immer „Chère Mignon" oder „Chère Marie" gelautet. Auch Liszt fühlte sich durch das Wesen George Sands innerlich abgestoßen:

„Sie gefiel sich darin, den Schmetterling mit der Leimrute zu fangen, ihn zutraulich zu machen, indem sie ihn in eine Schachtel mit aromatischen Blumen und Gräsern sperrte — das war die Liebesperiode. Dann steckte sie ihn auf die Nadel und ließ ihn zappeln in Todesqualen — das war der Abschied, der stets von i h r ausging. Hernach sezierte sie ihr „Objekt" und stopfte es aus für die Heldensammlung ihrer Romane. Dieses geradezu zynische Ausnützen von Seelen, die sich ihr rückhaltlos hingegeben hatten, war es, was mir meine geniale Freundin schließlich verleidete . . . Vom künstlerischen Standpunkt waren meine zeitweiligen Etappen in Nohant äußerst interessant . . . Doch spielte ich da nur eine sekundäre Rolle."

III. Reisen in Italien, 1837—1839

Da die Jahreszeit für Italien noch ungünstig war, wurde unterwegs öfters Station gemacht. Der erste und zugleich längste Aufenthalt war in L y o n, wo Liszt bei seiner früheren Schülerin Mme. Montgolfier zu Besuch weilte. Hier herrschte gerade entsetzliche Not in den Arbeiterfamilien. Liszt, der stets Hilfsbereite, wollte sofort dem Elend Linderung verschaffen. Da traf es sich sehr glüklich, daß er bei Montgolfiers den berühmten Tenoristen Adolphe Nourrit fand, den Sänger seines Don Sancho. Sie gaben zusammen zugunsten der Armen mehrere Konzerte, die tausende von Franken einbrachten. Liszt schreibt darüber an Pictet die für ihn charakteristischen Worte:

„Ich habe mir immer eine Pflicht daraus gemacht, mich bei jeder Gelegenheit Wohltätigkeitsvereinen anzuschließen. Nur tags nach dem Konzert, in welchem ich mitgewirkt, wenn die Unternehmer sich beglückwünschten und sich der Einnahme rühmten, entfernte ich mich gesenkten Hauptes; ich dachte daran, daß bei der Teilung auf eine Familie doch kaum ein Pfund Brot käme, um sich satt essen, kaum ein Bündel Holz, um sich erwärmen zu können!"   .

Auch im Salon bei Montgolfiers entzückte Liszt die Anwesenden durch sein Spiel. Er trug meist seine kürzlich beendeten Schubert-Übertragungen vor und machte Nourrit dadurch mit diesen Schöpfungen bekannt. Dieser wurde bald ein vorzüglicher Interpret der Schubertschen Muse. Da der Text der Lieder aber noch nicht ins Französische übertragen war, übersetzte Gräfin d'Agoult, die, wie Liszt schrieb, „Schubert und Goethe in ihrer ganzen Erhabenheit und Tiefe versteht," den „Erlkönig" und fand, als Liszt in einem Reisebrief den Wortlaut veröffentlichte, lebhaftesten Beifall für diese Arbeit, die wohl ihre erste schriftstellerische Leistung war. Unter den Zuhörern der Schubert-Abende befand sich auch der jugendliche Dichter Louis de Ronchaud, der sich für die schöne geistvolle Gräfin begeisterte und sie zu seiner Muse erkor. Es ist derselbe, der später ihr Geliebter wurde und nach ihrem Tod eine Hymne auf sie in Form einer Biographie herausgab. Er schloß auch mit Liszt Freundschaft und begleitete beide auf ihrer Weiterreise bis Chambéry. Von hier aus machten sie mehrere Ausflüge. Der erste galt L a m a r t i n e , der auf seinem reizenden Landsitz in Saint Ponit an der Saône weilte, und den Liszt schon von früheren Begegnungen in Paris her kannte und verehrte. Ein anderer Abstecher wurde nach dem berühmten, mitten in den Bergen gelegenen Kartäuserkloster „Grande Chartreuse" unternommen. Betrachtungen über das Gesehene, sowie eine Schilderung der Weiterreise über Genf, den Simplon bis nach Mailand und einer Opernaufführung in der Scala am Abend seiner Ankunft, die ihn sehr unbefriedigt ließ, gibt Liszt in einem interessanten Reisebrief an de Ronchaud. In Mailand besuchte er den Musikalien-Verleger Ricordi. Er führte sich bei ihm ein, indem er sich an ein Klavier setzte und zu präludieren begann, bis dieser in die Worte ausbrach: „Das muß entweder Liszt oder der Teufel sein!" — Da jedoch in Mailand eine drückende Hitze herrschte, zog es Liszt vor, die Besichtigung der Stadt auf später zu verschieben, und brach an den Comer See auf, wo er in B e l l a g i o die Villa Melzi mietete, die er mit der Gräfin bis Februar 1838 bewohnte.

Der Aufenthalt an dem stolzen See war die glücklichste Zeit in Liszts Zusammenleben mit Marie, ein herrliches Liebesidyll in aller Stille und friedlichem Glück, eines ganz dem anderen hingegeben. Täglich machten sie

56

Ausflüge in die malerische Umgebung, ruderten häufig, namentlich in der Abenddämmerung, auf dem Wasser umher, versunken in den Anblick der Wunder der sie umgebenden Natur; oder sie lasen zusammen im schönen Garten ihres Hauses „Dantes hehres Gedicht". Einer solchen Stunde verdankt auch Liszts „Fantasia quasi Sonata" (après une lecture du Dante) ihre Entstehung. Die Natur ließ sie alle Widerwärtigkeiten des Lebens vergessen. Liszt besingt diese Zeit selbst in einem Reisebrief an de Ronchaud:

„Wollen Sie einen günstigen Schauplatz für die Geschichte zweier glücklich Liebenden, so wählen Sie die Gestade des Comersees: Hier unter dem Ätherblau einer liebeatmenden Umgebung weitet sich die Brust und alle Sinne erschließen sich den Wonnen des Daseins . . . Freier atmet der Mensch im Schoße befreundeter Natur! Seine harmonischen Wechselbeziehungen mit ihr sind nicht getrennt durch riesenmäßige Verhältnisse; er darf lieben, er darf vergessen, darf genießen; denn ihm dünkt, er beanspruche nur das Recht der Teilnahme an gemeinsamem Glück . . . Ja, mein Freund, wenn vor Ihrer träumenden Seele das ideale Bild eines Weibes vorüberzieht, dessen himmelentstammte Reize kein sinnenverlockendes Gepräge tragen, nein, nur die Seele zur Andacht beflügeln! und wenn Sie ihr zur Seite einen Jüngling erblicken, treuen, aufrichtigen Herzens: verweben Sie diese Gestalten in eine ergreifende Liebesgeschichte und geben Sie ihr den Titel: ‚Am Gestade des Comer Sees‘."

Die höchste Stufe des Glücks in dieser Idylle war ihm die Geburt eines Töchterchens am Weihnachtstag 1837, das zur Erinnerung an diese herrlichen Tage den Namen C o s i m a erhielt. Es sah dem Vater sehr ähnlich, wurde aber im Gegensatz zu Blandine der Mutter besonderer Liebling.

Dieser Zurückgezogenheit entstammen die 12 g r o ß e n K o n - z e r t - E t u d e n , die Czerny gewidmet wurden, der G r a n d g a l o p c h r o m a t i q u e , der einem zufällig Liszt in die Finger gekommenen chromatischen Lauf seine Entstehung verdankt, und die H u g e n o t t e n - Phantasie, die der d' A g o u l t gewidmet ist und von ihr zeitlebens für sein bestes Werk erklärt wurde.

Die beseligende Abgeschiedenheit von dem Getriebe der Welt und der Gesellschaft wurde nur allzurasch gestört. Ricordi versprach sich von Liszts Anwesenheit in Mailand ein glänzendes Geschäft und machte zu Beginn der Wintersaison durch eine Zeitungsnotiz die Musikkreise Italiens, speziell Mailands, darauf aufmerksam, daß „das glückliche Italien den ersten Pianisten der Welt beherberge." Von diesem Augenblick an war es mit der Ruhe in Bellagio natürlich vorbei. Liszt wurde bald in das Mailänder Konzertgetriebe hineingezogen. Zunächst fuhr er immer von Bellagio dorthin,

57

siedelte aber Anfang Februar nach Mailand über. Die Gräfin blieb jedoch mit den Kindern in Bellagio.

Liszt gab in Mailand drei eigene „Musikalische Akademien" und wirkte in zahlreichen anderen Konzerten mit. Obwohl oder vielleicht weil in Italien, dem Land des Gesangs, die Instrumentalmusik bisher eine untergeordnete Stellung einnahm, fand Liszt einen ganz ungewöhnlichen Beifall. Zwar war es ihm nicht möglich, das Publikum für ernstere Musik zu begeistern, ja, als er einmal eine seiner Etuden spielen wollte, rief ihm ein Herr aus dem Parterre zu: „Ich gehe ins Theater, um mich zu zerstreuen, aber nicht um mir etwas vorüben zu lassen". Doch Liszt fand einen Ausweg. Er stellte dem Publikum die Wahl der Themen zum Improvisieren frei und brachte dadurch Unterhaltung und Anteilnahme des Publikums zuwege.

Während er so in der Öffentlichkeit als „Unterhaltungskünstler" Triumphe feierte, worüber er in Bitterkeit an Lamennais schreibt: „Bin ich erbarmungslos zu diesem Beruf des Possenreißers und Salonamuseurs verdammt?", fand er in Privatkreisen, namentlich in den Soireen bei Rossini, die Wertschätzung der wirklich Musikverständigen. Für diesen hegte er bald aufrichtigste Bewunderung und übertrug dessen Soirées musicales und die Tellouverture für das Klavier. In Mailand traf er auch mit seinen Pariser Freunden Ferdinand Hiller und Pixis wieder zusammen, die bei seinen Konzerten mitwirkten.

Außer bei Rossini verkehrte Liszt hauptsächlich bei der Gräfin J u l i e S a m o y l o f f und der Gräfin C l a r a M a f f e i. Ihr Salon bildete in den Jahren 1834/86 geradezu die Zentrale des geistigen Lebens in Italien. Gelehrte, Künstler, Priester, alles fand sich dort ein, und auch Ausländer versäumten nie ihre Aufwartung zu machen. So vor allem Balzac, George Sand, Daniel Stern. Später bildeten Manzoni und Verdi den Mittelpunkt. Liszt und die Gräfin d'Agoult waren dort häufig zu Gast und Liszt schrieb in das Album des Hauses:

„Es gibt Leute, die mit wenigen Worten viel Denken machen; andere, die durch viele Worte nur wenige Ideen wecken. Es ist so wie mit den zwei Zeigern einer Uhr: der eine geht sehr schnell und markiert nur die Sekunden, der andere, der langsam seinen Weg betreibt, verzeichnet die Stunden."

Am 16. März 1838 verließ Liszt Mailand, nachdem er versprochen hatte, im Herbst zu den Krönungsfeierlichkeiten für Kaiser Ferdinand I. von Österreich dahin zurückzukehren, und wandte sich mit der Gräfin nach V e n e d i g. Hier gab er zwei Konzerte, die großen Enthusiasmus hervorriefen. Daneben aber genoß er die reichen Schönheiten der poesievollen Stadt mit freudigem Künstlerherzen und empfing von ihr viele künstlerische Anregungen. Da riß ihn eine Zeitungsnachricht aus seinen poetischen Träumen. Die Donauländer

58

waren durch starke Regengüsse überschwemmt und zahllose Leute obdachlos geworden. Ein Aufruf um Hilfe drang über die Grenzen Ungarns. Da erwachte in Liszt das Heimatsgefühl, das er, seit 15 Jahren in Frankreich lebend, verloren hatte. „Durch diese Erregungen und Gefühle wurde mir der Sinn des Wortes ‚Vaterland' offenbar. Ich versetzte mich plötzlich zurück in die Vergangenheit und fand in meinem Herzen die Schätze der Kindheitserinnerungen rein und unberührt wieder, eine großartige Landschaft erhob sich vor meinen Augen. Das war der über Felsen stürzende Donaufluß! das war das weite Wiesenland, auf dem friedliche Herden in Freiheit weideten! das war Ungarn, der prächtige, fruchtbare Boden, der so edle Söhne erzeugte! das mein Heimatland! und auch ich, rief ich mit einem von Ihnen vielleicht belächelten Anfall von Patriotismus aus, auch ich gehöre dieser alten kraftvollen Rasse an! . . . O mein wildes, fernes Heimatland! meine ungekannten Freunde! meine weite, große Familie! Der Schrei deines Schmerzes hat mich zu dir zurückgerufen und, im Innersten von ihm getroffen, senke ich beschämt das Haupt, daß ich dich so lange habe vergessen können!"

Es gab für Liszt kein Zögern. Wo es zu helfen galt, war er immer rasch zur Stelle. Unverzüglich reiste er nach W i e n , wo er ein Konzert zugunsten der Überschwemmten und eines zur Deckung der eigenen Unkosten geben wollte. Doch aus den zwei Konzerten wurden z e h n , alle im Verlauf eines Monats. „Das wäre genug gewesen, um eine zähere Kraft als die meine zu erschöpfen und brachzulegen, denn in jedem Konzert figurierte ich dreimal, aber die Sympathie des Publikums hat mich so mächtig und andauernd geschützt, daß ich keine Ermüdung fühlte. Vor einer so gütigen und intelligenten Zuhörerschaft lief ich nie Gefahr, nicht verstanden zu werden. Ohne Zaghaftigkeit konnte ich die ernstesten Werke Beethovens, Webers, Hummels, Moscheles' und Chopins, Fragmente aus der Symphonie Fantastique von Berlioz, Fugen von Scarlatti und Händel und schließlich jene teueren Etuden, jene vielgeliebten Kinder, die dem Publikum der ‚Scala' so monströs erschienen waren, vorführen."

Es war das erstemal, daß Liszt W i e n wieder betrat, seitdem er es als 12jähriger Knabe an der führenden Hand seines Vaters verlassen. Die Kunde seines Kommens erregte bereits einen Sturm der Begeisterung. Am 9. April 1838 traf er ein und am 11. gab er sein erstes Konzert. Clara Wieck schrieb darüber in ihrem Tagebuch: „Wir haben Liszt gehört. Er ist mit gar keinem Spieler zu vergleichen — steht einzig da —. Er erregt Schrecken und Staunen und ist ein sehr liebenswürdiger Künstler. Seine Erscheinung am Klavier ist unbeschreiblich — er ist Original — er geht unter beim Klavier. Seine Leidenschaft kennt keine Grenzen, nicht selten verletzt er das Schönheitsgefühl, indem er die Melodien zerreißt. Sein Geist ist groß, bei ihm kann man sagen: seine Kunst ist sein Leben!" Der Enthusiasmus wuchs mit jedem Auftreten. Es ist unmöglich, den Jubel und die Festlichkeiten mit nüchternen Worten zu schildern. Einen schwachen Begriff des uns heute ziemlich märchenhaft klingenden Vorkommnisses geben folgende Stellen aus damaligen Zeitungsberichten:

„Denken Sie sich einen äußerst hageren, schmalschultrigen, schlanken Menschen, mit über Gesicht und Nacken hereinfallendem Haar, ein ungewöhnlich geistreiches, bewegtes, blasses, höchst interessantes Gesicht, ein überaus lebendiges Wesen, das Auge jeglichen Ausdrucks fähig, strahlend in der Unterhaltung, wohlwollender Blick, scharfes, akzentuiertes Sprechen — und Sie haben Liszt, wie er gewöhnlich ist. Setzt er sich aber ans Instrument, so streicht er die Haare hinters Ohr, der Blick wird starr, das Auge hohl, der Oberleib ruhiger, nur der Kopf und Gesichtsausdruck bewegen und spiegeln sich nach der jedesmaligen Stimmung, die ihn ergreift, oder die er hervorzurufen willens ist, was ihm auch jedesmal gelingt. Diese phantastische Außenseite ist aber nur die Hülle eines inneren Vulkans, aus welchem Töne gleich Flammen und Riesentrümmern hervorgeschleudert werden, nicht etwa schmeichelnd, sondern kolossal donnernd. Da denkt man weder an seine Hände, noch an seinen Mechanismus (Technik), noch an das Instrument; ganz hingegeben einem ungeahnten Eindruck packt er unsere Seele und zieht sie gewaltsam in jene Höhe, welche alle Philister schwindeln macht. Mit einem Wort: man kann sich keine Vorstellung von diesem Spiele machen, man muß es hören. Am Tage seiner Ankunft spielte er bei Professor Fischhof einige Etuden eigener Komposition, sodann las er prima vista die Schumannschen ,Phantasiestücke', aber in vollendetster Weise und so ergreifend, daß ich es nie vergessen werde. Dann griff er hastig nach Kompositionen, die er in Italien noch nicht vorgefunden, als Mendelssohns ,Präludien und Fugen für die Orgel', welche er samt Pedal auf dem Klavier allein nebst Verstärkungen und Verdoppelung ganz himmlisch spielte, sowie Chopins neue ,Etuden', die ihm noch größtenteils unbekannt waren. In der Tat — er erschütterte unsere innerste Natur."

Die Allgemeine musikalische Zeitung 1838, No. 20 brachte einen Spezialaufsatz: „Liszt in Wien", weil, wie sie sagte, „ungewöhnliche Ereignisse ungewöhnliche Berichterstattung" fordern. Darin heißt es u. a.: „Die Ankunft dieses Phänomens unter den Pianisten erfolgte so ganz unerwartet, und die Dauer seines Aufenthaltes ist viel zu kurz gewesen, um nicht die Sehnsucht, ihn zu hören und zu bewundern, verzeihlich zu machen. So drängen und kreuzen sich denn täglich, ja stündlich Einladungen über Einladungen des höchsten Adels, der angesehensten Familien; und der anspruchslose, beschei-

60

dene, durch zuvorkommende Gefälligkeit doppelt liebenswürdige Künstler, der niemand etwas abschlagen kann, kommt vor lauter Produzieren gar nicht zu Atem; ja es täte not, sich oftmals zu zerteilen. In einer interessanten Soiree bei dem k. k. Hofmusikhändler Tobias Haslinger, vor einem erlesenen Zirkel geladener Kunstfreunde, spielte Liszt mit Mayseder und Merk Beethovens B-Dur-Trio, schöner als schön — knechtisch treu dem Original, aber in einen Rahmen gefaßt, welcher als Folie des Gemäldes unvergängliche Reize nur mehr und mehr noch heraushob. Es war in der Tat eine Dreieinigkeit sondergleichen, zum Entzücken vollendet und deutlich zu lesen in aller Zügen: daß keiner die wohlbekannten Tonschöpfungen jemals in solch geistiger Akkordanz vernommen!"

Saphir endlich entwirft im „Humorist" folgendes Gemälde: „Liszt kennt keine Regel, keine Form, keine Satzung, er schafft sie alle selbst! Nach dem Konzert steht er da wie ein Sieger auf dem Schlachtfeld, wie ein Held auf der Wahlstätte; — bezwungene Klaviere liegen um ihn her, zerrissene Saiten flattern als Trophäen wie Pardonfahnen, die Zuhörer verstummen, sehen sich an, wie nach einem Gewitter aus heiterem Himmel, wie nach Donner und Blitz, vermischt mit Blumenregen und Blütenschnee und schimmerndem Regenbogen — und Er, der Prometheus, welcher aus jeder Note eine Gestalt schafft, ein Magnetiseur, der das Fluidum aus den Tasten zaubert, ein Kobold, ein liebenswürdiges Ungetüm, welches seine Geliebte, das Piano, bald zärtlich behandelt, bald tyrannisiert, mit ihr kost, mit ihr schmollt, sie schilt, anfährt und sie wieder desto inniger, feuriger, liebeglühender, hochaufjauchzend umschlingt und hinfortrast mit ihr rasch durch alle Lüfte —. Er steht da, gesenkt das Haupt, und lehnt sich wehmütig, sonderbar lächelnd an einen Stuhl wie ein Ausrufungszeichen nach dem Ausbruche der allgemeinen Bewunderung."

Diese Verherrlichungen sind um so schwerwiegender, wenn man bedenkt, daß Liszt zu einer Zeit in Wien erschien, als dort gerade Pianisten von hohem Rang, wie Ad. Henselt, Thalberg, Clara Wieck u. a. konzertierten.

Liszts zweitem Konzert hatten auch die Kaiserin, die Kaiserin-Mutter und die kunstsinnige Erzherzogin Sophie, die fortan seine treue Anhängerin blieb, beigewohnt, und sein Spiel bei ihnen solchen Eindruck hervorgerufen, daß die Kaiserin Marianne den Wunsch aussprach, ihn bei sich in einem Hofkonzert zu hören. Doch dagegen erhoben sich mancherlei Bedenken betreffs seiner Persönlichkeit und seines Renommees. Man beschloß daher zuvor, ein Gutachten der Polizei einzuholen.

Auf eine Anfrage des Erzherzogs Ludwig beim Polizeiminister traf bereits am nächsten Tage der gewünschte Bericht ein, der als Kuriosum hier seinen Platz finden möge. Er lautet:

61

„Ew. Kaiserl. Hoheit! Um dem höchsten Auftrage zu entsprechen, welchen Ew. kaiserl. Hoheit mit dem gestern abend uns zugekommenen gnädigsten Erlaß vom gestrigen Tage mir zu erteilen geruhten, war ich bemüht, über den hier angekommenen Klavierspieler Liszt nähere Auskünfte zu erlangen. Es ergeht aus denselben, daß dieser aus Ungarn gebürtige Künstler noch im Knabenalter mit seinem Vater, einem ehemaligen fürstlich Esterhazyschen Beamten, nach Paris kam, wo er einige Zeit danach diesen letzteren verlor und, jeder besseren Leitung entbehrend, in schlechte Gesellschaften geriet, welche nicht sowohl seinen politischen als seinen moralischen Charakter gefährdeten. Auf solche Art geriet er in ein näheres Verhältnis mit einer Madame Dudevant, welche als Verfasserin mehrerer unter dem apogryphen Namen George Sand erschienener, im schlechten Sinn geschriebener Werke, als eine sehr eifrige Anhängerin des berüchtigten Abbé Lamennais und als Mitarbeiterin des von demselben redigierten Journals ‚Le Monde' bekannt ist. Dieses Verhältnis schadete allerdings dem Rufe des Liszt bei allen Gutdenkenden; eine Teilnahme desselben an den politischen Umtrieben des gedachten Abbé und seiner Partei wurde jedoch niemals wahrgenommen. Ebensowenig machte er sich durch nähere Verbindungen mit sonstigen im Auslande vorhandenen Revolutionären bedenklich, und wenn er einigemale in Konzerten, welche zum Vorteil der in Frankreich befindlichen politischen Flüchtlinge und Exilierten gegeben wurden, mitwirkte, so hatte er dieses mit den meisten in Paris anwesenden Künstlern ersten Ranges gemein. In neuerer Zeit trat er zu Paris in ein näheres Verhältnis mit einer verheirateten Gräfin d'Agoult, welche ihm, als er sich im Herbst vorigen Jahres nach der Lombardei begab, dahin folgte, um dort ihre Wochen zu halten, und sich noch daselbst befindet. Weder während seines Aufenthaltes in Mailand, noch in der kurzen Zeit seiner dermaligen Anwesenheit in Wien hat Liszt auch nur im geringsten Stoff zu Wahrnehmungen geliefert, welche seine politische Gesinnung und Haltung in nachteiliges oder wohl gar bedenkliches Licht stellen könnten. Er erscheint vielmehr als ein zwar eitler und leichtsinniger, die phantastischen Manieren der heutigen jungen Franzosen affektierender, dabei aber gutmütiger, abgesehen von seinem Künstlerwert, unbedeutender junger Mann. Wenn es mir erlaubt ist, mein gehorsamstes Gutachten über den Anlaß des Eingangs bezogenen höchsten Auftrages beizufügen, so glaube ich dasselbe dahin ehrfurchtsvoll äußern zu sollen, daß dem Klavierspieler Liszt die ehrenvolle Auszeichnung, sein wirklich außerordentliches Kunsttalent bei Ihrer Majestät der Kaiserin zu produzieren, um so mehr zuteil werden dürfte, als politische Bedenken wider ihn durchaus nicht obwalten und seine dermalige Anwesenheit in Wien durch die lobenswerte Absicht veranlaßt wurde, zum Vorteil der in Ungarn durch Überschwemmung Verunglückten ein Konzert zu

62

geben, was er bereits mit günstigem Erfolge getan hat. Sollte es sich weiterhin darum handeln, ihm den Titel eines k. k. Kammerkünstlers zu verleihen, so würde ich, dem Obenangeführten folgend, es wenigstens für jetzt nicht wagen, einem solchen Antrage beizustimmen. Ich usw.

Wien, den 25. April 1838.   Sedlnitzky."

Liszt wurde darauf zu Hof geladen und entzückte am 17. Mai durch seine Bearbeitung von Schuberts „Ständchen" und seinem eigenen „Bravourwalzer". Die von ihm in seinem Wohltätigkeitskonzert aufgebrachten und zur Linderung nach Pest gesandten Beiträge ergaben insgesamt zirka 25 000 Gulden, und sein leuchtendes Beispiel spornte zu reger Nachahmung an, so daß reichliche Gaben einkamen. Neben seinem großen Kunsterfolg erwarb er sich aber auch als Mensch viele Freunde. Es wurden ihm zu Ehren eine Menge Festivitäten veranstaltet, kurz, es war ein ununterbrochener Triumphzug. Liszt hatte auch Empfehlungen an den Fürsten Metternich. Bei seinem Besuch fand er nur die Fürstin vor, die Visite einer Dame hatte. Sie empfing ihn trotzdem. Auf eine Einladung nahm er Platz, und nachdem die Hausfrau zunächst noch mit der Dame weiter gesprochen, ohne ihn viel zu beachten, wandte sie sich plötzlich an ihn mit der Frage: „Haben Sie gute Geschäfte in Italien gemacht?" „Ich mache Musik, und keine Geschäfte, Fürstin!" antwortete er trocken, und die Unterhaltung hatte damit ein Ende. Die Fürstin setzte das Gespräch mit der Dame fort, und nach einigen Minuten erhob sich Liszt und ging. In seinem Konzert kam Fürst Metternich auf ihn zu, bedauerte, ihn nicht getroffen zu haben, und bat mit feinem Lächeln, seiner Gemahlin eine Flüchtigkeit der Sprache zugute zu halten. „Sie wissen doch, wie Frauen sind." Sie schieden als Freunde.

Plötzlich erreichte ihn die Mitteilung von einer Erkrankung der Gräfin d'Agoult, die in Venedig zurückgeblieben war. Er beschloß sofort abzureisen, gab den Freunden rasch noch ein großes Abschiedsbankett, das bis gegen Morgen währte, und bestieg in der Frühe des 27. Mai den Postwagen. In Neudorf, der ersten Poststation nach Wien, harrte seiner eine freudige Überraschung: hier empfing ihn die ganze Abschiedsgesellschaft des vergangenen Abends, die ihm heimlich vorausgefahren war. Der Maler Kriehuber, der Liszt in zahlreichen Bildern verewigte, hielt diese hübsche Szene in seiner Zeichnung „Liszt im Reisemantel" fest. Alle Anwesenden unterzeichneten, und das Bild erschien noch im gleichen Jahre bei Höfelich in Wien als Lithographie.

Als Liszt in Venedig ankam, hatte sich das Befinden der Gräfin bereits gebessert. Da der Sommer vor der Tür stand, verließen sie bald die Lagunenstadt und übersiedelten nach L u g a n o. Hier verweilten sie den ganzen

63

Sommer hindurch. Doch lebten sie nicht so zurückgezogen wie in Bellagio, sondern in regem Verkehr mit der ersten Gesellschaft, die sich in großer Menge in dem vornehmen Kurort eingefunden hatte. Für einige Tage folgte Liszt einer Einladung des Herzogs von Modena auf dessen Villa Catajo bei Padua. Dieser Aufenthalt wurde für Liszt besonders dadurch ehrenvoll, daß zu gleicher Zeit verschiedene Mitglieder des österreichischen Kaiserhauses dort zu Besuch weilten. Einen anderen Abstecher mußte er nach Mailand unternehmen. Hier war ein großer Zeitungsstreit ausgebrochen. Liszt erhielt täglich Drohbriefe und anonyme Zusendungen. Der Grund war folgender: Liszt hatte in einem Reisebrief an die Gazette musicale, betitelt „La Scala", seine Wahrnehmungen über das italienische Musikleben und die Theatervorstellungen in der Scala offenherzig und ohne Beschönigung geschildert. Dieser Artikel, dem er später den „Über den Stand der Musik in Italien" folgen ließ, erregte peinliches Aufsehen in Mailand. Die Milanesen beschuldigten ihn des größten Undanks und der gröbsten Beleidigung. Liszt veröffentlichte darauf in den Mailänder Zeitungen einen Brief, worin er erklärte, „daß es nie seine Absicht war noch sein konnte, die Milanesische Gesellschaft zu beleidigen und daß er bereit sei, jedermann, der es verlange, die nötigen Auseinandersetzungen zu geben. Einzig zu diesem Zweck fuhr er einen Tag nach Mailand, aber niemand meldete sich. Die anonym Drohenden hatten plötzlich allen Mut verloren. Als aber Liszt im Herbst, wie er es versprochen hatte, in Mailand ein Konzert geben wollte, war es ihm nicht möglich, es zustande zu bringen; selbst ein Wohltätigkeitskonzert zugunsten der Armen Mailands schlug fehl. Man grollte ihm noch immer, das verletzte Nationalgefühl ließ sich nicht so leicht wieder beruhigen.

Mitte Oktober verließ Liszt mit der Gräfin Lugano und wandte sich wieder den Städten zu. Öffentlich trat er nur sehr selten auf; sie pilgerten von einer Kunststadt zur anderen, um die Schönheit der reichen Schätze Italiens in sich aufzunehmen. Wie empfänglich Liszts Sinne für die Einwirkungen der Kunstwerke waren und mit welch heiligem Ernst er an sie herantrat, davon legt sein Reisebrief an d'Ortigue aus Bologna über Raphaels Heilige Cäcilie beredtes Zeugnis ab. Anfang Januar 1839 langten sie am Ziel ihrer Wünsche, in Rom, an, wo ein längerer Aufenthalt in der Via della Purificatione nahe der Kirche S. Trinita dei Monti genommen wurde. Inmitten der Kunst vergangener Zeiten gewann Liszt die letzte innerliche Reife als Künstler und Mensch, nach der er so lange gestrebt. Seine Anschauungen, die durch die in der Jugend so mannigfach auf ihn eingestürmten und von ihm in seinem Bildungseifer temperamentvoll aufgegriffenen Strömungen des geistigen Lebens verwirrt worden waren, klärten sich jetzt unter dem Einfluß dieser Meisterwerke. Er gewann hier die Lösung der Kunst-

64

frage, die ihn lange beschäftigte. Sein Ideal von der E i n h e i t a l l e r
K ü n s t e, insbesondere das der Musik und bildenden Kunst, wurde ihm hier
zur Gewißheit: „Das Schöne dieses begünstigten Erdstrichs zeigte sich mir
in seinen reinsten, in seinen erhabensten Formen. Meinem staunenden Auge
erschien die Kunst in ihrer ganzen Herrlichkeit und enthüllte sich ihm in ihrer
ganzen Universalität, in ihrer ganzen Einheit. Jeder Tag befestigte in mir
durch Fühlen und Denken das Bewußtsein der verborgenen Verwandtschaft
aller Werke des schaffenden Geistes. Raphael und Michel Angelo verhalfen
mir zum Verständnis Mozarts und Beethovens."

Liszts damals entstandenen beiden Klavierkompositionen S p o s a l i z i o
nach Raphaels Gemälde und I l P e n s e r o s o nach Michel Angelos Mediceer-
Statue, denen sich in späteren Jahren noch das große Tongemälde D i e
H u n n e n s c h l a c h t u. a. anreihten, gaben diesen Kunstbetrachtungen und
Anschauungen feste Gestalt. Alle während dieser Wanderjahre Liszts ent-
standenen Klavierkompositionen erschienen später in dem dreibändigen
Sammelwerk A l b u m d ' u n v o y a g e u r (später A n n é e s d e P é l é r i -
n a g e). Verdankten die als Frucht der zahlreich unternommenen Gebirgs-
ausflüge entstandenen Kompositionen des Schweizer Aufenthaltes meist großen
N a t u r eindrücken die Anregung, so gaben zu den Werken der italienischen
Zeit g e i s t i g e Eindrücke (Lektüre oder Besichtigung eines Kunstwerkes)
den Anstoß. Einen schätzenswerten Meister und Führer in seiner künstlerischen Entwicklung fand er in dem Direktor der französischen Akademie
in Rom, dem berühmten Jean Auguste Dominique Ingres (1781—1867). Dieser
war ein begeisterter Musikfreund und begegnete Liszt mit größter Herzlichkeit; unter seiner fachmännischen Leitung lernte er die Kunstschätze der
ewigen Stadt kennen und verstehen. Liszt sagte selbst, daß „Ingres' Freundschaft, die er zu den glücklichsten in seinem Leben rechnete, nicht wenig dazu
beigetragen habe, den intimen Sinn für die Beziehung aller Künste zueinander,
sowie auch seinen heißen Wunsch, in das Verständnis und die Wissenschaft
der Kunst tiefer einzudringen, in ihm zu befestigen." Ingres war nebenbei
ein trefflicher Geiger, und manche Abendstunde sah die beiden bei ernster
Kammermusik vereint. Mochten sich die Leute und Zeitungen damals erregen, daß Liszt seine Kunst vernachlässige und planlos in Italien herumziehe,
das ihm doch musikalisch gar nichts bieten könne: er hat dort mehr für seine
künstlerische Reife empfangen, als ihm jedes andere Land hätte bieten können.
Auch war die Zeit, abgesehen von seiner inneren Entwicklung, durchaus nicht
verloren. Es entstanden gerade jetzt eine Menge Kompositionen, die zum
größten Teil allerdings erst später veröffentlicht wurden. Auch auf dem
Gebiet des Konzertwesens hatte er eine kühne Neuerung mit Erfolg versucht.
Der russische Graf Wielhorsky hatte im Palazzo Poli für ihn ein Konzert

arrangiert, in dem er zum ersten Mal ganz allein, ohne Mitwirkung eines anderen Künstlers oder Instruments, das Programm ausfüllte. Es gelang ihm durch sein geistreiches, nachschöpferisches Spiel die Gefahr der Monotonie, die immer in einem solchen Unternehmen liegt, zu bezwingen. Diese „ennuyeux soliloques musicaux", in denen er, wie er scherzweise meinte, einmal Ludwig XIV. spielen und dem Publikum zurufen wollte: „Das Konzert, das bin ich!" hat Liszt in Zukunft häufig wiederholt und auch 1841 in Paris erfolgreich eingeführt. So war er den Schwierigkeiten, die sich immer ergaben, mit anderen Künstlern ein einheitliches, stilvolles Programm zustande zu bringen, aus dem Wege gegangen. Liszt hatte Ende Januar auch noch in einem Konzert von Francillon und Pixis mitgewirkt und im Teatro Argentino ein eigenes veranstaltet.

Auch über seine Privatverhältnisse und die Zukunftpläne kam er während der Tage in Rom zu einem festen Entschluß. Die geplante Reise in die Türkei wurde aufgegeben, hauptsächlich der Kinder wegen, zu denen am 9. Mai 1839 noch ein Söhnchen namens D a n i e l hinzugekommen. „Leider ist Franz wieder einmal recht melancholisch. Der Gedanke, nun Vater d r e i e r kleiner Kinder zu sein, scheint ihn zu verstimmen," meldet die Gräfin an George Sand. (9. VI. 1839.) Doch dürfte diese Tatsache wohl schwerlich der Grund für die „Verstimmung" gewesen sein. Vielmehr fühlte er jetzt die Fesseln, die seinem Wirken und seiner Künstlerentwicklung durch seine privaten Verhältnisse auferlegt wurden, täglich empfindlicher. Der Charakter der Gräfin war eben der von ihr erkorenen Aufgabe nicht gewachsen. Es ist wohl die schwerste Anforderung, die an eine Frau gestellt werden kann, die Genossin eines schaffenden Künstlers zu sein; sie erfordert völlige Hingabe ohne irgendwelche eigene selbstsüchtige Zwecke, in vollstem Verständnis mit seinen Stimmungen und Absichten. Selbst die hingebendste Liebe wird im unrichtigen Augenblick als Fessel, als Störung empfunden; das ganz von seiner Aufgabe beherrschte, völlig losgelöste Genie ist in diesen Momenten eben nicht ein Mensch, an den man ein Begehren richten kann, sondern ein seinem Schaffensdrang hingegebenes Wesen, das menschliche Regungen nicht kennt. Daß die Gräfin d'Agoult einer solchen Rolle nicht gewachsen war, daraus ist ihr kein Vorwurf zu machen. Liszt litt unter diesem Mißverhältnis schon lange. Es kam noch hinzu, daß er durch das Ungesetzliche ihres Verhältnisses in seinen Zukunftsplänen behindert war. Zwei Wege nur standen ihm offen: die ihm im tiefsten Innern verhaßte Virtuosenlaufbahn fortzusetzen, oder irgendwo als ausübender Musiker an der Spitze eines Orchesters die Meisterwerke in seinem Sinne zum Leben erstehen zu lassen. Die Dirigentenlaufbahn machte ihm die große Verantwortung, die auf ihm lag, die Sorge für seine Mutter, seine drei Kinder und

66

der große Kostenaufwand der Gräfin unmöglich. Er sah daher, was er ursprünglich beabsichtigt hatte, nach Hummels Tod (1837) von der Bewerbung um die Kapellmeisterstelle in Weimar, für das er als die Stätte Schillers und Goethes von jeher Sympathie hegte, ab und entschloß sich, zu Beginn des kommenden Winters große Virtuosenreisen, die sich über fast ganz Europa erstrecken sollten, anzutreten. Doch war es unmöglich, dabei die Gräfin und die Kinder ständig mitzunehmen; er bestimmte, daß sie ihr festes Domizil bei seiner Mutter in Paris aufschlagen sollte, wo er sich zeitweise einfinden würde. Liszt beabsichtigte keineswegs eine Trennung von der Gräfin. Er war seiner Pflicht, die er nun einmal auf sich genommen, stets eingedenk und wußte, was er der Mutter seiner Kinder schuldig war. Außer diesen zwingenden, aber immerhin nur äußerlichen Gründen beeinflußte noch ein künstlerischer seinen Entschluß: er hielt den Zeitpunkt noch nicht für gekommen, sich größeren musikalischen Aufgaben zuzuwenden, da er die sich zunächst gestellte Aufgabe, das Klavierspiel bis auf den möglichst erreichbaren Grad der Vollendung zu entwickeln, noch nicht völlig gelöst hatte. „Vom Verlassen des Klavieres sprechen ist für mich so viel, als mir einen Tag der Trauer zeigen, mir das Licht rauben, das einen ganzen ersten Teil meines Lebens erhellt hat und untrennbar mit ihm verwachsen ist. Mein Klavier ist für mich, was dem Seemann seine Fregatte — mehr noch! es war ja bis jetzt mein Ich, meine Sprache, mein Leben! Können Sie nun wollen, daß ich es verlasse, um nach dem glanzvolleren und klingenderen Erfolg auf dem Theater oder im Orchester zu jagen? O nein! Selbst angenommen, daß ich für derartige Harmonie schon reif genug wäre, selbst da bleibt es mein fester Entschluß, das Studium und die Entwicklung des Klavierspieles erst aufzugeben, wenn ich alles getan haben werde, was mir irgend möglich, was mir heutigentages zu erreichen möglich ist."

Als die Sommerhitze hereinbrach, verließ Liszt mit den Seinen die ewige Stadt und begab sich der Gräfin wegen, die eine Badekur gebrauchen mußte, nach L u c c a. Hier hoffte er Ruhe und Sammlung zu finden; doch das rege Badeleben, in das er bei seiner Berühmtheit sehr rasch hineingezogen wurde, machte ihm seinen Wunsch unmöglich. Da las er eines Tages in der Zeitung die Mitteilung, daß das Kapital zur Errichtung eines Beethovendenkmals in Bonn nur sehr spärlich einkomme, so hatte z. B. das große Paris die beschämende Summe von nur 424 Franken aufgebracht. Liszt, der schon lange die Sammlung mit Interesse verfolgt hatte, ergrimmte in edlem Künstlerstolz. „Welche Schmach für alle," schrieb er an Berlioz, „welcher Schmerz für uns! Dieser Zustand der Dinge muß ein Ende haben, sicherlich stimmst Du mir bei, ein so mühsam zusammengetrommeltes filziges Almosen darf unseres Beethovens Gruft nicht bauen helfen!" Er erbot sich darauf dem Denkmalskomitee, die noch fehlende Summe aus eigenen Mitteln decken zu wollen, unter der einzigen Bedingung, daß er den Schöpfer des Denkmals, zu dem er einen der ersten Bildhauer Italiens, Bartolini in Florenz, ausersehen hatte, bestimmen dürfe. Er gedachte, aus seinen Konzerteinnahmen den ganzen Betrag in kurzer Zeit decken zu können. Das war eine echte Tat Lisztscher Großmut. Wie kurz zuvor für die Überschwemmten, so zögerte er auch jetzt nicht, wo es galt, den Manen eines unsterblichen Genies das schuldige Dankopfer zu bringen. Es war auch hier wieder sein Wahlspruch: „Gutes tun, so viel als möglich, und die Leute schwätzen lassen." Nicht viel Worte, aber rasche Tat war stets seine Gewohnheit.

Sobald es der Zustand der Gräfin erlaubte, flüchtete er aus der eleganten Villa Maximiliane in Lucca nach dem kleinen Fischerdörfchen S a n R o s - s o r e , um hier in der Einsamkeit Friede und Erholung zu finden. Er wohnte mit der Gräfin in einem kleinen Holzhäuschen, kaum zweihundert Schritte vom Meeresstrand entfernt, in fast völliger Einsamkeit. Hier „widmete er den Gauen Italiens den letzten Abschiedsgruß und genoß noch ein letztes Mal die unaussprechliche Schönheit dieses gottgeliebten Landes". Mitte November 1839 nahmen sie Abschied von Italien; er begab sich nach Wien, um hier seine Konzerttournee zu beginnen, die Gräfin mit den Kindern kehrte nach Paris zu Madame Liszt zurück.

VIRTUOSENJAHRE 1839—1847

I. Erster Siegeszug, 1839—1841

Liszt traf am 16. November 1839 in W i e n ein. Die Eintrittskarten zu den Konzerten waren schon seit Wochen vergriffen. Die Spannung hatte wieder einen hohen Grad erreicht. Bereits am Tage seiner Ankunft brachte man ihm, als man seiner in einer Vorstellung im Kärntnertortheater ansichtig wurde, spontan eine Ovation dar. In der Zeit vom 18. November bis 4. Dezember gab Liszt sechs Matineen, bei denen sich der Triumph des Vorjahrs in noch gesteigertem Maß wiederholte. Besonders seine Übertragungen von Schuberts Erlkönig und von Sätzen aus Beethovenschen Symphonien, die den älteren Wienern noch von ihres Meisters eigenen Vorführungen in Erinnerung standen, fanden begeisterten Widerhall. — Eine Nervenabspannung, die sich durch ein nicht ungefährliches Fieber äußerte, tat zunächst den Konzerten Einhalt. Als er wieder genesen, war fast Weihnachten herangekommen, zu welcher Zeit er seine Anwesenheit in P e s t versprochen hatte. Noch vom Bett aus schrieb er an seinen ungarischen Freund, den Grafen L e o F é s t e t i c s: „Sie werden jedenfalls mit meiner Anwesenheit für den 18. oder 22. Dezember bedroht. Ich werde ein wenig gealtert, gereifter ankommen, und gestatten Sie mir den Ausdruck, auch mehr ,ausgearbeitet als Künstler', als wie Sie mich letztes Jahr kennen gelernt haben, denn ich habe während dieser Zeit in Italien enorm gearbeitet. Welche Freude und welches Glück wird es für mich sein, mich wieder in meinem Vaterlande zu befinden, mich von solch edlen und starken Sympathien, deren ich mich Gott sei Dank in meinem unsteten Leben in der Fremde nicht unwürdig gezeigt habe, umgeben zu sehen . . . Es genüge Ihnen zu wissen, daß das Gefühl für mein Vaterland, mein ritterliches und herrliches Heimatland, im Innern meines Herzens lebendig geblieben ist, und daß diese Empfindungen, wenn ich auch bisher in meinem Leben leider selten meinem Lande zeigen konnte, wie sehr ich es liebe und verehre, nichtsdestoweniger unveränderlich geblieben sind."

Man kann sich denken, welche Wirkung dieses Schreiben, das rasch öffentlich bekannt wurde, auf die leicht erregbaren Gemüter der Ungarn ausübte. Als Liszt für die Überschwemmten in Wien konzertiert hatte, war sein Name mit Windeseile durch ganz Ungarn gedrungen. Man gedachte mit Freude des fast ganz verschollenen Heimatkindes und rüstete sich zum feierlichen Empfang. Damals war der Besuch wegen der Erkrankung der Gräfin d'Agoult nicht zur Ausführung gekommen. Als nun noch der Reisebrief aus Italien an Massart und mehrfache Wohltaten, die er in Italien bedrängten Landleuten hatte zuteil werden lassen, bekanntgeworden waren, wuchs die Begeisterung gewaltig an. Sein Aufenthalt in Wien und das patriotisch gesinnte Schreiben an Féstetics, das seine Ankunft in nächste Nähe rückte, steigerte die Ungeduld aufs höchste. In Wien erschien eine Abordnung aus Pest, die ihm die feierliche Einladung der Stadt überbrachte. Liszt brach daraufhin seine Wiener Konzerttätigkeit ab und reiste am 18. Dezember nach P r e ß b u r g. Die wie eine Fabel klingenden Triumphe in Wien waren jedoch nur ein schwaches Vorspiel zu dem, was seiner im Heimatland harrte. Er wurde von einer ungeheuren Volksmenge und einer Deputation des Landtags empfangen und wie im Siegeszug in die Stadt geleitet. Liszt gab drei Konzerte in Preßburg im alten großen Redoutensaal, das dritte am 20. XII. zugunsten des katholischen Bürgerspitals und des evangelischen Krankenhauses mit einem Reingewinn von 526 Gulden. Hier, wo sich einst das Geschick des neunjährigen Knaben entschieden hatte, war auch sein erstes Wiederauftreten auf heimatlicher Erde. Am 24. Dezember 1839 traf er in P e s t ein. Was sich nun während seines dortigen Aufenthalts abspielte, ist einzig dastehend in der Kunstgeschichte.

69

Solch enthusiastischer Empfang war noch keinem Fürsten zuteil geworden. Man feierte ihn wie einen Nationalheros in unermüdlicher echter Begeisterung. Liszt stieg bei dem Grafen Féstetics ab, der ihm zu Ehren ein privates Empfangskonzert arrangiert hatte. Nach dem Souper öffneten sich die Flügeltüren des Saals, und eine Sängerschar ließ einen von Schober gedichteten und von dem Musikdirektor der Pester Oper, namens Grill, komponierten Chor ertönen, der mit den Worten schloß:

> Sei uns gegrüßt im Lorbeerschmucke,
> Den du verdient so ritterlich —
> Du großer Künstler, Edler, Treuer,
> F r a n z L i s z t, dein Land ist stolz auf dich!

Mehrere Musikvorträge, ausgeführt von den besten Musikkräften der Stadt, schlossen sich an. Wenige Tage darauf begannen Liszts Konzerte. Zu der hinreißenden Wirkung seines Spiels kam hier noch ein anderes Moment hinzu: der verwandte n a t i o n a l e Zug des ungarischen Temperaments, der die Zuhörer aus seinen Tönen so heimisch anmutete. Als Liszt nach mehreren klassischen Stücken ungarische Melodien, zum Schlusse sogar den Rákóczy-Marsch spielte, da kannte die Begeisterung überhaupt keine Grenzen mehr. Von diesem Tag an war Liszt der musikalische Genius Ungarns. Der gesamte Adel Pests, unter dem er sich besonders an Baron Anton von Augusz einen aufrichtigen Freund gewann, gab ihm anderntags ein großes Diner. Als man während des Essens eine Sammlung für eine marmorne Lisztbüste eröffnete, protestierte Liszt und sagte: „Wenn ich meine persönlichen Wünsche aussprechen darf, lassen Sie uns daran denken, ein würdiges Konservatorium für Musik mit der Zeit in Ungarn zu schaffen, mit dessen Leitung Sie einst mich betrauen wollen — mir wird es der Stolz meines Lebens sein, dem Vaterlande meine Dienste widmen zu dürfen!" Dieser Gedanke, zu dessen Verwirklichung Liszt sofort noch die Einnahme seines Konzertes vom 11. Januar bestimmte, sollte später zur Tat werden; Liszt hat sein Wort treulich gehalten. Er gab außer drei eigenen fünf große Wohltätigkeitskonzerte in Pest, und zwar am 2. Januar für den Pester Musikverein, am 4. für das Nationaltheater, am 8. für einen ungarischen Violinspieler, am 9. für die Blindenanstalt zu Ofen, am 11. für die Gründung eines ungarischen Konservatoriums für Musik. Bei seinem Auftreten am 2. Januar wurde er mit dem öffentlich wiederholten Gesang der Begrüßungskantate empfangen, und als ihre Schlußakkorde verhallt waren, wurde ihm unter dröhnendem Beifall des Saals ein goldener Lorbeerkranz auf die Stirne gedrückt. Liszt war eine populäre Persönlichkeit geworden; wo er sich zeigte, wurde er mit lauten Eljenrufen begrüßt, auch im Theater, als er einer Fidelio-Aufführung beiwohnte, war er

70

Gegenstand lebhaftester Ovationen. Den Höhepunkt erreichten die Festlichkeiten bei seinem Konzert im Nationaltheater am 4. Januar. Hier betraten,
als der letzte Ton verklang, sechs ungarische Magnaten im Nationalkostüm
das Podium und überreichten ihm im Namen der Nation einen Ehrensäbel, der
reich mit Edelsteinen besetzt war. Über diesen Vorfall hat man damals die
lächerlichsten Dinge in Zeitungen und Witzblättern vorgebracht, und lange
Zeit wollten die Gerüchte, trotz Liszts offenem Protest in einem Brief an die
„Revue des deux Mondes", nicht verstummen. Ein solches Gerede konnte
nur böswilligem Unverstand und völliger Unkenntnis des ungarischen Nationalcharakters entspringen. Liszt trug bei seinem Aufenthalt in Ungarn Nationaltracht, aber ohne den Säbel, das Abzeichen des Verdienstes oder des
Adels. Was war nun natürlicher, als daß man ihm zum Ausdruck der Dankbarkeit für seine Verdienste um Ungarn den Säbel verlieh, der die höchste
Zier des Edelmannes darstellt? Als Liszt das Geschenk aus den Händen des
Grafen Féstetics entgegengenommen hatte, suchte er mit bebender Stimme
seinen Dank zum Ausdruck zu bringen. Er antwortete in französischer
Sprache — der einzigen, die er damals geläufig genug sprach — u. a.: „Meine
lieben Landesbrüder! . . . Dieser Säbel, der einst zur Verteidigung des Vaterlandes kraftvoll geschwungen worden ist — er ward zu dieser Stunde in
schwache, friedliche Hände gelegt. Ist das nicht ein Symbol? Heißt das nicht
so viel, als daß Ungarn, ruhmbedeckt durch viele Schlachten, zu dieser Stunde
die Künste, die Wissenschaften, diese Freunde des Friedens, anruft zu neuer
Illustration seines Ruhmes? Heißt das nicht so viel, als daß die Männer der
Intelligenz und der Arbeit in unsern Tagen auch eine edle Aufgabe, eine hohe
Mission in ihrer Mitte zu erfüllen haben? Dem Ungarnland darf keine Art
des Ruhmes fremd bleiben — es ist berechtigt, mit an die Spitze der Nationen
zu treten, kraft seines Heldentumes, kraft seines Friedensgenius."
   Dröhnende Eljenrufe waren die Antwort auf diese stolzen Worte, die
eigentlich von vornherein jedes Mißverständnis hätten ausschließen müssen.
Nach dem Konzert geleitete man Liszt in großem Zuge (ungefähr 20 000 Menschen) mit Fackeln durch die Stadt nach seiner Wohnung, wo er sich der
trotz grimmiger Kälte ausharrenden Volksmenge noch wiederholt am Fenster
zeigen mußte. Am anderen Tag überbrachte ihm eine Deputation das E h r e n -
b ü r g e r d i p l o m der Stadt Pest, und das Komitat kam beim Kaiser um Erneuerung des Adelsdiploms für ihn ein. Am 12. Januar gab er sein Abschiedskonzert. In den Enthusiasmus mischte sich Wehmut ob der baldigen Trennung. Die Leute drängten sich um ihn und küßten ihm die Hände. Er war
während der ganzen Dauer seines Aufenthalts stets von Bittstellern, Rat- und
Hilfebegehrenden umlagert. Alle hörte er nach Möglichkeit an und versuchte
ihre Not zu lindern. Daneben war er bei ungezählten Festen und Gesellschaf-

71

ten der umworbenste Gast und revanchierte sich durch große Diners. Am letzten Abend ehrten ihn die Damen Pests noch durch einen Ball. Als endlich die Abschiedsstunde gekommen, gaben ihm die Zelebritäten der Stadt und Magnaten das Geleit durch eine tausendköpfige Volksmenge bis zum Donauufer. Er begab sich über R a a b mit seinem Freund, dem Grafen Kasimir Esterhazy, nach P r e ß b u r g , wo er eine Woche als dessen Gast verblieb. Hier spielte er am 26. Januar zugunsten des Kirchenmusikvereins, dessen Ehrenmitglied er später wurde. In diesem Konzert, das einen Reingewinn von 745 fl. brachte, dirigierte er auch die Ouverturen zu Tell und Oberon. Zuvor hatte er erst einmal in dem Konzert zugunsten des Konservatoriums in Pest die Battuta geführt.

Nach einem kurzen Aufenthalt in Wien begab sich Liszt nach Ö d e n - b u r g , da es ihn drängte, die Stätte seiner Kindheit einmal wiederzusehen. Hier konzertierte er Mitte Februar mehrmals zu wohltätigen Zwecken. Auch Ödenburg ernannte ihn zum Ehrenbürger (24. II. 1840). Von hier aus wurde ein Ausflug nach dem Geburtshause in R a i d i n g unternommen. Man hatte gegen seine Absicht diesen Plan dort verraten, und es harrte seiner ein fest-' licher Empfang. Der Tag gestaltete sich zu einer Art Familienfest. Er besuchte die Kirche, in der er als Kind mit Inbrunst die Knie nach dem Hochamte gebeugt hatte, dann das Elternhaus, das jetzt von einem Jäger bewohnt wurde, aber kaum verändert war. Mit reichen Glück- und Segenswünschen der Bevölkerung, die er aufs freigiebigste bewirtet und der er zweihundert Gulden zur Anschaffung einer neuen Orgel für die Kirche und zu Armenspenden geschenkt hatte, begleitet. verließ er bewegten Herzens seine Heimat und kehrte nach Wien zurück. Die bleibende Frucht dieses ungarischen Triumphzuges waren seine ungarischen Kompositionen, deren Erstlinge damals bereits entstanden. Konnte er auch den von dem Dichter Martin Vörösmarty in einem langen Gedicht „An Franz Liszt" geäußerten Wunsch nach einem Kampflied, das die Ungarn zu neuen Siegen anfeuern sollte, nicht erfüllen, so schenkte er doch seinem Land einen wertvollen musikalischen Schatz in den damals aufgezeichneten „Ungarischen Nationalmelodien", die sich allmählich zu den weltbekannten „Ungarischen Rhapsodien" erweiterten. Auch entstand damals eine Bearbeitung des Rákóczy-Marsches und ein Heroischer Marsch in ungarischem Stil, den er später zu seiner symphonischen Dichtung H u n g a r i a umgestaltete.

Nach seiner Rückkehr aus Ungarn führte Liszt seinem Versprechen gemäß seinen W i e n e r Konzertzyklus mit drei Abendkonzerten zu Ende. Darauf begab er sich über P r a g , wo er die erste Märzhälfte verweilte, nach D r e s d e n und L e i p z i g . Im Gegensatz zu dem fortschrittlichen Wien, war das Leipziger Musikleben streng konservativ und einseitig, obgleich dort

72

zwei Musiker lebten, M e n d e l s s o h n und S c h u m a n n, die beide dem Fortschritt günstig gesinnt waren. Zumal Schumann hatte durch Gründung der „Neuen Zeitschrift für Musik" der modernen Richtung ein Organ geschaffen, in dem er damals eine Einladung an Liszt nach Leipzig hatte ergehen lassen. Während Liszt mit Mendelssohn schon von Paris her befreundet war, war ihm Schumann persönlich noch unbekannt. Seine Werke waren ihm zwar längst vertraut, und er hatte seiner Begeisterung, ohne von dem Komponisten persönlich etwas zu wissen, bereits 1837 öffentlich beredten Ausdruck gegeben, und Schumann hatte sich durch Widmung der C-Dur-Phantasie dafür bedankt. Liszt wechselte mit seinen Konzerten in Dresden und Leipzig ab. In beiden Städten gab er je drei. Errang er in Dresden den gewohnten großen Erfolg, so gestalteten sich die Verhältnisse in Leipzig anders. Zu Liszts erstem Konzert in D r e s d e n am 15. März war Schumann hinübergefahren, und hier hatten sich die beiden Künstler zum ersten Mal persönlich gegenübergestanden. In diesem Konzert wirkte die Schröder-Devrient, die damals auf dem Gipfel ihres Könnens stand, mit, und Schumann schrieb über den „erhabenen Genuß" eine begeisterte Kritik. Am 17. März trat Liszt dann vor das L e i p z i g e r Publikum. Durch gehässige Zeitungsnotizen, die dadurch hervorgerufen waren, daß Liszt wie bei allen seinen Reisen die Freibilletts für die Presse abgeschlagen hatte, durch außergewöhnlich hohe Preise und eine ungeschickte Zeitungsankündigung, die von „der Ehre, die Leipzig bevorstünde" gesprochen hatte, war das an und für sich schon sehr zurückhaltende Publikum bereits stark voreingenommen. Als Liszt das Podium betrat, rührte sich keine Hand zu seinem Empfang, ja es wurde sogar vereinzelt gezischt! Er spielte als erste Nummer seine Übertragung der „Pastoral-Symphonie" — und machte Fiasko. Erst die Bravourstücke, die „Niobe-Phantasie" und sein „Galop chromatique" lösten den gewohnten Beifall aus. Doch die Presse blieb feindlich. Schumann berichtet am 18. März 1840 seiner Braut Clara: „Mit Liszt bin ich fast den ganzen Tag zusammen. Er sagte mir gestern: ‚Mir ist, als kennte ich Sie schon 20 Jahre'; mir geht es auch so. Wir sind schon recht grob gegeneinander, und ich hab's oft Ursache, da er gar zu launenhaft und verzogen ist durch Wien. Und wie er doch außerordentlich spielt und kühn und toll und wieder zart und duftig — das habe ich nun alles gehört. Aber Clärchen, d i e s e Welt ist meine nicht mehr, ich meine s e i n e. Die Kunst, wie Du sie übst, wie ich auch oft am Klavier beim Komponieren, diese schöne Gemütlichkeit geb' ich doch nicht hin für all seine Pracht — und auch etwas Flitterwesen ist dabei, zu viel!" — Und am 22. März: „Liszt kam nämlich sehr aristokratisch verwöhnt hier an und klagte immer über die fehlenden Toiletten und Gräfinnen und Prinzessinnen, daß es mich verdroß und ich ihm sagte, wir hätten hier auch unsere Aristokratie, nämlich

73

150 Buchhandlungen, 50 Buchdruckereien und 30 Journale, er solle sich nur in acht nehmen'. Er lachte aber, bekümmerte sich nicht ordentlich um die hiesigen Gebräuche etc., und so ergeht es ihm denn jetzt erschrecklich in allen Journalen usw.; da mag ihm denn mein Begriff von Aristokratie eingefallen sein, kurz, er war nie so liebenswürdig, als seit zwei Tagen, wo man über ihn herzieht. Liszt erscheint mir alle Tage gewaltiger. Heute früh hat er wieder bei Härtel gespielt, daß wir alle zitterten und jubelten."

Am folgenden Tag sollte sein zweites Leipziger Konzert sein, doch Liszt sagte aus Ärger ab. Hierüber meldet Schumann an Clara unterm 21. März: „Das ginge nicht in Bücher, was ich Dir alles über den Wirrwarr hier zu erzählen hätte. Das zweite Konzert gab er noch nicht und legte sich lieber ins Bett und ließ zwei Stunden zuvor bekanntmachen, er wäre krank. Daß er angegriffen ist und war, glaube ich ihm gern; im übrigen war's eine politische Krankheit. Lieb war es mir, weil ich ihn nun den ganzen Tag im Bett habe, und außer mir nur Mendelssohn, Hiller und Reuß zu ihm können. Glaubst Du wohl, daß er in seinem Konzert ein Härtelsches Instrument gespielt hat, das er vorher n i e m a l s gesehen? So etwas gefällt mir ungemein, dies Vertrauen auf seine guten zehn Finger."

Mendelssohn versuchte nun seinem Freund zu helfen und einen Umschwung der Stimmung herbeizuführen: „Um ihm eine Auszeichnung zu machen, und dem Publikum merken zu lassen, mit was für einem Künstler es zu tun hat, hat Mendelssohn einen hübschen Einfall gehabt. Er gibt ihm nämlich morgen abend ein ganzes Konzert mit Orchester im Gewandhaus, zu dem nur wenige eingeladen sind, und in dem mehrere Ouvertüren von Mendelssohn, die Symphonie von Schubert und das Tripelkonzert von Bach (Mendelssohn, Liszt und Hiller) daran kommen sollen." (Robert an Clara.)

Liszt bestrickte hierbei durch seine Persönlichkeit und den Vortrag von Schuberts Erlkönig alle Anwesenden, und bei seinem zweiten Konzert am 24. März machte sich der Stimmungsumschlag deutlich fühlbar. Er errang gleich mit der ersten Nummer, Webers Konzertstück, einen vollständigen Sieg, der sich bei den folgenden Stücken: Erlkönig, Lucia-Phantasie zum Enthusiasmus steigerte. Schumann erzählt hierüber am 25. März: „In den ganzen vorigen Tagen gab es nichts als Diners und Soupers, Musik und Champagner, Grafen und schöne Frauen, kurz, er hat unser ganzes Leben umgestürzt. Wir lieben ihn alle unbändig, und gestern hat er wieder in seinem Konzert gespielt, wie ein Gott, und das Furore war nicht zu beschreiben. Die Klätscher und Kläffer sind zur Ruhe gebracht."

Durch diese freundliche Aufnahme erfreut, erklärte sich Liszt sofort bereit, noch ein drittes Mal zugunsten der Orchestermusiker des Gewandhauses zu spielen. Nachdem er tags zuvor in Dresden sein drittes Konzert für

74

die städtischen Armen gegeben, spielte er am 30. März in Leipzig und zwar nur Kompositionen seiner Freunde Mendelssohn (d-moll-Konzert), Schumann (Karneval) und Hiller (Etuden) und zum Schluß den „Hexameron". Zu diesem Abend war auf Schumanns Drängen Clara von Berlin herübergekommen. Sie schreibt darüber in ihr Tagebuch am 30. März: „Seine Unterhaltung ist voll Geist und Leben, auch ist er wohl kokett, das vergißt man aber ganz und gar. Er selbst bewegt sich so ungeniert, daß sich jeder in seiner Gesellschaft wohl fühlen muß. Lange könnte ich aber nicht um ihn sein; dieses Unstete, diese Unruhe, diese große Lebhaftigkeit, dies alles spannt einen sehr ab."

Tags darauf reiste Liszt ab. Die Presse fuhr fort, ihm seinen Sieg zu vergällen. Insbesondere befehdete ihn die damals überhaupt wichtigste Musikzeitschrift, die Allgemeine musikalische Zeitung, aufs heftigste. Das Schumannsche Blatt hatte noch einen zu kleinen Leserkreis, als daß seine glänzenden Berichte diesen Angriffen erfolgreich hätten die Spitze bieten können. Auch in viele auswärtige Blätter waren sehr ungünstige Berichte über Liszts Leipziger Konzerte übergegangen. Viele davon entstammten der Feder von Friedrich Wieck, dem Vater Clara Schumanns. Dieser suchte bekanntlich die Verbindung seiner Tochter mit Schumann zu hintertreiben, und Liszt, der ihn von Wien her kannte, hatte sich ihn zum Feind gemacht, da er sich in dieser privaten Angelegenheit rückhaltlos auf Seite seines Freundes Schumann gestellt hatte; „was mir," wie Liszt an Wasiliewski schreibt, „auch Wieck ohne Verzögerung reichlich vergolten hat nach meinem ersten Auftreten in Leipzig, wo er seiner Erbitterung gegen mich in mehreren Blättern Luft und Wind machte." Für die Zukunft sollte dieses Leipziger Beckmesser-Geschrei noch von verhängnisvollen Folgen werden. Als Erinnerung jedoch an die fröhlichen Stunden, die Liszt im Kreis der Mendelssohnschen Familie verbracht hatte, widmete er kurz darauf die Übertragung von sieben Liedern Mendelssohns dessen Frau Cäcilie.

Von Leipzig aus begab sich Liszt direkt nach P a r i s , wo Privatverhältnisse seine Anwesenheit verlangten. Die Gräfin d'Agoult war schwer erkrankt, man befürchtete, wie George Sand schreibt, infolge des starken Kräfteverfalls könne sich die Schwindsucht einstellen. Doch trat bald eine Besserung ein. In diesen Tagen gelang es Liszt, die Gräfin mit ihrer Familie, namentlich mit ihrem Bruder, dem Grafen de Flavigny, zu versöhnen und ihr dadurch wieder eine Stellung in der Gesellschaft zu verschaffen. Öffentlich trat er damals nicht auf, aber zweimal bei Erard vor geladenen Gästen. Berlioz schrieb im Journal des Débats: „Der König der Pianisten ist hier! und da es ihm diesmal leider unmöglich ist, Paris seine Aufwartung zu machen, wird er sich die Ehre geben, die Kunsthauptstadt der Welt bei sich zu emp-

75

fingen zu einem musikalischen Fest — ganz nach der Art der Könige: mit freiem Zutritt." Dieser kurze Pariser Aufenthalt April 1840, gewann noch durch einen andern Vorfall für später erhöhte Bedeutung. Hier begegnete Liszt zum erstenmal dem Mann, dessen Herold er in der Welt werden sollte: R i c h a r d   W a g n e r.

Mit den ärmlichsten Notarbeiten suchte sich der damals noch unbekannte junge Musiker kümmerlich in Paris durchzuschlagen. Durch seinen Freund Laube aufgemuntert, wagte er, den berühmten Künstler in seinem Hotel aufzusuchen, um seine Hilfe anzugehen. In der Autobiographie schildert Wagner ihr erstes Zusammentreffen: „Es war am frühen Vormittag; ich wurde angenommen und traf zunächst einige fremde Herren im Salon, zu welchen nach einiger Zeit auch Liszt, freundlich und gesprächig, im Hauskleid herzutrat. Unfähig an der französischen Konversation, welche sich um die Erlebnisse Liszts während seiner letzten Kunstreise in Ungarn bewegte, Teil zu nehmen, hörte ich eine zeitlang aufrichtig gelangweilt zu, bis ich endlich von Liszt freundlich gefragt wurde: „womit er mir dienen könne?" Auf die Empfehlung Laubes schien er sich nicht besinnen zu können; alles, was ich auf seine Frage ihm antworten konnte, war, daß ich den Wunsch hege, seine Bekanntschaft zu machen, wogegen er nichts zu haben schien, und mir anzeigte, daß er nicht vergessen werde, zunächst mir ein Billet für seine bevorstehende große Matinee zustellen zu lassen. Mein ganzer Versuch, ein künstlerisches Gespräch einzuleiten, bestand in der Frage, ob Liszt neben dem Schubertschen „Erlkönig" nicht auch den von L ö w e kenne: mit der Verneinung dieser Frage war dieser ziemlich befangene Versuch beseitigt und mein Besuch endigte mit der Abgabe meiner Adresse, an welche alsbald auch von seinem Sekretär Belloni, von artigen Zeilen begleitet, eine Eintrittskarte zu einem in der Salle Erard vom Meister persönlich allein gegebenen Konzert gelangte."

Die Begegnung blieb also fruchtlos, wie es bei einem so flüchtigen Besuch bei einem von so ungezählten Supplikanten überlaufenen Mann wie Liszt gar nicht anders sein k o n n t e. Wagner fühlte sich enttäuscht und gekränkt: „Ich besuchte Liszt außer diesem ersten Male nie wieder, und — ohne ebenfalls auch ihn zu kennen, ja mit völliger Abneigung dagegen ihn kennen lernen zu wollen — blieb er für mich eine von den Erscheinungen, die man als von Natur sich fremd und feindselig betrachtet."

Anfangs Mai reiste Liszt nach L o n d o n. Es war das erstemal, daß er nach des Vaters Tod England wieder betrat. Er gab dort nur zwei eigene Konzerte, am 9. und 22. Juni, „Piano-Recitals", wie er sie nannte, wirkte aber in ungezählten anderen mit. Der Erfolg war sehr stark. Selbst die sonst so kalten und formellen Engländer konnten dem Lisztschen Temperament nicht

widerstehn. Das größte Aufsehen erregte wieder das Webersche Konzertstück, das er am 11. Mai im Konzert der Philharmonic society spielte. Moscheles, mit dem Liszt damals viel verkehrte, meinte in ehrlicher Bewunderung: „Nach Liszt muß man das Klavier schließen." Die Presse zerfiel auch
hier in zwei Lager. Der verständigen und weitblickenden Anerkennung des
bekannten Londoner Musikschriftstellers Henry Chorley im Athenaeum stand
die Musical World mit sehr abfälligen, die Allgemeine musikalische Zeitung
in Leipzig noch weit übertreffenden Berichten entgegen. Die stille Zeit im
Londoner Konzertleben — die Monate Juli und August 1840 — benutzte Liszt
zu einer Konzertreise über Brüssel den Rhein entlang. In B r ü s s e l traf
er mit Fétis, seinem früheren Gegner aus dem Thalbergstreit, zusammen,
der von nun an, durch sein Spiel begeistert, ein eifriger Anhänger seiner
Kunst ward. Liszt bereiste dann, überall konzertierend, Baden-Baden, Wiesbaden, Frankfurt a. M., Mainz, Bonn, — wo er dem Beethovenkomitee als
ersten Beitrag 10 000 Franken aus seinen englischen Einnahmen übergab —
Ems (wo er der dort zur Kur weilenden Kaiserin von Rußland vorspielte
und seinen Besuch in Petersburg versprach) u. a. und kehrte im September
nach London zurück. Nachdem er hier wiederholt in Konzerten aufgetreten
war, unternahm er im Oktober einen Ausflug nach H a m b u r g und brachte
durch sechs Konzerte die ganze Stadt in Aufruhr. Die gesamte Einnahme
seines ersten Konzertes (über 17 000 frs.) stiftete er zur Gründung eines Pen-
sionsfonds für die Orchestermusiker des Hamburger Stadttheaters. Diese
wohltätige Stiftung trat bereits am 10. November unter dem Namen „Franz
Lisztscher Pensionsverein" ins Leben und hat viel Gutes gewirkt. Die Einnahme seines vierten Konzerts bestimmte er größtenteils für die Stadtarmen.
Seine Wohltätigkeit kannte keinen Schranken. Fast alle Städte, in denen er
wenn auch nur kurz verweilte, erhielten für mildtätige Stiftungen, Schulen,
Vereine, Waisenhäuser usw. reichliche Gaben. Kein Wunder, daß er von
Bittstellern geradezu überlaufen wurde. Um nun diese Verhältnisse zu ordnen
und zu verhindern, daß seine Gutmütigkeit von Unwürdigen ausgebeutet
würde, hatte er auf Drängen seiner Mutter und Freunde einen Sekretär
namens B e l l o n i angenommen, der ihn ab 1841 auf allen Reisen begleitete,
ihm meist vorauseilte und alles Geschäftliche regelte. In Hamburg trat Liszt
auch in freundschaftliche Beziehungen zu dem jungen Musikverleger Julius
Schuberth, der später mehrere seiner Werke verlegte. Als Dankesgabe wurde
Liszt bei seinem Abschied aus Hamburg ein silberner Pokal überreicht.

Nach L o n d o n zurückgekehrt, spielte er, wie einst als Knabe, auch
wieder im Schloß zu Windsor vor der Königin Viktoria. Eine Tournee durch
Schottland in den Monaten Dezember und Januar brachte den Abschluß seines
diesmaligen Aufenthaltes in England. Anfangs Februar schiffte er sich in

77

Liverpool ein, um nach Paris zurückzukehren. Nach sehr stürmischer, nicht ungefährlicher Überfahrt landete er glücklich in Ostende, von wo er sich zunächst nach Brüssel und Lüttich begab.

In Brüssel führte ihm der Zufall einen ungefähr gleichaltrigen jungen Mann in den Weg, dessen interessante Persönlichkeit und dessen verwandte Ideen und Ideale ihn fesselten und bald ein aufrichtiges Freundschaftsverhältnis zwischen beiden entstehen ließ: Fürst F e l i x L i c h n o w s k y. Dieser Freundschaftsbund währte bis zum tragischen Ende des Fürsten bei dem Frankfurter Aufstand am 18. September 1848. Lichnowsky begleitete Liszt zunächst nach Paris und während der beiden nächsten Jahre auf fast allen Reisen. In P a r i s war Liszt seit dem berühmten Thalbergstreit (1837) nicht mehr öffentlich aufgetreten. Er hatte daher wieder viele Gegner zu gewärtigen, zumal Thalberg inzwischen wiederholt dort gespielt und namentlich in den Kreisen der Aristokratie immer mehr Anhänger gewonnen hatte. Liszt, der sich bewußt war, daß sein rein künstlerisches Genie diesen Umständen gegenüber nicht durchdringen würde, wenn es ihm nicht gelänge, die Gegner auch mit äußerlichen Mitteln, der „mise-en-scène", zu schlagen, verblüffte das Publikum von vornherein dadurch, daß er für jedes Billet 20 frs., einen bisher unerhörten Preis, forderte und das Programm nur aus Klaviervorträgen, und zwar nur e i g e n e n Schöpfungen zusammenstellte. So etwas war in Paris noch nie dagewesen. Er hatte die Leute richtig eingeschätzt: das Neue reizte sie, seine beiden Konzerte waren überfüllt und der Erfolg beispiellos. Insbesondere gefielen seine Mazeppa-Etude, das aus den frühesten Etuden zur großen Konzert-Etude (wohl durch Schuberts Erlkönig angeregt) umgearbeitete Vorbild der späteren symphonischen Dichtung, und eine neue Komposition: Phantasie über Themen aus Robert der Teufel. Mit dieser hat Liszt aus einer schlechten Oper eine Phantasie geschaffen, die ihrem Vorbild weit überlegen ist. Sie ist musikalisch und dramatisch ungleich wertvoller. Das Dämonische, das in dem Stoff liegt, bei Meyerbeer jedoch über Äußerliches nicht hinauskommt, hat Liszt dank seiner verblüffenden technischen Hilfsmittel zu eindringlichster Geltung gebracht, und die Verarbeitung der Themen z. B. der Bertram-Arie und des Nonnen-Walzers ist kontrapunktisch meisterhaft. — Ein drittes Konzert gab Liszt mit Berlioz zusammen am 3. April 1841 zugunsten des Bonner Beethovendenkmals im Konservatoriumssaal unter Mitwirkung des Konservatorium-Orchesters unter Berlioz' Leitung. Das Programm bestand nur aus Beethovenschen Werken. Die Ouverture zur Weihe des Hauses eröffnete den Abend, es folgte ein von Derchanyss verfaßtes großes Festgedicht, hierauf, von Liszt gespielt, das Es-dur-Konzert, seine Klavierbearbeitung der „Adelaide" und mit Massart zusammen die Sonate op. 47 für Klavier und Violine. Den Beschluß bildete die

78

Pastoral-Symphonie. An diesem Abend mußte Liszt wieder einen für ihn zwar schmeichelhaften, aber für den Geschmack des Publikums tiefbeschämenden Beweis dafür erleben, wozu sich der „Virtuos" vom Publikum mißbrauchen lassen mußte. Man verlangte bei dieser B e e t h o v e n f e i e r (!) von ihm die „Robert-Phantasie"! Über den Abend besitzen wir einen Bericht aus Richard Wagners Feder, aus dem deutlich die persönliche Gereiztheit gegen Liszt wegen seines früheren mißglückten Annäherungsversuches herausklingt:

„Liszt und Berlioz sind Brüder und Freunde, beide kennen und verehren Beethoven, und beide wissen, daß sie nichts Besseres tun können, als für Beethovens Denkmal ein Konzert zu geben. Doch ist einiger Unterschied unter ihnen zu machen, vor allem der, daß Liszt Geld gewinnt, ohne Kosten zu haben, während Berlioz Kosten hat, und nichts gewinnt. Nachdem diesmal Liszt seine Kassenangelegenheiten in zwei goldreichen Konzerten geordnet hatte, dachte er aber ausschließlich nur noch an seine gloire; er spielte für arme mathematische Genies und für das Denkmal Beethovens. Liszt konnte es tun und einen Beweis für die Paradoxe liefern, daß es herrlich ist, ein berühmter Mann zu sein. W a s aber würde und könnte Liszt nicht sein, wenn die Leute ihn nicht berühmt gemacht hätten! er könnte und würde ein freier Künstler, ein kleiner Gott sein, statt daß er jetzt der Sklave des abgeschmacktesten Publikums, des Publikums der Virtuosen ist. Dieses Publikum verlangt von ihm um jeden Preis Wunder und närrisches Zeug; er gibt ihnen, was sie wollen, läßt sich auf den Händen tragen und — spielt im Konzert für Beethovens Denkmal eine Phantasie über Robert den Teufel! Dies geschah aber mit Ingrimm. Das Programm bestand nur aus Beethovenschen Kompositionen; nichtsdestoweniger verlangte das hinreißende Publikum mit Donnerstimme Liszts vortreffliches Kunststück, jene Phantasie, zu hören. Es stand dem genialen Mann gut, als er mit den in ärgerlicher Hast hingeworfenen Worten: „Je suis le serviteur du public; cela va sans dire!" sich an den Flügel setzte und mit zerknirschender Fertigkeit das beliebte Stück spielte. So rächt sich jede Schuld auf Erden! Einst wird Liszt auch im Himmel vor dem versammelten Publikum der Engel die Phantasie über den Teufel vortragen müssen! Vielleicht wird es dann aber das letztemal sein!"

Mit diesem Beethoven-Abend schloß Liszt seine Pariser Triumphe ab. Er begab sich wieder nach E n g l a n d. Die Gräfin d'Agoult begleitete ihn, wider seinen Willen. Dieser Aufenthalt war nicht sonderlich vom Glück begünstigt. Eine Tournee durch die englischen Provinzen mußte wegen des schlechten Besuchs der Konzerte abgebrochen werden. Dem Impresario erließ Liszt in seiner Großmut jede Bezahlung des ihm zugesicherten Einkommens. Er mußte sich auf London beschränken. Hier war zwar der Erfolg der gleiche wie im Vorjahr, aber in der Gesellschaft hatte er diesmal einen

79

schweren Stand, da man an seinem Verhältnis zu der Gräfin Anstoß nahm
und ihm den Besuch des Salons der Lady Blessington, in dem die meisten
Künstler verkehrten, die sich aber durch ihre scharfen Gesellschaftsromane
sehr unbeliebt gemacht hatte, verübelte. Diese Mißliebigkeiten mögen ihm
den Aufenthalt in London verleidet haben, und er kehrte auf seinen späteren
Konzertreisen nie mehr dahin zurück. — Am 3. Juli 1841 verließ er England
und begab sich zum dritten Musikfest des Norddeutschen Musik-Vereins nach
H a m b u r g. Der erste Tag brachte Händels Messias, der dritte: „Messe"
von Mozart, „Chor" von J. S. Bach. Der zweite war der weltlichen Musik
eingeräumt. Liszt spielte Beethovens Chor-Phantasie, „die man in solcher
Vollendung wohl nie gehört" und die „Robert-Phantasie". Am 9. Juli gab er
noch ein eigenes Konzert, in dem er mit dem Quintett op. 16 von Beethoven
entzückte. In den Zeitungen entbrannte ein Streit über seine Beethoven-
Auffassung, die eben mehr vom Beethovenschen Geist als von gedruckten
Tempo-Angaben beeinflußt wurde, der lange nicht zur Ruhe kam.

Über Kiel reiste dann der Künstler nach K o p e n h a g e n , wo er sieben-
mal bei Hof spielte, daneben auch einige öffentliche Konzerte gab. König
Christian VII. war ein großer Musikfreund und -kenner. „Er würdigte mich
wiederholt der Unterhaltung über die alte und moderne Musik, wobei er mit
bewunderungswertem Scharfsinn das Verschiedene und das Ähnliche des
Genius der großen Komponisten hervorhob. Die Superiorität, mit welcher
der König diese Fragen behandelte, setzte mich in Erstaunen. Ebenso erfüllte mich das außerordentliche Wohlwollen, mit welchem S. M mich empfing und mir zu meinen Konzerten sowohl das Hof- wie das Stadttheater zur
Verfügung stellte, mit großem Dank." Vom König erhielt Liszt viele Geschenke und zum Abschied den Danebrogorden. Aus Dankbarkeit widmete
er ihm dagegen die damals entstandene „Grande-Fantaisie de Don Juan",
die des Königs besonderes Wohlgefallen gefunden hatte. Auf der Rückreise
wurde Liszts Schiff durch Sturm nach Cuxhafen verschlagen und hier zwölf
Stunden festgehalten. Die Langeweile wußte man sich angenehm zu ver-
treiben: „Wir hörten zufällig, daß eine Komödiantentruppe von dem un-
seligsten der Sterne dahin verschlagen und nicht aus Mangel an gutem
Willen, aber aus Mangel an Zuschauern sich mit Nichtstun beschäftigte.
Sofort veranstalteten wir eine Subskription. Das Stück beginnt, es ist ,Der
Vater der Debütantin'. Das Vaudeville ist zu Ende — niemand geht. Wohin
könnte man auch in Cuxhafen um ½9 Uhr abends gehen? Aber das Orchester
kennt Walzer von Strauß. Ausgezeichnete Idee! — man tanze!" So verging
die Zeit recht angenehm und schnell. Manchem sogar zu schnell.

In Hamburg gab Liszt am 31. Juli 1841 nochmals ein Konzert. Georg
Herweghs Braut, Emma Siegmund, wohnte diesem bei und schrieb darüber

80

an ihren Verlobten: „Liszt spielte; es war ein Abend, den ich nie vergessen kann, da ich nie Ähnliches gehört. Wenn Thalbergs Spiel mich staunen ließ, so riß mich dieses fort. Die Meisterschaft der Technik besitzt Liszt wohl noch in höherem Maße, aber man fühlt, daß diese Vollkommenheit bei ihm nur der Weg zum Ziele, nicht die Höhe selber ist, wie bei Thalberg. Wie eine glänzende Straße, auf der die Sonne sich so liebt zu spiegeln und in tausend mannigfachen Farben spielt, so war sein Spiel, dem der Genius seine Funken aus jedem Ton sendete, die gleich kleinen Sternen sich von dem Firmamente zu lösen und in das Innerste hineindringen zu wollen schienen. Liszts Erscheinen hat auch etwas sehr Interessantes. Er sieht aus wie eine Seele, die mit ihren Flügeln oft schon an die Pforte des Todes geschlagen, aber noch einige Zeit klingen soll, bevor sie ihr Schwanenlied singt."

Zur Erholung von den Strapazen der Konzertsaison hatte sich Liszt auf Rat seines Freundes Lichnowsky ein friedliches, poetisch gelegenes Plätzchen erkoren, die Rolandseck gegenüberliegende Rheininsel N o n n e n w e r t h , wo er regelmäßig die Sommermonate der Jahre 1841/43 mit der Gräfin d'Agoult in stiller Zurückgezogenheit, ernsten Arbeiten gewidmet, zubrachte. Er war sogar mit dem Gedanken umgegangen, die Insel, die als aufgehobenes Kirchengut nunmehr mit der lieblichen Kapelle und dem Klostergebäude zu weltlichen Zwecken benutzt wurde, käuflich zu erwerben. Doch er sah schließlich wegen der hohen Kosten, die die Unterhaltung der Insel verursacht hätte, davon ab. Von Nonnenwerth aus machte er ab und zu bei besonderen Anlässen Ausflüge in benachbarte Städte. Durch König Friedrich Wilhelm IV. war die Geldsammlung zugunsten der Vollendung des Kölner Domes wieder von neuem in Schwung gesetzt worden. Doch flossen die Gelder nur sehr spärlich ein. Da trat wieder einmal Liszt als leuchtendes Vorbild auf. Er liebte von je die alten Kathedralen. „Und als sie nun von Köln kamen und mir sagten, daß sie ihren Dom vollenden möchten, konnte ich mich nicht zurückhalten auszurufen: Auch ich werde mein Sandkorn herbeitragen. Wohl handelt es sich hier darum, Millionen zu finden — aber nehmt auch und sogleich meinen armseligen Künstlerpfennig!" Er setzte in K ö l n für den 23. August ein Konzert an, das 1140 Gulden einbrachte. Aber auch später sandte er noch häufig Geldbeiträge zum gleichen Zweck. Diese edle Hilfsbereitschaft weckte in Köln lauten Enthusiasmus. Man beschloß, Liszt feierlich einzuholen.

„Mit Blumen und Flaggen festlich geschmückt, fuhr ein Dampfer, dreihundertvierzig Philharmoniker an Bord, nach Nonnenwerth, um ihm von da das Ehrengeleit nach Köln zu geben. Gegen Mittag näherten sie sich der Insel und begrüßten schon aus der Ferne den am Ufer Stehenden mit Gesang, Kanonendonner und Hochrufen. Mit Blasinstrumenten an der Spitze zogen sie in die Kapelle des Klosters, wo der kräftige gutgeschulte Männerchor ihn

6   K a p p , Liszt.   81

nochmals musikalisch begrüßte. In Rolandseck war das Festmahl vorbereitet. Es verfloß mit einer Heiterkeit und Enthusiasmus, wie vielleicht nur der weinbekränzte Rhein ihn kennt. Die Begeisterung aber erreichte ihre Höhe bei einem von Liszt auf die Philharmoniker ausgebrachten Toast, der, den Männergesang im allgemeinen berührend, hervorhob, daß ,kein Land etwas Ähnliches besäße, wie die Liedertafeln Deutschlands und insbesondere die Liedertafeln am Rhein'. Nach dem Mahl ging es zurück nach Nonnenwerth. Hier waren inzwischen, gelockt von dem Festklang, unzählige Schiffchen mit Rheinbewohnern aller Art gelandet, und auf der kleinen Insel wimmelte es von Menschen. Man bedauerte aber, daß kein Instrument und kein Saal da sei, um Liszt hören zu können. Als er das vernahm, ließ er seinen Flügel in die Kapelle bringen, und bei offenen Türen, für jedermann, ertönte sein begeistertes und Begeisterung erweckendes Spiel durch die sonst so einsamen, öden Hallen. Um 7 Uhr setzte sich die Philharmonische Gesellschaft, Liszt in ihrer Mitte, in Bewegung und bestieg unter Kanonendonner den mit bunten Lampions geschmückten Dampfer. Während der Fahrt sangen die Philharmoniker die besten deutschen Lieder sowie eine speziell zu diesem Zwecke gedichtete Kantate Liszts. Als es dunkel geworden und man sich dem Ziele gegen 9 Uhr näherte, flogen Raketen und bunte Schwärmer in die Höhe, und bengalische Flammen umflossen zauberisch das Schiff. Vom Ufer aber erklang Musik und Hurrarufen. Ganz Köln hatte sich versammelt. Gegen 15 000 Menschen schlossen sich dem nur langsam durch illuminierte Straßen sich bewegenden Zuge der Philharmoniker an und gaben Liszt das Geleit bis zu seinem Hotel, wo ein glänzendes Bankett, an dem die Behörden der Stadt sich beteiligten, die Feier beschloß."

Ein anderer Ausflug führte nach F r a n k f u r t . Er verdient deshalb besondere Beachtung, weil Liszt hier in Anwesenheit seines Freundes Lichnowsky am 18. September 1841 in die Freimaurerloge: „Loge der Einigkeit" aufgenommen wurde. Dieser Schritt war nur ein äußeres Bekenntnis seiner noch von den St. Simonisten herrührenden inneren Gesinnung und seiner schon seit Jahren geübten Pflege edler Menschlichkeit und Hilfeleistung. Bei seinem Hang zum Mystizismus war seine Vorliebe für die Freimaurer erklärlich und das Prinzip des Wahren, Schönen, Guten hielt er mit jeder Religion vereinbar. Liszt rückte sogar zu den höheren Stufen auf. Er wurde am 8. Februar 1842 zu Berlin in der Loge „Zur Eintracht" unter Anwesenheit des Prinzen Wilhelm, des späteren Kaiser Wilhelm I., in den zweiten Grad des Ordens befördert und 14 Tage später in den dritten, den Meistergrad, in derselben Loge. 1845 ernannte ihn auch, anläßlich seines Konzerts in Zürich, die Loge „Modestia cum Libertate" zum Ehrenmitglied. Ferner wurde er 1870 von der „Loge zur Einigkeit" in Pest zum Meister erhoben. —

82

Die Einnahme seines Konzerts in Frankfurt überließ er der dort vom „Liederkranz" soeben begründeten Mozart-Stiftung, der er auch das Honorar für seine Männerchöre (Rheinweinlied) im selben Jahr zuwies. — Auch die Nonnenwerth nahe liegenden Städte Coblenz, Elberfeld, Düsseldorf, Ems und Bonn konnten Liszt in ihren Mauern begrüßen. In B o n n spielte er am 31. Oktober 1841. Bei dem ihm zu Ehren gegebenen Festessen toastete der dortige Universitätsmusikdirektor C. Breidenstein auf ihn. Nachdem er Liszts hohe künstlerische Verdienste gepriesen und seine nie ermüdende Opferfreudigkeit geschildert, schloß er mit den Worten: „Wer so denkt und handelt, beweist, daß er der höheren Gaben und der Güte, womit ein gütiges Geschick ihn gesegnet, würdig ist, und doppelt wohltuend ist uns die Gewißheit, daß der M a n n d e r E h r e auch der E h r e n m a n n ist. Und so rufe ich denn aus vollem Herzen, rufe es im Namen aller seiner zahllosen Verehrer, und rufe es insbesondere im Namen der Stadt Bonn: „Es lebe Herr Franz Liszt hoch!"

Liszt wohnte auch einer Studentenfeierlichkeit in Bonn bei; er improvisierte am Flügel und versetzte die jungen Musensöhne in solch fanatischen Jubel, daß sie nach dem Schlußtrunk alle ihre Gläser aus dem Fenster warfen, damit kein anderer, der ihre Begeisterung nicht geteilt, sie später entweihe.

Die nur ab und zu durch den Besuch lieber Freunde abwechslungsreich unterbrochene Ruhe Nonnenwerths trug unvergängliche Früchte. Losgelöst von dem Getriebe der Virtuosenzüge, konnte sich der Künstler ungehindert seinen Stimmungen und Eingebungen hingeben, und was in dem Trubel der Feste und Leidenschaften nicht zur Reife gelangen konnte, das erblühte jetzt in voller Pracht, noch gesteigert durch den Frieden und den Zauber der umgebenden Natur. Die meisten der noch lange nicht allgemein nach Gebühr gewürdigten unvergänglichen L i e d e r Liszts, die uns häufig tiefe Einblicke in das Seelenleben ihres Schöpfers erschließen, entstammen den Sommermonaten im idyllischen Nonnenwerth.

II. Das grosse Jahr 1842

Anfang November 1841 verließ Liszt sein sommerliches Eldorado und trat mit Lichnowsky eine Konzertreise durch Norddeutschland an. Die Gräfin kehrte nach Paris zu Madame Liszt zurück. Das erste Konzert fand in K a s s e l statt, wo er zu Louis Spohr in freundschaftliche Beziehung trat. Hier spielte sich eine Episode ab, die für Liszts Herzensgüte sehr bezeichnend ist. Die Schwester der bekannten Schriftstellerin Fanny Lewald

6*

schrieb ihm, in Kassel wohne die Freundin W. v. Humboldts, Frau Charlotte Diede, alt und kränklich in ärmlicher Einsamkeit, und bat ihn: „Sie können einer alten, unglücklichen Frau ein großes Glück bereiten." Mitten aus allen seinen Triumphen ist Liszt zu der einsamen Vergessenen gegangen und hat ihr auf ihrem „elenden Klavier" vorgespielt, „was auf einem solchen Ding mit gutem Willen eben zu machen gewesen war". Von Kassel aus wandte sich Liszt zunächst nach W e i m a r , das auch ihm einmal eine Heimat werden sollte. Der bekannte Schauspieler und Regisseur in Weimar, Eduard Genast, saß eines Abends mit dem Künstlerpaar Schumann im „Russischen Hof", als ein Mann von hohem, schlankem Wuchs, mit einem ausdrucksvollen Gesicht und langen, zurückgestrichenen, hellbraunen Haaren hereintrat und sich mit dem Zuruf: „Bon soir, ihr Lieben" seiner Gesellschaft näherte. „Liszt!" riefen diese wie aus einem Munde. Liszt spielte am 26. November bei Hof in engstem Kreis und fand namentlich an der damaligen Großherzogin, der russischen Großfürstin M a r i a P a u l o w n a , die, eine Schülerin Hummels, selbst eine vorzügliche Klavierspielerin und musikalisch gebildet, eine eifrige Verehrerin seiner Kunst war. Schiller hatte sie einst, als sie als 18jährige Prinzessin und Gemahlin des damaligen Erbgroßherzogs Karl Friedrich in Weimar eingezogen war, in seiner „Huldigung der Künste" als Beschützerin der Kunst gefeiert, und sie hatte die auf sie gesetzten Hoffnungen auch nach Möglichkeit erfüllt. Nur auf ihrem Lieblingsfeld, der Musik, war es ihr noch nicht gelungen, da ihr eine geeignete Persönlichkeit fehlte. Nun begegnete ihr in Liszt ein Künstler, der ihre kühnsten Erwartungen übertraf und ihre hohe Auffassung von der Kunst und ihre Ansichten über die Wege der Verwirklichung fast in gleichem Sinne teilte. Am 28. November wirkte Liszt nochmals in einem großen Hofkonzert mit und gab am 29. ein öffentliches Konzert im Hoftheater. Anderen Tages übersandte er die reiche Einnahme von 600 Talern dem Weimarer Frauenverein, einer wohltätigen Stiftung. Zum Abschied verlieh ihm Großherzog Friedrich den Falkenorden, Maria Paulowna überreichte ihm einen kostbaren Brillantring zum Gedenken an die „künstlerischen Weihestunden" und ließ sich das Versprechen geben, daß er bald wiederkehren werde.

Auf Einladung von Carl Gille, dem Vorstand der Akademischen Konzerte, machte Liszt einen Abstecher nach J e n a und begab sich dann über D r e s d e n , wo er am 4. Dezember konzertierte, nach L e i p z i g , da er Clara Schumann versprochen hatte, in ihrem Konzert im Gewandhaus am 6. Dezember mitzuwirken. Er spielte mit ihr auf zwei Klavieren den „Hexameron", was „einen in der Tat beispiellosen Jubel hervorrief; alle gewohnten Schranken des Beifalls waren durchbrochen und hatten einem Taumel, einem Fanatismus Platz gemacht". An diesem Abend wurde auch Liszts Män-

84

ner-Quartett „Reiterlied" von Studenten zum ersten Mal gesungen und zwar
mit solchem Erfolg, daß es da capo verlangt wurde. Clara Schumann hatte
außerdem noch Liszts Lucia-Phantasie gespielt. Die Allgemeine Musikal.
Zeitung meinte dazu, sie habe die Phantasie ja mit „ausgezeichneter Virtuosität" gespielt, aber „von ihrer gediegenen Künstlerschaft habe man doch erwartet, daß sie dem verflachenden Treiben der neuesten Klaviervirtuosität
mit entgegenarbeiten werde". Hiermit begann die systematische Verhetzung
aller Lisztschen Kompositionen, die lange die ausübenden Künstler gehindert
hat, ein Lisztsches Werk öffentlich zum Vortrag zu bringen. Am 13. Dezember gab Liszt ein eigenes Konzert, in dem seine beiden anderen Männer-
quartette, das Rheinweinlied und das Studentenlied, erstmalig aufgeführt wurden, aber mit nur schwachem Erfolg. Clara Schumann fällt darüber das
harte Urteil: „Ich kann sie nicht anders als schauderhaft nennen — ein Chaos
von Dissonanzen, die grellsten, ein immerwährendes Gemurmel im tiefsten Baß
und höchsten Diskant zusammen, langweilige Introduktionen." Über seine
Don Juan-Phantasie dagegen, die Liszt am selben Abend spielte, sagt sie:
„Sein Vortrag des Champagnerliedes wird mir unvergeßlich bleiben, dieser
Übermut, diese Lust, mit der er spielte, war einzig; man sah den Don Juan
vor den springenden Champagnerstöpseln in seiner ganzen Ausgelassenheit,
wie ihn sich Mozart nur irgend kann gedacht haben." Am 15. Dezember
spielte Liszt noch im Gewandhauskonzert das Es-dur-Konzert von Beethoven
und auch sein Männerchor „Was ist des Deutschen Vaterland" wurde zu Gehör
gebracht. Dies war einer der wenigen Fälle, daß im Leipziger Gewandhaus
bis zu Liszts Tod überhaupt eine Komposition von ihm gespielt wurde. Das
ist nur Mendelssohns Eintreten zu danken gewesen; nachdem dieser von der
Leitung der Gewandhauskonzerte geschieden, blieb die Stätte lange Zeit
ängstlich allem Neuen verschlossen.

Am 27. Dezember 1841 gab Liszt sein erstes Konzert in B e r l i n.
Hier verweilte er zehn Wochen und veranstaltete in dem Zeitraum vom
27. XII. bis 2. III. 1842 21 öffentliche Konzerte, davon 9 zu wohltätigen
Zwecken. Liszts Berliner Aufenthalt bildet den Höhepunkt seiner Virtuosen-
zeit. Die hier gefeierten Feste und ihm gewordenen Auszeichnungen über-
stiegen alles bisher Dagewesene, selbst, wenn man von dem lokalpatrioti-
schen Einschlag in Budapest absieht, diese noch bei weitem. Die ersten zehn
Konzerte fanden in der Singakademie statt. Die erste Gesellschaft Berlins,
an ihrer Spitze König Friedrich Wilhelm IV. und sein Hof, waren ständige
Besucher. Danach siedelte der Künstler, da der Raum nicht mehr ausreichte,
in das Opernhaus über. Seine Programme umfaßten fast die gesamte bedeutende Klavierliteratur damaliger Zeit, von Bach angefangen, von dem er
einige Orgelfugen in meisterlicher eigener Bearbeitung auf dem Klavier vor-

85

trug, bis zu seinen eigenen Werken. 80 verschiedene Werke brachte er öffentlich zum Vortrag, davon 50 auswendig. Die Kritik war einmütig in seinem Lob, und, was das Wertvolle daran war: sie hielt sich meist fern von leeren, überschwenglichen Phrasen und suchte statt dessen die künstlerische Bedeutung dieser Persönlichkeit zu erfassen. Die wertvollsten Kritiken sind wohl die L u d w i g   R e l l s t a b s, die auch gesammelt in einer Broschüre kurz darauf erschienen. Hier lesen wir:

„Wir sehen ihn mit den leichtesten, gewinnendsten Formen der Freundlichkeit vor das Publikum hintreten; seine ungezwungene Unterhaltung nach allen Seiten mit den Vertretern aller Rangstufen des Lebens, jeder Künste und Wissenschaft, selbst seine durch irgendwelche Veranlassung herbeigeführten Anreden an die Versammlung tragen das Gepräge leichtester französischer Beweglichkeit, ohne dabei die deutsche Bescheidenheit und Gemütlichkeit zu verlieren. Unter dieser Erweckung der vorteilhaftesten Eindrücke setzt er sich an das Instrument. Jetzt wird ein neuer Geist in ihm lebendig. Er l e b t die Musikstücke in sich, die er vorträgt. Während er mit erstaunenswürdigster Gewalt der Mechanik eigentlich a l l e s leistet, was bisher von irgend jemand e i n z e l n e m bezwungen worden ist, und außerdem noch ein ganzes Füllhorn neuer Erfindungen, völlig ungekannter Effekte und mechanischer Kombinationen vor uns ausschüttet, so daß die aufs höchste gespannte Erwartung und Forderung sich weit überflügelt sieht: bleibt doch der eigentümlichste Geist, den er diesen wunderwürdigen Formen einhaucht, das bei weitem anziehendere, anregendere und fesselndere Element. Diese geistige Bedeutsamkeit seines Kunstwerks prägt sich aber auf das lebendigste in seiner Persönlichkeit aus. Die Affekte seines Spiels werden zu Affekten seiner leidenschaftlich aufgetürmten Seele und finden in seiner Physiognomie und Haltung den treuesten Spiegel. Seine künstlerische Leistung wird zugleich eine Tatsache des Innern, sie bleibt nicht getrennt von ihm, sondern wirkt in dem mächtigen Bündnis mit dem Geist, der sie erzeugt."

Liszt verkehrte, von Maria Paulowna bei ihrer Tochter, der Prinzeß Wilhelm von Preußen (nachmaligen Kaiserin Augusta) eingeführt, sehr viel bei Hof. Es wurden im Schloß musikalische Soireen veranstaltet, zu denen die Elite der Künstler- und Gelehrtenwelt Berlins geladen war. Den glanzvollen Mittelpunkt solcher Abende bildete stets Liszts Spiel.

In einem seiner öffentlichen Konzerte hatte Liszt auch ein Quartett des in den Freiheitskriegen gefallenen, begabten Prinzen Louis Ferdinand gespielt. Die Prinzessin Wilhelm schenkte ihm aus Freude darüber sämtliche in Paris edierte Werke des fürstlichen Komponisten und die Originalhandschrift eines Flötenkonzerts F r i e d r i c h s   d e s   G r o ß e n. Liszt dankte durch die Widmung seiner Phantasie „Elégie sur des Motifs du Prince Louis Ferdinand de

86

Prusse". Die Prinzessin, wie später ihre Tochter, die nachmalige Großherzogin von Baden, bewahrten ihm ihre Gunst bis zu seinem Tod.

Die Einnahmen der Berliner Konzerte wurden größtenteils zu wohltätigen Zwecken verwandt. Neun davon waren sogleich für eine bestimmte Sache angekündigt. Eines für den Dombau in Köln (Liszt wurde darauf zum Ehrenmitglied des Künstlervereins in Köln ernannt), ein anderes, das allein 5382 Mark einbrachte, für Berliner Wohltätigkeitsanstalten, für arme Kinder, mehrere für bedürftige Kunstgenossen, schließlich, in der Universitäts-Aula, drei für die akademische Jugend. Die Universitätsbehörde dankte in einem offiziellen Schreiben vom 3. Februar 1842. Die Musensöhne selbst aber hatte er zu solcher Begeisterung hingerissen, daß sie seinem Wagen nach dem Konzert die Pferde ausspannten und ihn unter den Hochrufen der Menge selbst in sein Hotel zogen. Durch seine Wohltätigkeit, vor allem die vornehme Art, wie er gab, und seine bezaubernde Persönlichkeit gewann er aller Herzen im Sturm. ja, die ganze Bevölkerung Berlins nahm in diesen Tagen an den Festen Anteil. Die Ehrungen, die ihm aus allen Kreisen und Bevölkerungsschichten zuteil wurden, grenzen ans Sagenhafte. Hier sollen nur die hauptsächlichsten namhaft gemacht werden. Am 12. Februar wurde Liszt in einer außerordentlichen Plenarsitzung unter Vorsitz des Kultusministers Eichhorn zum Mitglied der Akademie der Künste ernannt, und am 18. Februar gab ihm die geistige Elite der Hauptstadt im Jagorschen Saale ein glänzendes Fest. Die Tafel zählte dreihundert Gedecke, Liszt saß zwischen dem General-Intendant der Kgl. Schauspiele Graf Redern und dem Rektor der Universität Dieterici. Der Historiker Foerster hielt die Festrede auf den Ehrengast, auf die der Künstler ungemein herzlich und bescheiden erwiderte und mit einem Hoch auf „die Geistesherrschaft der Künste und Wissenschaften in Berlin" schloß. Zum Ausgang des Festes wurde ihm von einer aus allen Zweigen der Künste gewählten Deputation als Ehrengabe ein großes goldenes Medaillon überreicht, dessen Vorderseite unter Liszts Relief die Chiffre B(erlin) in Brillanten trug und auf der Rückseite die Inschrift:

> Dem Genius, dem Künstler von Geist und Gemüt,
> Dem Ehrenmann von Gesinnung und Charakter,
> Franz Liszt, in dankbarer Erinnerung an schöne
> Stunden frohester Begeisterung, die Kunstgenossen
> und Kunstfreunde in Berlin, den 18. Februar 1842.

Einige Tage darauf erhielt er im Hotel de Russie, wo er wohnte, den Morgenbesuch von 100 festlich gekleideten Kindern, alle unter sechs Jahren, die ihm für seine den Kinderhorten überwiesenen Geldgeschenke dankten und

87

einen Chor: „Lobt froh den Herrn, ihr jugendlichen Chöre" sangen. Die sinnige Überraschung, von dem Vorsteher der Berliner Kinderanstalten, Major von Plehwe, arrangiert, erfreute Liszt bei seiner großen Vorliebe für kleine Kinder ganz besonders. Vor seinem Abschied wurde er noch von der Akademie für Männergesang (unter Leitung von F. Wieprecht) zum Ehrendirektor erwählt, und König Friedrich Wilhelm IV. zeichnete ihn als einen der ersten, durch Verleihung des Ordens „Pour le mérite" aus, nachdem er diesem für kriegerische Dienste gestifteten Orden eine sogenannte „Friedensklasse" für Künstler und Gelehrte hinzugefügt hatte. Solche Ehrungen eines „einfachen Klavierspielers" erregten natürlich bei vielen Leuten heftigen Anstoß, doch konnte, solange Liszt selbst zugegen war, eine Gegenstimmung nicht aufkommen. Auch Neid und Mißgunst erhoben natürlich ihr Haupt. Selbst Liszts Freund, Felix Mendelssohn Bartholdy, scheint hiervon nicht freigeblieben zu sein. Wenigstens endete die Begegnung der beiden in Berlin, die letzte vor Mendelssohns Tod, durch Mendelssohns Schuld mit dem inneren Bruch des Verhältnisses. — Daß auch der Berliner Volkswitz in dieser Zeit reiche Triumphe feierte, ist nicht verwunderlich. Namentlich Ad. Glasbrenner, der unter dem Pseudonym Brennglas schrieb, erlaubte sich in Liszts Namen manchen sehr übel angebrachten Scherz. Er richtete u. a. an den Redakteur der Zeitschrift Die Rheinlande ein „Sendschreiben Liszts aus Berlin", das die Berliner Gesellschaft in witziger Weise persiflierte. Liszt, den man unglaublicherweise für den Verfasser hielt, entstanden dadurch eine Menge Unannehmlichkeiten.

Am 2. März gab Liszt sein Abschiedskonzert in der Oper und am anderen Morgen noch eine Matinee im Saal seines Hotels, bereits im Reisekostüm. Die Universität hatte beschlossen, Liszt das Abschiedsgeleit zu geben. Ein mit sechs Schimmeln bespannter Wagen harrte seiner vor dem Hotel. Als Liszt erschien, wurde er von einer tausendköpfigen Volksmenge mit Hochrufen gefeiert. Neben den Senioren der Universität nahm er Platz. Seinem Wagen folgten 30 vierspännige Wagen, geleitet von 51 Reitern in akademischem Festwichs, die Chargierten der einzelnen Studentenverbindungen. Diesem offiziellen Komitat reihten sich Hunderte von Privatequipagen an, um ihn im festlichem Zug durch die Stadt zu geleiten. Alle Straßen sind dicht gedrängt, donnernde Hochrufe verkünden das Nahen des Gefeierten. Selbst der Hof war in die Stadt gefahren, um sich den Jubel anzusehen. „Nicht g l e i c h einem Könige, sondern als ein König zog er aus, von jubelndem Volksgedränge umringt, als ein König im unvergänglichen Reiche des Geistes. Sein Aufenthalt in Berlin war ein Ereignis des öffentlichen Lebens," schreibt Rellstab darüber in der Vossischen Zeitung. Diese Berliner Ruhmestage brachten Liszt zum ersten Mal in enge Berührung mit d e u t s c h e m

88

Wesen und den Koryphäen d e u t s c h e n Geistes und sind für seine Entwicklung von großer Bedeutung geworden.

Nach Liszts Abreise trat, wie meist nach großen Festen und ekstatischem Jubel, eine starke Entnüchterung ein: der Katzenjammer. Alles, was die langen Wochen hindurch im Finstern gewühlt hatte und sich nicht ans Licht wagen durfte, hob nun kühn das Haupt, und ein wahrer Hexensabbath von Karikaturen, Parodien und üblen Witzen begann jetzt das, was wirklich Ausfluß eines aus echter Kunstbegeisterung entsprungenen Enthusiasmus war, zu zersetzen, satirisch zu beleuchten und in den Staub zu ziehn. Daß in dem Begeisterungsrausch namentlich von dem schönen Geschlecht mancherlei Torheiten begangen worden waren, ist sicher, wie z. B. folgender Bericht in übertriebener Weise meldet: „Man hat ihn fetiert, man hat ihm Serenaden gebracht, eine Dame ist vor ihm niedergekniet und hat ihn gebeten, seine Fingerspitzen küssen zu dürfen, — eine andere hat ihn im Konzertsaal publice umarmt — eine dritte hat den Überrest aus seiner Teetasse in ihr Flakon gegossen — Hunderte haben Handschuhe mit seinem Bild getragen — viele haben den Verstand verloren. Alle haben ihn verlieren wollen, ein Kunsthändler hat Glasplatten mit seinem Bild angefertigt und zu Schmucksachen verkauft, Tausende haben um seine Gunst und sein Geld gebuhlt resp. gebettelt, — das ist alles noch nichts. Die Hauptsache bleibt der Abschied. Die Narrheit hat nie einen größeren Triumph gefeiert." Für all das ist der Künstler nicht verantwortlich zu machen. Man begann in den Zeitungen und Witzblättern diese Übertreibungen aufzugreifen, aufzubauschen und auf jede Weise böswillig auszuschlachten. Die unangenehmen Nebenumstände, die sich schließlich immer einer schönen Sache anheften, wurden jetzt als Hauptsache dargestellt, und man fing tatsächlich an, sich seines Tuns zu schämen. Als daher Liszt im nächsten Jahre wieder nach Berlin kam, blieb die Stimmung kühl und zurückhaltend; man wollte sich nicht zum zweiten Male vor der Welt blamieren.

Die galanten Abenteuer, die sich während dieses Begeisterungstaumels abgespielt haben sollen, sind nicht zu zählen. Die Berichterstatter können sich in der Schilderung der Liebestollheiten schöner Berlinerinnen gar nicht genug tun. Aus der Fülle der Erscheinungen ragen vornehmlich zwei hervor, die den flüchtigen Augenblick überdauerten. Liszt gab sich den Reizen der als Schönheit gefeierten, berühmten Schauspielerin C h a r l o t t e v o n H a g n gefangen. Als er Berlin verließ, reiste sie ihm ohne Urlaub nach und verbrachte noch einige Tage mit ihm im Geheimen in Müncheberg.

Auch mit B e t t i n a v o n A r n i m trat Liszt in Berlin in engste Beziehungen. Ihr Briefwechsel gibt davon beredte Kunde. Kurz nachdem er die Hauptstadt verlassen, schreibt ihr Liszt: „Es drängt mich nach Dir — zu

Deinem innersten Geist. La iorce magnétique de nos deux natures s'augmente je crois par la distance extérieure. Je ne puis te dire à quel point ta lettre m'a emerveillé et ému." Das Gedicht „Der Du von dem Himmel bist" ist von Liszt „im Gedenken an Bettina" komponiert. Auch in späteren Jahren sahen sie sich noch häufig. Bettina reiste ihm lange Zeit mit ihren Töchtern von Stadt zu Stadt nach. Die Fama meldet, sie hätte den geieierten Künstler zu gern zum Schwiegersohn gewonnen. Auch auf der Altenburg in Weimar war Bettina noch häufiger Gast.

Von Berlin aus setzte Liszt seine Reise nach K ö n i g s b e r g fort. Hier gab er u. a. auch wieder ein Konzert für die Universität. Aus Dankbarkeit hierfür promovierte ihn die Philosophische Fakultät zum E h r e n d o k - t o r. „Eine Ohrfeige für die Berliner Fakultät, die es in ihrem dummen Bettelstolz versagte", wie Varnhagen von Ense in sein Tagebuch schrieb.

Über M i t a u und R i g a begab sich Liszt nach P e t e r s b u r g, um sein der Zarin gegebenes Versprechen einzulösen. — Er wurde vom Hof sehr freundlich empfangen und häufig geladen. Aus jenen Tagen stammt folgende Anekdote: Während Liszts Klaviervortrag im Schloß sprach Kaiser Nikolaus etwas laut mit einem Kammerherrn — Liszt hörte plötzlich auf zu spielen. Auf die erstaunte Frage des Kaisers: „Warum haben Sie das Spiel unterbrochen?" antwortete er unerschrocken: „Wenn der Kaiser spricht, müssen alle anderen schweigen." — Am 20. April 1842 gab er sein erstes Konzert im großen Saal des Adels-Vereinshauses vor nahezu 4000 Personen. Auch die Kaiserin mit Gefolge wohnte ihm bei. Die Philharmonische Gesellschaft ernannte ihn daraufhin zu ihrem Ehrenmitglied. Dem ersten Konzert folgten noch eine Reihe anderer, die ebenfalls beim Publikum und der gesamten Presse lebhafteste Anerkennung fanden. „Nach den Konzerten pflegten die Damen der höchsten Gesellschaft ihn an der Treppe seines Hotels mit Blumengirlanden zu empfangen. Und bei seiner Abreise ließ der hohe Adel eigens ein Dampfboot mit Musikchören herstellen, um den großen Künstler bis nach Kronstadt und weiter bis auf die Reede des finnländischen Golfes zu geleiten." In Petersburg knüpften sich auch die freundschaftlichsten Bande zwischen Liszt und Adolf H e n s e l t, mit dessen Werken er sich schon des längeren beschäftigt hatte.

Dieser war 1838 nach Petersburg gekommen und hatte mit einem einzigen Konzert solches Aufsehen erregt, daß er beschloß, dorthin zu übersiedeln. Er wurde zum Hofpianisten ernannt und unterrichtete nur in der höchsten russischen Aristokratie. Später wurde er zum Generalinspektor des Kaiserlichen Konservatoriums in Petersburg und Moskau bestimmt. Öffentlich trat er dort fast nie auf und erlangte daher als Klavierspieler nicht den Weltruf, der ihm eigentlich zugekommen wäre. Durch W. v. Lenz wurde

90

Liszt mit Henselt bekannt, und sie traten sich rasch näher. Auch den Komponisten Henselt schätzte er später sehr und widmete ihm 1850 sein „Konzertsolo". In Petersburg erreichte Liszt die Kunde von dem großen Brand in Hamburg am 5. Mai 1842. Er sandte sofort eine Konzerteinnahme von 55 000 Franken zur Hilfe dorthin ab. Ein Jahr später erhielt er ein großes aus dem Erz der geschmolzenen Glocken gegossenes Medaillon mit der Aufschrift: „Hamburg dankt".

Von Petersburg aus kehrte Liszt direkt zu den Seinen nach P a r i s zurück. Er wollte sich von dort nach London begeben, wo er die Direktion einer deutschen Operngesellschaft übernehmen sollte. Doch die Sache scheiterte, und die Choristen, die meist schon in Paris eingetroffen waren, saßen nun mittellos im fremden Land. Da veranstaltete Liszt zu ihren Gunsten am 30. Juni eine Matinee, in der sie seine Männerchöre „Rheinweinlied" und „Reiterlied" zur Aufführung brachten. Der Ertrag war so reichlich, daß alle wohlgemut die Heimreise antreten konnten. Liszt wohnte damals bei seiner Mutter in der Rue Blanche. Er verkehrte in diesen Tagen sehr viel mit W. v. Lenz, bei dem er sich öfters mit Ferd. Hiller und dem Violinisten Ernst zum Musizieren einfand.

Mitte Juli folgte er einer Einladung nach L ü t t i c h und B r ü s s e l zu den Festlichkeiten anläßlich der Enthüllung des Denkmals für den Komponisten Grétry. Liszt spielte in dem offiziellen Konzert am 20. Juli in Lüttich und am 23. in Brüssel. König Leopold verlieh ihm dafür den belgischen Leopold-Orden. Über diese Feierlichkeiten, wie überhaupt über Liszts Persönlichkeit und Aufenthalt in Belgien in den Jahren 1841/42 findet sich in den Memoiren des Liszt befreundeten Bankiers Charles Dubois in Lüttich folgende interessante Aufzeichnung:

„Bei seiner Ankunft von Wien (April 1840), der ein gewaltiger Lärm vorausging, rief Liszt in Paris, in dem er wie eine Kanonenkugel unerwartet die ganze Schar von Pianisten, die er (das sind die Worte Thalbergs) ‚alle in die Tasche steckte', über den Haufen warf, einen völligen Umschwung hervor. — Sein Name, seine Gestalt wie eine antike Kamee, sein napoleonisches Gesicht, seine Haare, sein Auftreten, seine eigenartige Sprechweise, das alles schuf einen Typus, eine Individualität, die die Neugierde im höchsten Grad erregte; er wurde der Löwe, der Held des Tages. Man raufte sich um ihn, man nahm ihm seine Handschuhe, man schnitt ihm Stücke von seiner Kleidung ab; er wagte schließlich nicht mehr zu Fuß auszugehen, wenn man ihn aber im Wagen erblickte, so spannte man ihm die Pferde aus und zog ihn selbst. Rausch und Tollheit rief er überall hervor. Aber es war nicht leicht, an ihn heranzukommen, namentlich für mich, der ich keinen Titel hatte, der mich ihm empfehlen konnte, ihm, dem Geburt und aristokratisches Benehmen die

91

vornehme Welt des Faubourg St. Germain und fürstliche Berühmtheiten, wie die Gräfinnen Merlin und die Fürstin Belgiojoso und ähnliche Häuser, an die er Empfehlungsschreiben der ersten Kreise Ungarns und Österreichs hatte, erschlossen. Immer in den Salons der großen Damen, stellte er dort das Barometer auf Regen oder Sonnenschein, schrieb für sie (wie die Widmungen vieler seiner herrlichen Werke zeigen), wurde dort angebetet. Seine bilderreiche Sprache, seine feinen geistreichen Erwiderungen und die Originalität seines Geistes gewannen ihm aller Herzen. Man kann mit Sicherheit sagen, daß er alle Frauen auf seiner Seite hatte, doch man mußte sehen oder vielmehr fühlen, welch aristokratische Atmosphäre er um sich verbreitete und welche ungeheure Sensation sein Eintritt in den Salons, namentlich wenn er dort spielte, hervorrief. Umschmeichelt und verehrt wie niemand, wurde er doch niemals reich. Er verdiente zwar ungeheure Summen, aber er gab sie den nächsten Tag wieder fort. Ich starb fast vor Sehnsucht, ihm vorgestellt zu werden. Ich wandte mich an den belgischen Gesandten und wurde schließlich eines Abends von ihm bei Liszt eingeführt, als sich dort u. a. Jules Janin, Balzac, Alexandre Dumas, George Sand und Chopin befanden. Moscheles hatte gerade seine große vierhändige Sonate in b-moll veröffentlicht, man ließ sie beim Herausgeber Paccini holen, und Liszt und Chopin spielten sie beim ersten Anblick, als ob sie sie jahrelang studiert hätten. Welche Erinnerungen! Doch alles geht sehr rasch zu Ende in Paris. Liszt reiste nach London, und von dort kam er nach Belgien. Fétis hatte sich seiner bemächtigt. Die besten Konzerte, die jemals in Brüssel veranstaltet worden sind, wurden durch ihn organisiert. Ich ging natürlich hin. Ich bettelte bei Liszt und erreichte schließlich, daß er sich in Lüttich hören ließ. Der große Künstler wohnte in Brüssel im Hotel de Flandre, nahe dem Park. Er gab uns dort nach einem seiner Konzerte ein glänzendes Souper. Wir waren ungefähr 30 bis 40 Gäste: der Graf Dietrichstein, van Praet, Rogier, Fétis, fast die ganze Presse, Madame Pleyel und andere Musik- oder Literaturgrößen. Jedermann hat sich die Erinnerung an die Musikfeste, die er in unserer Stadt gab, bewahrt. Liszt wohnte in Lüttich im Hotel de l'Europe, er gab dort Diners, Soupers und verbrauchte fabelhaft viel Geld. Er hatte zum Sekretär einen Herrn B . . ., der ihn um die Einnahmen seiner Konzerte beschwindelte. Ich scheue mich nicht, ihm dies nachzusagen, denn ich könnte es beweisen. Er hatte auch (das war eine seiner Verrücktheiten) einen großen Teufelskerl von Jäger, einzig um ihn zu rasieren und ihm die Krawatten zu binden, die er ebenso wie die Nadeln täglich änderte. Man enthüllte während seines Aufenthaltes in Lüttich das Denkmal Grétrys, er wurde der Held der Feierlichkeit. Der König Leopold I. schickte ihm das Kreuz seines Ordens.

Die Serie von Konzerten, die Liszt in Lüttich gab, aufzuzählen, würde

92

zu lang sein, ich beschränke mich daher auf Erwähnung desjenigen, das er für die „Société de Charité Maternelle", und desjenigen, das er für die Bergleute gab, in dem Herr Orban von seiner Loge herunter auf die Bühne kam und ihm ein wertvolles Geschenk überreichte unter einem Beifallssturm und inmitten eines Blumenregens. Liszt verkehrte häufig bei meinen Eltern. Ich erinnere mich, daß er uns eines Abends unbedingt tanzen machen wollte. Er setzte sich ans Klavier und improvisierte Walzer und Polkas voll prickelnden Lebens. — Doch alles in der Welt geht zu Ende. Da man ihn in die Hauptstädte Europas rief, verließ uns dieser fabelhafte Künstler, nachdem er zwei- oder dreimal eine Tournee durch Belgien gemacht hatte, die stets für ihn ein Triumphzug war, und auf denen ihn unsere Berühmtheiten begleiteten (selbst Frauen, die sich als Männer verkleideten, um ihm zu folgen . . .), dieser herrliche Mensch, dieses leuchtende Meteor, indem er uns, ‚auf Wiedersehen', aber nicht ‚Lebewohl' sagte."

Von Belgien aus begab sich Liszt wieder wie im Vorjahr nach N o n - n e n w e r t h , wo er mit der Gräfin und den Kindern zusammentraf. In ruhiger ernster Arbeit — zeitweise unterbrochen durch Ausflüge u. a. einmal in das Brühler Hoflager zu König Friedrich Wilhelm IV. — flossen die Sommermonate dahin. Vier Männerchöre und die französischen Lieder nach Texten Victor Hugos verdanken dieser Mußezeit ihre Entstehung. Liszt trug sich damals auch mit dem Plan, eine Oper „Manfred" nach Byron zu komponieren; doch kam dieser nicht zur Ausführung.

Der Oktober 1842 sah Liszt wieder in W e i m a r , wohin er auf Einladung Maria Paulownas zur Mitwirkung an den Vermählungsfeierlichkeiten des Großherzogs Karl Alexander mit Sophie, Prinzessin der Niederlande, geeilt war. Er arrangierte am 23. Oktober ein großes Hofkonzert und hatte auf Wunsch des Hofes den bekannten Sänger Rubini, der ihn auf seiner dieswinterlichen Konzerttournee begleiten sollte, mitgebracht. Am 29. Oktober gab er noch ein zweites öffentliches Konzert zu wohltätigen Zwecken. Er spielte die Réminiscence aus der Somnambule, Mazurka von Chopin, Polonaise aus den Puritanern und Erlkönig. „Wie ein Bienenschwarm zogen ihm fremde Künstler nach, und wir lernten durch ihn manche musikalische Größe kennen. Er kam mir vor wie ein reicher Quell, der seine belebende Kraft nach allen Seiten ausströmen läßt, um den trockenen Boden mit frischem Grün und neuen Blättern zu schmücken."

Während des diesmaligen Weimarer Aufenthaltes entschied sich auch eine für die Folgezeit so ungemein wichtige Frage: Liszt wurde auf das Drängen der Großherzogin zum „Großherzoglichen Kapellmeister im außerordentlichen Dienst" ernannt. Das Dekret ist vom 2. November 1842 gezeichnet und besagt, daß Liszt jedes Jahr während dreier Monate in Weimar

93

Aufenthalt nehmen und „bei seiner Anwesenheit die Kapelle zu seinen Leistungen aufzufordern und zu benutzen hat." Die Honorarfrage wurde dadurch erledigt, daß es dem Hof überlassen blieb, ihm jedesmal eine angemessene Summe für seine Tätigkeit zu überweisen. Er erhielt alljährlich 1000 Taler (sein „Zigarrengeld" nannte Liszt es scherzweise), und diese Summe wurde vom Hof auch beibehalten, als Liszt später f r e i w i l l i g seine ganze Kraft während des vollen Jahres in den Dienst des Weimarer Musiklebens stellte.

III. Erster Flug durch Europa, 1843—1844

Von Weimar aus besuchte Liszt wieder das benachbarte J e n a. Er dirigierte dort im studentischen Sängerkreise das Beckersche Rheinlied „Sie sollen ihn nicht haben" und war der Mittelpunkt eines großen Festmahls, auf dem Professor O. L. B. Wolff ihn mit folgendem Toast feierte:

Dessen Leben eine Blüte,   Dem das Reich der Höllengeister.
Ja ein Wundermärchen ist,   Wie der Himmel dienstbar ist,
Dessen Herz so reich an Güte,   Unserm Ritter, Doktor, Meister,
Wie sein Geist an Klängen ist,   Jenas treuem Freunde Liszt!

Die Stadt verlieh ihm das Ehrenbürgerrecht.

Die weitere Reise berührte Erfurt, Coburg, Gotha, Frankfurt, Köln, Aachen, Amsterdam, Leyden, wo ihm die Studentenschaft eine goldene Dose überreichte, und mündete Anfang 1843 in B e r l i n. Bei Hof war sein Empfang ein gleich liebevoller wie im Vorjahr, er erhielt reiche Geschenke und die goldene Medaille für Kunst und Wissenschaft. Sein damals entstandener zweiter ungarischer Marsch, der „Sturm-Marsch", wurde auf Befehl des Königs in die Sammlung preußischer Armeemärsche aufgenommen. Von dem herzlichen Verhältnis, das zwischen Liszt und dem Berliner Hof herrschte, legt auch folgendes Schreiben des Königs an ihn vom 4. Februar 1843 Zeugnis ab: „Ich schätze in Ihnen nicht nur den geistvollen Komponisten, den genialen, mit erstaunlichen Talenten begabten Künstler, sondern vor allem den Menschen auf Grund der wohltätigen Ziele, die Sie ohne Unterlaß verfolgen, und von denen Sie während Ihrer Reise in meinen Staaten unleugbare Beweise gegeben haben."

Liszt gab in Berlin fünf öffentliche Konzerte, in denen er zwar das Publikum begeisterte, aber die Beifallsbezeugungen und vor allem die Kritik, die sich hinter leeren Redensarten verklausulierte, gingen nicht über das

94

Durchschnittsniveau hinaus. Die ätzende Flut des Witzes und der Satire, die sich nach seinem letzten Auftreten in Berlin über die Enthusiasten ergossen hatte, hatte ihre Wirkung nicht verfehlt. Derselbe Mann, den man vor knapp dreiviertel Jahren gleich einem König im Triumphzug aus der Stadt geleitet und mit Huldigungen fast erdrückt hatte, wurde jetzt ohne irgendwelches Verschulden seinerseits im öffentlichen Leben völlig ignoriert. Diese Ungerechtigkeit, die ihm wieder einmal so kraß vor Augen stellte, wie wenig man in ihm den Künstler verehrte, und daß er eigentlich doch nur ein Spielball der Launen der Menge sei, ließ den ganzen Widerwillen, den Liszt seit langem an diesem „Virtuosengetriebe" hegte, wieder frisch aufflammen. Doch mußte er noch einige Jahre das Joch tragen.

In Berlin führte ihn der Zufall wieder mit R i c h a r d W a g n e r zusammen. Dieser, nach dem Erfolg seines Rienzi jetzt Hofkapellmeister in Dresden, war mit der Schröder-Devrient, die in einem Hofkonzert mitwirken sollte, nach Berlin gekommen, um wegen der Aufführung des Fliegenden Holländer zu verhandeln. Ihr hatte Wagner seine frühere Begegnung mit Liszt in Paris erzählt. „Da nun Liszt," so fährt die Autobiographie fort, „gleichfalls vom König von Preußen zu dem großen Hofkonzert geladen war, hatte es sich ereignet, daß bei einem ersten Zusammentreffen mit ihm sie von Liszt mit großer Teilnahme nach dem Erfolg des „Rienzi" befragt worden war. Da sie hierbei bemerkt hatte, daß der Komponist dieses „Rienzi" Liszt eine gänzlich unbekannte Person sei, hatte sie ihm sogleich mit sonderbarer Schadenfreude seinen vermeintlichen Mangel an Scharfblick vorgeworfen, da dieser Komponist, welchem er jetzt mit so lebhaftem Interesse nachfrage, derselbe arme Musiker sei, welchen er kürzlich in Paris „so hochmütig abgewiesen habe". Sie erzählte mir dies jubelnd, zu meiner größten Beklemmung, da ich sofort ihren von meiner früheren Erzählung gewonnenen Eindruck gebührend berichtigen mußte. Als wir in ihrem Zimmer eben diesen Punkt verhandelten, wurden wir plötzlich im Nebengemach durch die berühmte Passage des Basses in der Rache-Arie der „Donna Anna", in Oktaven rapid auf dem Klavier ausgeführt, unterbrochen. — „Da ist er selbst," rief sie. Liszt trat herein, um die Sängerin zur Konzertprobe abzuholen. Zu meiner großen Pein stellte sie mich ihm mit boshafter Freude als den Komponisten des „Rienzi" vor, den er ja nun kennen zu lernen wünsche, nachdem er ihm zuvor in seinem herrlichen Paris die Tür gewiesen habe. Meine ernstlichen Beteuerungen, daß meine Gönnerin — jedenfalls nur zum Scherz — eine ihr von mir gemachte Mitteilung über meinen früheren Besuch bei Liszt absichtlich entstelle, beruhigten Liszt augenblicklich über mich, da er anderweits über die leidenschaftliche Künstlerin wohl bereits mit sich im Reinen war. Er bekannte allerdings, daß er sich meines Besuches in Paris nicht erinnere, daß es ihn demungeachtet schmerzlich berührt und erschreckt habe, zu erfahren, daß irgend Jemand über eine so üble Behandlung seinerseits in Wahrheit sich zu beklagen haben sollte. Der überaus herzliche Ton der einfachen Sprache, in welcher Liszt über dieses Mißverständnis sich gegen mich äußerte, machten den sonderbar aufgeregten Neckereien der ausgelassenen Frau gegenüber einen ungemein wohltuenden und gewinnenden Eindruck auf mich. Seine ganze Haltung, durch welche er ihre schonungslosesten spöttischen Angriffe zu entwaffnen suchte, war mir neu, und gab mir einen innigen Begriff von der Eigentümlichkeit des seiner Liebenswürdigkeit und unvergleichlichen Humanität sicheren Menschen . . . Nachdem er sich an mich noch mit der herzlichen Versicherung gewandt, daß er es sich angelegen sein lassen werde, den „Rienzi" zu hören, und jedenfalls mir eine bessere Meinung über sich zu verschaffen, als sein Unstern bis jetzt ihm es ermöglicht habe, schieden wir für diesmal. — Der Eindruck, namentlich der großen, fast naiven Einfachheit und Schlichtheit jeder Äußerung und jedes Wortes, besonders auch des Ausdrucks, welchen er ihr gab, hinterließen auf mich mit großer Bestimmtheit den Eindruck, welchen gewiß jeder von den hier bezeichneten Eigenschaften Liszts gewonnen, und durch welchen ich mir zum erstenmal den Zustand von Bezauberung erklären konnte, in welchen Liszt alle, die ihm näher gekommen, versetzt hatte, und über deren Ursachen ich bisher eine falsche Meinung gehegt zu haben mir nun wohl innigst klar wurde." —

Von Berlin begab sich Liszt nach B r e s l a u, wo er in der Zeit vom 21. Januar bis 7. Februar sieben eigene Konzerte in der Universität gab und im Theater die Zauberflöte dirigierte (1. Februar). Es war dies das erstemal, daß er als Theaterdirigent den Herrscherstab führte. Auch für den Breslauer Akademischen Musikverein tat er sehr viel Gutes und wurde dafür zum Ehrendirektor ernannt, und die Studentenschaft brachte ihm einen Fackelzug.

Nach einer Rundreise durch Schlesien und Polen, die durch einen langen Besuch auf Schloß Krzyczanowitz seines Freundes Felix von Lichnowsky unterbrochen war, nahm er in W a r s c h a u längeren Aufenthalt. Im Vaterland Chopins brachte er hauptsächlich dessen Wunderwerke zum Erklingen und erweckte einen unbeschreiblichen Enthusiasmus. Erst Liszts Schilderungen des polnischen Empfindens und Nationalcharakters in seinem „Chopin"-Buch machen die Vorgänge in Warschau verständlich und glaublich. Doch diesem Erwecken der polnischen Sympathien durch polnische Nationalkunst politische Bedeutung beizulegen, wie man es damals versuchte, war sehr töricht. Russische Spione meldeten unbestimmte Gerüchte seiner Polenbegeisterung nach Petersburg, und der Künstler fiel dadurch bei Kaiser

96

Nikolaus in Ungnade. Die Zarin jedoch und die Prinzessinnen des Hofes bewahrten ihm ihre Gunst. Als nun Liszt selbst in P e t e r s b u r g eintraf, besuchte zwar der Kaiser keines seiner Konzerte, lud ihn auch nicht zu Hof, ließ ihn aber sonst ungestört gewähren; die Kaiserin dagegen besuchte seine Vorträge und lud ihn häufig zu Privatsoiréen ins Schloß. Dieses freundliche Entgegenkommen war wohl hauptsächlich bewirkt durch Berichte aus Warschau von Frau Kalergis, geborene Gräfin Nesselrode, der späteren Frau von Moukhanoff. Zu dieser geistreichen Frau, der Freundin Chopins und glühenden Verehrerin seiner Muse, trat Liszt in Warschau durch dessen Empfehlung in nähere Beziehungen, aus denen sich eine lebenslängliche Freundschaft entwickelte. Liszt gab sechs große Konzerte in Petersburg, begeisterte auch die Russen für seine Chopin-Vorträge und widerlegte damit am schlagendsten das Märchen seiner Polenpolitik. Zu den Musikern Petersburgs trat er in enge Fühlung, und hier gründete sich seine umfassende Kenntnis und die seiner Zeit weit vorauseilende Wertschätzung der russischen Musik. Auch in M o s k a u konzertierte er dieses Jahr (Mai) an sechs Abenden mit größtem Erfolg und kehrte schließlich über Hamburg, wo er am 26. Juni ein Konzert gab, in seinen Sommeraufenthalt N o n n e n w e r t h zurück. Von dieser russischen Reise sind allerhand Anekdoten und Gerüchte über galante Abenteuer in die Öffentlichkeit gedrungen. Darauf näher einzugehen, ist hier nicht der Ort. Es scheint allerdings, daß sich Liszt in den Salons Petersburgs und Moskaus mehr als anderwärts von den Reizen schöner Gräfinnen und Damen der Aristokratie gefangen nehmen ließ. In den Lebeweltkreisen Moskaus, in denen er viel verkehrte, wurde er auch mit einer Sehenswürdigkeit der Stadt, den ob ihrer Schönheit berühmten Zigeunerinnen, bekannt gemacht. In seinem Buch „Die Zigeuner und ihre Musik in Ungarn" hat Liszt später seine damaligen Beobachtungen farbenprächtig geschildert. Von dieser Zeit ab datiert seine große Vorliebe für die seltsam schwermütig-feurige Musik dieser Naturkinder, der er schon in seiner Kindheit so gern gelauscht hatte. „Von jeher und immer wieder von neuem von dem tiefen Schmerz und der Kühnheit der Zigeunermusik angezogen, verfehlten wir nie, uns auf all unseren Reisen nach den Cyganykünstlern zu erkundigen, denen wir möglicherweise begegnen könnten."

Der Sommer 1843 war der letzte, den Liszt in Nonnenwerth zubrachte. Ihm entstammt wieder eine Reihe lyrischer Schöpfungen, vor allem die d'Agoult-Lieder u. a. „Die Zelle in Nonnenwerth", dessen Text sein Freund Fürst Lichnowsky zu Ehren der Gräfin gedichtet hatte; ferner Bearbeitungen einiger seiner Lieder für Klavier allein und in Erinnerung an seinen russischen Aufenthalt einige Phantasien über russische Themen.

Im Herbst geleitete Liszt die Gräfin und die Kinder nach Paris, verweilte

7   K a p p, Liszt.   97

dort kurze Zeit als Privatmann und kehrte nach Deutschland zurück, um eine Konzertreise durch die südlichen Provinzen, die er noch nicht wieder besucht hatte, anzutreten. Am 18. Oktober 1843 gab er sein erstes Konzert im Odeon in M ü n c h e n, dem König Ludwig I. beiwohnte. Für eine im Werden begriffene Blindenanstalt stiftete er u. a. aus seinen Konzerteinnahmen 1500 Gulden, und der König, der wegen seiner Sparsamkeit Künstlern gegenüber bekannt war, verfügte, daß der Beutel, in dem Liszt das Geld dem Magistrat übersandt hatte, „für immer zum Andenken aufbewahrt werden sollte." Die Bevölkerung zeigte sich dankbarer: die Liedertafel brachte ihm eine Serenade bei Fackelschein, und die Künstlergesellschaft der „Zwanglosen" veranstaltete für ihn am 28. Oktober ein großes Fest, auf dem ein von Carl Fernau gedichtetes Begrüßungsgedicht überreicht wurde, das mit den Worten schloß:

> Er steht vor uns mit seinen Phantasien,
> Vor uns mit allen seinen Lebenssonnen,
> Mit seinen zauberischen Melodien
> Gebietend unseren Tränen, unseren Wonnen.
>
> Wenn Saitenkunst auch minder dauernd ist,
> Als Malerwerk und marmorne Gestalten,
> Für immer lebt die Sage doch von Liszt
> Und seinen herzerschütternden Gewalten.

Der an äußeren Triumphen reiche Münchener Aufenthalt gewann noch besonderes Interesse durch die Beziehungen, die Liszt hier zu vielen berühmten Künstlern der damaligen Zeit knüpfte. Schwanthaler fertigte ein Medaillon von ihm an; vor allem aber fesselte ihn Wilhelm von Kaulbach, mit dem er später noch regen künstlerischen Verkehr pflegte. — Es schlossen sich Konzerte in Augsburg, Nürnberg, wo ihn der Mozartverein und der alte Dürerverein zum Ehrenmitglied ernannte (14. Oktober), Stuttgart, Karlsruhe, Mannheim, Heidelberg und endlich H e c h i n g e n an, wo der musikliebende und ihm sehr gewogene Fürst Konstantin von Hohenzollern-Hechingen ihm den Hofratstitel verlieh.

Mitte Dezember traf Liszt in W e i m a r ein, um zum erstenmal sein dortiges Kapellmeisteramt auszuüben. Er blieb bis zum 18. Februar 1844 und dirigierte in der Zwischenzeit acht Konzerte mit fast durchweg klassischem Programm. Er verfolgte schon damals dieselben Anschauungen als Dirigent, die er zehn Jahre später, nach dem Karlsruher Musikfest (1853), in seinem offenen Brief „Über das Dirigieren" niedergelegt hat und die in dem treffenden Wort: „Wir sind Steuermänner, nicht Ruderknechte", gipfelten. Es kam

98

ihm vor allem darauf an, den Geist und inneren Gehalt des Werkes zum Ausdruck zu bringen. Seine Direktion sollte sich hauptsächlich auf die Angabe seiner Intentionen erstrecken, das rein mechanische Taktschlagen, das er zum „Groben", rein Technischen rechnete, hielt er für unnötig. Doch die Weimarer Hofkapelle war noch nicht aus dem „Groben" heraus, sie bedurfte noch der Vorübungen, um den Angaben ihres Steuermannes folgen zu können. Bald jedoch hatte er sich seine Truppe so herangebildet, daß sie jedem seiner Winke restlos zu folgen verstand. Die damaligen Berichte sind des Lobes voll über seine Dirigentenfähigkeit. Selbst die Liszt sonst nicht freundlich gesinnte Allgemeine Musikalische Zeitung schrieb:

„Liszt hat ein tiefes Verständnis aller der Werke gezeigt, die er bis jetzt in seinen Konzerten dirigierte. Namentlich hat er die Beethovenschen Symphonien meist in langsamerem Tempo genommen, als wir sie früher gehört, und mit überraschendem Gewinn für die Wirkung. — Er besitzt die Hauptgabe des echten Dirigenten, den Geist des Werkes in vollem Glanze aufleuchten zu lassen. Jede feinste Nuance versteht er allen Ausführenden erkennbar in seinen Bewegungen auszuprägen, ohne in karikiertes Herumfahren auszuarten. Sein bewegliches, alle Gefühle abspiegelndes Antlitz verdolmetscht die Freuden und Leiden der Töne, und sein energisch herumblitzendes Auge muß jede Kapelle zur ungewohnten Tatkraft entzünden. Liszt ist die verkörperte Musikseele. —

Im ersten Konzert spielte Liszt auch das schwere h-moll-Konzert von Hummel, der ehemals sein Vorgänger in Weimar war. Die Witwe des Komponisten wohnte dem Konzert bei und sagte nach Beendigung zu Gille beglückt: „So haots halt do' mei' Alter nit gspült."

Diese kurze Weimarer Zeit war ein würdiges Präludium der späteren musikalischen Glanzzeit Weimars.

Liszt folgte nun einer Einladung nach D r e s d e n , wo er in einem Konzert zum Besten eines Denkmals für den Oratorienkomponisten Naumann mitwirkte. Hier wohnte er auch einer Aufführung von Richard Wagners Rienzi bei, die er, da die Oper gerade nicht auf dem Repertoire stand, sich durch besondere Fürsprache bei der Direktion auswirkte. Wagner selbst traf er nur flüchtig in des Tenoristen Tichatschek Garderobe. In diese Zeit fällt auch Liszts Bekanntschaft mit Franziska von Bülow, der Mutter Hans von Bülows, und jene Privatsoiree in einem dem Bülowschen benachbarten Hause, auf der Liszt erklärte, er spiele nur, wenn man ihm den kleinen Hans, dessen Talent ihn sehr interessierte, herüberhole, was dann auch geschah, obwohl der Knabe schon zu Bett gegangen war. — Nach einer Rundreise durch Norddeutschland, die u. a. die Städte: Bernburg, Stettin (8. März), Dessau, wo Liszt sich mit Robert Franz, für dessen Lieder er sich sehr erwärmt hatte, Rendezvous gegeben, Braunschweig, Hannover berührte, traf er Mitte April in Paris ein.

Auf dieser Reise ereignete sich ein damals vielbesprochenes galantes Abenteuer. Die bekannte Tänzerin Lola Montez, die schon vor ihren Münchner Erlebnissen sehr viel von sich reden machte, hatte ihn eine Zeitlang auf seiner Tournee begleitet. Da er sie nicht mehr los werden konnte, schloß er sie eines Tages in seinem Hotelzimmer ein, übergab dem Portier den Schlüssel und beauftragte ihn — da er allein weiterreisen und einen Vorsprung gewinnen wollte, — erst nach 12 Stunden die Tür zu öffnen und die Dame ruhig toben und klingeln zu lassen. Sie hat ihm übrigens diesen Streich nicht übelgenommen und auch später, als sie in der Gunst des Königs von Bayern stieg, ihm sehr lieb geschrieben und angeboten, ihm bei Hof behilflich zu sein; auch könne sie ihm vom König, den sie übrigens einen „großen Geizhals" nannte, da er ihr stets aus dem Süden ein Kistchen Apfelsinen statt der gewünschten Edelsteine mitbringe, hohe Orden verschaffen.

IV. Trennung von der Gräfin d'Agoult, 1844

Um die nun folgenden Vorgänge in Paris verstehen zu können, müssen wir zunächst einer Angelegenheit unsere Aufmerksamkeit zuwenden, die in der Zwischenzeit einer Entscheidung zudrängte: dem Verhältnis Liszts und der Gräfin d'Agoult. So wie die Dinge seit 1840 lagen, konnte der Verkehr unmöglich bestehen bleiben. Es mußte hier Wandlung geschaffen werden; nur e i n e Möglichkeit blieb — völlige Trennung. Sie mußte schon der Kinder wegen, die Liszt „aus mehreren Gründen nicht mehr bei ihrer Mutter belassen durfte", vorgenommen werden. Die Gräfin hatte, nachdem sie Liszt 1840 durch die Aussöhnung mit ihrer Familie in der Gesellschaft gewissermaßen rehabilitiert hatte, und ihr durch den Tod ihrer Mutter bedeutende Geldmittel zugefallen waren, wieder ein eigenes Heim in Paris gegründet, und ihr Salon ward bald, wie ehemals, zumal sie jetzt zu schriftstellern begonnen hatte, der Sammelpunkt der Künstler- und Literatenwelt. Dieser Ort, an dem eine sehr freie Moral zu herrschen begann, war kein Aufenthalt für heranwachsende Kinder. Eine dauernde Vereinigung der Gräfin mit Liszt war aber bei der immer krasser hervortretenden Gegensätzlichkeit ihrer Charaktere, „ce dissentiment radical de nos deux natures", wie Liszt es nennt, eine Unmöglichkeit. Alle Begegnungen der letzten Jahre 1840/44 hatten zahllose, für beide Teile tiefschmerzliche Verstimmungen in sich geborgen, waren zeitweise geradezu ein Martyrium; ja es war häufig sogar zu leidenschaftlichen Auftritten

100

gekommen. Liszt schrieb 30 Jahre später bei Erhalt ihrer Todesnachricht, als gewiß jede Spur von persönlicher Gereiztheit längst geschwunden war: „Das Gedächtnis, welches ich der Gräfin d'Agoult bewahre, ist ein Geheimnis des Schmerzes, das ich Gott anvertraue mit der Bitte, der Seele der Mutter meiner drei geliebten Kinder Friede und Licht zu verleihen. In ihren „Esquisses morales" hat Daniel Stern geschrieben: ‚Verzeihung ist nur eine Art von Verachtung.' Das ist anmaßend und falsch!" „Ohne Heuchelei, ich wüßte Daniel Stern nach ihrem Tode nicht mehr zu beklagen, als zu ihren Lebzeiten. Denn Madame d'Agoult besaß in hervorragendem Maße eine Neigung, ja sogar eine besondere Vorliebe für die Falschheit — ausgenommen in gewissen Augenblicken der Ekstase, an die sie aber hernach die Erinnerung kaum ertragen konnte."

Die Disharmonie der Charaktere wurde durch die zahlreichen Mißhelligkeiten, die ihr ungewohntes Verhältnis im gesellschaftlichen Verkehr ständig hervorrufen mußte, nur noch verschärft. Die Einflüsterungen guter Freunde fielen bei beiden, da sie selbst innerlich zerknirscht und elend waren, auf guten Boden. Unter diesen Umständen konnte ein an sich unbedeutendes Ereignis den Stein ins Rollen bringen. Ein solches fand sich bald. Der Gräfin war von Liszts Beziehungen zu Lola Montez Kunde hinterbracht worden. Sie schrieb ihm darob entrüstete Briefe und kündete ihm, als er mit stolzen Worten ihre Insinuationen zurückwies, endgültige Trennung an. Damit war von ihrer Seite das entscheidende Wort gefallen. Liszt zögerte, um ihr Zeit zum Widerruf zu lassen; als dieser nicht eintraf, nahm er die Drohung für ernst. Es ist kaum anzunehmen, daß die Gräfin wirklich den Bruch beabsichtigte, auch kann der als Vorwand genommene Umstand unmöglich als stichhaltig angesehen werden. Denn sie, die es selbst mit der ehelichen Treue Liszt gegenüber sehr wenig genau nahm, konnte schwerlich an einer unbedeutenden Tändelei mit einer Tänzerin solchen Anstoß nehmen. Der Bruch erfolgte, kurz ehe Liszt in Paris eintraf. Die Gräfin plante jetzt Rache. Ihre Handlungsweise gibt den Urteilen, die Liszt damals und später schriftlich und mündlich über sie gefällt hat, nur zu recht. Ein Mensch, der selbst in leidenschaftlicher Gereiztheit in der Öffentlichkeit zu so niedrigen Mitteln greift, wie die Gräfin es tat, kann nicht ein solch edler Charakter sein, wie man dies neuerdings behauptet hat. Durch erkaufte Kritiken suchte sie Liszt, dessen Ankunft in Paris bereits angekündigt war, einen öffentlichen Mißerfolg zu bereiten. Als dieser Versuch aber kläglich gescheitert war, vergaß sie sich so weit in ihrer Frauenehre, daß sie einen Roman N e l i d a (1846) veröffentlichte, der ihr Verhältnis zu Liszt zum Gegenstand hat und worin dem Maler Guermann (Liszt) alle Schuld an dem Bruch aufgebürdet, seine Ehrenhaftigkeit verdächtigt wird, während sie selbst als edle Unglückliche um die Sym-

101

pathien wirbt. Dieser klägliche Rechtfertigungsversuch war ihrem neuen Geliebten de Ronchaud gewidmet! Der gegen Liszt gesandte Pfeil sprang auf sie selbst zurück.

In Paris traf Liszt schriftlich mit der Gräfin Abmachungen über die Erziehung der Kinder. Die beiden Mädchen wurden dem vornehmen Erziehungsinstitut der Madame Bernard übergeben, wo sie bis Herbst 1848 verweilten, Daniel blieb noch bei seiner Großmutter, bis er das Alter erreicht hatte, um in das Lycée Bonaparte, eine der ersten Erziehungsanstalten in Paris, eintreten zu können. Liszt trug die Erziehungskosten allein und deponierte, wie früher seiner Mutter, jetzt auch jedem der Kinder eine beträchtliche Geldsumme, um sie für alle Fälle sicherzustellen. Er erstrebte auch für sie durch die Kaiserin von Österreich, da sie seiner Nationalität gemäß als Ungarn galten, ihre „légitimation complète" an, denn dann, so schreibt er an Abbé Lamennais, „mes enfants seront dans la meilleure assiette possible et mes f o l i e s d e j e u n e s s e aussi honorablement réparées qu'il m'est donné de le faire." So sehr Liszt bestrebt war, die Erziehung der Kinder der verderblichen Einflußsphäre ihrer Mutter zu entziehen, so sollten sie doch ihre Mutter besuchen, und er hielt sie auch später stets an, Vater und Mutter zu verehren. Für seine beiden Töchterchen komponierte er damals eine Kinderhymne, Lamartines „Hymne de l'enfant à son réveil". Mit der Gräfin d'Agoult traf Liszt in den späteren Jahren noch einige Male flüchtig zusammen, wovon noch die Rede sein wird.

Der Pariser Öffentlichkeit widmete sich Liszt in zwei großen Konzerten im Italienischen Opernhaus, am 16. und 25. April 1844, deren Programme er ganz allein und mit nur eigenen Kompositionen oder Bearbeitungen bestritt, und die eine Einnahme von je 12 000 Franken erzielten. Der Erfolg ließ alles bisher in Paris Gehörte weit hinter sich. Es entstand eine ähnliche Begeisterung wie zu Berlin 1842. Heinrich Heine berichtet darüber: „Wenn ich früher von dem Schwindel hörte, der in Deutschland und namentlich in Berlin ausbrach, als sich Liszt dort zeigte, zuckte ich mitleidig die Achsel und dachte: das stille, sabbathliche Deutschland will die Gelegenheit nicht versäumen, um sich ein bißchen erlaubte Bewegung zu machen, es will die schlaftrunkenen Glieder ein wenig rütteln . . . . So erklärte ich mir die Lisztomanie, und ich nahm sie für ein Merkmal des politisch unreifen Zustandes jenseits des Rheines. Aber ich habe mich doch geirrt, und das merkte ich erst vorige Woche im Italienischen Opernhaus, wo Liszt sein erstes Konzert gab und zwar vor einer Versammlung, die man wohl die Blüte der hiesigen Gesellschaft nennen konnte. — Das war kein deutsch-sentimentales, berlinisch-anempfindendes Publikum, und dennoch! Wie gewaltig, wie erschütternd wirkte schon seine bloße Erscheinung! Wie ungestüm war der Beifall, der

102

ihm entgegenklatschte... Und welcher Jubel! Eine wahre Verrücktheit, wie sie unerhört ist in den Annalen der Furore!"

Dieser Bericht, datiert vom 25. April 1844, hat besondere Bedeutung erlangt. Es ist der letzte, den Heine, der schon früher seinen Witz an Liszt ausgelassen, über ihn geschrieben und der mit zum Bruch zwischen den beiden Männern beigetragen hat. Der Verkehr war von Liszts Seite niemals ein herzlicher, da ihn, wie er sagte, Heines Wesen nicht angezogen habe, er seinen Gelderpressungen keinen Geschmack abgewinnen konnte, und Heine sich stets miserabel erwies. Zu dem Konzert hatte er von Liszt Freikarten erbeten und ihm danach geschrieben: „Ich will Sie, Liebster, morgen zwischen zwei und drei Uhr bei mir erwarten. Ich habe bereits einen ersten Artikel geschrieben, den ich v o r Ihrem zweiten Konzert fortschicken möchte, und es steht vielleicht etwas drin, was Ihnen nicht gefiele; deshalb ist es mir ganz recht, daß ich Sie erst spräche. Ihr Freund H. Heine."

Liszt nahm an einigen Stellen des Aufsatzes Anstoß, und es kam zum Wortwechsel. Als Liszt darauf einen von Heine auf ihn ausgestellten größeren Wechsel nicht akzeptierte, verschärfte Heine seine bissigen Ausdrücke und setzte ein hämisches Nachwort hinzu, in dem er allen Taten Liszts, seiner großen Freigebigkeit usw., niedere Motive unterschob und den ganzen „Schwindel" durch eine geschickte mise-en-scène, selbstgekaufte Blumenspenden, bezahlte Ovationen, bestochene Kritiker usw. zu erklären versuchte. Seine Freunde, sobald sie sich seinen Zwecken nicht mehr zugänglich zeigten, auf die niedrigste Weise zu verleumden und ihren Charakter zu verdächtigen, darin war Heine stets groß. Liszt ignorierte ihn natürlich von dieser Zeit ab gänzlich. Als einst in seiner Gegenwart über Heine disputiert wurde und man ihm auf abfällige Bemerkungen entgegnete: „Aber glauben Sie nicht, daß dennoch Heines Dichtername im Tempel der Unsterblichkeit eingeschrieben sein wird?" antwortete Liszt schroff: „Ja, aber mit Kot!"

V. Nochmals im Flug durch Europa, 1844—1847

Nach den Pariser Erlebnissen machte Liszt eine Tournee durch die südfranzösischen Provinzen, konzertierte in L y o n, wo ihm von den Damen der Stadt ein goldener Lorbeerkranz überreicht wurde, M a r s e i l l e, T o u - l o n, B o r d e a u x, um sich dann über die Pyrenäen nach Spanien zu begeben. Hierbei berührte er auch das Städtchen P a u, wo seine Jugendliebe K a r o l i n e, jetzige Madame d'Artigaux, wohnte. Nach 16 Jahren sahen sie sich wieder. Wie erschütternd diese Begegnung gerade nach den Pariser

103

Geschehnissen auf ihn gewirkt haben muß, welche Empfindungen in ihm auf-
wachten, ist leicht verständlich. Die gemarterte Seele löste sich in dem ganz
inneren Gefühlen entsprungenen, überwältigenden Lied „Ich möchte hingehen" (Text von Herwegh).

Noch einmal lebte die alte Jugendliebe in ihren Herzen auf, und schei-
dend gelobten sie sich, beim Avemarialäuten täglich einander zu gedenken.

Seit diesem Tag blieb Liszt in schriftlichem Verkehr mit der unglücklichen Frau, die ein stilles Martyrium an der Seite eines ungeliebten Mannes
erduldete. „Liebe ich Sie doch," schreibt sie ihm später einmal, „mit aller
Kraft meiner Seele und wünsche Ihnen das Glück, das ich selber nicht mehr
kenne. Lassen Sie mich immerdar in Ihnen den einzigen Leuchtstern meines
Lebens sehen und das tägliche Gebet für Sie gen Himmel schicken. Lohne
ihm, mein Gott, „lohne ihm überreich seine standhafte Unterwerfung unter
Deinen Willen!" Im Jahre 1874 löste ein sanfter Tod ihre zartbesaitete
Seele.

Von Pau aus setzte Liszt seine Reise nach M a d r i d fort. Er gab
hier vom 1. Oktober bis 2. Dezember 1844 sieben große Konzerte im Teatro
del Circo, deren jedes 20 000 Realen eingebracht haben soll. Der Erfolg war
beispiellos, der südländische Enthusiasmus fachte die Begeisterungsgluten zu
höchsten Temperaturen an. Man gab ihm am 4. November ein großes Fest,
auf dem ihm ein goldener Anhänger mit emailliertem Lorbeerkranz und der
Inschrift „Les professores della orquesta Madrid 1844" verehrt wurde. Er
spielte auch oft bei Hof, nachdem er es durchgesetzt, daß er, entgegen der
spanischen Hofetikette, zuvor den Mitgliedern des königlichen Hauses vorgestellt worden war. Das glaubte er, und zwar mit Recht, dem Künstler-
stand schuldig zu sein. Die Königin Isabella verlieh ihm den Ritterorden
Karls III. und schenkte ihm eine kostbare Brillantnadel. Von Madrid ging
Liszt direkt nach L i s s a b o n, wo sich die Triumphe wiederholten. Hier
erhielt er von der Königin Marie II. den Christusorden und eine diamant-
besetzte Tabatière. Er bereiste sodann die Hauptstädte der Pyrenäen-Halb-
insel. Der Aufenthalt in Spanien und Portugal glich einem fortwährenden
Rausch. Fest folgte auf Fest. Liszt stürzte sich mit Glut in die Wogen des
Genußlebens. Es war für ihn eine Art Selbstbetäubung. Auch in Spanien trat
er mit den Zigeunern in Fühlung und studierte die Unterschiede ihres Wesens
gegenüber denen Ungarns. Eine Spanische Rhapsodie entstand später als
Reminiszenz an diesen Aufenthalt. Über M a r s e i l l e, L y o n und M â c o n,
wo er einige Tage bei Lamartine zu Besuch blieb (Ende Mai 1845), den er
auch schon auf der Hinreise aufgesucht hatte, und wo er die Préludes skiz-
zierte, begab er sich ins Elsaß, konzertierte in K o l m a r, S t r a ß b u r g,
M ü l h a u s e n, M e t z, und machte dann einen Abstecher in die deutsche

104

Schweiz, wo er sich namentlich in Z ü r i c h und B a s e l aufhielt. Als Liszt in Basel ein Konzert beginnen wollte, wurde ihm gemeldet, draußen stünde regentriefend ein junger Mann, der, da der Saal ausverkauft sei, keinen Platz mehr finden könne, aber durchaus herein wolle. Liszt ging sofort hinaus und fand einen jungen Musiker, J o a c h i m R a f f, der, um Liszt zu hören, von Zürich nach Basel zu Fuß gewandert war, da er kein Geld besaß. Liszt setzte ihn zu sich aufs Podium und nahm ihn dann mit nach Deutschland. Während des Bonner Beethovenfestes vertrat Raff bei ihm Sekretärstelle; später verschaffte ihm Liszt eine Stelle in der Musikalienhandlung Lefèbre in Köln.

Ende Juli 1845 traf Liszt in B o n n ein, um die letzten Vorbereitungen der auf den 12. August festgesetzten Enthüllungsfeier des Beethovendenkmals zu überwachen. Wie erinnerlich, hatte Liszt sich schon 1839 bereit erklärt, die noch fehlenden Mittel für das geplante Denkmal aus eigenen Kräften zur Verfügung zu stellen, wenn ihm die Wahl des Bildhauers, als welchen er Bartolini vorschlug, überlassen würde. Das Komitee hatte seine Gabe hocherfreut angenommen, aber die Wahl des italienischen Plastikers rief in deutschen Künstlerkreisen lebhafte Mißstimmung hervor. Auch zog man ein Bronzestandbild dem Marmor vor. Liszt nahm darauf seine Bedingung zurück und deckte mit 10 000 Franken den Fehlbetrag. Aus einer 1840 ausgeschriebenen Preiskonkurrenz war der Dresdener Bildhauer E r n s t H ä h n e l als Sieger hervorgegangen. Endlich war das Denkmal 1845 fertiggestellt. Zur Feier seiner Inauguration wurde ein dreitägiges Musikfest zu Bonn geplant, das nur Beethovenschen Werken gewidmet sein sollte, mit Ausnahme eines Enthüllungschores, den der Universitätsmusikdirektor Dr. K. Breidenstein entwarf, und einer Festkantate, um deren Komposition das Komitee Liszt bat. Als Liszt in Bonn eintraf, zeigte sich sehr bald, daß die vom Komitee für das Fest getroffenen Vorkehrungen durchaus unzureichend waren. Man hatte einen ungeeigneten Saal gewählt. Da Liszt keinen passenden fand, erklärte er, schnell entschlossen, es müsse eine Festhalle gebaut werden; er werde die entstehenden Kosten übernehmen. Er leitete alle notwendigen Schritte, und wirklich war in zehn Tagen wie aus dem Nichts eine schöne, allen Ansprüchen entsprechende Festhalle entstanden. Auch für die Unterbringung der zahlreich herbeiströmenden Festgäste, von denen Spohr, Berlioz, Meyerbeer, Moscheles, Fétis, Schindler, Wegeler, Rellstab, J. Janin, Chorley genannt seien, war zuvor nicht Sorge getragen, und als auch noch die Kunde eintraf, daß König Friedrich Wilhelm IV. und sein Hofstaat, der sich im benachbarten Brühl aufhielt, dem Fest beiwohnen werde, stieg die Verwirrung aufs höchste. Auch hier suchte Liszt nach Möglichkeit Abhilfe zu schaffen. Am Vorabend des Festes, am 11. August, fand unter Spohrs Lei-

105

tung das erste Konzert mit der neunten Symphonie und der Missa solemnis statt. Am nächsten Tag ½12 Uhr fiel die Hülle des Denkmals unter den Klängen des Inaugurations-Chores. Derjenige aber, der dieses Monument dem deutschen Volk geschenkt hatte, stand mit verzückter Miene in den Anblick des die Züge seines von Kindheit auf verehrten Genius sprechend wiedergebenden Denkmals versunken. „Niemals sah ich einen Ausdruck auf irgendeinem Antlitz so edel und so hoheitsvoll strahlen, wie auf diesem," berichtet Chorley über diese Szene. Am Nachmittag fand unter Liszts Leitung das große Festkonzert statt. Liszt dirigierte die c-moll-Symphonie, das Finale aus Fidelio und spielte selbst das Es-dur-Klavierkonzert. Auf dem sich anschließenden Festbankett gab es durch die Schuld von Liszts eifersüchtigem Kollegen, Hofkapellmeister C h é l a r d , aus Weimar einen heftigen Streit zwischen den einzelnen Gästen und ihren Richtungen, hervorgerufen durch Neid und Mißgunst, der zu offener Feindschaft der verschiedenen Parteien ausartete und das Schlußkonzert des nächsten Tages in Frage stellte. Die Stimmung wurde noch verschlechtert durch das verspätete Eintreffen des Hofes. Die Hauptprogrammnummer dieses Tages bildete Liszts große Festkantate für Chor, Soli und Orchester. Kaum war der letzte Ton des von den Musikern zum Teil absichtlich schlecht ausgeführten Werkes verklungen, als der Hof eintraf. Liszt ließ kaltblütig das Stück wiederholen, und nun erzielte es bei feuriger Darstellung einen unbestritten großen Erfolg. In der Presse fand die Kantate durchweg sehr günstige Besprechung. — Die Feierlichkeit schloß übrigens mit einem kleinen Reingewinn ab, und die Stadt Bonn wollte Liszt zu Ehren aus Dankbarkeit eine seinen Namen tragende Straße anlegen; doch lehnte er ab. Als dann 1870 zu Beethovens hundertstem Geburtstag wieder ein großes Beethovenfest gefeiert wurde, schämte man sich nicht, den „zu fortschrittlichen Liszt" nicht nur vollständig zu übergehen, sondern die Leitung in die Hände seines Gegners Hiller zu legen. Das war Bonns vielbeteuerte Dankbarkeit.

Schon während des Bonner Festes fühlte sich Liszt unwohl, die vielen Aufregungen und der Ärger hatten ihn krank gemacht. Er lag längere Zeit an einem Gallenfieber in Köln darnieder. Madame Kalergis, die der Beethovenfeier beigewohnt hatte, pflegte ihn. Zur Erholung weilte er dann mehrere Wochen in Baden-Baden und zog sich für den Rest des Jahres fast völlig von der Öffentlichkeit zurück. In diese Zeit fällt seine Werbung um die Hand der Gräfin Valentine Cessiat, einer Nichte Lamartines, die er bei diesem in Mâcon schätzen gelernt hatte und von der er Teilnahme für sich erwarten durfte. Doch konnte sich die Gräfin nicht entschließen, ihren Ohm, der ihrer Pflege bedürftig war, zu verlassen, und entsagte Liszts Antrag. Dieser Umstand läßt deutlich erkennen, wie sehr Liszt sich nach einem geregelten Dasein, nach einem festen Wohnsitz sehnte, und es ließ sich erwarten, daß er, sobald ihm die richtige Frau in den Weg trat, seinen Wunsch in die Tat umsetzen würde.

Vom Dezember bis Februar 1846 kam Liszt seinen W e i m a r e r Verpflichtungen nach und begab sich von dort anfangs März nach W i e n. Hier, wo er seit sechs Jahren nicht mehr erschienen war, gab er zwischen dem 1. März und 17. Mai zehn eigene Konzerte, in denen seiner reifen Künstlerschaft verständige Würdigung zuteil wurde. Eines Tages besuchte ihn in seinem Hotel Stadt London der fünfzehnjährige Violinkünstler J o s e p h J o a c h i m. Liszt spielte mit ihm das Mendelssohnsche Konzert, „besonders das Finale in unvergleichlicher Weise, wobei er immer die brennende Zigarre zwischen dem Zeige- und Mittelfinger der rechten Hand hielt." Joachim war von Liszt als Künstler wie Mensch aufs höchste begeistert und begleitete ihn auf seiner Reise nach P r a g, wo Berlioz am 17. April seine dramatische Symphonie Romeo und Julie dirigierte. Die Hauptprobe hatte Liszt geleitet, der danach O l m ü t z, B r ü n n, M a r b u r g besuchte und während des Juni auf dem Schloß seines Freundes Felix von Lichnowsky in G r ä t z weilte. Zur Erinnerung an seinen Aufenthalt setzte ihm sein Freund im Park an seinem Lieblingsplätzchen einen Granitblock mit der goldenen Inschrift „Lisztplatz". Weitere Konzerte in Rohitsch, Agram (17. Juli) und Ödenburg (3. August) folgten. Von Ödenburg aus, wo er zum Gerichtstafelbeisitzer des Komitats ernannt wurde, machte er wieder einen Ausflug nach R a i d i n g. Hier suchte er mit in der Nähe befindlichen Zigeunerbanden Fühlung zu gewinnen. „Wir sind zu ihnen allen, unter sie alle gegangen, wir schliefen mit ihnen unter freiem Sternenhimmel, scherzten mit ihren Kindern, beschenkten ihre jungen Mädchen, plauderten mit den Heerführern und Häuptlingen und hörten ihrem Spiel vor ihrem eigenen Publikum beim Scheine ihres eigenen Feuers zu, dessen Herd der Zufall bestimmt." In seinem schon mehrfach zitierten Buch „Die Zigeuner und ihre Musik in Ungarn" hat Liszt später alle Erfahrung und Kenntnisse über diese Naturkinder, die er auf seinen zahlreichen Besuchen bei ihnen gesammelt hat, im Zusammenhang niedergelegt. Die musikalischen Studien, die er bei ihnen machte, zeitigten noch im selben Jahre 1846 fünf weitere Hefte ungarischer Nationalmelodien unter dem Titel U n g a r i s c h e R h a p s o d i e n.

Zwischen diesen Konzerten in den verschiedenen Städten Österreichs und Ungarns kehrte Liszt meist nach Wien zurück, wo er sein ständiges Quartier aufgeschlagen hatte. Zu seinem Freundeskreis zählte hier hauptsächlich sein Onkel E d u a r d L i s z t, der Musikalienhändler T o b i a s H a s l i n g e r, der Bankier S. L ö w y, der Verleger S p i n a, Fürst M e t t e r n i c h u. a. Man ging sogar mit dem Gedanken um, Liszt gänzlich für

Wien zu gewinnen, indem man ihm anstelle Donizettis die k. k. Kammer-
kapellmeisterstelle übertragen wollte. Doch kam es nicht dazu. Daß Liszt
schon damals, also ehe er die Fürstin Wittgenstein kennen lernte, ent-
schlosen war, seine Virtuosentätigkeit aufzugeben und künftighin das Schwer-
gewicht auf seine Komponistentätigkeit zu legen, geht aus folgendem Schreiben vom 6. X. 1846 an den Großherzog von Weimar hervor:

„Mit 35 Jahren kommt für mich der Moment, den Puppenzustand meines
Virtuosentums zu zerbrechen und meinen Gedanken freien Lauf zu lassen,
natürlich mit dem Vorbehalt, weniger herumzuflattern. Wären nicht die unglücklichen Geldfragen, die mich oft an der Kehle packen, nicht die mannigfachen Phantastereien, zu denen ich mich in meiner Jugend fortreißen ließ,
ich könnte schon um vier oder fünf Jahre weiter sein. Wie es nun aber ist,
habe ich Gott sei Dank nicht allzuviel verloren, und die Ehre liegt unbefleckt.
Kein Makel haftet an meinem Leben . . . Die Hauptsache ist bloß, ein ordent-
licher Kerl zu sein und den inneren Kern und Samen durch Werk und Tat
herauszubilden. Um hierzu zu gelangen, werden die Reisen, die bisher Mittel
und Hauptzweck meines Lebens waren, bald nur noch Nebensache sein.
Was bliebe mir auch noch zu sehen? Höchstens ein Stück Italien oder Orient,
Schweden und zu allerletzt vielleicht Amerika. Aber alles das eilt nicht und
kann je nach Bequemlichkeit einmal daran kommen.

Als weitaus wichtigstes Ziel gilt es mir jetzt, meinem Schaffen das
Theater zu erobern, so wie ich es während der sechs letzten Jahre meiner
Persönlichkeit als Künstler erobert habe. Ich hoffe, daß das nächste Jahr
nicht vorübergehen soll, ohne daß ich zu einem entscheidenden Ergebnis in
dieser neuen Laufbahn gekommen sein werde. Sie können nicht glauben, was
es mich an Zeit und Geduld kostet, mit meinem Libretto zustande zu kommen.
Denn ich habe ja die Unverfrorenheit, an zwei italienischen Opern zugleich
zu arbeiten und so mit der Erzeugung eines Zwillingspaars als Erstlingstat zu
prunken. Wenn nicht unvorhergesehene Hindernisse dazwischentreten, singt
die italienische Truppe des Kärtnertortheaters im künftigen Mai auf meine
Melodien aus vollstem Halse: ‚Felicità! dolore! valore ed amore!'

Meine gegenwärtige Reise nach Siebenbürgen, Bukarest, Odessa und
Konstantinopel dient mir in gewisser Beziehung nur als Vorwand für meine
einigermaßen schwere künstlerische Niederkunft. Wie sehr ich vorgezogen
haben würde, mich friedlich in Weimar niederzulassen und meine Geburt
daselbst in Ruhe abzuwarten, können Eure kgl. Hoheit sich vorstellen. Doch
einesteils müßte ich mir in dem immerhin möglichen Falle, daß es mir nur
gelänge, zwei Mißgeburten hervorzubringen, ein Gewissen daraus machen,
den guten Ruf einer so keuschen Stadt zu gefährden, anderenteils bin ich

108

augenblicklich durch meine beständigen Geldnöte so sehr beengt und auf das bestimmteste entschlossen, nie einen Pfennig Schulden zu machen. Von den zwei eben erwähnten Libretti war das eine „Sardanapal", ein Text, auf den ihn die Fürstin Belgiojoso aufmerksam gemacht hatte; das andere ist unbekannt geblieben. Beide sind nicht zur Ausführung gelangt. Von Sardanapal sind allerdings Bruchstücke erhalten, und im Jahre 1850 bot Liszt diese Oper durch Schlesinger dem Direktor des Théâtre Italien in Paris an. Dagegen entstammen die drei Sonetti di Petrarca, ein Ave Maria für 2 Soprane, Tenor und Baß und ein Pater noster für 4 Männerstimmen der damaligen Wiener Zeit. Von seinem Freund, dem Musikverleger S p i n a, erhielt Liszt damals als sinnvolle Gabe Beethovens Broadwoodflügel zum Geschenk. Spina hatte ihn aus Beethovens Nachlaß für 180 Gulden erstanden. Nach Liszts Tod kam er in das Nationalmuseum zu Pest.

Wie verhaßt ihm das Virtuosengetriebe war, zeigt deutlich ein Brief an Frau von Moukhanoff: „Ich bin soweit gegangen, das polternde Gerümpel zu spielen, das — „Erlkönig" heißt. Es ist ohne Zweifel ein Meisterwerk, doch ist es mir vom Publikum verdorben worden, das mich zur ewigen Gymnastik der tobenden Oktaven verurteilt hat. Was ist das doch für eine widerliche Notwendigkeit in dem Virtuosenberufe — dieses unausgesetzte Wiederkäuen derselben Sachen!"

Von Wien aus nahm Liszt einen längeren Aufenthalt in B u d a p e s t. Nachdem er wie ein König vom Volke eingeholt worden war, wiederholten sich ungefähr dieselben Ehrungen wie bei seiner ersten Anwesenheit (1840). Ernennung zum Ehrenbürger, Krönung mit goldenem Lorbeer, kostbare Geschenke, darunter ein goldenes Medaillon mit seinem Porträt, Fackelzüge und Festbanketts lösten sich ab. Der Einladung seines Freundes von Augusz folgend, verbrachte er einige Tage auf dessen Landgut Szegszard und besuchte mit ihm auch den musikliebenden Erzbischof von Gran, Johann von Scitovsky in Fünfkirchen. Diesem gab er bei der Gelegenheit das Versprechen, für seine Kathedrale einmal eine Messe komponieren zu wollen, was sich später erfüllen sollte.

Im September 1846 trat Liszt seine Reise durch Siebenbürgen und Südrußland an, die die Städte G ü n z, K ö r z i g (27. September), T e m e s v a r (27. Oktober), A r a d (9. November), K l a u s e n b u r g (23. November), B u k a r e s t berührte und zunächst nach K i e w führte. Hier, wo er fast den ganzen Monat Februar 1847 verbrachte, lernte er die Fürstin Wittgenstein kennen. Nach einem kurzen Besuch auf ihrem Gut Woronince setzte er seine Kunstreise fort und spielte in C z e r n y - O s t r o w und L e m b e r g (11. April). Von hier führte ihn sein Weg über C z e r n o w i t z (23. Mai), J a s s y, G a l a t z nach K o n s t a n t i n o p e l, wo er anfangs Juni eintraf

109

und bis Mitte Juli aufgehalten wurde. Der Sultan entließ ihn mit reichen Geschenken. Als Liszt auf der Durchreise auf dem Schloß B a s i l e A l e x a n d r i s in M i r c e s c i weilte, wünschte er r u m ä n i s c h e Zigeuner zu hören. Es kam eine Bande von Jassy unter ihrem Anführer Barbu Lautar. Liszt war ganz hingerissen und sagte zu Barbu: „Du hast mich ganz deine Musik kennen gelehrt, nun sollst du auch die meinige hören!" Er setzte sich an den Flügel und improvisierte einen ungarischen Marsch. Er schien sich selbst zu berauschen. Die Zuhörer befanden sich in einem Zauberbann und wagten kaum zu atmen. Der alte Barbu starrte mit weitaufgerissenen Augen auf den Spieler, keine Note entging ihm. Als Liszt geendet und der Jubel sich gelegt hatte, meinte Barbu auf Liszts Frage, was er zu dieser Melodie sage: „Sie ist so schön, Meister, daß ich, wenn du es erlaubst, sie wohl einmal versuchen möchte." Liszt lächelte etwas ungläubig, da wandte sich Barbu zu seinem Orchester, stemmte seine Geige gegen das Kinn und spielte den ungarischen Marsch. Kein Triller, kein Arpeggio der Melodie fehlte, Note für Note gab er wieder, und seine Leute begleiteten ihn, seinem Bogen instinktiv folgend. Als sie geendet, schloß Liszt Barbu in die Arme und sagte: „Du bist fürwahr ein Künstler von Gottesgnaden."

Von Konstantinopel wandte sich Liszt nach O d e s s a (Juli 1847), wo wegen der großen Manöver im benachbarten Elisabethgrad reges Leben herrschte. Er gab zehn Konzerte. Auch in E l i s a b e t h g r a d selbst spielte er viermal im Theater (September 1847). Mit diesen Konzerten fand die glänzende Virtuosenlaufbahn ein plötzliches Ende; es war das l e t z t e m a l gewesen, daß er in einem e i g e n e n Konzert öffentlich spielte. Sein schon lange immer dringender auftretender Wunsch nach einem festen friedlichen Domizil, wo er sich ernster Arbeit ungestört hingeben könnte, hatte plötzlich durch einen äußeren Zufall, die Begegnung mit der Fürstin Wittgenstein, feste Gestalt angenommen. „Dieser Punkt Elisabethgrad bezeichnet auch für mich die letzte Etappe des Konzertlebens, wie ich es während dieses ganzen Jahres durchgeführt habe. Indessen ich glaube imstande zu sein, meine Zeit besser verwerten zu können, und indem ich darauf warte, will ich mich ruhig verhalten, um schneller damit voran zu kommen." Kometengleich, wie es am Kunsthimmel aufgestiegen, verlosch dieses herrliche Gestirn, an dessen Anblick sich so viele berauscht hatten.

VI. Liszts Spiel

Wenn wir forschend fragen, worin der große Zauber von Liszts Spiel bestand, was, einem Magneten gleich, die Menge mit unwiderstehlicher Gewalt anlockte und sie in Raserei versetzte, so daß man nicht mit Unrecht sogar von

110

einer „Lisztomanie" sprechen konnte, so müssen wir als Hauptmerkmal hervorheben: Liszt war eben nicht wie alle andern Virtuosen vor ihm nur ein technisch vollendeter Nachbildner dessen, was er spielte, sondern er war Selbstschöpfer. Wenn er ein Werk vortrug, so sah gewissermaßen der Hörer eine Komposition vor seinen Augen erstehen. Jeder Gefühlsakzent kam so überzeugend selbsterlebt zum Ausdruck, daß er den Hörer im Innersten packen, ja ihm unbedingt das gleiche Gefühl suggerieren m u ß t e. Er bot kein Spiel mehr, er bot ein I c h. Die Virtuosität war ihm nur ein Mittel, alles, was er fühlte, restlos zum Ausdruck bringen zu können, niemals Zweck. Dadurch erhob er sich so himmelhoch über seine Rivalen. Er hat diesen Standpunkt einmal sehr treffend gekennzeichnet mit den Worten: „V i r t u o s i t ä t ist nur dazu da, daß der Künstler alles wiederzugeben imstande ist, was in der Kunst zum Ausdruck kommt. Hierzu ist sie unentbehrlich und kann nicht genug gepflegt werden. Man lernt sie besonders schätzen, wenn man sie durch Künstler repräsentiert sieht, denen sie nicht ein Parade-, sondern ein Ausdrucksmittel der Empfindung ist, welches ihr die ganze Fülle, den ganzen Reichtum der Sprache gewährt."

Nachstehend seien einige Schilderungen von Ohrenzeugen aus verschiedenen Zeitabschnitten von Liszts Leben wiedergegeben, die die Eindrücke seines Spiels auf verschiedene Hörer lebendig schildern. Der berühmte Lisztschüler H a n s v o n B r o n s a r t (1854) schreibt:[1] „Wie im Spiel, so im Unterricht stand der Hörer wie der Schüler vor den wunderbarsten Offenbarungen des Genies. Eine Lehrmethode, sozusagen Schablone, gab es für Liszt ebensowenig wie für jeden bedeutenden Künstler, er leitete jeden nach dessen besonderer Eigenart, und diese s t e t s mit S i c h e r h e i t zu erkennen, war eben Sache des alles überragenden Genies. In der Technik war es die Elastizität und Unabhängigkeit aller Gelenke voneinander bei gleichzeitigem „Federn" derselben miteinander (selbstverständlich cum grano salis, sozusagen „unmerklich"), worauf sowohl Kraft als Tonschönheit — der sogenannte schöne Anschlag — beruhen mußte. Er äußerte gelegentlich das Paradoxon: „Die Hände müssen mehr in der Luft schweben, als an den Tasten kleben," oder „Um Beethoven zu spielen, muß man mehr Technik haben, a l s d a z u g e h ö r t!"

Anders wieder charakterisiert der langjährige Freund Liszts und bekannte Komponist F e l i x D r a e s c k e den Eindruck von Liszts Spiel (1858):[1] „Ich kann sein Spiel mit keinem anderen Virtuosen vergleichen, und es am besten so charakterisieren, daß ich stets den Effekt hatte, das betreffende Stück e n t s t e h e erst unter seinen Händen, wirke also auf mich wie eine künstlerische Improvisation. Und so konnte es auch ganz leicht geschehen,

---

[1]) Brieflich an den Verfasser.

111

daß bei einer anderen Wiedergabe dasselbe Stück als ein ganz neues uns entgegentrat. Subjektiv war sein Spiel durchaus und auch von Stimmungen abhängig, aber doch stets der wiedergegebenen Komposition entsprechend und ihr volles Recht widerfahren lassend, da die Auffassung stets edel und groß berührte. Auf den speziellen Virtuoseneffekt arbeitete er im wesentlichen n i c h t hin, andererseits dozierte er aber auch nicht am Klavier. In seiner Weise wird ihm niemand gleichkommen. Als er an Technik bereits eingebüßt hatte und mir 1869 in Rom unter vier Augen seine Tristanparaphrase vorspielte, war ich auf einmal wie verzaubert, merkte kein Klavier mehr und glaubte Äolsharfen zu hören."

Sein wohl bedeutendster Schüler und würdigster Nachfolger, der so jung verstorbene C a r l T a u s i g , sagte zu W. von Lenz (1860): „Ich selbst sage mir, daß ich in der Don-Juan-Phantasie nicht ü b e r der Schwierigkeit stehe, sondern i n der Schwierigkeit; nur Er steht ü b e r derselben, nur Er! Dies ist das Geheimnis des Eindrucks, den Er macht! Sie haben gesagt, „Er sei der Paganini des Klaviers." Das ist wahr und hat ihm auch gefallen, es ist aber viel zuwenig gesagt. Bei Liszt kommt zur Darstellung die unbedingte Herrschaft über das Gesamtgebiet musikalischer Kunst, der berufene Komponist in den größten, in allen Formen. Aus diesem großen Ganzen geht bei ihm der Virtuose hervor; dahinein reicht kein Paganini, der bei der Virtuosität stehen blieb!"

Eine Schülerin Liszts, die bekannte Kammervirtuosin Professor L a u r a R a p p o l d i - K a h r e r , entwirft wiederum folgendes anschauliche Bild:[1]) „Ich hörte Liszt täglich und oft stundenlang (1870) spielen, zunächst Bach und Scarlatti. Das Klavier erschien mir bei ersterem wie eine Orgel — Liszt spielte Bach merkwürdig langsam, wie man es jetzt nicht mehr hört! — bei letzterem dagegen wie ein Spinett aus dem vorigen Jahrhundert, und doch war es derselbe Bechsteinflügel, auf dem wir alle spielten. Sein Anschlag veränderte sich bei jedem Komponisten total, so daß man ein ganz anderes Instrument zu hören glaubte; was mir am meisten auffiel, ist, daß Liszt gewissermaßen mit seinen Fingern instrumentierte, und das kam am meisten bei seinen eigenen Werken zum Ausdruck, insbesondere bei seinen Rhapsodien, bei denen er eine erstaunliche und nie gehörte Farbenpracht entfaltete. Sein Spiel war eine Dichtung und Offenbarung! Er unterschied sich auch dadurch von anderen großen Klavierspielern, wie z. B. Rubinstein, daß er jeden Komponisten, ja selbst jedes Stück mit verschiedener Fingerhaltung und dem daraus resultierenden Anschlag spielte. Während man z. B. bei Rubinstein immer dasselbe Instrument hörte — es war und blieb immer ein wundervolles Klavierspiel —, hörte man bei Liszt das Klavier nicht, man hörte i h n und folgte

---

[1]) Brieflich an den Verfasser.

112

seinen Tönen, seiner fortreißenden Phantasie, die jedem Werk von neuem den Stempel des Selbstschaffens aufdrückte!"

Zum Schluß sei noch einer Schülerin Liszts aus den achtziger Jahren, der Amerikanerin A m y F a y , das Wort erteilt, die ihre Erinnerungen an Liszt in ihren „Musikstudien in Deutschland" niedergelegt hat. Hier heißt es u. a.: „Ein s o l c h e s L e b e n ist in allem, was er spielt, daß es scheint, als wäre es nicht nur M u s i k , der wir lauschten, sondern als hätte er eine w i r k l i c h e G e s t a l t wachgerufen, die wir vor unseren Augen atmen sehen. Mir gibt es allemal eine geisterhafte Empfindung, ihn zu hören; ich glaube die L u f t m i t G e i s t e r n bevölkert. Ach! er ist ein wahrer Z a u - b e r e r! Ihn zu sehen, ist ebenso interessant, wie ihn zu hören; denn sein Gesicht verändert sich bei jeder Modulation, und er sieht genau so aus, wie er spielt. Etwas ist in ihm, das v o l l s t ä n d i g gefangennimmt; eine Art delikater zufälliger Lustigkeit, die hie und da auf uns herableuchtet. Wenn er in dieser Weise spielt, so kommt der bezauberndste Ausdruck in sein Antlitz. Wenn Liszt etwas Pathetisches spielt, klingt es, als wenn er alles erlitten hätte; jedes Menschen Wunden öffnen sich von neuem. Bei seinem Spiel sind zwei Personen in ihm — der Z u h ö r e r und der S p i e l e r."

Die Virtuosenepoche war weder in Liszts eigenem Leben noch für die Musikgeschichte überhaupt von untergeordneter Bedeutung. Liszt befreite das Klavierspiel von allem Äußerlichen, Formellen und erhob es in technischer wie geistiger Hinsicht auf eine ungeahnte Höhe. Durch die spielende Beherrschung des Technischen war es ihm erst möglich, die Leistungsfähigkeit des Klaviers völlig auszunutzen. Es wurde in seiner Hand zum Orchester. Er verstand es, alle Stimmen zum Ertönen zu bringen. Durch die bedeutendsten seiner Klavierwerke hat er auch der Klavierliteratur ganz neue Wege eröffnet und in vielen eine völlige Umwälzung hervorgebracht. Eines ist gewiß, weder vor noch nach ihm ist eine ähnliche Übereinstimmung zwischen musikalischem Willen und wirklichem Gestalten erreicht worden. Als er das Klavierspiel zur möglich erreichbaren Vollendung geführt und damit das ihm vorschwebende Ziel erreicht hatte, brach er in der richtigen Erkenntnis, daß er sich selbst nicht mehr übertreffen könne, die Virtuosenlaufbahn ab, um sich anderen, höheren Aufgaben zuzuwenden, die schon lange in seinem Innern nach Gestaltung drängten. Im Zenit seines Ruhms stehend, entsagte er allen äußeren Ehren und Triumphen; die Zeit der Reife und Sammlung war beendet und der Ausbau konnte beginnen.

Der hohen Verdienste, die Liszt durch sein Verhalten während seiner Konzertreisen um die soziale Stellung der Künstler sich erwarb, haben wir bereits gedacht und werden gelegentlich der Besprechung seiner Schriften noch ausführlicher darauf zurückzukommen haben. Aber nicht nur für den

8   K a p p , Liszt.   113

K ü n s t l e r Liszt bedeuten diese Virtuosenjahre einen großen Sieg, auch für den M e n s c h e n. Trotz all der ununterbrochenen Triumphe und fürstlichen Huldigungen, denen ein schwacher Charakter zweifellos zum Opfer gefallen wäre, behielt er sich ein großes empfindsames Herz, dem Mitgefühl und der Bitte stets zugänglich, und sein Auftreten blieb frei von jedem Dünkel und Größenwahn. Er war froh mit den Frohen, ausgelassen und bereit zu manchem tollen Streich, aber in ernsten Angelegenheiten blieb er stets der Ehrenmann von peinlichster Gewissenhaftigkeit, und eine Schlechtigkeit fand ihn nie auf ihrer Seite. „Génie oblige" hieß seine Devise, und seine Richtschnur war, wie er es mit den herrlichen Worten ausspricht:

„Bleibe dir selbst getreu. Bleibe getreu dem, was du in deinem Herzen für das Beste, Edelste, Richtigste und Reinste hältst! Kümmre dich nicht darum, „etwas" zu sein oder zu werden, aber arbeite mit Beharrlichkeit und Eifer darauf hin, eine Persönlichkeit zu sein, und es mehr und mehr zu werden."

WEIMAR 1848—1861

I. Fürstin Carolyne Sayn-Wittgenstein

Bei einem von Liszts Wohltätigkeitskonzerten in Kiew (Februar 1847) zeichnete eine Dame für ihre Eintrittskarte den Betrag von 100 Rubeln. Der Künstler sandte sofort seinen Sekretär Belloni in ihre Wohnung und ließ fragen, wann er ihr vorspielen dürfe. Doch ließ sich dieser Wunsch, da die Dame in Kiew fremd war und im Hotel wohnte, nicht ermöglichen. Liszt machte darauf einen Dankesbesuch. Die Dame war die Fürstin C a r o l y n e S a y n - W i t t g e n s t e i n. Sie war das einzige Kind des polnischen Edelmanns Peter von Iwanowsky aus dessen Ehe mit der schönen, aber vergnügungssüchtigen Pauline von Podoska. Auf dem Gut ihres Großvaters mütterlicherseits, Monasterzyska (Gouvernement Kiew), war Carolyne am 8. Februar 1819 geboren. Sie wuchs als echtes Kind der Steppe frei und ungebändigt auf. Da die Eltern getrennt lebten, leitete der Vater ihre Jugenderziehung und ließ sie heranwachsen, als ob sie ein Knabe wäre. Von ihm hatte sie einen starken logischen Verstand geerbt, und da sie frühzeitig dazu angehalten wurde, ihm bei seinen landwirtschaftlichen Geschäften und seinen privaten wissenschaftlichen Studien zur Hand zu gehen, so wurden ihre geistigen Fähigkeiten auf Kosten ihres Gefühlslebens stark entwickelt. Von ihrem elften Jahr an nahm die Mutter, die als Weltdame den Winter über die

114

großen Städte bereiste und in der Aristokratie eine bedeutende Rolle spielte, ihr Töchterchen meist mit sich und führte sie in die Gesellschaft und in die Vergnügungen der Großstädte ein. So wurde sie schon in frühester Jugend heimisch auf dem Parkett der Salons und eignete sich umfassende Bildung und Welterfahrung an. Den Sommer über arbeitete sie mit ihrem Vater und erwarb sich Fachkenntnisse, wie sie bei Damen ganz außergewöhnlich waren. Die lateinische Sprache z. B. beherrschte sie vollkommen. Da sie ihrem Vater oft bis spät in die Nacht Gesellschaft leistete, so gewöhnte sie sich, um die Müdigkeit zu bekämpfen, das Rauchen starker Havannazigarren an — eine bei jungen Mädchen ungewöhnliche Eigenschaft. Als sie 17 Jahre zählte, reichte sie auf das Gebot ihres Vaters dem sieben Jahre älteren Fürsten Nikolaus Sayn-Wittgenstein, dem jüngsten Sohne des ihm befreundeten Feldmarschalls Wittgenstein, nachdem sie dreimal seine Werbung abgelehnt hatte, die Hand zum Ehebund. Am 7. Mai 1836 fand die Hochzeit statt. Fürst Wittgenstein war ein hübscher, aber geistig unbedeutender junger Mann, dem es zur Fortsetzung seines flotten Lebenswandels hauptsächlich um die reiche Mitgift seiner jungen Frau zu tun war. Die Ehe war von Anfang an eine unglückliche. Als Carolyne sich weigerte, die Schulden der leichtsinnigen Verwandten ihres Mannes zu decken, kam es zu offenen Mißhelligkeiten. Die Verwandten haßten sie seitdem tödlich und suchten ihr nach Möglichkeit zu schaden. Ihren einzigen Trost bildete das Töchterchen, das ihr am 9. Februar 1837 geschenkt worden und den Namen M a r i e erhalten hatte. Ohne daß ein öffentliches Zerwürfnis eingetreten wäre, hatten sich die beiden Ehegatten voneinander getrennt. Carolyne zog sich auf ihr Gut W o r o n i n c e zurück und widmete sich hier neben ihren Verwaltungs- und Mutterpflichten geistigen Interessen, dem Studium von Literatur und Philosophie und eigenen schriftstellerischen Arbeiten. So lagen die Dinge, als Liszt ihren Weg kreuzte. Alljährlich im Februar versammelten sich die Großgrundbesitzer Südrußlands zum Abschluß ihrer Geschäfte in Kiew, und auch Fürstin Wittgenstein hatte sich zu diesem Zweck dorthin begeben. Sie war keine Schönheit; ihr schwarzes Haar, die dunklen Augen und das ungewöhnlich scharf geprägte Profil hatten etwas Orientalisches, beinahe Semitisches. Sie besaß dennoch Interessantes genug und in der Unterhaltung etwas unbedingt Fesselndes, ja Bestrickendes. Ihre hervorragenden geistigen Fähigkeiten übertrafen ihre weiblichen Reize bei weitem, sie war also mehr zur geistigen Mitarbeiterin eines bedeutenden Mannes als zur Geliebten geschaffen. Auf Liszt hatte ihr starker Geist schon bei der ersten Begegnung intensive Wirkung hervorgerufen; er bezeichnet sie kurz darauf als ein „unzweifelhaft ganz außerordentliches und komplettes Prachtexemplar von Seele, Geist und Verstand". Die Fürstin, die seinem Konzert am 13. Februar beiwohnte, empfing auch von dem

Menschen und Künstler Liszt einen tiefen Eindruck. Wenige Tage später hörte sie in der Kirche ein ,Pater noster' singen, das sie im Innersten tief erschütterte. Es war eine Lisztsche Komposition, und sie erkannte, daß Liszt auch als Schaffender Großes zu leisten vermöge. Er berichtete ihr auf ihre Frage auch von seinen anderen Schöpfungen und den Plänen, die ihn beschäftigten. Diese erregten ihr höchstes Interesse und sie forderte ihn auf, sie auf ihrem Gut Woronince zu besuchen. Liszt kam im Februar 1847 zum Geburtstag der Prinzessin Marie nur für wenige Tage, denn seine Konzertverpflichtungen riefen ihn bald wieder von dannen. Ende Juli traf er, von Konstantinopel kommend, mit der Fürstin wieder in O d e s s a zusammen, und es gelang ihr leicht, den Künstler zu bewegen, nach Beendigung der Konzertsaison für Herbst und Winter nach Woronince überzusiedeln und dort Kompositionsaufträge für sie zu erledigen. Anfang Oktober traf er dort ein und verweilte bis 24. Januar 1848 als Gast der Fürstin. Diese Zeit war meist gemeinschaftlicher Arbeit geweiht. Hierbei offenbarte sich in ihren Anschauungen, Zielen und in Kunstfragen eine überraschende Harmonie. Die gemeinsame Lektüre von Dantes Göttlicher Komödie, die schon früher Liszts Liebling gewesen und es bis zu seinem Tode blieb, reifte in dem Künstler den längst gehegten Plan, in einer Symphonie den dichterischen Gehalt dieses Werks zu erschöpfen, ja es durch Malerei und das gesprochene Wort zu einem großen Universalkunstwerk zu gestalten. Die Fürstin stimmte ihm begeistert zu, und in ihrem Auftrag begann er das Werk. Sie selbst schrieb viele Jahre später noch an ihn: „Sie waren also mit der Bergsymphonie zufrieden, das ist mir eine große Freude. — Ich vergesse nie, daß diese Motive mir von Ihnen in Woronince gespielt wurden, und daß es mit Mazeppa und dem Pater in Kiew die Motive des Dante waren, die mich lehrten, daß Sie ein Genie wären." *)

Die Fürstin war nicht im eigentlichen Sinn musikalisch. Sie besaß in vielen Dingen ein gesundes und verständiges Urteil, und bei ihrer reichen philosophischen und literarischen Bildung brachte sie einem Universalkunstwerk, d. h. der Vereinigung mehrerer Künste, wie Dichtung, Musik, Malerei, große Sympathien entgegen. Liszts Neigung zur Programmusik gewann durch sie Förderung und Ansporn. Es ist nicht verwunderlich, daß die hier entstandenen reinen Klavierkompositionen, wie I n v o c a t i o n , B é n é d i c t i o n und das empfindungsreiche C a n t i q u e d ' a m o u r , die später mit mehreren anderen zu den „Harmonies poétiques et religieuses" vereinigt und der Fürstin gewidmet wurden. meist programmatischen Charakter tragen.

*) Die Briefe Liszts an die Fürstin liegen seit lange in vier Bänden vor, die Briefe der Fürstin an Liszt blieben dagegen unveröffentlicht. Es gelang mir, mehrere von ihnen, auf die wir noch öfter zurückkommen werden, aus den Jahren 1881|82 aufzufinden.

Zu Liszts Geburtstag veranstaltete die Fürstin ihrem Gast ein länd-
liches Fest, wobei sie ihm Zigeunermusiker aus ihrem Landkreis Podolien
vorspielen ließ. Die von ihnen vorgetragenen ukrainischen Melodien vereinigte Liszt zu einer Transkription, die er unter dem Titel: „Glanes de Woronince", veröffentlichte.

In ihrem gemeinsamen künstlerischen Streben kamen sich beide auch
als Menschen immer näher, und der Gedanke, daß Liszt bald wieder Rußland
verlassen und nach Weimar zurückkehren müsse, wohin ihm zu folgen unmöglich war, ließ in der Fürstin den Gedanken die Oberhand gewinnen, ihm
völlig angehören zu wollen. Eines Tages trat sie vor Liszt hin mit dem Geständnis, daß sie ihre Ehe lösen und seinen Namen tragen wolle. Sie hoffte,
die großen Schwierigkeiten, die diesem Vorhaben im Wege standen, durch
Klugheit überwinden zu können; den Einwand, daß sie als Katholikin, auch
wenn sie die Scheidung wirklich durchsetzen könnte, doch nie die Einwilligung
zur Schließung einer neuen Ehe erhalten würde, entkräftete sie, indem sie
sich auf einen Paragraphen des Kirchenrechts berief, der eine Wiederverheiratung zuließ, wenn die Ehe in minorennem Alter und wider eigenen Willen
geschlossen worden war. Es mußte vorsichtig zu Werke gegangen werden,
um nicht durch voreiliges Bekanntwerden den Plan zu gefährden. Liszt und
die Fürstin vereinbarten, daß sie sich zunächst unter den Schutz der ihm so
wohlgesinnten Großherzogin von Weimar stellen sollte, die als Schwester
des Zaren die Einwilligung des Kaiserlichen Bruders in ihre Scheidung zu erlangen hoffen durfte. Die Abreise sollte unter dem Vorwand einer Badereise
nach Karlsbad unauffällig bewerkstelligt werden. Am 24. Januar 1848 reiste
Liszt von Woronince nach Weimar ab, um dort neben der Erfüllung seiner
Verpflichtungen das Kommende vorzubereiten. Unterwegs besuchte er seinen Freund Felix Lichnowsky in Ratibor, der ihm für die Flucht der Fürstin
sein nahe der Grenze gelegenes Schloß Krzyzanowitz zur Verfügung stellte.

Anfang Februar 1848 traf Liszt in Weimar ein, wo inzwischen manches
verändert war. Am 1. Juli 1847 hatte der seitherige Theaterintendant von
Spiegel sein Amt niedergelegt, und auf Liszts Empfehlung hin war Herr von
Z i e g e s a r , ein weimarisches Landeskind und Kammerherr des Erbgroßherzogs, an seine Stelle getreten. Es sollte der Versuch gemacht werden,
die Weimarer Oper, die unter ihrem bisherigen Leiter, A. H. C h é l a r d , sehr
heruntergekommen war, wieder zum Rang einer bedeutenden Opernbühne
emporzuheben. Die Seele dieser Bestrebungen waren Maria Paulowna und
Karl Alexander, während der Großherzog Karl Friedrich selbst (1783/1853),
eine nüchterne Natur, sich mehr praktischen Dingen widmete. Der Erbgroß-
herzog hatte bereits in einem Brief an Liszt im Laufe des Sommers um dessen

117

Teilnahme und tätige Mitwirkung gebeten, und dieser hatte sich in einem längeren Schreiben dazu bereit erklärt und ausgeführt:

„Für die Weimarer Oper hätten sich die dringendsten Reformen und Verbesserungen baldmöglichst zu erstrecken: 1. auf die Wahl neuer, junger, erster Sängerinnen, 2. auf Heranbildung des Chors, der augenblicklich unter Null ist. Die Ehre des Theaters erfordert neue Engagements sowie neue wirksame Maßnahmen zu sorgfältiger Einstudierung und Inszenierung der Werke."

Liszt ließ sich bereitfinden, selbst helfend einzugreifen; er übernahm, da die Stadt ja in Zukunft sein dauerndes Domizil werden sollte, aus f r e i e n S t ü c k e n, ohne jede besondere Vergütung, die Leitung mehrerer Opern. An bedeutenden Kräften besaß man damals den Regisseur Ed. G e n a s t, den Tenor G ö t z e und die Damen A g t h e und H a l l e r, zu denen bald noch der Heldenbariton F e o d o r v o n M i l d e hinzutrat. Liszt übernahm zeitweise die Leitung; er mußte wecken, was entschlummert war, den alten siechen Körper mit seinem geistigen Odem neu beleben und verjüngen. Mit bewundernswerter Schnelle eignete er sich das Technische der Opernleitung an und in kurzem war er der ruhige, alles überschauende Führer und Feldherr. Neben ihm wirkten noch als Kapellmeister der seitherige Generalissimus, der unfähige und eingebildete Franzose C h é l a r d, der von Anfang an in Liszt nur den begünstigten Rivalen und Feind sah, und der tüchtige Musikdirektor K a r l E b e r w e i n. Liszts Debut war zur Feier des Geburtstages des Großherzogs am 16. Februar 1848 in Ermangelung von etwas würdigerem Plotows „Käsepapier-Oper" M a r t h a. Ende des Monats folgte die Oper P r i n z E u g e n von Gustav Schmidt und F i d e l i o, dem er die meiste Sorgfalt zuwandte. Auch die Aufführung von Schuberts Oper A l f o n s o und E s t r e l l a war bereits für dieses Jahr geplant. Sie kam jedoch erst 1854 zustande. Daneben hatte Liszt die Hofkonzerte zu arrangieren, in denen er selbst u. a. zweimal das Konzert von Henselt spielte, was dem Komponisten ein begeistertes Dankschreiben der Großherzogin eintrug. Auch als Lehrer bei Hof mußte er fungieren: Die Erbgroßherzogin erhielt von ihm wöchentlich vier Gesangsstunden, und Maria Paulowna Kompositionsunterricht.

Ende März 1848 war Liszts Weimarer Tätigkeit beendet und er eilte der Fürstin Wittgenstein entgegen, deren Aufnahme ihm die Großherzogin zugesagt. Auf der Durchreise weilte er kurze Zeit in Dresden. Und hier, im Hotel de Saxe (Zimmer 17), traf er mit R i c h a r d W a g n e r zusammen; diese Begegnung war der Beginn des hehren Freundschaftsbundes der beiden Künstler. Liszt gedenkt noch nach vielen Jahren in einem Brief dieser Stunde: „In dieser Stube, wo wir uns zuerst nähertraten, als mir Dein Genius entgegenleuchtete!"

118

Mit seinem Freund R o b e r t S c h u m a n n dagegen kam es, als er
ihn zusammen mit Wagner besuchte, zu einem unliebsamen Zwischenfall.
Er bat, abends Schumanns Trio hören zu können. Doch er verspätete
sich, „er ließ uns zwei volle Stunden warten". Darob schon Verstimmung.
An dem Trio äußerte er zwar großes Gefallen, meinte dann aber beim Quintett,
es sei zu „leipzigerisch". Das nahm Schumann sehr übel. Als Liszt dann
auch noch schlecht spielte, „so schändlich, daß ich mich ordentlich schämte,
dabeistehen zu müssen und nicht sogleich das Zimmer verlassen zu können,"
(wie Clara schreibt), war Schumann höchst gereizt. Der kleinste Anstoß
mußte eine Explosion hervorrufen. Da beging Liszt die Unvorsichtigkeit,
Meyerbeer auf Kosten Mendelssohns zu loben. Jetzt brach Schumann los:
„Meyerbeer sei ein Wicht gegen Mendelssohn, letzterer ein Künstler, der
nicht nur in Leipzig, sondern für die ganze Welt gewirkt hätte, und Liszt solle
doch lieber schweigen." Er packte ihn bei den Schultern und schrie: „Wer
sind Sie, daß Sie über einen Musiker wie Mendelssohn so reden dürfen," und
verließ das Zimmer. Liszt versuchte zu versöhnen, doch vergeblich. Mit
den Worten: „Sagen Sie Ihrem Manne, nur von einem in der Welt nähme ich
solche Worte so ruhig hin, wie er sie mir eben geboten," verließ er die Gesellschaft. Das war offener Bruch. „Robert hatte das zu tief verletzt, als daß er
es jemals vergessen könnte, ich habe für ewige Zeit mit ihm abgeschlossen,"
bemerkte Clara hierzu.

Von Dresden begab Liszt sich auf Lichnowskys Schloß K r z y z a n o -
w i t z, wo er die Fürstin erwarten sollte. 14 qualvolle Tage harrte er hier
in Angst ihres Kommens. Die Fürstin hatte inzwischen nämlich in Kiew einige
Güter verkauft und dadurch die Summe von einer Million Rubel, die ungefähr ihre Mitgift darstellte, flüssig gemacht und alles zur Abreise vorbereitet.
In einem zurückgelassenen Schreiben teilte sie ihrem Gatten ihren Entschluß
mit und beantragte in einem anderen bei der Behörde die Scheidung. Durch
einen glücklichen Zufall kam sie in Begleitung ihres Töchterchens mit deren
Erzieherin Miß Anderson noch über die russische Grenze, die wegen der inzwischen in Europa ausgebrochenen Revolution bereits gesperrt worden war.
Dort erwartete sie Liszts Kammerdiener und führte sie wohlbehalten seinem
Herrn zu. Sie verweilten noch wenige Tage auf dem Schloß und waren dann
14 Tage lang auf Schloß Grätz des Fürsten Lichnowsky Gäste. Ein Ausflug
nach Wien mit einem Abstecher nach Eisenstadt und Raiding, die die Fürstin
als für Liszts Kindheit so wichtige Orte gern aus eigener Anschauung kennen
lernen wollte, wurde wegen der auch dort drohenden Revolution rasch abgebrochen und die Rückreise nach Weimar angetreten, wo sie Anfang Juli 1848
anlangten. Die Fürstin mietete ein Stockwerk der auf einer Anhöhe bei Weimar jenseits der Ilm gelegenen A l t e n b u r g, die bald darauf von der Groß-

herzogin käuflich erworben und der Fürstin ganz zur Verfügung gestellt wurde. Die Großherzogin versicherte sie ihres Beistands und tat bei ihrem Bruder, dem Zaren Nikolaus, die nötigen Schritte, um die Ehescheidung durchzusetzen. Doch dieser war durch den Fürsten Wittgenstein und dessen Verwandte, die Carolyne als polnische Revolutionärin bei ihm verleumdeten, zu sehr gegen sie eingenommen, um ihren Bitten zu willfahren. Als sich daher die Scheidungsangelegenheit immer weiter hinauszog, siedelte auch Liszt, der bisher im „Erbprinz" gewohnt hatte, auf die Altenburg über. Der Hof wie die Gesellschaft ignorierten zunächst das „Anstoßerregende" dieses Verhältnisses als eines e r z w u n g e n ungesetzlichen und nahmen beide gern auf. Die Einladungen für Liszt wurden allerdings auch fernerhin stets im „Erbprinzen", nicht in der Altenburg abgegeben!

Die Altenburg war ein großes dreistöckiges Herrschaftshaus, das auf tannenbewaldeter Anhöhe, zu der die Jenaer Landstraße oder die berühmten „33 Treppenstufen im Gehölz" emporführten, herrlich über Weimar thronte. Es bestand aus dem großen Vorderhaus, das die Wohnung der Fürstin und Prinzessin und die allgemeinen Gesellschaftsräume enthielt, einem laubumsponnenen Seitenflügel, der Liszts Bereich bildete, und einem Hinterhaus, in dem öfters für Schüler ständiges Logis bereitet war, wie z. B. für Bülow, Raff, Tausig, Cornelius u. a.

Als Liszt seine Virtuosenlaufbahn so plötzlich beschloß, um sich in dem kleinen Weimar, dessen kunstliebendes Fürstenhaus ihm die Möglichkeit, seine großen künstlerischen Pläne in die Tat umzusetzen, am ehesten erhoffen ließ, endlich eine Heimat zu gründen, da ahnte wohl niemand, welche Morgenröte am Himmel der Kunst jetzt aufzudämmern begann. Weimar wurde in kurzer Zeit das musikalische Zentrum Deutschlands, und es hat wohl kaum einen bedeutenden Künstler gegeben, der nicht auf dem Musenhof der Altenburg zu Gast geweilt und die mannigfachsten Anregungen mitgenommen hat. Wer Liszt spielen hören wollte, mußte nach Weimar pilgern, und die sonntäglichen Matineen in der Altenburg genossen bald Weltruf. Doch nicht nur Musiker kamen dorthin zum Gedankenaustausch mit Liszt, sondern auch andere bedeutende Männer der schönen Künste und Wissenschaften, hauptsächlich Maler und Literaten, mit denen die Fürstin in regem geistigen Verkehr stand, machten dort ihre Aufwartung. Die Besuche empfing Liszt stets im Vorderhaus der Altenburg. Im Erdgeschoß befand sich neben einem kleinen sogenannten Herrenzimmer ein kleiner Salon, den ein Bösendorfer Flügel und Bildnisse berühmter Musiker, darunter die Originaltotenmaske Beethovens, zierten. An diesen schloß sich das sogenannte Waffenzimmer, das eine wertvolle Waffen- und Pfeifensammlung enthielt, alles Geschenke von Fürsten oder Magnaten. Als einziges Bild schmückte diesen

120

Raum ein lebensgroßes Porträt Felix v. Lichnowskys. Den ersten Stock bewohnte die Fürstin und die Prinzeß Marie mit ihrer Erzieherin. Von den der Allgemeinheit zugänglichen Gemächern waren hier zunächst die Bibliothek, wohl eine der größten Privatsammlungen in damaliger Zeit. Ein Erardflügel und der wertvolle Broadwood Beethovens luden zu musikalischen Genüssen ein. Durch das anstoßende einfach gehaltene Speisezimmer gelangte man in das grüne Kabinett, das die Fürstin zu einem Lisztmuseum gestaltet hatte. Hier waren an den Wänden und in Schränken alle Reliquien und Geschenke aus Liszts Virtuosenjahren fleißig gesammelt und geordnet. Bilder und Büsten von frühester Jugend an veranschaulichten den Werdegang des Künstlers, die wertvollen Edelsteine und Preziosen, die Ehrendiplome und Orden gaben Zeugnis von seinen Triumphen. Seltene Manuskripte und Notenhandschriften, die Liszt besaß, waren in großen Glaskästen aufgestellt. Den Originalpartituren Richard Wagners wurde in späteren Jahren eine besondere Nische, die wie ein Heiligtum betrachtet wurde, eingeräumt. Vom grünen Kabinett aus führte ein langer Gang in den Seitenflügel der Altenburg, der Liszts Wohnräume beherbergte, und der vom Hof aus noch ein besonderes Treppenhaus besaß. Außer dem sehr einfachen Schlafzimmer, einer kleinen Betkapelle, die nur zwei Betstühle für Liszt und die Fürstin enthielt, befand sich hier das Arbeitszimmer Liszts, das sogenannte blaue Zimmer. Es barg einen Flügel und Liszts großen Arbeitsschreibtisch und als einzigen Bildschmuck einen Stich Albrecht Dürers, die „Melancholie". Ein zweiter kleinerer Schreibtisch diente der Fürstin bei ihren gemeinsamen literarischen Arbeiten. Das zweite Stockwerk enthielt außer einigen Fremdenzimmern nur den großen Musiksaal, in dem die Matineen und musikalischen Veranstaltungen stattfanden. Zwei Erardflügel dienten zum gewöhnlichen Gebrauch. Daneben standen noch das Orgelklavier, das die Firma Alexandre et fils in Paris auf Liszts Anregung erbaut hatte und das eine Vereinigung von Orgel und Klavier erstrebte, und ein Spinett, das Mozart früher benutzt hatte. — Das war der Rahmen, in dem sich das äußerlich so glanzvoll erscheinende Kunstgetriebe des nächsten Jahrzehnts abspielte. Die Haushaltung war eine glänzende, die der Fürstin durch Konfiskation ihrer Güter in Rußland auferlegte Fessel vermochte daran nichts zu ändern. Gar manchen Abend verkündeten die hellerleuchteten Fenster der Altenburg den staunenden Weimarern, daß eine Soiree statfand. Liszt machte die Honneurs. Die Bewirtung fand gewöhnlich an kleinen Tischen zu vieren statt, die gedeckt hereingebracht wurden und nach Beendigung der Mahlzeit schnell und geräuschlos verschwanden. Liszt gab dann am Flügel das Zeichen, daß die Kunstgenüsse beginnen konnten, und jeder der anwesenden Künstler trug auf seine Weise sein Scherflein zum Gelingen des Abends bei.

Hinter dem Schleier aller dieser Feste und Freuden aber spielten sich eine erschütternde Herzenstragödie und aufreibende Seelenkämpfe ab. Der einzelnen Episoden dieses verzweiflungsvollen Ringens der Fürstin und Liszts, der ihr dabei in allem treulich zur Seite stand, gegen die Mächte und Intriguen, die sich ihrer dauernden Vereinigung entgegenstellten, werden wir noch wiederholt gedenken müssen. Wie wahr und herzlich damals Liszts Liebe für die Fürstin war, zeigen deutlich seine Briefe an sie: „O daß ich Sie bald wiedersehe, denn alles was ich an Herz und Seele, Glauben und Hoffnung besitze, habe ich nur in Ihnen, durch Sie und mit Ihnen. Möge der Engel des Herrn Sie begleiten, Sie, die Sie mein strahlender Morgenstern sind." (2. April 1848.) oder: „Ich glaube an die Liebe durch Sie, in Ihnen und mit Ihnen. Ohne diese Liebe ist weder Erde noch Himmel für mich begehrenswert. Jede Stimme meines Herzens und meiner Seele singt mir das hehre Liebeslied, das Sie erträumt haben. Lassen Sie mich daher an Ihrer Seite. Dort ist für mich die höchste Freiheit, glauben Sie es mir. Das übrige ist für mich Knechtschaft und Lüge." (11. März 1853.)

II. Aufschwung der Weimarer Oper, 1849—1858

Ehe Liszt selbst mit eigenen Schöpfungen, die in aller Stille inzwischen heranreiften, auf den Plan trat, entfaltete er eine rege reformatorische und propagandistische Tätigkeit. Sein erstes Bestreben war, die kleinen Weimarer Mittel, Orchester und Chor, zu reorganisieren und für größere Aufgaben heranzubilden. Als dies einigermaßen erreicht und den Monumentalwerken der Klassiker zu würdiger Wiedergabe verholfen war, konnte daran gedacht werden, was Liszt für die Pflicht jeder Kunstanstalt hielt, der zeitgenössischen Produktion zu ihrem Recht zu verhelfen. „Weit davon entfernt," sagte er, „für die Lebenden und Herrschenden die Verherrlichungen der Apotheose zu verlangen, fordern wir für sie nur ein, ihrem Verdienst gemäßes, ungeschmälertes Bürgertum auf dem Gebiete der Kunst — ein Bürgerrecht ohne unaufhörliche Verbannungsdekrete, ohne ewige Anathema, welche sie als geheime und offene Feinde der ihnen vorangegangenen Meister, als gefährliche Brandstifter, mit einem Worte als schuldig an dem Verfalle der Kunst der Volksrache überweisen, bloß darum, weil sie es anders machen, als die früheren Meister und auf anderen Wegen nach Idealen strebend, auch Meister werden." Er fordert von einer echten Kunstpflege:

1. „Eine intelligentere und w a h r h a f t i g e r e P i e t ä t f ü r d i e M e i s t e r w e r k e f r ü h e r e r Z e i t e n. Infolge dieser Pietät: Aufsuchen

122

aller Varianten, aller neueren und besseren Übersetzungen, feine und geschickte Verbesserungen; — Aufführung von Meisterwerken, die durch unverdientes Mißgeschick der Vergessenheit preisgegeben sind; — kein planloses Durcheinander der Aufführungen von berühmten Opern früherer Meister; — bei ihrer Wiedergabe nicht jene Nachlässigkeit, als suche man sich eine lästige Pflicht vom Halse zu schaffen, ein Verfahren, welches das Andenken bedeutender Meister eher verunglimpft als pflegt; — hauptsächlich aber: keine Reproduktion ohne die hinreichenden Kräfte, ohne eine durchaus befriedigende Besetzung der Partien, kurz ohne die Möglichkeit, sie mit Ehren zustande zu bringen.

2. Tätige, beständige und gewissenhafte Pflege des Studiums von Werken, welche die Gunst der Gegenwart genießen. Hieraus die Forderungen: planvolles, unparteiisches Alternieren mit den besten Werken italienischer, französischer und deutscher Meister, ohne Vorurteil gegen ein oder das andere Genre ohne Ausnahme der einen oder anderen Schule; — eifriges Bestreben, solche Aufführungen, in denen man den angestrengtesten Fleiß auf das Einstudieren verwendet, durch entschiedenes Hervortreten künstlerischer Schönheiten zu charakterisieren, ihnen ein edleres Gepräge zu geben, als bei solchen Theatern geschieht, wo man derartige Werke nur montiert, weil sie gerade Mode sind, weil sie Einnahme machen und man sich nur zu leicht mit einem wohlbestellten Theaterzettel begnügt; — rüstiges Angreifen eines neuen Werkes, sobald es erschienen ist, um es nicht etwa, wenn es allenthalben seine Karriere schon geendet hat, als alte Neuigkeit aufzutischen; ein derartig banales Verfahren, Mumien auszustaffieren, kann nur den Erfolg haben, daß es die Bühne, die sich damit befaßt, nach außen diskreditiert.

3. Ausgedehnte, unbeengte Gastfreundschaft gegen unedierte Werke, denen man eine Zukunft zutraut, und die sich durch bemerkenswerte Eigenschaften auszeichnen, sei der Autor berühmt oder noch unbekannt, sei es aus Süd- oder Nord-, aus Ost- oder Westdeutschland, gehöre er unserer oder der anderen Hemisphäre an. — Strenges Verpönen und Verbannen aller bloß auf Schaulust berechneten Erscheinungen, vor denen die Kunst erröten muß; beharrliches, grundsätzliches Ausschließen aller vulgären Produktionen, durch welche selbst wirklich begabte Künstler nicht verschmähen, Beifall zu erpressen und Vorteile zu verfolgen, die unter ihrer Würde."

Dieses gewiß heute noch beachtenswerte Programm suchte Liszt in Weimar nach Möglichkeit durchzuführen. Der administrativen Leitung der Oper blieb er jedoch stets fern. Er schlug nur meist zu Beginn der Saison einige Werke vor, deren Aufführung ihm wünschenswert erschien und deren Einstudierung er übernahm. Solange ihm ein Intendant zur Seite stand, der für seine Ziele Verständnis hatte und ihn unterstützte, ging alles nach Wunsch. Es war in Weimar Sitte, daß zur Feier des Geburtstags der Großherzogin als Festvorstellung stets eine neue Oper zur Erstaufführung kam. Bisher hatte man für diesen Tag immer ein französisches oder italienisches Werk gewählt. Liszts Blicke hatten sich auf der Suche nach einem neuen Stück gleich der d e u t s c h e n Musik zugewandt, da er meinte, daß ein deutsches Hoftheater und zumal das klassische Weimar zunächst die d e u t s c h e Kunst zu pflegen berufen sei und erst, wenn es diese Ehrenpflicht erfüllt habe, auch dem Auslande gerecht werden dürfe. Da weilte zufällig Ende August 1848 Richard Wagner einige Tage bei Liszt zu Gast, um mit ihm über seine bedrängte pekuniäre Lage Rats zu pflegen. Bei dieser Gelegenheit äußerte Liszt den Wunsch, einmal einer Dresdener Aufführung des Tannhäuser, den er noch nicht gehört hatte, beizuwohnen. Doch der Zeitpunkt paßte nie. Tannhäuser war bereits 1845 unter Wagners Leitung in Dresden zur Aufführung gelangt, hatte aber nur mäßigen Erfolg errungen. Ein ähnliches Schicksal war der Neueinstudierung zwei Jahre später beschieden gewesen, und eine Verbreitung dieser Oper durch den Mißerfolg fast völlig ausgeblieben. Die Fürstin wohnte nun einer Tannhäuservorstellung in Dresden bei und war von dem Werk begeistert. Liszt schlug es darauf zum Geburtstag der Großherzogin für Weimar vor; seine Wahl wurde vom Hof genehmigt. Gleichsam als Vorbereitung dazu führte er im ersten Hofkonzert, das er nach seiner Niederlassung dirigierte, am 12. November 1848 die Tannhäuser-Ouvertüre auf. Es ist heute kaum glaublich, daß allein das Bekanntwerden dieses Vorhabens das größte Aufsehen erregte. Man hielt es für eine absolute Tollheit. Es wurde in Weimar überall heftig für und wider gestritten. Eines Abends sagte ein Kammerherr in Gegenwart Liszts: „Warum kann man nicht eine Oper aufführen, die von Paris kommt? So eine deutsche zu nehmen, das ist doch eselhaft!" „Was! eselhaft?!" rief Liszt. „Esel rechts, Esel links! ich gehe m e i n e n Weg, und die Oper wird gegeben!" Er zog sich dadurch eine Klage wegen Beleidigung des Publikums zu, wurde aber freigesprochen. Liszt leitete mit Feuereifer die Einstudierung, und seine Arbeit war keine geringe, wenn man bedenkt, was es heißt, mit Mitteln, wie sie in Weimar zu Gebote standen, ein so ungemein schwieriges Werk wie Tannhäuser herauszubringen. Doch die Schönheiten des Werkes und die Begeisterung der Mitwirkenden entschädigten ihn für alles Ungemach. Da erklärte plötzlich, sechs Tage vor der Aufführung, der Vertreter der Titelrolle, Götze, er könne nicht singen, da er so erschöpft sei. Genast fuhr darauf selbst nach Dresden, um für den dortigen Sänger der Partie, den Heldentenor J o s e f T i c h a t s c h e k, Urlaub beim Intendanten Lüttichau zu erwirken, den er mit vieler Mühe erlangte. So ging denn am 16. Februar 1848 das Werk mit Tichatschek in Szene und errang einen durch-

124

schlagenden Erfolg. Am 18. fand sofort eine Wiederholung statt. Wagner war überrascht. „Das war mir alles neu und seltsam und ich blieb geneigt, in diesem an sich so erfreulichen Vorgange, eben nur eine Episode, der Freundeslaune eines großen Künstlers verdankt zu sehen. Doch bestimmte mich namentlich ein liebenswürdiger Brief Liszts, für den bevorstehenden Mai zur dritten Aufführung des „Tannhäuser" auf einige Tage Weimar zu besuchen." Das Wiedersehen der Freunde sollte nicht lange auf sich warten lassen; allerdings war es anders, als sie es sich gedacht hatten. Bald nach der Weimarer Tannhäuservorstellung brach in Dresden die Revolution aus, und Wagner, der infolge seiner künstlerischen Fortschrittideen bei Hof längst als Revolutionär galt, mußte flüchten. Sonntag den 13. Mai stand er plötzlich vor Liszt in Weimar im Hotel Erbprinz, wo dieser damals noch wohnte. Wagner verweilte, ohne Liszt zunächst in das Bedenkliche seiner Lage einzuweihen, bis zum 19. Mai in Weimar im Schutze der Altenburg, wo ihn Liszt bei der Fürstin untergebracht hatte. Hier gab es manche erregten Gespräche über Kunstfragen, die durch die gegenteiligen Ansichten der Fürstin, die sich später als so folgenschwer erweisen sollten, oft zu lebhaften Debatten auswuchsen. Auch einer Tannhäuserprobe unter Liszts Leitung wohnte Wagner bei.

„Ich war erstaunt, durch diese Leistung in ihm mein zweites Ich wiederzuerkennen: was ich fühlte, als ich diese Musik erfand, fühlte er, als er sie aufführte; was ich sagen wollte, als ich sie niederschrieb, sagte er, als er sie ertönen ließ. Wunderbar! Durch dieses seltensten aller Freunde Liebe gewann ich in dem Augenblicke, wo ich h e i m a t l o s wurde, die wirkliche, langersehnte, überall am falschen Ort gesuchte, n i e g e f u n d e n e H e i m a t f ü r m e i n e K u n s t. Als ich zum Schweifen in die Ferne verwiesen wurde, zog sich der Weitumhergeschweifte an einen kleinen Ort dauernd zurück, um diesen mir zur Heimat zu schaffen. Überall und immer sorgend für mich, stets schnell und entscheidend helfend, wo Hilfe nötig war, mit weit geöffnetem Herzen für jeden meiner Wünsche, mit hingebendster Liebe für mein ganzes Wesen ward Liszt mir das, was ich nie zuvor gefunden hatte, und zwar in einem Maße, dessen Fülle wir nur dann begreifen, wenn es in seiner vollen Ausdehnung uns wirklich umschließt."

Sogar der Großherzogin Maria Paulowna, die sehr begierig war, den Schöpfer des von ihr hochgeschätzten Tannhäuser persönlich kennen zu lernen, wurde Wagner von Liszt vorgestellt. Noch mehrfach in seinen späteren Briefen gedenkt er dieses Augenblicks und des „schönen Eindrucks, den jene fürstliche Frau in ihrer warmen Teilnahme auf ihn gemacht." Unaufschiebbare eigene Verpflichtungen zwangen Liszt, gerade jetzt, auf drei Tage zu verreisen. Wagner blieb im Schutz der Altenburg zurück. Diese Abwesen-

125

heit seines Freundes wäre für ihn beinahe verhängnisvoll geworden. Zwei Briefe seiner Frau nämlich, die ihm mitteilen sollten, daß in Dresden der Steckbrief gegen ihn erlassen sei und in längstens drei Tagen zur Veröffentlichung kommen müsse, und die ihm daher schleunige Flucht anrieten, kamen, da sie an Liszts Adresse gerichtet waren, nicht in seinen Besitz. Als Liszt, der dadurch erst die wahre Sachlage erfuhr, zurückkam, war die Frist bereits verstrichen und eine Flucht gefahrvoll geworden. Es galt nun, den Verfolgten irgendwo in ein sicheres Versteck zu bringen, bis man alles gut vorbereitet haben konnte. Durch Vermittlung des mit Liszt befreundeten Dr. Siebert aus Jena gelang es, bei einem von dessen Freunden, dem Ökonom Wernsdorf, für ihn auf dem Kammergute Magdala unweit Weimar eine vorläufige Zufluchtstätte zu finden. Hier verblieb er vom 19. bis 24. Mai. Am Vorabend seines Geburtstages traf auch seine Frau Minna für zwei Tage dort ein, um von ihm Abschied zu nehmen. Inzwischen hatte sich Liszt aufs eifrigste bemüht, die Flucht gefahrlos zu ermöglichen. Am 24. Mai rief Wagner ein Brief Liszts nach Jena, wo dieser selbst und sein Freund, der Jenenser Gymnasial-Professor O. L. B. Wolff, seiner harrten. Beide wetteiferten in Fürsorge um ihn. Mit dem durch Liszt aufgetriebenen Paß eines Dr. Widmann versehen, trat Wagner dann seine Reise an, die ihn über Zürich wohlbehalten nach Paris brachte. Wagners Verhalten in Dresden war von den Weimarer Freunden, namentlich von der Fürstin Wittgenstein, nicht gebilligt worden. Eine Fürsprache für Wagner beim Weimarischen Hof lehnte sie zunächst schroff ab: „on ne frappe pas à des portes enfoncées." Noch in Zürich erhielt Wagner den von Liszt verfaßten Aufsatz über Tannhäuser, der zunächst im Journal des Débats in französischer Sprache erschien. Liszt versuchte darin eine künstlerische Analyse des Werkes zu geben und das Neue und Wertvolle dieser Kunstrichtung dem Verständnis der Hörer nahezubringen. Wie ihm das gelang, bezeugt Wagners begeisterte Dankesantwort:

„Was hast Du da gemacht? Du hast den Leuten meine Oper beschreiben wollen und hast statt dessen selbst ein wahres Kunstwerk hervorgebracht! Gerade wie Du die Oper dirigiertest, so hast Du über sie geschrieben: neu, ganz neu aus Dir heraus! — Wie ich den Artikel aus der Hand legte, waren meine Gedanken zunächst folgende: dieser wunderbare Mensch kann nichts tun und treiben, ohne aus innerer Fülle sich selbst von sich zu geben; er kann nirgends nur reproduktiv sein, es ist ihm keine andere Tätigkeit möglich, als die rein produktive, alles drängt in ihm zur absoluten, reinen Produktion hin, und doch ist er immer noch nicht darangegangen, seine Willenskraft zur Produktion eines großen Werkes zusammenzuspannen? Ist er bei seiner vollendeten Individualität zu wenig Egoist? Ach, lieber Freund! Meine

126

Gedanken an Dich sind noch zu enthusiastisch; jetzt zehre ich noch zu sehr von Deiner Liebe zu mir, so daß die meinige sich nur ganz untätig in Exklamationen ergehen kann."

Außer Tannhäuser hatte Liszt diesen Sommer noch die Oper Haydée von A u b e r, die keinen Erfolg errang, und ein Werk des Herzogs Ernst II. von Koburg, „Tony", als Neuheiten herausgebracht; jetzt rüstete er sich für den August wieder zu einer großen Unternehmung. Es galt den hundertsten Geburtstag Goethes festlich zu begehen. War die Stimmung in deutschen Landen durch die Revolution eine gedrückte und für Feste nicht geeignet, so war es der großen Energie Liszts zu danken, daß Weimar, und durch dieses angespornt das übrige Deutschland, sich, was seine Ehre verlangte, zu diesem Fest aufraffte. Für Weimar war ein großes Konzert und eine Festvorstellung im Theater geplant. Liszt wandte sich an Robert Schumann mit der Anfrage, ob seine „Faust-Komposition für Weimar geeignet sei". Schumann übersandte die Partitur und schrieb dazu in Hinsicht auf den vorjährigen peinlichen Zwischenfall: „Aber lieber Freund, würde Ihnen die Komposition nicht vielleicht zu l e i p z i g e r i s c h sein? Im Ernst, von Ihnen, der so viele meiner Kompositionen kennt, hätte ich etwas anderes vermutet, als in Bausch und Bogen so ein Urteil über ein ganzes Künstlerleben auszusprechen usw. Soviel über Ihre Äußerung, die eine ungerechte und beleidigende war. Im übrigen vergessen wir des Abends — ein Wort ist kein Pfeil — und das Vorwärtsstreben die Hauptsache."

Das heißt mit andern Worten, er trug ihm den Vorfall noch nach; da er ihn aber gerade gebrauchen konnte, so lenkte er ein. Diese Taktik verfolgten Schumanns, wie wir sehen werden, Liszt gegenüber in Zukunft stets. In demselben Schreiben lud er Liszt zur bevorstehenden Aufführung seiner „Genoveva" nach Leipzig ein, worauf Liszt sehr verbindlich antwortete: „Vor allem erlauben Sie mir, zu wiederholen, was Sie eigentlich nach mir am besten seit langer Zeit wissen sollten, nämlich, daß Sie niemand aufrichtiger verehrt und bewundert, als meine Wenigkeit; zur Aufführung der Genoveva melde ich mich als ‚Claqueur' an."

Dieser harmlose Scherz wurde von Schumann bereits wieder als neue persönliche Kränkung empfunden. — Liszt selbst komponierte zur Säkularfeier einen G o e t h e f e s t m a r s c h und einige Chorgesänge, die in ein F e s t a l b u m zusammengefaßt wurden, sich aber mit Ausnahme des Marsches kaum über das Niveau anderer Gelegenheits-Kompositionen erhoben. Das Festkonzert am 27. August wurde mit Liszts Marsch eingeleitet und brachte außer seinen anderen bereits erwähnten Kompositionen, von denen namentlich der Männerposaunenchor „Licht mehr Licht" großen Beifall fand, Schumanns Verklärung und zum erstenmal für Weimar Beethovens Neunte

127

Symphonie. Der Festtag selbst wurde durch eine Aufführung von Goethes Tasso gefeiert, dem Liszt seine kurz zuvor beendete und bisher noch nie aufgeführte symphonische Dichtung gleichen Titels als Ouverture voranstellte. Diesen Goethefesten wohnte auch der damals 18jährige Hans von Bülow, der schon im Monat Juni 14 Tage bei Liszt zugebracht hatte, mit seinem Vater bei. · Seinen brieflichen Schilderungen nach arbeitete Liszt meist die Vormittage auf der Altenburg, nachmittags wurde dort gewöhnlich musiziert und abends nach Tisch Whist gespielt. „Wie mir Liszt mitgeteilt hat, so ist das Gerücht wirklich begründet, daß er größere Werke angefangen hat, daß mehrere Klavierkonzerte mit Orchesterbegleitung in seinem Pult fertig liegen und eine italienische Oper „Sardanapal" nach Byron ziemlich vollendet ist."

Zur Erholung begab sich Liszt mit der Fürstin und Tochter nach Beendigung der Festlichkeiten Ende August nach H e l g o l a n d, wo sie in Gesellschaft der gleichfalls dort anwesenden Freunde, des Schriftstellerpaares Adolf S t a h r und Fanny L e w a l d, Julius F r ö b e l s und vor allem Franz D i n g e l s t e d t s und dessen Gemahlin, der berühmten Sängerin Jenny L u t z e r, fröhliche Wochen verbrachten. Dingelstedt, der damals Bibliothekar und Dramaturg in Stuttgart war, hatte bereits 1845 Liszt um seine Fürsprache bei Besetzung der Oberbibliothekarstelle in Weimar gebeten: „Mein Plan ist: 1. Entweder über Weimar nach Berlin, wenn dieses möglich, oder 2. mit D i r in Weimar, um dort a) mit Weimarischen Traditionen und Hohenzollerngeld die Zeit der ‚Horen', des ‚Merkur' in einer guten deutschen Revue heraufzubeschwören; b) mit Hilfe meiner Frau Deine musikalischen Intentionen dort zu fördern; c) einst einmal das Theater dort mit Dir zu übernehmen; es ist just klein genug, um etwas Großes daraus zu machen."

Jetzt hatten sich die freundschaftlichen Beziehungen zwischen den beiden Männern wieder eng geknüpft, und Liszt versprach ihm sich in Weimar für ihn zu verwenden. Er hat sein Versprechen treulich gelöst; wie Dingelstedt ihm dafür gedankt, werden wir bald erfahren.

Ende September begab sich Liszt nach Bad E i l s e n bei Bückeburg, wo die Fürstin die Badekur gebrauchen sollte. Hier erkrankte die Prinzessin Marie, sodaß die Rückkehr nach Weimar sich bis Anfang Januar 1850 verzögerte.

Am 1. Dezember traf J o a c h i m R a f f in Eilsen ein. Er hatte die Stelle, die ihm Liszt vor Jahren in Köln verschaffte, aufgegeben und sich bisher kümmerlich durchgeschlagen. Jetzt gab er Liszts wiederholten Bitten nach und wurde gegen „freie Station und 600 Thaler jährlich" sein Sekretär. Er erledigte für Liszt Korrespondenzen, übersetzte seine französischen Aufsätze, wie u. a. „Über die Goethestiftung" ins Deutsche und war Liszt bei

128

seinen kompositorischen Arbeiten ein wertvoller Helfer und Berater. Die Instrumentation mehrerer Lisztscher Orchesterwerke stammt von Raffs Hand. Der Verkehr der beiden war ein durchweg freundschaftlicher, die Anregung und Förderung in ihrem Schaffen wechselseitig. In Eilsen litt Liszt unter einer starken seelischen Depression. Der Tod seines Freundes, des ungarischen Ministerpräsidenten Graf Batthyányi, der am 6. Oktober mit vielen Gesinnungsgenossen justifiziert worden war, war ihm sehr nahe gegangen. In seinem ungarisch-nationalen Werk „Les Funérailles" weihte er den Dahingeschiedenen eine ergreifende Totenklage.

Die Hauptbeschäftigung während des Eilsener Aufenthaltes bildete eine literarische Arbeit. Anläßlich der Goethezentenarfeier war nämlich von Berlin aus ein von den angesehensten Männern des damaligen geistigen Deutschlands unterzeichneter Aufruf erlassen worden, zur Gründung eines Instituts, das dazu bestimmt sein sollte, zum Andenken Goethes „die künstlerischen Produktionen in Deutschland zu fördern und zu beleben, um ihren bildenden Einfluß auf den moralischen Fortschritt der Nation zu vermehren". Es wurde eine Kommission eingesetzt, die darüber entscheiden sollte, „ob eine Schule für schöne Künste oder ein Museum oder eine Akademie oder ein anderes derartiges Institut zu gründen sei". Der Ende Oktober 1849 erscheinende Bericht dieser Kommission brachte durchaus keine Klarheit der Sachlage. Da trat Liszt auf den Plan mit einer Schrift „De la Fondation Goethe à Weimar", die er dem Großherzog von Weimar unterbreitete. Liszt war Künstler, nicht nur Tonkünstler, er hatte für jedes Gebiet Verständnis, Interesse und Fördersinn. Für ihn gab es eigentlich nicht Künste, sondern nur e i n e Kunst, die alle umfaßt, die Gesamtkunst. Aus dieser hohen Auffassung erklärt sich sein Plan, eine Vereinigung aller Künste herbeizuführen, indem er Weimar im Anschluß an den Namen Goethe zu einer Pflegestätte aller Künste, zu Deutschlands geistigem Mittelpunkt, zur „Kunststadt" wieder erheben wollte, zu dem, was den Griechen Olympia war, nur in weit umfassenderem Sinne. Wettkämpfe a l l e r Künste, Poesie, Malerei, Skulptur und Musik sollten in jährlichem Wechsel hier die höchste Kraft entfalten. Und um aus diesen alljährlichen Taten ein Monument für alle Zeiten zu gewinnen, sollten die preisgekrönten Bildwerke für ein Museum, die Schöpfungen des literarischen und musikalischen Wettstreits für eine Bibliothek erworben werden. Dies alles sollte in W e i m a r erstehen, das damit zu einem Pantheon der Kunst geworden wäre. Doch der Plan war zu ideal, zu schön für diese Welt. Wagner betonte dagegen mit Recht, daß jede einzelne der Künste den Vorrang für sich beanspruchen würde, er beschränkte sich daher auf das musikalisch-dramatische Gebiet. Schöll wiederum wollte nur die bildenden Künste berücksichtigt wissen. Anfangs war der Hof in Weimar für den Plan begeistert, und es wurden auch Schritte zur Verwirklichung getan. Man suchte zunächst bedeutende Schriftsteller nach Weimar zu ziehen. Nachdem man sich vergeblich an Otto Ludwig und Gervinus gewandt, gelang es, Hoffmann von Fallersleben und Oskar Schade (1854) zu gewinnen, die zusammen das Weimarische Jahrbuch herausgaben. Auch mit Adolf Stahr wurde lange wegen einer Übersiedlung nach Weimar unterhandelt. Er sollte dort für die Goethe-Stiftung ein Publikationsorgan gründen und leiten. Er reichte auch dem Großherzog einen Entwurf ein, doch man schritt nicht zu Taten. Die Sache verlief schließlich im Sande. Die Goethe-Stiftung „est morte en couches", wie Liszt später an den Großherzog schreibt. Alles scheiterte zu guter Letzt am Geldpunkte. Zwar griff der Großherzog den Gedanken Liszts immer wieder in einzelnen Punkten auf, und manche Einzelheit dankt diesem ihre Entstehung, wie z. B. das Doppelstandbild Goethe-Schiller in Weimar; aber die wirkliche Größe, die in der Totalität des Planes lag, ging dabei verloren. Man scheute sich, die Mittel für das Ganze auf einmal zu wagen, man gab statt dessen tropfenweise. Auf diese Art konnten die einzelnen Institutionen für sich allein nicht bestehen oder gar Bedeutung erlangen, und so ging die ganze Sache verloren. Immerhin gelang es Liszt, den ihm am meisten ans Herz gewachsenen Sonderzweig seines großen künstlerischen Plans, die M u s i k, zu ungeahnter Höhe emporzuheben.

Zur Festvorstellung zum Geburtstag der Großherzogin wurde nach seiner Rückkehr nach Weimar (Februar 1850) Glucks I p h i g e n i e i n A u l i s in der Bearbeitung von Wagner aufgeführt. Liszt hatte diese Wahl auch aus dem Grunde getroffen, um seinem Freund, der sich stets in pekuniären Sorgen befand, dadurch ein Honorar zukommen lassen zu können. Wagner hatte sich damals von Weimar aus nach Paris gewandt, wo er nach Liszts Plan mit einer neuen Oper einen Erfolg anstreben sollte, war dann, von Liszt mit den nötigen Geldmitteln unterstützt, nach Zürich übergesiedelt, um hier in Ruhe das Werk vollenden zu können.

Noch von Weimar aus hatte er seine Frau, die in Dresden zurückgeblieben war, gebeten, Liszt die seit langem beendete Partitur seines L o h e n - g r i n zugehen zu lassen. Sie war aber erst nach seinem Weggang dort eingetroffen. Liszt hatte sich mit Eifer auf das Studium gestürzt, und seine Bewunderung für dieses Werk war von Tag zu Tag gewachsen. Nur fürchtete er für eine Aufführung „die hochideale Färbung, welche beständig beibehalten ist". Er sandte Wagner die Partitur wieder nach Zürich zurück und schrieb dazu u. a.: „Es fiel mir schwer, mich von Deinem Lohengrin zu trennen. Je mehr ich in die Konzeption und in die meisterliche Durchführung eingedrungen bin, um so höher stieg meine Begeisterung für dieses außerordentliche Werk! Verzeihe mir jedoch meine kümmerliche Zaghaftigkeit, wenn ich

130

noch einige Bedenken wegen der gänzlich befriedigenden Wirkung der Vorstellung hege."

Im Januar 1850 begab sich Wagner schließlich auf Liszts Wunsch wieder nach Paris, um seine Sache an Ort und Stelle zu betreiben, aber seine Bemühungen erwiesen sich bald, wie er vorausgesehen, als ganz erfolglos. Da, als er „krank, elend und verzweifelnd vor sich hinbrütete, fiel sein Blick auf die Partitur seines schon fast von ihm vergessenen Lohengrin. Es jammerte ihn plötzlich, daß diese Töne aus dem totenbleichen Papier nie erklingen sollten." — „Lieber," ruft er Liszt zu, „soeben las ich etwas in der Partitur meines Lohengrin — ich lese sonst nie in meinen Arbeiten. Eine ungeheure Sehnsucht ist in mir entflammt, dies Werk aufgeführt zu wissen. Ich lege Dir hiermit meine Bitte an das Herz. Führe meinen Lohengrin auf! D u b i s t d e r e i n z i g e, an den ich diese Bitte richten würde: niemand als Dir vertraue ich die Kreation dieser Oper an: aber Dir übergebe ich sie mit vollster, freudigster Ruhe. Führe sie auf, wo Du willst: gleichviel, wenn es selbst nur in Weimar ist: ich bin gewiß, Du wirst alle möglichen und nötigen Mittel dazu herbeischaffen, und man wird Dir nichts abschlagen. Führe den Lohengrin auf und lasse sein Insiebentreten D e i n Werk sein."

Sofort nahm der stets hilfsbereite Freund die Einstudierung der Oper, deren Uraufführung noch diesen Sommer erfolgen sollte, in Angriff. Wagner beteiligte sich natürlich an den Vorbereitungen, soweit ihm das aus der Entfernung möglich war. Er bittet den Freund auch einmal, ihm inkognito freies Geleit bei Hof für den Besuch der Vorstellung auszuwirken. Leider ließ sich das nicht ermöglichen. Die in Weimar zur Verfügung stehenden Mittel waren zwar in Hinsicht auf das dem seitherigen Opernwesen völlig Neue dieses Werkes unzureichend, aber man tat unter Liszts befeuernder Leitung das Menschenmöglichste. „Die Intendanz gibt bei dieser Gelegenheit nahezu an 2000 Taler aus, was seit Menschengedenken noch nie in Weimar geschehen ist," meldet Liszt brieflich.

Das große Ereignis sollte am Goethetag, 28. August 1850, vonstatten gehen. Zuvor wurde noch das große H e r d e r f e s t gefeiert. Am 25. August ward, als erstes der Weimarer Dichterstandbilder, die von Schaller modellierte, vorzüglich gelungene Herder-Statue feierlichst enthüllt. Am Nachmittage fand ein Festkonzert unter Leitung Liszts statt, das Herders E n t f e s - s e l t e n P r o m e t h e u s, von Genast szenisch eingerichtet und von Liszt in Musik gesetzt, brachte. Liszt hatte dazu eine Ouvertüre, die er später als die symphonische Dichtung Prometheus von den übrigen abgetrennt hat, und acht große Chöre komponiert und zwar in dem unglaublich kurzen Zeitraum von 14 Tagen. (Richard Pohl hat später nach Herders Text und Äschylos' Fragment zu den Chören einen Prolog und verbindenden Text gedichtet. In

9*   131

dieser neuen Gestalt erlebte das Werk am 21. April 1857 in Weimar bei seiner Erstaufführung durchschlagenden Erfolg und hat sich bis heute stets im Konzertsaal bewährt.) Liszt hat Herders hohes Lied der Humanität in seiner ganzen Tiefe erfaßt und musikalisch kongenial gestaltet. Einige Teile dieser Schöpfung, wie z. B. der Schnitter- und Winzerchor, gehören zu den unvergänglichen Perlen in Liszts Schaffen. Drei Tage später ging unter starkem Fremdenandrang, von denen u. a. Dingelstedt, Gutzkow, Bettina, Theodor Uhlig, Joachim Raff, Hans v. Bülow genannt seien, Lohengrin in Szene. Der Abend wurde durch einen von Dingelstedt gedichteten Festprolog eröffnet. Die Weimarer hielten sich zurück, und nur dadurch, daß die Großherzogin viele Billetts kaufte und verschenkte, wurde ein volles Haus erzielt. Der Erfolg blieb hinter dem des Tannhäuser erheblich zurück. Die Zuhörer standen dem neuen Stil zu fremd gegenüber. Sie mußten erst Fühlung mit ihm gewinnen. Liszt dagegen war begeistert: „Dein Lohengrin ist von Anfang bis Ende ein erhabenes Werk. Bei gar mancher Stelle sind mir die Tränen aus dem Herzen gekommen. Da die ganze Oper ein einziges unteilbares Wunder ist, kann ich Dir unmöglich diesen oder jenen Zug, diese oder jene Kombination, diesen oder jenen Effekt besonders hervorheben."

Nach der Vorstellung wurde ihm von der Kapelle ein silberner Taktstock überreicht: „Dem Träger des Genies, dem Dirigenten der Opern Tannhäuser und Lohengrin". Liszt ließ sich durch die vielen abfälligen Urteile und Anfeindungen nicht irremachen. Durch rasch aufeinanderfolgende Wiederholungen suchte er dem Werk Freunde zu erwecken, denn er wußte wohl, daß an diesem nicht die Ursache des Mißerfolges lag. „Es handelt sich nicht bloß darum, Sänger und Orchester zu ermahnen und der dramatischen Revolution dienstbar zu machen, sondern auch vor allem darum, das Publikum zu einem Höhepunkte zu erheben, von welchem aus es durch Mitgefühl und verständiges Erfassen derselben, an Schöpfungen teilzunehmen befähigt wird, deren Art eine höhere ist, als die nichtigen Zerstreuungen, mit welchen es seine Phantasie und tägliche Unterwürfigkeit im Theater ernährt. Der Feind steckt nicht bloß in den Kehlen der Sänger, sondern auch sehr wesentlich in den faulen und gleichzeitig tyrannischen Angewohnheiten der Zuhörer."

Um das Durchdringen des Werkes noch zu beschleunigen, gab er ihm jetzt, wie früher dem Tannhäuser, in einem langen Aufsatz einen Geleitbrief auf den Weg, der in seinem kühnen Schwung, der beredten Sprache und dem tiefkünstlerischen Verständnis nicht seinesgleichen hat. Wagner gab seiner Bewunderung für dieses literarische Werk seines Freundes u. a. folgenden Ausdruck: „Wenn ich Dir sagen sollte, was ich bei wiederholter und sorgfältigster Durchlesung dieser Schrift empfunden habe, so würde ich kaum die Ausdrücke dafür finden. Möge Dir dies eine genügen: Ich fühle mich für mein

132

Streben, für meine Opfer und künstlerischen Kämpfe mehr als vollständig belohnt, da ich sehe, welchen Eindruck ich dadurch gerade auf Dich gemacht habe. So ganz verstanden zu werden, war meine einzige Sehnsucht; und verstanden worden zu sein, ist die beseligendste Befriedigung meiner Sehnsucht!!! —"

Die künstlerische Großtat der Lohengrin-Aufführung durch Liszt hatte noch eine andere sehr wichtige Folge: Sie bewog Wagner, endgültig mit allem „Opernkomponieren" um des äußeren Erfolges willen zu brechen und seinen künstlerischen Reformplänen zu folgen. Liszt schien ihm mit dieser Tat vor ihn hin zu treten und ihm zuzurufen: „Sieh, so weit haben wir's gebracht, nun schaff' uns ein neues Werk, damit wir's noch weiterbringen!" — „In der Tat war es dieser Zuruf und diese Aufforderung, die sogleich in mir den lebhaftesten Entschluß zum Angriffe einer neuen künstlerischen Arbeit erweckten: ich entwarf und vollendete in fliegender Schnelle eine Dichtung, an deren musikalische Ausführung ich bereits Hand legte. Für die sofort zu bewerkstelligende Aufführung hatte ich einzig Liszt und diejenigen meiner Freunde im Auge, die ich nach meinen letzten Erfahrungen unter dem lokalen Begriffe: WEIMAR zusammenfassen durfte." Wagner entschloß sich jetzt an die Komposition der seit langem beendeten Dichtung: Siegfrieds Tod zu gehen, die er kürzlich beiseitegelegt hatte, um sich dem für Paris bestimmten Entwurf: Wieland, der Schmied zuzuwenden. Diesen schon szenenmäßig skizzierten Text schickte er der Fürstin Wittgenstein, um ihn Liszt als Eigentum zu überlassen, falls er ihn zur Vertonung begeistern könne. „Nun aber rufe ich Dir zu: zeige uns vollends den ganzen Löwen — d. h. schreibe oder vollende bald eine Oper!"

Liszt lehnte diesen Vorschlag dankend ab: „So groß die Lockung auch für mich ist, an Deinem Wieland zu schmieden, so kann ich doch nicht umhin, meinen Entschluß, n i e u n d n i m m e r eine deutsche Oper zu komponieren, festzuhalten. Es ist für mich viel zweckmäßiger und bequemer, mein erstes dramatisches Werk auf der italienischen Bühne zu riskieren und im Falle es mir nicht mißlingt, bei den Welschen zu verbleiben. Germanien ist Dein Eigentum — und Du sein Ruhm."

Liszt hatte beim Weimarer Hof ausgewirkt, daß Wagner die Komposition seines neuen Werkes gewissermaßen in Auftrag gegeben wurde. Er sollte es bis 1. Juli 1852 vollenden und dafür vorschußweise allmählich die Summe von 500 Talern erhalten, um während der Arbeit der materiellen Sorgen enthoben zu sein. Trotzdem zögerte er. Es kam ihm immer mehr zum Bewußtsein, daß er sich mit diesem Werk noch weiter von dem herkömmlichen Opernbegriff entfernen müsse, und daß dafür weder die Darsteller noch die Aufnahmefähigkeit des Publikums zurzeit reif genug seien. Da fand er den

133

Ausweg: ein einleitendes, bei weitem leichter verständliches Drama: „Der junge Siegfried" sollte das Verständnis des späteren Werkes vorbereiten. Er teilte Liszt seinen Plan mit, und dieser antwortete enthusiastisch: „Also, einen jungen Siegfried bekommen wir! Du bist wahrhaftig ein ganz unglaublicher Kerl, vor dem man Hut und Mütze dreimal abzuziehen hat. Die ersprießliche Beendigung der Sache freut mich herzlich und an Dein Werk glaube ich fest!" In der fabelhaft kurzen Zeit von drei Wochen ist die Dichtung vollendet. Trotzdem kann sich der Dichter nicht entschließen, sie dem Freund zuzuschicken:

„Ich trage eine gewisse Scheu, mein Gedicht Dir so ohne alles Weitere vorzulegen, eine Scheu, die ihren Grund in mir, nicht aber in Dir findet. So komme ich denn darauf, Dich zu fragen, ob ich Dich denn nicht nächstens zu sehen bekommen werde? ... Mir wäre dies eine große Beruhigung: — das Geschriebene ist hier — fürchte ich — für meine Absicht so unvermögend; kann ich Dir's aber mit lauter Stimme — und andeutungsweise so, wie ich es beabsichtige — vortragen, so würde mich das über den gewünschten Eindruck meiner Dichtung auf Dich durchaus beruhigen."

Dies war nun leider unmöglich. Inzwischen reifte in Wagner die Gewißheit, daß er, um ein allgemeinverständliches, geschlossenes Ganzes bieten zu können, seinen Siegfriedplan nochmals erweitern, den ganzen Nibelungenmythos dramatisch gestalten müsse. Er entwarf die Skizze der Tetralogie, wie sie uns heute vorliegt. Jetzt war aber an eine Aufführung des Werkes in Weimar nicht mehr zu denken, das ging über das damalige Bildungsvermögen weit hinaus. Er löste daher den eingegangenen Kontrakt und erstattete das bereits erhaltene Geld zurück. Liszt selbst teilte er dann, wohl nicht ohne Bangen, seinen großen Entwurf mit. Jeder andere hätte damals diesen kühnen Plan, der keine Sicherheit des Gelingens versprach, für phantastisch oder gar für unsinnig erklärt. Doch Liszts Kongenialität erkannte sofort das große Ziel. „Du bist auf Deinem außerordentlichen Weg zu einem außerordentlich großen Ziele gelangt. Die Aufgabe, das Nibelungenepos zu einer dramatischen Trilogie zu formen und zu komponieren, ist Deiner würdig, und ich hege nicht den mindesten Zweifel über das monumentale Gelingen Deines Werkes." Dieses sofortige restlose Erfassen seiner Intentionen versetzte Wagner in hellstes Entzücken: „Jedem, der mir nur irgend nahesteht, zeigte ich Deinen Brief und sagte ihnen: Seht, solch einen Freund habe ich!"

Das mutige Eintreten Liszts für die Werke seines Freundes rief fast die ganze Musikwelt gegen ihn unter Waffen. Und zwar richteten sich die Angriffe nicht so sehr gegen die Werke selbst, als gegen den, der es wagte, sie durchsetzen zu wollen. Die Gegner fühlten ganz richtig, daß das kühne, unermüdliche Ringen Liszts für den Fortschritt ihnen und ihrer konservativen

134

Zopfigkeit weit gefährlicher werden könne, als das „Neue" selbst. Es galt daher, ihn mit allen Mitteln unschädlich zu machen. Hierbei hatten sie eigentlich leichtes Spiel, denn es stand ihnen die gesamte Presse einschließlich der Fachzeitschriften zur Verfügung und vor allem die Wucht ihres beim Laien bereits akkreditierten Namens. Doch alle Angriffe prallten an der eisernen Energie und der ungeheuren Schaffenskraft dieses Mannes ab, der, wenn er einmal etwas als richtig erkannt hatte, unbeirrbar seinen Weg fortsetzte. Es gelang den Gegnern nicht, den Siegeszug der durch Liszt geförderten Werke aufzuhalten, aber mit um so größerer Wut klammerten sie sich dafür an ihn selbst und sein eigenes Schaffen; seine eigenen Schöpfungen waren auf Jahrzehnte hinaus mit dem Bann belegt und ihr Durchdringen unmöglich, zumal ihr Schöpfer, so rückhaltlos er für andere eintrat, für sich selbst in vornehmer Bescheidenheit nicht kämpfte. Es ist eine tragische Erscheinung, daß Liszt, der edle Vorkämpfer für andere, Liszt, den genialen Selbstschöpfer, schädigte. Wagner hatte einen Liszt, der ihn der Welt geradezu aufzwang, doch Liszt — hatte niemand. Und all die vielen, denen er selbst einst geholfen, für ihn hatten sie später keine Zeit. In Bayreuth z. B. ist bis zum heutigen Tag öffentlich kaum eine Note Lisztscher Musik erklungen, und Wagner hat in seinem ganzen Leben, auch später in den Konzerten für den Bayreuthfonds, nie ein Lisztsches Werk dirigiert.

Die heftige Opposition, die 1850 unmittelbar nach der Lohengrinaufführung überall einsetzte, hatte damals ihr Gutes: Die Blicke aller richteten sich nach dem kleinen Weimar, und einige wenige vom Tatendrang erfüllte junge Geister begannen sich um Liszt zu scharen, um an seiner Seite für den Fortschritt zu kämpfen. Hier sind vor allem zu nennen: Theodor U h l i g , der Freund Wagners, Richard P o h l , der sich 1854 bis zu Liszts Weggang dauernd in Weimar niederließ und unter dem Pseudonym Hoplit kräftig für die neue Richtung eintrat, die Musiktheoretiker Louis K ö h l e r (seit 1853 mit Liszt befreundet) und Fr. W e i t z m a n n , ferner Felix D r a e s e k e und Hans v o n B ü l o w , der als Peltast mit den Gegnern manchen kühnen Strauß ausfocht. Diesen allen stand jedoch für ihre Meinungsäußerung nur e i n Blatt zur Verfügung, die einst von Schumann begründete „Neue Zeitschrift für Musik", die jetzt der eifrige und tüchtige Dr. Franz B r e n d e l , der sich völlig in den Dienst der Sache gestellt hatte, leitete. Dies waren die Hauptführer der kleinen Schar, die den ihnen beigelegten Spottnamen „Zukunftsmusiker" stolz auf ihre Fahnen schrieben, und die der Richtung den Weg ebneten, die man später als „Neudeutsche Schule" bezeichnet hat. Ihnen gegenüber stand die große Schar der Musikkritiker aller Zeitungen. Die Hauptangriffe konzentrierten sich in den von dem Literarhistoriker Julian Schmidt und dem Mozartbiographen Otto Jahn geleiteten „Grenzboten", der „Augsburger Allgemeinen

135

Zeitung" (Al. v. Wolzogen), der „Rheinischen Musik-Zeitung" (L. Bischoff und F. Hiller), der Zeitschrift „Europa" (G. Kühne) und später der „Neuen freien Presse" (Ed. Hanslick).

Auch in Weimar selbst setzte eine heftige Gegenströmung ein. Mißgunst, Neid und Unverstand suchten offen und im Geheimen gegen Liszt zu wirken und ihm Schwierigkeiten in den Weg zu legen. Man opponierte gegen die von ihm protegierten neuen Werke und warf ihm selbst Inkonsequenz und Unehrlichkeit vor, da er sich einerseits ganz mit den Neueren identifiziere, andererseits aber unbeirrt fortfahre Phantasieen über Meyerbeeropern und dergl. zu veröffentlichen. Der Ausspruch Liszts: „Ja wenn ich immer nur Faust- und Dante-Symphonien geschrieben hätte, so könnte ich meinen Freunden keine Forellen mit Champagner in Eis vorsetzen" löst leicht diesen Widerspruch. Liszt entzog sich diesen ganzen Widerwärtigkeiten, indem er Weimar verließ. Mitte Oktober 1850 begleitete er die Fürstin und Tochter wieder nach Bad Eilsen. An seinen zur Beendigung seiner Oper „König Alfred" in Weimar zurückgebliebenen Amanuensis Raff schreibt er: „Es wird sich für dieses Jahr meine ganze theatralische Tätigkeit auf die Wagnerschen Opern (im Falle man sie wiedergibt und meine Wenigkeit zur Direktion bestimmt) und den König Alfred beschränken. Sie werden am besten einsehen, daß ich, ohne meinen guten Namen zu kompromittieren, mich nicht in die jetzige Wirtschaft mehr einlassen darf — meine bescheidene Entsagung an alle den plaisirs der Direktion soll wenigstens als stiller Protest gegen den bisherigen Schlendrian, welcher leider nur zu sehr durch die Borniertheit und die Geschmacklosigkeit des Publikums herbeigeführt wurde, dienen."

Der diesmalige Aufenthalt in Eilsen war vom Mißgeschick geradezu verfolgt. Die Fürstin erhielt unerwartet die Nachricht vom Tode ihrer Mutter, und als sie sich kaum von diesem harten Schlag aufgerafft, erkrankte Prinzeß Marie am Typhus. Liszts bemächtigte sich eine tiefe Traurigkeit. „Sie irren sich nicht," schreibt er an Raff, „indem Sie eine sehr trübselige, tief melancholische Ader in meinem Gemüt wahrnehmen. Ich habe sie immer schmerzlich gefühlt, vielleicht wird sie jetzt merkbarer. Keineswegs aber mischt sich damit irgendeine Spur von Eitelkeit oder Eigenliebe. Es ist mir nicht gegeben, mein Leiden durch Mitteilen zu erleichtern . . . Heine sagt irgendwo: ‚und doch ich hab es getragen, aber fragt mich nicht wie.' — Diese letzten Jahre haben mich äußerlich beruhigt und befestigt, und der Moment ist nahe, wo ich mich gänzlich in meinem Inneren einschließen und abschließen werde."

Während Liszts Abwesenheit von Weimar dirigierte dort Chélard. Genast berichtet darüber nach Eilsen unter dem 28. November 1850: „Die Darstellung von ‚Robert der Teufel' war schauderhaft! Es fehlt mir der Mut

136

und die Lust, alle die Dummheiten Ihnen aufzuzählen, die der Ignorant Chélard stets mit lächelndem Gesicht gemacht hat. Er konnte lachen, während ich in meiner Loge fast verzweifelte. Nur so viel sei gesagt, daß fast nicht eine Nummer ohne Fehler vorübergegangen ist. Morgen soll die „Vestalin" sein. Zwei Proben haben wir bereits gehalten, und die zweite ging schlechter als die erste. Der Mann gibt sich rasende Mühe, Orchester und Sänger in Unordnung zu bringen! Der Himmel erhalte Sie und Ihre Lieben und führe Sie bald zu uns zurück!"

Desgleichen berichtet einen Monat später Joachim Raff: „Unser Theater befindet sich fortwährend miserabel! So haben wir nacheinander zwei Opernvorstellungen gehabt (Freischütz und Zauberflöte), in denen selbst ganz unschuldige, unmusikalische Leute es nicht mehr aushalten konnten, weil eben Fehler vorfallen, die selbst den Geduldigsten blessieren müssen. Wenn sich Ihre Abwesenheit um ein paar Monate verlängern sollte, so können Sie darauf rechnen, uns samt und sonders nicht mehr hier zu finden, wo wir kanaillöse Musik anhören müssen und sonst lediglich auf uns allein angewiesen sind, weil in diesem verdammten Nest blutwenig Leute sind, mit denen man verkehren kann. Man verliert Glaube und Lust an der Kunst und die Freude zu arbeiten."

Als die Krisis im Befinden der Prinzessin überwunden war, reiste Liszt allein nach Weimar zurück, da er die Einstudierung von Raffs Oper König Alfred zu leiten hatte, die für den Geburtstag des Großherzogs bestimmt war. Schweren Herzens hatte er sich von der Fürstin getrennt, täglich berichtet er ihr in langen zärtlichen Briefen über sein Tun und Treiben und sucht sie in ihrem Schmerz zu trösten. Mit dem Cellisten C o ß m a n n und Josef J o a c h i m , die beide seit Herbst 1850 der Weimarer Hofkapelle angehörten, widmete er sich in dieser Zeit viel der Kammermusik, und sie spielten auch in mehreren Hofkonzerten zusammen. Die Einstudierung des König Alfred war nahezu beendet — Liszt hatte bereits der Fürstin gemeldet: „Es wird sicher eine der besten Aufführungen werden, die man bisher hier gehört hat" — da erkrankte die Sängerin Agthe, und die Festvorstellung konnte nicht stattfinden. Statt dessen wurde in aller Eile ein großes Festkonzert arrangiert, das dadurch besonderen Glanz erhielt, daß Liszt sich der Großherzogin zuliebe bereit erklärte, ö f f e n t l i c h zu spielen, und zwar seine Phantasie über Meyerbeers Propheten. Am nächsten Tag kehrte er nach Eilsen zurück. Hier hatte sich inzwischen das Befinden Maries soweit gebessert, daß an eine Rückreise gedacht werden konnte, als die Fürstin, die ihre Tochter aufopfernd gepflegt hatte, selbst von derselben Krankheit befallen wurde, und zwar in solch schlimmem Grade, daß man sie mehrmals verloren gab. Liszt blieb natürlich bei ihr, und Raff mußte seine Oper am 9. März 1851 selbst dirigieren. Am 3. April kehrte Liszt, nachdem das Schlimmste überstanden war, nach Wei-

137

mar zurück. „Der Gedanke aber dieser Reise, während ich hier so meine ganze Seele, meinen ganzen Glauben und all meine Liebe am Krankenbett verlassen muß, ist mir schrecklich," schreibt er an Wagner. Bis 21. Mai mußte Liszt allein auf der Altenburg verweilen. Fast täglich drückt er in Briefen an die Fürstin seine Trauer darüber aus und sehnt sich dem Tag der Wiedervereinigung entgegen. Die Fürstin ist auch aus der Ferne besorgt, den Gang seines Tageslaufes zu regeln. Sie ermahnt ihn, sich durch die Weimarer Tätigkeit und gesellschaftlichen Verpflichtungen nicht zu sehr von seiner Arbeit abhalten zu lassen und vor allem jeden Morgen zur Messe zu gehen. Die Fürstin war sehr fromm und „von allen Wohltaten, die ich Ihnen schulde, ist sicherlich die größte, mich gänzlich dem Glauben meiner Jugendjahre zurückgegeben zu haben," dankt ihr Liszt. Auch Liszt war eine tief religiöse Natur, und so tolerant und aufgeklärt, wie er auch war, welch regen Anteil er bis zu seinem Tod an allen Errungenschaften der Naturwissenschaften, an allen Systemen und Lehren der Philosophie nahm, wie rege er sich an Debatten solcher Fragen beteiligen konnte, es blieb stets in ihm eine gewisse kindliche Frömmigkeit zurück, ein Eckchen seiner Seele, in das alle Zweifel nicht zu dringen vermochten: „Wenn auch festgestellt wäre, daß alle metaphysischen Beweise in Hinsicht auf die Existenz eines Gottes durch die Argumente der Philosophie verneint werden, so bliebe doch immer ein durchaus unumstößlicher: die Bejahung Gottes durch unser Erzittern, das Bedürfnis, das wir nach ihm empfinden, die Inbrunst unserer Seele nach seiner Liebe. Das genügt mir, und ich verlange nicht mehr Beweise, um bis zu meinem letzten Atemzuge gläubig zu bleiben."

Am 10. April 1851 veranstaltete Liszt ein großes Orchesterkonzert zugunsten der Witwen- und Waisenkasse der Orchestermitglieder. Er führte zum ersten Male die Harold-Symphonie von Berlioz auf, die er selbst hochschätzte und für die er später in seinem wundervollen Aufsatz „Berlioz und seine Harold-Symphonie" Verständnis zu erwecken suchte. Diesmal hatten die Weimarer sehr wenig Interesse dafür gezeigt, und das Haus war trotz des wohltätigen Zweckes nicht einmal zur Hälfte gefüllt.

Nachdem Liszt noch einige Male in der Oper dirigiert hatte, darunter zweimal den Lohengrin, kehrte er Ende Mai wieder nach Eilsen zurück. In diese Tage des Aufenthalts in Eilsen fallen auch die letzten Korrekturen an dem Manuskript seines großen, dem Andenken seines Freundes Chopin gewidmeten Buches, das in Weimar in Zusammenarbeit mit der Fürstin entstanden war und zunächst in der Zeitschrift „La France musicale" zum Abdruck gelangte.

Erst Ende Juli konnte der Rekonvaleszenten wegen die Heimreise angetreten werden, die in verschiedenen Etappen bis zum Oktober ausgedehnt

138

wurde. Über Köln, Bonn, den Rhein herauf führte der Weg zunächst nach Frankfurt, wo Liszt mit dem Kapellmeister Gustav Schmidt, der den Lohengrin vorbereitete, regen Verkehr pflegte. Aus diesen Tagen wird folgende Episode berichtet: In Frankfurt traf Liszt eines Tages in Andrés Klaviermagazin mit einem dänischen Klaviervirtuosen zusammen, der sein neues Klavierkonzert vorspielen wollte. Er hatte jedoch keinen Klavierauszug der Orchesterstimmen bei sich, sondern nur die in 30 Systemen geschriebene Partitur. „Ich habe selbst Mühe, das zu spielen, und kenne bis jetzt keinen Klavierspieler, der es fertiggebracht hätte, diese Partitur glatt zu lesen." — „O," antwortete Liszt, „ich bin zwar nur ein leidlicher Musiker, aber lassen Sie mich einmal versuchen. Auf Ihre Nachsicht muß ich freilich rechnen." Liszt zündete sich eine Zigarre an und setzte sich an den Flügel. Er machte sich das Vergnügen, die wahrhaft betäubende Orchesterwirkung der überladenen Instrumentierung auf dem Flügel so täuschend nachzuahmen, daß man von dem Solospieler bald nichts mehr hörte. Dazu machte er ab und zu während des Spiels noch witzige Bemerkungen, spielte zuweilen mit einer Hand, um mit der anderen ein Ohr ins Blatt zu biegen, oder seiner Zigarre zuliebe. Die Zuhörer saßen wie versteinert. Als das Stück beendet, schnitt Liszt jedes Kompliment des Dänen damit ab, daß er sagte: „Die Instrumentierung wird eine Erleichterung der Klangfülle dem Klavierton gegenüber recht wohl vertragen. Sie haben eine ganz vortreffliche Handschrift, verehrter Kollege. Aber es haben sich einige Menschlichkeiten eingeschlichen. Ich habe mir erlaubt, die Seiten einzukneifen. Auf einer Seite fehlt in der zweiten Fagottstimme ein Kreuz vor C. Auf der anderen haben Sie vergessen, die B-Klarinetten transponiert zu schreiben, und noch einige Kleinigkeiten — ja! —."

In Dresden wurden Schumanns besucht. Auch dieses Zusammensein endete mit einer Dissonanz. Liszt spielte mehrere seiner neuesten Schöpfungen vor, „aber ach, die Kompositionen, das war doch schreckliches Zeug! wir waren beide ganz traurig gestimmt darüber, es ist doch gar zu betrübend. Liszt selbst schien betroffen, daß wir nichts sagten, doch das kann man nicht, wenn man so bis ins Innerste indigniert ist," trug Clara darüber in ihr Tagebuch ein. Am 12. Oktober 1851 traf Liszt endlich wieder in Weimar ein. „Durch seine Abwesenheit demonstriert er nun einmal den Leuten recht augenscheinlich, daß ohne ihn, den Glanz seines Namens und das Wirken seiner genialen Persönlichkeit das weimarische Musikleben stockt, und daß nicht e r Weimar, sondern dieses ihn sehr dringend nötig hat," berichtet Bülow seiner Schwester. Bis Ende des Jahres dirigierte Liszt nur dreimal im Theater, da die mangelnden Kräfte und der während seiner Abwesenheit eingerissene Schlendrian jede künstlerische Tat unmöglich machten. An seinen

139

Freund Genast schreibt er damals: „Für einen Künstler Ihres Schrot und Korn muß eine solche Wirtschaft in die Länge gezogen noch unerträglicher werden, als Gicht und Podagra. Helfen Sie doch bald mit richtigem Rat und guter Tat, so wie Sie es gewohnt sind, dem löblichen Institut aus seinem alten Sumpf und Quark heraus. An meiner Wenigkeit soll es gewiß nicht fehlen, und Sie können gänzlich auf meine Sympathien und mein konsequentes Schritthalten zählen, in betreff der einsichtvollen und den Verhältnissen so angemessenen Reformen, die Sie mir andeuten. So viel ist bestimmt, daß ein Festhalten an dem jetzigen Status quo für die Kunst sowohl als für unseren guten Ruf rein verderblich ist. Es handelt sich also darum, alle Halbheiten und Quacksalbereien entschieden zu beseitigen und die notwendigen Maßregeln zu ergreifen."

Die heftigen Intrigen und Anfeindungen, die während Liszts Abwesenheit in Weimar so üppig gewuchert, deren Seele hauptsächlich der inzwischen pensionierte Kapellmeister Chélard war, verstummten zwar mit seiner Ankunft, aber es war schwer, das Niveau der Oper wieder zu heben. Erschwerend wirkte noch der Umstand, daß Intendant Ziegesar infolge eines Augenübels zeitweilig zurückgetreten war und Herr von Beaulieu interimistisch (ab 1852 ständig) die Geschäfte leitete. War somit in der Oper nichts Nennenswertes zu erreichen, so suchte Liszt und der ihn umgebende Kreis auf andere Weise zu wirken. Als Naheliegendstes bot sich eine Reform des Weimarer Konzertwesens. Hier lag noch alles sehr im Argen. Einen geeigneten Konzertsaal für größere Konzerte gab es nicht, diese fanden daher immer im Theater statt, und Solistenkonzerte waren eine sehr seltene Erscheinung. Da begründeten die hervorragendsten Mitglieder der Kapelle: Joachim, Stör (ab Dezember 1851 Nachfolger Eberweins als Dirigent), Walbrül und Coßmann, ein Streichquartett, das allwinterlich vier Kammermusiksoireen veranstaltete, bei denen gewöhnlich einer der Schüler Liszts als Pianist mitwirkte.

Einer der ersten Schüler Liszts auf der Altenburg war Alexander W i n - t e r b e r g e r. Ihm schloß sich Mitte Juni 1851 Hans von B ü l o w an. Bis zu Liszts Rückkehr aus Eilsen hatte er auf der Altenburg logiert, und Joachim Raff mußte an Stelle Liszts für ihn sorgen. Es kamen dann noch hinzu Dionys P r u c k n e r, Hans von B r o n s a r t, Carl K l i n d w o r t h, der Liszt in Eilsen kennen gelernt hatte, später der kleine T a u s i g (1855), Julius R e u b k e u. a. Zu diesem Kreis sind auch noch die Nichtpianisten Peter C o r n e l i u s (ab 1852) und Felix D r a e s e k e, der aber nie dauernd in Weimar gelebt hat, zu rechnen. Diese Schülerschar unterscheidet sich wesentlich von der späteren der „Hofgärtnerei". Hier waren es vornehmlich ernste Musiker, die durch Liszt eine umfassende musikalische Bildung auf

140

allen Gebieten empfingen und ein g e m e i n s a m e s Schaffen und Streben auf einer neuen Bahn suchten. Es wurde enorm gearbeitet und Großes geleistet. „Die Musik kann nur dann eine Zukunft haben, wenn die Künstler die Überzeugung gewinnen, daß von nun an das Streben unserer Kunst dahin gerichtet sein muß, die Vergangenheit und ihre Meisterwerke zu studieren, nicht aber die im Wechsel und Schwinden der Zeit unaufhörlich wechselnden und schwindenden Formen knechtisch nachzuahmen, daß von nun an eine nur spezifische Ausbildung, einseitige Fertigkeit und Wissenschaft für den Künstler nicht mehr ausreichend ist, weil der ganze Mensch sich mit dem Musiker erheben und bilden muß. Die Kunst mit ihren Gewalten wird den Massen erst Achtung einflößen, wenn der Zögling von seinem Lehrer gelernt haben wird, daß man im 19. Jahrhundert e i n b e d e u t e n d e r M e n s c h sein muß, um e i n r e c h t e r M u s i k e r zu werden!"

Einige der Schüler legten das Hauptgewicht durchaus nicht auf das Klavier, sondern auf die Kompositionsstudien mit Liszt. Die Pianisten erhielten dreimal wöchentlich Unterricht, der sich aber meist nur auf den Vortrag, auf das Musikalische beschränkte; das Technische wurde kaum gestreift. Liszt selbst spielte sehr viel vor, und an seinem Vorbild bildeten sich die begeisterten Kunstjünger heran. „Das Motiv des Fliegenden Holländer war unser Erkennungszeichen auch im sternlosen Dunkel, die Königsfanfaren aus dem Lohengrin war unser letzter Gruß, wenn wir uns von Liszt trennten." Viele Schüler der Altenburgzeit waren allerdings im Grunde genommen k o n s e r v a t i v e Naturen, die durch Liszt und Wagner geblendet in einen Strudel gerieten, der ihnen später verhängnisvoll werden und sie zu Renegaten und Abtrünnigen machen mußte. Sie legten dann in ihrer inneren Zerrissenheit und Verstimmung der Sache selbst zur Last, was eigentlich ihre eigene Schuld war.

Liszts Liebling von all den Schülern war H a n s v o n B ü l o w, den er als Menschen wie Künstler gleich hochhielt. Er weilte von Herbst 1851 bis Februar 1853 um Liszt, der ihn wie einen Sohn liebte, um dann mit des Meisters Hilfe seine Konzertlaufbahn in Wien zu beginnen. Auch kompositorisch betätigte sich Hans, und Liszt leitete u. a. am 7. Dezember 1851 die von Bülow zu Shakespeares Julius Cäsar geschaffene Musik, die sich guter Aufnahme zu erfreuen hatte. Als zu Anfang 1852 Henriette Sontag in Weimar mehrere Gastspiele absolvierte, trat Bülow in seinem berühmten „Minoritätsgutachten" energisch gegen ihre unkünstlerischen Bravourleistungen in die Schranken, und wenn er auch in manchen Punkten etwas zu scharf zugriff, so atmet sein geistvoller Artikel doch ganz die Luft der ihn umgebenden, in Liszt verkörperten Kunstideale; es war ein offener Protest gegen die Sorg-

141

losigkeit, mit der man an den meisten Theatern im alten Geleis weiter-
wurstelte.

Auch in Weimar hatten sich die Zustände noch nicht wesentlich geändert. Liszt sah sich daher genötigt, in einem langen, die damalige Situation
grell beleuchtenden Schreiben an die Großherzogin deren Hilfe anzurufen,
da er sonst nicht mehr imstande sei, die ruhmvolle Bahn, die die Oper bisher
unter seiner Leitung zurückgelegt, fortzusetzen. Hier heißt es u. a.: „Theater
sind in folgende Kategorien einzuteilen: 1. ein geschäftliches Unternehmen,
das daraus einen Gegenstand täglicher Genüsse für das Publikum und zum
Anlocken der Käufer macht, und das für gewöhnlich die derzeitigen guten
oder schlechten Geschmacksrichtungen des Publikums repräsentiert, gleich-
wie seine Geschmacksverirrungen und häufige Unwissenheit; oder 2. eine
kgl. oder nationale Einrichtung, die eine Schutzstätte der schönen Künste
darstellt. Im ersten Falle ist es augenscheinlich, daß die Ausgaben sich den
Einnahmen anpassen müssen. Im 2. jedoch scheint es mir ebenso klar, daß
die Einnahmen keineswegs auf die Wahl oder Ausführung der Werke einwirken dürfen . . . Da Weimar kein Publikum besitzt, das imstande ist, den
wahren Wert der gegebenen Werke zu beurteilen, so kann sein Theater nur
Glanz gewinnen, indem es an das Interesse der benachbarten Städte appelliert.
Um dieses zu erlangen, muß man sich notwendigerweise auf Werke beschränken, die ihren wirklichen Erfolg erst dann erleben werden, wenn ihr Ruf ein
verständiges Publikum herbeigeführt haben wird."

Liszt weist dann auf die schreiendsten Übelstände der Weimarer Bühne
hin. An Hand der Mängel, die sich bei der Einstudierung des Lohengrin in
sehr drastischer Weise fühlbar machten, unterbreitet er Vorschläge zur Besserung und schließt dann: „Bisher habe ich nur das Allernötigste gefordert...
Aber jetzt ist der Augenblick gekommen, wo ich nicht weiter vorrücken kann,
ja nicht einmal fortfahren kann, das eroberte Terrain mit den Mitteln, die ich
bisher anwenden durfte, zu behaupten. Geschicklichkeit kann den Wert der
materiellen Kräfte vermehren, sogar verdoppeln, aber sie hat Grenzen, und
wenn es sich darum handelt, ihn, um ein erwünschtes Ziel zu erreichen, zu
verdreifachen, so ist es unnütz, sich einzig und allein auf die Geschicklichkeit
zu verlassen, denn früher oder später wird man dann völlig enttäuscht
werden."

Liszt rüstete sich dennoch zu neuen Taten. Er erinnerte sich der Werke
seines Jugendfreundes B e r l i o z, die in Deutschland noch so gut wie unbekannt waren. Gelang es Liszt auch nicht, ihm einen ähnlichen Siegeszug wie
Wagner zu bereiten, so hat er doch zuerst die Aufmerksamkeit auf ihn gelenkt
und ihm eine Bresche gebrochen, in die dann später ein Bülow, Felix Mottl
u. a. treten konnten. Berlioz' Oper B e n v e n u t o C e l l i n i war bereits

142

1838 in Paris, dann in London aufgeführt worden, aber ohne Erfolg, und bald in Vergessenheit geraten. Liszt plante jetzt das Werk in einer Übersetzung von Riccius neu zu beleben. Zum Geburtstag der Großherzogin sollte die Aufführung vor sich gehen, und Berlioz hatte sein Erscheinen bereits zugesagt. Doch wegen Erkrankung des Tenors Beck mußte die Aufführung verschoben werden, und Berlioz, der Konzertverpflichtungen in London hatte, konnte bei der späteren Aufführung nicht zugegen sein. Am 20. März ging das Werk endlich in Szene und wurde sofort zweimal wiederholt. Brendel schrieb darüber in der „Neuen Zeitschrift für Musik": „Die Aufführung des Cellini in Weimar durch Liszt ist ein feierlicher Protest gegen das gänzliche Ignorieren und Verkennen eines dem deutschen Geiste so nahe verwandten Künstlers wie Berlioz. Die Tätigkeit Liszts in Weimar ist die rühmlichste, musterhafteste. Es hat den Anschein, als könne jetzt Weimar das für die Tonkunst werden, was es früher für die Poesie war. Weimar ist jetzt die bedeutendste Musikstadt Deutschlands, nicht zwar durch die Größe seiner Mittel, wohl aber durch den Geist, der dort waltet. Das weimarische Theaterpublikum ist nicht besser, noch schlimmer gerade als ein anderes; im Verlaufe der Zeit hat der reinigende und belebende Einfluß von Liszts künstlerischem Wirken sogar eine kleine Minderheit sich heranbilden sehen, die entschieden guten Geschmack und ein höheres Interesse als das der bloßen Unterhaltungslust an den Tag legt; aber der Hauptbestandteil bleibt doch auch hier wie überall unfähig jeden Genusses, zu dem es nicht passiv, wie ein Pferd zur Krippe schreiten kann, unfähig sich an etwas zu erfreuen, das ihm nicht seine eigene Mittelmäßigkeit wiederspiegelt, dabei vorurteilsvoll, mißtrauisch und obendrein noch meinungs- und leidenschaftslos. Dieses Publikum nun besuchte die erste Vorstellung des Cellini in einer Stimmung, gemischt aus natürlicher Neugierde und einem dank der hiesigen Lokalpresse, die es stereotyp für gut findet, jede Manifestierung von Liszts Tätigkeit im voraus schlecht zu finden, vielfach geschürten ungünstigen Vorurteil gegen das neue Werk. Die e r s t e Aufführung wurde daher ziemlich kalt und schweigsam aufgenommen, die zweite, etwas spärlicher besucht, ging jedoch unter dem lebhaftesten Beifall vorüber."

Diese Berliozfeier wiederholte sich in noch verstärktem Maß in der vom 14. bis 21. November stattfindenden „B e r l i o z w o c h e". Liszt schrieb darüber an einen Freund nach Magdeburg: „Am 15. November trifft Berlioz hier ein. Am 18. und 20. wird der „Cellini" aufgeführt und am 21. findet ein Konzert mit den Symphonien „Romeo und Julia" und „Faust" statt. Sie kennen meine Meinung über Berliozwerke, denen eine höhere Bedeutung in der jetzigen Kunst gerechterweise nicht abzuleugnen ist. Es gereicht mir zur Pflicht und Ehre, diese Werke in Deutschland nicht länger ignorieren zu lassen und, unbeachtet der geringen Mittel, welche mir hier zur Verfügung stehen, sie wenigstens in Weimar aufrecht zu halten."

Von den Proben zu dem Konzert berichtet mir ein Teilnehmer folgende Episode:

„Bei der Probe, die auf der Bühne des Hoftheaters stattfand, saß Liszt im Parkett und tauschte öfters Bemerkungen mit Berlioz, dessen Lebhaftigkeit in den Bewegungen mit seinen schlanken Armen und dem ergrauten Lockenkopf mir noch vor Augen steht. Der Chor der Studenten, den wir Primaner zu singen hatten, wollte nicht gelingen. Ich glaube, es war: jam nox beata vela-mina pandit — eine Skandierung, die uns widerstrebte. Da kam plötzlich Liszt mit seinen langen Beinen auf die Bühne heraufgeklettert, stellte sich als Flügelmann an unser Häuflein und sang mit — und nun ging es glänzend. Berlioz schüttelte Liszt die Hände und dieser stieg wieder in das Parkett hinab."

In den von Liszt geleiteten Vorstellungen des Cellini wirkten Bülow, Pruckner und Klindworth im Orchester an den Schlagwerkzeugen mit. Berlioz wurde begeistert gefeiert und erhielt vom Hof den Falkenorden. Ein großes Künstlerfest im Rathaus bildete den Abschluß dieser frohen Tage.

Doch auch die zwischen diesen Berliozfeiern liegenden Sommermonate waren reich an bemerkenswerten Geschehnissen. Am 14. März 1852 hatten R o b e r t und C l a r a S c h u m a n n in Leipzig ein großes Schumannkonzert veranstaltet, zu dem Liszt mit Joachim von Weimar hinübergefahren war. Hierbei benahmen sich Schumanns Liszt gegenüber wieder sehr gedrückt, stimmten jedoch dessen Vorschlag, den „Manfred" mit Schumannscher Musik in Weimar auf der Bühne zur Aufführung zu bringen, begeistert zu. Manfred ging im Laufe des Juni dreimal in Szene, ohne sonderlichen Erfolg zu erringen. Clara schrieb die Schuld daran natürlich der „schlechten" und „falschen" Auf-fassung Liszts zu. Doch Liszt ließ sich durch die mannigfachen Anfeindungen, die ihm von den Schumannianern zuteil wurden, nicht in seiner Propaganda für Schumanns Werke beirren. Im Jahre 1855 führte er die zuvor in Leipzig durchgefallene und gänzlich verschollene Oper G e n o v e v a in Weimar auf. Auch verschaffte er Clara auf deren Bitte eine Einladung, am Hof zu Weimar zu spielen, und arrangierte gleichzeitig ein großes öffentliches Schu-mannkonzert, in dem sie unter Liszts Leitung das a-moll-Konzert vortrug. Kurz darauf veröffentlichte er seine beiden herrlichen Feuilletons „Robert und Clara Schumann", in denen er der Erscheinung Schumanns ein ehrenvolles Denkmal gesetzt hat und auch den pianistischen Vorzügen Claras volle Ge-rechtigkeit widerfahren ließ. Für die frühere Widmung eines Schumannschen Werkes revanchierte er sich durch die Dedikation seines größten Klavier-werkes, der h-moll-Sonate. Doch Schumann war bereits innerlich gebrochen

144

und durch Mißerfolge zu erbittert, um für Liszts Streben noch Verständnis zu empfinden; auch hatte ihn Liszts Eintreten für Wagner, dessen Musik er „dilettantenhaft" fand, sehr gekränkt, und die mehr als konservative Clara haßte Liszt geradezu. Brachte sie es doch fertig, ihre Mitwirkung beim Mozartfest in Wien (1856) abzuschlagen, einzig und allein, weil Liszt dirigierte, ebenso bei der Enthüllung der Schumann-Gedenktafel in Zwickau, weil Liszt anwesend war! Auch vor Liszts Klavierspiel machte ihre Verurteilung nicht Halt. Ja sie erstreckte sich sogar auf alles, was mit ihm in Berührung gekommen war. „V o r Liszt wurde gespielt, n a c h Liszt gehauen und gesäuselt. Er hat den Verfall des Klavierspiels auf dem Gewissen!" Ein andermal ist „Liszts Spiel schauderhaft und schrecklich". Seinen Schülern ergeht es nicht besser. Tausig ist ein „Pauker", von Bülow heißt es: „das ist nun doch der langweiligste Spieler, da ist von Schwung und Begeisterung keine Rede". (Er hatte nämlich in Petersburg zwei erfolgreiche Lisztabende gegeben!) Auch Sophie Menter findet keine Gnade vor ihren Augen. Als Clara dann nach Roberts Tode an die Revision der Werke ihres Gatten schritt, wurden in der Neuausgabe die Widmungen Schumanns an Liszt einfach unterschlagen. Dieser schnöde Undank und die gegen ihn gerichtete Hetze der Schumannianer mußte natürlich Liszt schmerzlichst berühren, konnte ihn aber nicht davon abbringen, bis zu seinem Tode für die Werke Schumanns wacker einzutreten und sie durch seine Schüler in der Welt zu verbreiten, auch stand er Clara stets fördernd und ritterlich zur Seite.

Die Kunde, die von Weimars kühnen Taten in die Welt drang, überschwemmte Liszt von überallher mit Anträgen, Konzerte zu dirigieren, Theater-Aufführungen und dergl. zu leiten. Die in folgendem noch unveröffentlichten Schreiben an einen Magdeburger Freund enthaltene Absage gibt deutlich Liszts Stellungnahme diesen Anfragen gegenüber kund: „Meine hiesigen Verpflichtungen gestatten mir nicht, von Weimar, besonders im Laufe des Winters, öfters mich zu absentieren. Sowohl für die Theaterverhältnisse, als im Bezug der Hofkonzerte ist meine Anwesenheit unumgänglich notwendig. So angenehm es mir sein würde, mich mehrmals etwas mobiler zu machen, so ist mir jedoch sehr oft dieses Vergnügen, wenn es mehrere Tage erheischt, oder wenn es mit häufig vorkommenden hiesigen Anforderungen kollidiert, untersagt. — Was überdies meine Beteiligung als Dirigent der Tannhäuser-Ouvertüre anbetrifft, so erachte ich dieselbe als überflüssig, und auf das Risiko hin, Ihnen als unbescheiden zu erscheinen, muß ich Ihnen gestehen, daß ich mich überhaupt zu gewöhnlichen Konzertaufführungen nicht mehr für brauchbar halte. Sollte sich einmal der Fall treffen, (den ich keineswegs hervorzurufen wünsche), daß Magdeburg etwas A u ß e r g e w ö h n l i c h e s zu leisten beabsichtigt und alsdann mich ausschließlich als Dirigent erwählte

10   K a p p , Liszt.   145

und mit den Anordnungen des Ganzen beauftragte, so wäre dies eine Sache
weiterer Besprechung und bestimmter Übereinkommen, der ich gar nicht abgeneigt bin, und die meinem jetzigen Wirken angemessen ist. — Nur aber in
diesem ziemlich unwahrscheinlichen Fall für Magdeburg wäre meine Wenigkeit zu verwenden, da ich mich seit Jahren und für immer von allen möglichen Konzertproduktionen prinzipiell ausgeschlossen und in diesem Sinn
sämtliche Anfragen beantwortet habe."

Für Juni 1852 hatte Liszt die Leitung des 3. Musikfestes zu
Ballenstedt übernommen, unter der Bedingung, daß das von ihm ent-
worfene Programm und würdige Kräfte zur Durchführung genehmigt würden.
Die große Bedeutung dieses Musikfestes beruht darin, daß es zum erstenmal
der neuen Richtung außerhalb Weimars Geltung verschaffte. Das Programm lautete:

Erster Tag, 22. Juni:

1. Ouvertüre zu „Tannhäuser" . . . . Rich. Wagner
2. Duett aus „Fliegender Holländer" . . . Rich. Wagner
   (Herr und Frau von Milde)
3. Die Macht der Musik . . . . Franz Liszt
   Sopransolo mit Orchester (Frau von Milde)
4. Chorphantasie . . . . Beethoven
   (Klavier: Hans von Bülow)
5. Szene aus Orpheus . . . . Gluck
   (Frl. Schreck)
6. IX. Symphonie . . . . Beethoven

Zweiter Tag, 23. Juni:

1. Ouvertüre zu „Alfred" . . . . . Joachim Raff
2. Liebesmahl der Apostel . . . . Rich. Wagner
3. Harold-Symphonie . . . . Hector Berlioz
4. Walpurgisnacht . . . . Mendelssohn
   Auf Verlangen wiederholt:
5. Ouvertüre zu „Tannhäuser" . . . . Rich. Wagner

Hans von Bülow berichtet über den Verlauf dieser Tage: „Liszt hat
wahrlich Wunder gewirkt. -- In drei Tagen Proben war alles im Geleise, und
die von so verschiedenen Orten her versammelten unter sich fremden Mitwirkenden (zirka 300) so eingespielt, als gehörten sie alle e i n e m Institute an;
Liszts Persönlichkeit im Dirigieren hatte alles begeistert und fortgerissen. Der
Unternehmer, ein Gastwirt, ein höchst anständiger und gebildeter Mann, hatte
sich bei der ganzen Sache ziemlich unpraktisch benommen, und ein paar un-

146

günstige, hämische Zeitungsartikel nicht zu rechter Zeit zu entkräften gewußt. Ein solcher hatte z. B. den Sternschen Gesangverein, der zuerst seine Mitwirkung fest versprochen hatte, abgehalten, zu kommen. Einen schlimmen Streich hat uns auch der alte Schneider in Dessau gespielt. Die dortige Kapelle hatte ihre Mitwirkung zugesagt und Schneider sie auch öffentlich zur Disposition gestellt; da er sich aber höchlichst ärgerte, daß man nichts von seinen Kompositionen zur Aufführung bringen, noch die Direktion zwischen Liszt und ihm teilen wollte, so ließ er insgeheim von allen Individuen der Kapelle einzeln einen Revers unterschreiben, daß keiner aus Anhänglichkeit gegen ihn, ohne sein Mitgehen sich bei dem Musikfeste beteiligen würde. Nun ist denn auch keiner gekommen. Das Orchester bestand aus der Bernburger, Sondershausener und dem besten Teil der Weimarischen Kapelle; einzelne Musiker aus der Umgegend waren noch dazu gestoßen. Die Gesangskräfte hatten zugeführt: der Bernburger und Köthener Singverein und vor allem der Leipziger Studenten-Gesangverein, die Paulaner, die unter Leitung ihres Musikdirektors Sänger, an der Zahl sechzig, alle mit frischen, schönen Stimmen begabt, herübergekommen waren. Robert Franz aus Halle hatte ebenfalls eine Schar von dreißig Damen und Herren mitgebracht; einzelne Berliner und Leipziger kamen auch herzu. Die Aufführungen gingen vortrefflich vonstatten; das Programm fand ungemeinen Anklang, trotz seiner sehr ausgeprägten Tendenz. Das zweite Konzert fand erst nachmittags 3 Uhr statt, da der Vormittag zur Probe verwendet werden mußte, trotz der großen Anstrengung waren alle auf dem Damme! Von der Berliozschen Symphonie erlaubte die schmal gemessene Probenzeit nur die zwei mittleren Sätze auszuführen. Dagegen wurde nach der Walpurgisnacht noch auf lebhaftes Verlangen die Tannhäuser-Ouvertüre wiederholt, die das erste und letzte Glied der Kette bildete. Die Wirkung war enorm. Liszt, der beide Male mit Tusch und Applaus empfangen wurde, erhielt am Schlusse von allen anwesenden Damen deren ganzen Blumenschmuck zugeworfen."

Die Stadt übergab Liszt nach Schluß des Festes ein Prachtalbum mit Ansichten von den hervorragendsten Orten des Harzes. Liszt mußte sofort nach Schluß des Konzertes nach Weimar zurückkehren, da in seiner Abwesenheit seine Mutter, die diesen Sommer einige Wochen zu Besuch bei ihm auf der Altenburg weilte, auf der Rückreise in Erfurt ein Bein gebrochen hatte. Doch war der Unfall nicht von schlimmen Folgen begleitet. Frau Liszt blieb noch bis Ende Mai kommenden Jahres und fand in der Fürstin, die sofort nach Erfurt geeilt war, eine liebevolle Pflegerin. Aber die einfache Frau fühlte sich in dieser höfischen Umgebung nicht glücklich, und der Gedanke an eine dauernde Niederlassung bei ihrem Franz wurde von ihr bald wieder aufgegeben.

10*

In diesem Sommer, in dem Liszt von einer Ferienreise Abstand genommen hatte, konnte der Weimarer Kreis noch einen hocherfreulichen Zuwachs verzeichnen: Peter C o r n e l i u s. Dieser war im März 1852 nach Weimar geeilt, versehen mit Empfehlungsschreiben seines Onkels und Schlesingers, um aus Liszts Munde das maßgebende Urteil über seine Befähigung als Musiker zu vernehmen. Er wurde freundlichst empfangen und schrieb darüber an seinen Bruder Carl: „Mein hiesiger Aufenthalt, geteilt zwischen anhaltender Arbeit und den höchsten Kunstgenüssen, ist für meine ganze Zukunft entscheidender geworden, als Du glaubtest. Liszt hat meinen Arbeiten anhaltende und tief eingehende Aufmerksamkeit geschenkt, hat sie mit seinen musikalischen Freunden zu wiederholten Malen exekutiert usw. Sein Endurteil und Rat war, daß ich mich mit aller Entschiedenheit auf die Kirchenmusik zu werfen habe . . . Du glaubst nicht, wie gut und groß Liszt ist. Mit der höchsten praktischen Vollendung nach jeder Seite hin, verbindet er die Bildungsfähigkeit eines Jünglings."

Liszt, der großes Interesse an Peters Persönlichkeit nahm, konnte seine zahlreichen Kompositionsversuche nur bedingt loben und fand nur in einigen kirchlichen Stücken etwas von dem lebendigen Geist und dem originellen Ausdrucksvermögen, die ihm für alle Musik unerläßlich dünkten. Seiner pekuniären Lage willen verließ Cornelius auf kurze Zeit Weimar, kehrte aber März 1853 zurück und war Liszts Gast auf der Altenburg. Im Herbst ließ er sich dann dauernd in Weimar nieder, wo er mit Hans v. Bronsart zusammen hauste. Stunden und literarische Arbeiten (er übersetzte mehrere französische Aufsätze Liszts), die ihm der Meister, um ihn auch selbst pekuniär zu unterstützen, verschaffte, deckten seinen Unterhalt. Cornelius trat hier in freundschaftliche Beziehung zu Bülow, Bronsart und Damrosch. Auch die Fürstin faßte für ihn wärmstes Interesse und bewog ihn, 1856 ganz auf die Altenburg, deren „Hausdichter" er ja doch einmal war, überzusiedeln. Das Verhältnis zwischen Liszt und Cornelius wurde bald ein sehr enges. „Unsere Freundschaft gründet sich auf gleiche Überzeugung in Kunst und Religion. In dem letzteren Punkte stimmt keiner von allen übrigen Freunden so mit ihm zusammen, wie ich. Er zeichnet mich auch sehr aus und betätigt seine große Freundschaft in jeder Weise. Und Liszt soll das beste haben, dessen ich fähig bin, denn er ist mein großer, über allem kleinlichen Tadel hocherhabener Freund, einer von den Geistern, mit denen die Jahrhunderte geizen."

Dagegen schied ein anderer der Freunde, Joseph J o a c h i m , Ende 1852 von Weimar, um die Konzertmeisterstelle in Hannover zu übernehmen. Die Freunde gaben ihm eine große Abschiedsfeier, die durch den gemeinsamen Vortrag der Kreutzer-Sonate durch Liszt und Joachim ihre musikalische Weihe erhielt.

148

Zu Beginn des Jahres 1853 krönte Liszt sein mutiges Ringen für die Werke Wagners und damit seine bisherige Weimarer Tätigkeit durch die Veranstaltung einer W a g n e r w o c h e , die vom 27. Februar bis 5. März mit nur eigenen Weimarischen Kräften Holländer, Tannhäuser, Lohengrin brachte, von denen der Holländer als Festvorstellung am 16. Februar erstmalig in Weimar gegeben worden war. Es war dies für die vorhandenen Mittel eine ebenso kühne wie erstaunliche Tat. Doch hiermit glaubte Liszt auch die Grenze der Leistungsmöglichkeit seiner Weimarer Tätigkeit erreicht zu haben, und da er erfahrungsgemäß eine Besserung der immer unerträglicher auftretenden Mängel nicht erwarten durfte, bat er den Großherzog um seine Entlassung. In dem Schreiben heißt es: „Ich halte es angesichts der knickerigen Bedingungen, denen die Oper hier unterstellt ist, für unmöglich, meine Tätigkeit in einer Weise fortzusetzen, die des Rufes würdig ist, den die einsichtige Sorgfalt seiner Fürsten Weimar geschaffen hat, wie des Charakters und der Reputation, die ich meinerseits erstrebe. Eure Königliche Hoheit möge daher geruhen, es als natürlich anzusehen, daß ich mich künftighin bei einem Stand der Dinge, der zwar hinter der Erwartung zurückbleibt, dem man im schlimmsten Falle an die zur Hebung des Weimarischen Theaters gemachten Anstrengungen knüpfte, einer ständigen Mitwirkung enthalte, und daß ich mich nach reiflicher Überlegung entschloß, mich zur Disposition zu stellen. Ich glaube, der Güte, mit der mich Ihre Kaiserliche und Königliche Hoheit ehren, besser zu entsprechen, indem ich meine Zeit und Fähigkeiten nutzbringender anwende, als daß ich meine besten Jahre vergebens darauf verwende, mich mit Schwierigkeiten herumzuschlagen, die ihrer Natur wie ihrer Zahl nach gleich unüberwindlich sind. Da mir Eure Königliche Hoheit wieder von der Gründung eines Konservatoriums und von anderen Plänen gesprochen haben, von denen natürlich nur die Rede sein kann, wenn im voraus genügende Mittel ausgesetzt werden, so glaube ich als sicher annehmen zu dürfen, daß Ihro Gnaden die Kunst w i r k l i c h zu fördern wünschen. In diesem Fall würde es günstig sein, für einige Jahre wenigstens die Mittel, die man dafür opfern will, auf eine einzige Sache zu konzentrieren, die auf diese Weise eine gewisse Bedeutung erlangen könnte. Wenn das Theater noch Euer Wohlwollen besäße, würde ich mir die Bemerkung gestatten, daß die Passivität, zu der ich verurteilt bin, mir dadurch auferlegt ist, daß man es vollständig vernachlässigt hat, meinen Vorschlägen, die ich zu wiederholten Malen ausführlich dargelegt habe, stattzugeben. Ich habe nur das Allernotwendigste verlangt, dessen man sich für die Folge doch nicht enthalten kann: eine Reform der Chöre von Grund aus und eine bescheidene Vermehrung des Orchesters."

In der „Neuen Zeitschrift für Musik" findet sich aus dieser Zeit die Notiz: „Aus sicherer Quelle erfahren wir, daß der schon kürzlich befürchtete und

149

widersprochene Rücktritt Franz Liszts von der Direktion der Weimarer Kapelle nun dennoch bevorstehe. Liszt hat sein Bleiben an Bedingungen z u m b e s t e n d e s I n s t i t u t s geknüpft, deren leider zu fürchtende Nichterfüllung die Niederlegung der Kapellmeisterstelle unausbleiblich zur Folge haben wird. Wenn Liszt sich zurückzieht, verliert nicht nur Weimar, sondern D e u t s c h l a n d seinen g e n i a l s t e n und e n e r g i e v o l l s t e n Kapellmeister und die d e u t s c h e Oper ihre schönste Zierde und kräftigste Stütze."

Da der Großherzog, statt mit Taten wieder nur mit schönen Worten auf Liszts Schreiben antwortete, legte der Künstler tatsächlich die Kapellmeistertätigkeit an der Oper einstweilen nieder, und mit ihm verschwand auch das ganze Repertoir, das jahrelang den Stolz Weimars ausgemacht hatte. Vier Wochen lang pausierte die Oper überhaupt vollständig. Liszt hatte dagegen mehrere Hofkonzerte zu leiten und Vorkehrungen zu den Festlichkeiten anläßlich des 25jährigen Regierungsjubiläums des Großherzogs Carl Friedrich zu treffen. Den am 15. Juni stattfindenden Festen wohnte auch der König von Sachsen bei. Bei dieser Gelegenheit versuchte Liszt durch Vermittlung des Großherzogs die Begnadigung Wagners, auf die er schon seit langem eifrigst hinarbeitete, durchzusetzen. Doch ließ sie sich noch nicht ermöglichen.

Diesen Sommer sollte nun auch endlich der lang ersehnte Besuch Liszts in Zürich zustande kommen. Am 2. Juli (1853) traf er dort ein. W a g n e r erwartete ihn am Postwagen und geleitete ihn feierlich in seine Wohnung am Zeltweg. Liszt beschreibt am nächsten Tag der Fürstin brieflich seine Ankunft: „Wagner hat zuweilen etwas wie die Schreie eines jungen Adlers in der Stimme. Als er mich wiedersah, da weinte, lachte und tobte er vor Freude mindestens eine Viertelstunde lang. Er sieht sehr gut aus, ist jedoch bedeutend magerer als vor vier Jahren. Seine Züge, insbesondere seine Nase und sein Mund haben feine Linien und einen sehr auffälligen scharfen Ausdruck angenommen. Seine Kleidung ist recht elegant. Er trägt einen schwach rosanen Hut und hat keineswegs demokratische Allüren. Er hat mir mehr als zwanzigmal versichert, daß er seit seinem hiesigen Aufenthalt vollständig mit der Partei der Flüchtlinge gebrochen hat, ja, er hat sich sogar in den oberen Kreisen der Bürgerschaft und des Adels des Kantons zum gern Gesehenen und stets Willkommen gemacht. Seine Beziehungen zu den Musikern sind die eines großen Generals. Seine Anforderungen an die Künstler sind von einer unbarmherzigen Strenge. Was mich anlangt, so liebt er mich von ganzer Seele und sagt unaufhörlich: ‚Sieh, was Du aus mir gemacht hast!' — wenn von Dingen die Rede ist, die seinen Ruhm und seine Popularität betreffen — zwanzigmal am Tage ist er mir um den Hals gefallen — dann wälzt er sich auf dem Boden herum, liebkost seinen Hund Peps und sagt ihm immerzu Dummheiten — indem er fortgesetzt auf die Juden schimpft, was bei ihm ein sehr ausge-

150

dehnter Allgemeinbegriff ist. Mit einem Wort, eine große und überwältigende Natur, etwas wie ein Vesuv, der, wenn er sein Feuerwerk spielen läßt, Flammengarben und zugleich Rosen- und Fliedersträuße ausstreut."

Den nächsten Tag schildert Liszt dann weiter: „Man sagt mir, daß seine Art vorzulesen, fasziniert und daß man sich davon keine Vorstellung machen kann. Von oben auf die Leute herabzusehen ist seine Gewohnheit, selbst gegen solche, die ihm eifrige Unterwürfigkeit zeigen. Er hat entschieden die Art und Weise eines Herrschers und er nimmt auf niemanden Rücksicht, oder wenigstens nur sehr wenig verborgen. Bei mir jedoch macht er eine vollständige Ausnahme. Gestern noch sagte er mir: ‚Ganz Deutschland ist für mich in Deiner Person vereinigt‘, und er läßt keine Gelegenheit vorübergehen, seinen Freunden und Bekannten dies fühlbar zu machen."

Leider war Liszts Aufenthalt auf nur acht Tage bemessen, und diese gingen wie im Fluge vorüber. Auch mit Wagners Züricher Freunden knüpften sich bald engere Bande, namentlich mit Georg Herwegh, dem „Grütlibruder", wie er später genannt wird, da er auf einem Ausflug an den Vierwaldstätter See auf dem Grütli in die Bruderschaft der beiden aufgenommen worden war. Mit Herwegh besprach Liszt den Plan eines Oratoriums „Christus". zu dem der Dichter den Text schreiben sollte. Es blieb bei dem Vorhaben. Eines Abends las Wagner bei Herwegh aus seinen N i b e l u n g e n vor. Liszt sprach sich dabei gegen die Länge der Schlußszene der Walküre zwischen Wotan und Brünnhilde aus. Sein ritterlicher Sinn empörte sich gegen dieses „Zankduett". Er bat Wagner, im „Namen des guten Geschmacks und der Poesie" daran zu kürzen. Wagner jedoch meinte, es werde sich bei der Komposition sofort zeigen, ob die Szene wirklich zu lang geraten sei, ihr wolle er die Entscheidung darüber überlassen. Die Szene blieb dann später unverändert und erregte Liszts höchste Bewunderung. — Noch ein anderes Projekt wurde damals eifrig erwogen: Die drei Freunde wollten eine Propaganda-Zeitschrift für die Wagnersche Kunstrichtung ins Leben rufen, deren Leitung in Herweghs Hände gelegt werden sollte. Einen ähnlichen Gedanken hatte Liszt kurz zuvor, als er am Karfreitag zu Bachs Passion in Leipzig weilte, mit Brendel erwogen. Dieser wollte neben der Neuen Zeitschrift für Musik noch ein Organ „Kunstwerk der Zukunft" für die neue Richtung ins Leben rufen. Doch beide Pläne kamen zunächst nicht zur Ausführung. Brendel ließ statt dessen ab 1856 die „Anregungen für Kunst, Leben und Wissenschaft" erscheinen.

Über die Erlebnisse der Züricher Festwoche berichtet Wagner an Otto Wesendonk: „Eine wilde, aufgeregte — und doch mächtig schöne Woche habe ich soeben mit Liszt verlebt. Ein wahrer Sturm von Mitteilungen raste zwischen uns: meine Freude über den unsäglich liebenswürdigen Menschen war um so größer, als ich ihn sehr kräftig, ausdauernd und viel besser in seiner Gesundheit fand, als ich mir nach früher das vermuten konnte. Wir hatten uns unglaublich viel zu melden; denn im Grunde l e r n t e n w i r u n s h i e r e r s t p e r s ö n l i c h g e n a u e r k e n n e n, nachdem ich früher immer nur kurze Tage flüchtig mit ihm verbracht. So füllten sich die acht Tage, die er diesmal mir nur schenken konnte, mit so starkem Inhalte an, daß ich jetzt fast davon betäubt bin. Sogleich in den ersten Tagen opferte ich meine Stimme, so daß dann Liszt einzig für Musik herhalten mußte: er hat unglaublich gespielt! Einen herrlichen Ausflug machte ich mit ihm an den Vierwaldstätter See, und endlich schied er mit dem freiwilligen Versprechen, nächstes Jahr auf mindestens vier Wochen wiederzukommen."

Als die Abschiedsstunde schlug, geleiteten Wagner und Herwegh den Freund zum Postwagen. „Nachdem wir Dich uns hatten entführen sehen, sprach ich mit Georg kein Wort mehr: still kehrte ich nach Haus zurück, Schweigen herrschte überall! So ward Dein Abschied gefeiert — Du lieber Mensch: aller Glanz war von uns gewichen! O, komm bald wieder! Lebe recht lange mit uns! Wenn Du wüßtest, welche Gottesspuren Du hier hinterlassen: alles ist edler und milder geworden, Großheit lebt in engen Gemütern auf — und Wehmut deckt alles zu!"

Von Zürich aus kehrte Liszt über Karlsruhe, wo er wegen des im Herbst dort zu leitenden Musikfestes einige Vorbesprechungen hatte, Frankfurt und Wiesbaden, nach Weimar zurück. Am Tag seiner Ankunft (am 16. Juli) schrieb er an die Fürstin, die sich zuvor mit ihrer Tochter zur Kur nach Karlsbad begeben hatte: „Es war mir durchaus unmöglich, während der fünfzehn Reisetage etwas zu schreiben — und ich habe wahrlich das Bedürfnis, Noten zu schreiben, um mich im Gleichgewicht zu erhalten. Ich fühle mich wie ausgetrocknet, wenn ich mehrere Tage ohne Notenpapier zubringen muß. Mein Gehirn erschlafft, und ich werde unfähig, an äußeren Dingen Geschmack zu finden. Diese Beobachtung habe ich öfters gemacht, und diese Art von Krankheit hat sich mit den Jahren gesteigert. Die Musik ist das Atemholen meiner Seele — sie wird zugleich mein Gebet und meine Arbeit."

Während Liszts Abwesenheit von Weimar war Großherzog Carl Friedrich gestorben und C a r l A l e x a n d e r hatte am 8. Juli die Regierung angetreten. Die offizielle Feier sollte jedoch erst am 28. August stattfinden. Hierzu komponierte Liszt auf Wunsch des Großherzogs einen H u l d i g u n g s m a r s c h. Liszt begab sich dann gleichfalls nach Karlsbad und geleitete Mitte August die Fürstin und Tochter nach Teplitz und Dresden. Hier trafen sie mit Bülow zusammen, der am 12. September in Dresden konzertierte und auch mit Werken Liszts großen Erfolg errang. Auch den Dichter Otto Ludwig besuchte Liszt zweimal in Loschwitz. „Er spielte auf Heydrichs altem Kasten. Ich

152

wünschte Dich zu uns, ich glaube kaum, daß es je wieder einen solchen Klavierspieler geben wird." So berichtete der Dichter.

Am 17. September reiste Liszt in Begleitung von Bülow nach K a r l s -
r u h e , um die Vorbereitungen zu dem vom 3. bis 5. Oktober stattfindenden
Musikfest zu beginnen. Die Fürstin und Tochter benutzten diese Zeit der
Probe und Arbeit zu einer Reise nach München, trafen aber am 2. Oktober
zum Fest in Karlsruhe ein. Dieses war das überhaupt e r s t e Musikfest Süd-
deutschlands und dankte die Anregung wie die Wahl Liszts zum Dirigenten
dem musikliebenden Prinzregenten Friedrich von Baden. Das Orchester und
der Chor war aus den Theaterkräften der Städte Darmstadt, Mannheim und
Karlsruhe zusammengesetzt und betrug 260 Mitwirkende. Liszt machte zwar
eine Rundreise durch die drei Städte, um einige Einzelproben zu leiten, aber mit
dem Gesamtkörper standen ihm nur zwei Proben zur Verfügung. In Anbe-
tracht dieses Umstandes und der Tatsache, daß alle zum Vortrag gebrachten
Stücke den Mitwirkenden völlig unbekannt waren, muß das Geleistete unein-
geschränkt bewundert werden. Das Programm, das neben noch nicht genügend gewürdigten klassischen Werken hauptsächlich für die zeitgenössische
Produktion bahnbrechend eintrat, verhieß am

M o n t a g , 3. O k t o b e r 1853:

Ouvertüre zu Tannhäuser	Wagner
Konzertarie	Beethoven
Violinkonzert	Joachim
(gespielt vom Komponisten)	
Loreleyfinale	Mendelssohn
Ouvertüre zu „Manfred"	Schumann
„An die Künstler"	Liszt
IX. Symphonie	Beethoven

M i t t w o c h , 5. Oktober:

Ouvertüre „Struensee"	Meyerbeer
„Titus"-Arie	Mozart
Chaconne	Bach
(gespielt von Joachim)	
Phantasie über Beethovens „Ruinen von Athen"	
für Klavier und Orchester	Liszt
(gespielt von Hans v. Bülow)	
Romeo und Julie-Symphonie	Berlioz
Arie aus „Prophet"	Meyerbeer
Stücke aus „Lohengrin"	Wagner
Ouvertüre zu „Tannhäuser"	Wagner
(auf Verlangen wiederholt!)	

Liszts Festgesang „An die Künstler" war damals noch ohne Orchester, nur für Männerchor, begleitet von Blechinstrumenten. Er fand eine ziemlich kühle Aufnahme; seine Klavierphantasie dagegen, die Bülow meisterlich bewältigte, weckte stürmischen Beifall. Die Tannhäuser-Ouverture errang wie im Vorjahr in Ballenstedt solchen Erfolg, daß sie am zweiten Tag wiederholt werden mußte, und auch der Lohengrin erwarb sich viele Freunde und ließ den Wunsch laut werden, ihn auf der Bühne ganz kennen zu lernen.

Nach Schluß des Musikfestes erhob sich in der Presse, anknüpfend an einige Störungen, die sich, wie es bei einer solch improvisierten Sache nicht anders möglich war, bei einigen der Stücke ereignet hatten, ein wüstes Geschrei, Liszt könne nicht dirigieren. Diese teils der Mißgunst der sich durch Liszts Wahl zurückgesetzt fühlenden Ortskapellmeister, teils dem konservativen Lager entstammenden Angriffe nahmen solche Dimensionen an, daß Liszt sich genötigt sah, eine offene Abwehr dagegen zu richten, in der er sein Dirigentenideal klarlegte: „Die Werke, für welche ich öffentlich meine Bewunderung und Vorliebe bekenne, gehören der Mehrzahl nach zu denjenigen, welche die mehr oder minder namhaften, insbesondere die sogenannten „tüchtigen" Kapellmeister, wenig oder gar nicht ihrer persönlichen Sympathie wertfinden. Diese Werke erfordern meinem Urteile nach von seiten der ausführenden Orchester einen Fortschritt — dem wir uns jetzt zu nähern scheinen — in der Betonung, in der Rhythmisierung, in der Art, gewisse Stellen im Detail zu phrasieren und zu deklamieren, und Schatten und Licht im Ganzen zu verteilen: mit einem Wort, einen F o r t s c h r i t t   i m   S t i l   der Ausführungen selbst. Dieser knüpft zwischen dem Spielenden und dirigierenden Musiker ein Band von anderer Art als das, welches durch einen unverwüstlichen Taktschläger gekittet wird. An vielen Stellen möchte selbst die grobe Aufrechterhaltung des Taktes und jedes einzelnen Taktteiles einem sinn- und verständnisvollen Ausdruck entgegenarbeiten. Hier wie allerwärts t ö t e t   d e r   B u c h s t a b e   d e n   G e i s t — ein Todesurteil, das ich nie unterzeichnen werde. Für die Werke von Beethoven, Berlioz, Wagner sehe ich noch weniger als für andere die Vorteile ein, welche daraus entstehen könnten, daß ein Dirigent die Funktion einer W i n d m ü h l e zu der seinigen macht und im Schweiße seines Angesichts seinem Personal die Wärme der Begeisterung mitzuteilen sucht. Da namentlich, wo es sich um Verständnis und Gefühl handelt, um ein geistiges Durchdringen, um ein Entflammen der Herzen zu geistiger Gemeinschaft im Genusse des Schönen, Großen und Wahren in der Kunst und Poesie: da dürfte die Selbstgenügsamkeit und handwerksmäßige Fertigkeit der gewöhnlichen Kapellmeister nicht mehr genügen, sondern dürfte sogar mit der Würde und erhabenen Freiheit der Kunst in Widerspruch stehen! — Die wirkliche Aufgabe eines Kapellmeisters besteht meiner Meinung nach

154

darin, sich augenscheinlich überflüssig zu machen — und mit seiner Funktion möglichst zu verschwinden. Wir sind Steuermänner und keine Ruderknechte."

An Pohl, der diesen offenen Brief in einer Broschüre über das Karlsruher Musikfest veröffentlichte, schrieb Liszt: „Ganz in der Ordnung ist es, daß Sie das Wort L ü g e n gebraucht haben. Es ist das richtigst Bezeichnende für die buntschäckige Partei, welche sich uns entgegenstellt. Zwischen Wahrheit, Offenheit und Kapazität einerseits — Lüge, Heuchelei und Inkapazität auf der anderen ist der Kampf unvermeidlich. Also D u r c h und A u f w ä r t s!"

Liszt als D i r i g e n t hat mit Liszt als Klavierspieler den Grundzug gemeinsam: er legte das Hauptaugenmerk auf das geistige Erfassen und das dem Komponisten kongeniale Nachgestalten eines Kunstwerks. Das rein Technische ignorierte er wie bei seinem Klavierspiel, so auch bei der Orchesterleitung. Er stand über dieser Exerzierarbeit. Der Dirigent hatte seiner Ansicht nach nicht vornehmlich das Amt, jedem der Spieler rechtzeitig seinen Einsatz zu bezeichnen, was dieser allein wissen mußte, sondern den inneren Gehalt eines Werkes auszuschöpfen. Die großen Erfolge, die Liszt mit seinem Weimarer Orchester erzielte, sprechen dafür, daß er jedenfalls bei einer an ihn gewöhnten Schar auch als Dirigent das Größte zu leisten imstande war; und wenn ein fremder Tonkörper zuweilen behauptete, unter Liszts Leitung nicht spielen zu können, so lag das einzig und allein daran, daß er infolge des jahrelangen Schlendrians seines Dirigenten einfach für die Lisztsche Direktion nicht reif war. Manchmal führte das allerdings dann zu mißlichen Vorfällen. Bei einem Erfurter Musikfest z. B., auf dem Hans von Bülow das erste Klavierkonzert spielte, wollte das Ganze in der Probe nie klappen, da rief Bülow: „Lieber Papa! wenn Du nicht bestimmter das Szepter schwingen willst, so wird's mit uns nichts!" Liszt antwortete: „Allons enfant!" Und nun „drosch" er den Takt. Zu den Umstehenden sagte er lächelnd: „So was können wir auch noch!"

Für die Tage nach Schluß des Karlsruher Musikfestes hatte Liszt, der sich nach Paris begeben wollte, um seine Kinder einmal wiederzusehen und dort ihretwegen verschiedene Anordnungen zu treffen hatte, mit Wagner in Erinnerung an die „hellen Sommertage", wie er die Zeltwegtage nannte, ein Rendezvous in Basel vereinbart. Da schlug ihm Wagner aber vor, ihn nach Paris zu begleiten, weil er, ehe er sich an sein großes Werk, die Nibelungenkomposition, machen wollte, noch einige Tage Zerstreuung und Frohsinn wünschte, die ihm am besten die Gegenwart des Freundes verhieß. In der Zeit bis zum Wiedersehen war er von größter Ungeduld erfüllt. Er zählte fast Tage und Stunden. Endlich kam der 6. Oktober heran, auf den die Zu-

155

sammenkunft in Basel im Gasthof „Zu den drei Königen" festgesetzt war. Liszt traf mit einem Gefolge Weimarer Schüler und Anhänger ein, die alle sehr begierig waren, den Meister von Angesicht kennen zu lernen, u. a. Hans von Bülow, Joachim, P. Cornelius, R. Pohl. Mit dem Posaunenthema des Vorspiels zum 3. Akt Lohengrin hielt die famose Künstlerschar ihren „pompösen Einzug in den drei Königen zu Basel". Wagner, als der zuerst Angekommene, harrte ihrer im Speisesaal des Gasthofes. Ausgelassner Jubel und echte enthusiastische, jugendliche Begeisterung war die Signatur dieser Tage. Liszt und Bülow tranken in Kirschwasser Brüderschaft. Folgenden Tags traf auch die Fürstin Wittgenstein mit Tochter ein, und nun wich die erste Ausgelassenheit mehr ernsten Kunstangelegenheiten.

Wagner entwirft von den beiden Frauen in der Autobiographie folgendes Bild: „Der ungemeinen Lebhaftigkeit und anregenden Hingebung der Fürstin an Alles was uns einnahm, war unmöglich zu widerstehen. Mit gleichem Interesse für die höchsten Fragen, welche uns bewegten, wie für die zufälligsten Einzelheiten unseres persönlichen Verkehres mit der Welt, schmeichelte sie einen Jeden in eine gewisse Extase hinein, in welcher er das Beste, dessen er fähig war, von sich zu geben sich genötigt fühlte. Mit einem gewissen schwärmerischen Ausdrucke wirkte dagegen die kaum fünfzehnjährige Tochter der Fürstin, welche in Tracht und Haltung ganz als das zur Jungfrau soeben erst erblühende Mädchen erschien, und sich von mir den Ehrentitel „das Kind" erwarb. Wenn die Diskussion, oder auch der reine freudige Erguß, dann und wann bis zum Brausen sich erhob, bewahrte ihr schwärmerisch dunkles Auge eine schöne, tief verständige Ruhe, und unwillkürlich fühlten wir dann, daß sie den unschuldigen Verstand der uns aufregenden Angelegenheiten darstellte."

Wagner las aus seiner Ringdichtung vor, die Joachim so begeisterte, daß er sich für die Erstaufführung als Konzertmeister zur Verfügung stellte, worauf ihm Wagner das Du anbot. Das Exemplar seiner Ringdichtung, aus dem Wagner vorgelesen hatte, schenkte er zum Abschied der Prinzeß Marie mit der Inschrift: „Der Nibelungen Neid und Not, der Wälsungen Wonn' und Weh, alles dem klugen Kinde zum Andenken an den dummen Richard". Mit dem Vortrag der auf Wunsch Wagners gewählten Sonate op. 106 von Beethoven bot Liszt allen einen unvergeßlichen Genuß. Die Aufführung des Nibelungenringes bildete natürlich den Hauptgesprächsgegenstand. Man dachte sogar daran, Straßburg, das so günstig für alle gelegen, dafür in Aussicht zu nehmen. Dorthin brach dann die Gesellschaft am nächsten Tage gemeinsam auf. Hier aber trennten sich die Wege. Die jungen Musiker kehrten nach Deutschland zurück, während Wagner, Liszt und die Frauen ihre Reise nach Paris fortsetzten, wo in der Rue Casimir Perier 6 Liszts Töchter — Daniel war im Lycée Bonaparte — mit ihrer Gouvernante, Madame Patersi, die früher die Erzieherin der Fürstin Wittgenstein gewesen und von dieser hierfür erwählt worden war, wohnten. Nach achtjähriger Trennung verbrachten nun Kinder und Vater einige glückliche Tage. Auch Wagner war meist zugegen, und hier war er zum e r s t e n m a l dem Wesen begegnet, das später so bedeutungsvoll für ihn werden sollte, Liszts Tochter C o s i m a. Nach kaum acht Tagen schlug bereits die bittere Trennungsstunde: Liszt und die Fürstin mit Tochter kehrten direkt nach Weimar zurück, und Wagner eilte wieder heimwärts, um sich nun mit Glut auf die Komposition des Rheingold zu stürzen.

In Weimar benutzte Liszt die Ruhezeit, während deren er sich vom Theater fernhielt, vor allem dazu, seine größtenteils fertigskizzierten Werke druckfertig zu stellen, da er sie kommenden Winter zunächst in Weimar erproben und dann der Öffentlichkeit übergeben wollte. Die meisten reichen in ihrer Konzeption in viel frühere Jahre zurück. Liszt hatte es vorgezogen, sich der Form im weitesten Sinn und Umfang zu bemächtigen, ehe er daran dachte, seinen künstlerischen Inhalt der Welt zu übermitteln. Wie lange hatte er sich Mangel an Produktionsvermögen, Sterilität an eigener Erfindung vorwerfen lassen müssen, ohne sich zu einem voreiligen Schritt in ein Kunstgebiet bewegen zu lassen, das er aus Pietät gegen die großen Werke der Vorzeit erst in völliger künstlerischer Reife betreten wollte. Viele der früheren Klavierwerke wurden jetzt neu bearbeitet; die große h-moll-Sonate, die Wagner „über alle Begriffe schön, groß, liebenswürdig, tief und edel" bezeichnete, erstand neu, ebenso die beiden Klavierkonzerte und einige der ungarischen Rhapsodien. Ferner erschienen jetzt die letzten Hefte der Années de Pélérinage. „Mit diesen Sachen will ich einstweilen mit dem Klavier abschließen, um mich ausschließlich mit Orchesterkomposition zu beschäftigen und auf diesem Gebiete mehreres zu versuchen, was mir schon seit längerer Zeit eine innerliche Notwendigkeit geworden!" Von den Symphonischen Dichtungen waren neun nahezu vollendet und eine Messe für vier Männerstimmen, die im August 1852 in Weimar zum erstenmal erklungen, ließ Liszts große Begabung und sein reformatorisches Streben auf dem Gebiet der Kirchenmusik in seinen Anfängen bereits erkennen.

Anfangs Dezember 1853 dirigierte B e r l i o z zwei Konzerte in Leipzig, zu denen Liszt hinüberfuhr. Hier traf er auch Johannes B r a h m s , der, mit dem Geiger Réményi aus Hannover von Joachim kommend, bereits im Frühjahr sechs Wochen lang Liszts Gast auf der Altenburg gewesen war und jetzt in Leipzig lebte. Liszt spielte das e-moll-Scherzo op. 4 von Brahms aus dem sehr unleserlich geschriebenen Manuskript mit erstaunlicher Vollendung zum Entzücken des Komponisten und der anwesenden Freunde Bronsart und Klindworth. Liszt urteilte damals über Brahms: „Ich traf dort Brahms, für den ich

157

mich aufrichtig interessiere, und der sich mir gegenüber während meines Aufenthalts in Leipzig zu Ehren Berlioz sehr takt- und geschmackvoll benommen hat. Ich habe ihn auch öfters zum Essen eingeladen und wiege mich in dem Glauben, daß die „neuen Bahnen" (Artikel Schumanns) ihn für die Folge noch mehr Weimar nähern. Sie werden mit seiner Sonate in C zufrieden sein. Das ist gewiß dasjenige seiner Werke, das mir den besten Begriff seines Kompositionstalentes gegeben hat."

Die Versuche Liszts, durch Bülows Vermittlung auch in Dresden für Berlioz Konzertengagements zu erhalten, waren vorerst erfolglos.

Mit Anfang des Jahres 1854 übernahm Liszt auf vieles Drängen auch wieder die Leitung der Oper, in der durch einige Neuengagements wenigstens teilweise Verbesserungen geschaffen waren. Daneben versuchte er in diesem Winter auf die Heranbildung eines verständigen Publikums hinzuwirken, indem er im Feuilleton der Weimarer Zeitung eine Reihe größerer und kleinerer Artikel über diejenigen musikalischen Werke älterer Komposition veröffentlichte, die im Laufe der Saison in Weimar zur Aufführung gelangten. Einige davon sind nach Entkleidung ihrer lokalen Färbung mit vielfachen Erweiterungen in der Neuen Zeitschrift für Musik (1854) zum Abdruck gelangt und später in Buchform unter dem Titel „Dramaturgische Blätter" veröffentlicht worden. Am 22. Januar fand die Erstaufführung der Oper Die Nibelungen des Berliner Hofkapellmeisters Heinrich Dorn statt. Liszt verfolgte mit Annahme dieses unbedeutenden Werkes wohl zwei Absichten: Zunächst wollte er für den Nibelungen-Mythos im Hinblick auf Wagners großen Plan Sympathien erwecken, dann aber auch den Komponisten für sich gewinnen, um auf seine Unterstützung in der Berliner Tannhäuserangelegenheit, auf die wir später noch zurückkommen werden, rechnen zu können. Zum 16. Februar folgte als Festvorstellung Glucks O r p h e u s in einer Bearbeitung Liszts. Die durch die Proben angeregte und in 14 Tagen geschaffene symphonische Dichtung gleichen Namens wurde der Oper vorausgestellt und errang bei dieser Uraufführung sehr starken Erfolg. Dem Orpheus folgten ein Monat später in einem öffentlichen Konzert zugunsten der Orchster-Pensions-Kasse die Erstaufführung der P r é l u d e s und des jetzt nach den Erfahrungen des Karlsruher Musikfestes umgearbeiteten und ergänzten Festchors A n d i e K ü n s t - l e r. Am 20. März willfahrte Liszt einer Einladung des Herzogs Ernst von Koburg, die Einstudierung und Aufführung von dessen Oper „Santa Chiara" zu leiten, und weilte 14 Tage lang als Gast des Herzogs im Schloß zu Koburg. Nach der dritten Vorstellung überreichte dieser selbst dem Künstler das Komturkreuz seines Hausordens. — Für die Ostertage wurden in Weimar große Konzerte vorbereitet. Am Gründonnerstag fand ein Kirchenkonzert in der Schloßkapelle statt, wo neben älteren Kirchenkompositionen Liszts A v e M a r i a,

158

mit ihm selbst an der Orgel, gesungen wurde. Wenige Tage später (8. April) gelangte in einem Hofkonzert, in dem Vieuxtemps, der sein eignes Violinkonzert vortrug, und die Harfenistin Frau Pohl mitwirkten, neben mehreren Werken von Berlioz Liszts Tasso in neuer Bearbeitung zum Vortrag und am Ostersonntag folgten in einem öffentlichen Konzert die Lear-Ouvertüre von Berlioz und Liszts M a z e p p a , der dank seines effektvollen Aufbaus und seiner atembenehmenden Wucht enormen Beifall fand. Als Abschluß der diesmaligen Theaterspielzeit wurde zur Feier von Großherzogs Geburtstag am 24. Juni S c h u b e r t s Oper A l f o n s o u n d E s t r e l l a erstmalig gegeben. Daß dieses Werk keine dauernde Bereicherung des Spielplans bedeuten konnte, dessen war sich Liszt von Anfang an bewußt; er betrachtete die Aufführung als Tilgung einer Ehrenschuld, die das deutsche Volk dem großen Genius des Liedes gegenüber habe. Eine Festouvertüre von Rubinstein eröffnete und ein Festmarsch von Stade beschloß den Abend.

Während des verflossenen Winters hatte sich der Weimarer Kreis noch um eine bemerkenswerte Persönlichkeit vermehrt: um H o f f m a n n v o n F a l l e r s l e b e n , dem der Großherzog auf Liszts Rat trotz seiner freien politischen Gesinnungen ein Amt übertragen hatte. Der Dichter war zusammen mit Oskar Schade zum Herausgeber des Weimarischen Jahrbuches berufen worden. Das im Sinn der Goethestiftung gedachte Unternehmen fristete, da der Hof die Mittel nur sehr spärlich bewilligte und die Weimarer Mitarbeiter aus kleinlichen Gründen die Unterstützung versagten, drei Jahre lang ein kümmerliches Dasein, um sang- und klanglos zu verschwinden. Hoffmann schloß sich dem Lisztkreise eng an, war ständiger Gast der Altenburg, die er wie ihre Bewohner zu allen festlichen Anlässen besang und deren Bedeutung er in folgenden begeisterten Versen feierte:

D e r A l t e n b u r g !

Es ist nicht eine Burg der A l t e n ,
Auch die J u n g e n dürfen dort schalten und walten.
Es ist die Burg, wo unter Liszts Paniere
Die Künstler sich sammeln zum geist'gen Turniere
Und empfangen von liebenswürd'gen Händen
Nach Verdienst der Freud' und des Dankes Spenden.
Es ist eine Burg, wo die Ritterlichkeit
Sich erneut nach Begriffen der neuen Zeit.
Wo man nicht fraget: was h a t der Mann?
Sondern was er i s t , und was er k a n n ;
Wo man der Wissenschaft und Kunst
Erweiset Liebe, Huld und Gunst;

Wo für Scherz und Witz und Humor
Die Herzen öffnen gern ihr Tor,
Und auch dem Ernste, wenn er belehrt,
Der Zutritt nimmer ist verwehrt;
Wo über Freuden und Leiden des Lebens
Sich nie ein Gemüt eröffnet vergebens;
Wo man jeden Gast willkommen heißt,
Der kein Philister an Herz und Geist.

Hoffmanns Festtoaste erfreuten sich bald größter Beliebtheit. Zu Liszts
Geburtstag überreichte er ein dickes Album, in dem alle Trinksprüche und Ge-
dichte, die den Lisztkreis betrafen, eingetragen waren. Dieses wurde später
weitergeführt und kann als ein Stück Hauschronik gelten.

Am 8. Juli reiste Liszt nach Rotterdam, um dem Stiftungsfest der Nieder-
ländischen Musikgesellschaft als Ehrengast beizuwohnen. Der Verein zur
Förderung der Tonkunst zu Amsterdam ernannte ihn daraufhin zum Ehrenmitglied. Über Köln und Düsseldorf, wo er Clara Schumann besuchte, kehrte
er nach Weimar zurück. Hier nahm ihn die Arbeit an seiner F a u s t s y m -
p h o n i e , an der er „wie ein Besessener" arbeitete, völlig in Anspruch. Dieses anfangs der 40er Jahre bereits konzipierte Werk, wohl die Krone von Liszts
gesamtem Schaffen, war bereits Ende September beendet, aufgeführt wurde
es jedoch erst im Jahre 1857. Anfangs September 1854 traf Anton R u b i n -
s t e i n auf der Altenburg ein. Liszt kannte und liebte ihn schon, seit er
dem 10jährigen Knaben 1840 in Paris aus Freude an seinem großen Talent
Klavierstunden erteilt hatte. Als Rubinstein nun nach jahrelangem Aufenthalt
in Rußland wieder nach Deutschland kam, lud ihn Liszt, der ihn wegen seiner
Ähnlichkeit mit Beethoven „Van II." nannte, nach Weimar, wo er seine Oper
Die sibirischen Jäger zur Aufführung bringen wollte. Sie ging am 9. November
1854 in Szene. An diesem Tag wurde das 30jährige Jubiläum des Regierungs-
antritts der Großherzogin-Mutter Maria Paulowna gefeiert. Es war zu gleicher
Zeit das 50jährige Jubiläum der Erstaufführung von Schillers Huldigung der
Künste, mit der die Großherzogin damals in Weimar begrüßt worden war.
Das Festprogramm eröffnete daher Die Huldigung der Künste mit Musikbe-
gleitung, die aus eigenen Kompositionen der Fürstin zusammengestellt war.
Hierauf erklang Liszts bisher noch nie gespielte symphonische Dichtung
F e s t k l ä n g e , und Rubinsteins Oper bildete den Beschluß des stimmungs-
vollen Abends.

Der Dezember 1854 brachte im Weimarer Leben einen Umschwung, der
die philiströsen Bewohner sehr unangenehm berührte. Das gesellschaftliche
Leben der Stadt konzentrierte sich auf ganz bestimmte Zirkel. Unter den vielen

geschlossenen Gesellschaften Weimars war die größte und vornehmste die „Erholung". Sie hatte die Ehre, sogar den Großherzog als Mitglied betrachten zu dürfen. Der Besuch in ihren Räumen war in der Regel schwach; mancher mochte durch den vornehm-steifen Ton abgeschreckt werden oder blieb weg, weil er das, was er in der „Erholung" suchte, nämlich Erholung, am wenigsten fand. Die Restauration war schlecht: der Wirt gab zu viel Pacht und es wurde zu wenig verzehrt. Ein hoher Rat konnte den ganzen Abend vor seinem Glas Lichtenhainer sitzen und ließ sich höchstens noch einen Schnitt geben. Neben der „Erholung" bestand die Mittwoch-Gesellschaft, auch wohl „Schlüssel-Verein" genannt. Dieser diente der wissenschaftlichen Unterhaltung; es wurde stets ein Vortrag gehalten, an den sich ein Abendessen anschloß. Wegen ihrer Beziehung zum Hof nannte man die Mitglieder „Hofräte". Zu ihnen zählte vornehmlich: Ad. Schöll, der Direktor der Kunstsammlungen Weimars, Sauppe, der Direktor des Wilhelm-Ernst-Gymnasiums, Hofrat Ludw. Preller, Oberbibliothekar, Oberkirchenrat Dittenberger u. a. Ferner gab es noch die Stadthaus-Gesellschaft. Dies war ein Kreis spezieller Weimarer, Kleinstaatler und Kleinstädter, die das Wohl und Wehe der Stadt und des Landes beim Biere besprachen, überzeugt von ihrer eigenen Tüchtigkeit, vieles besser wußten und konnten als andere, und nebenbei sich ärgerten, daß die bedeutendsten Männer im Staat und Kirche keine Weimarer, nicht einmal Thüringer waren. Sie fanden sich häufig abends im „Traiteur-Stadthaus" ein und pflegten an einem bestimmten Tag in der Woche zum Lichtenhainer in Süßenborn zu spazieren.

Daß in keiner dieser Gesellschaften für die Künstler des Lisztkreises der geeignete Platz war, ist verständlich. Sie waren einzig auf sich angewiesen. Es lag somit der Gedanke nahe, daß auch sie sich zu einer Vereinigung zusammenschließen sollten. Die Idee war bereits von Hoffmann gegen Liszt geäußert worden. Da er aber nicht als Gründer der Sache gelten wollte, wurde Pohl damit betraut, die passenden Leute auszuwählen. Diese fanden sich zu einer Vorbesprechung im Russischen Hof zusammen. Es wurden viele Vorschläge gemacht, die mehr oder minder zu weit gingen; es schien mitunter, als sollte eine Akademie der Künste und Wissenschaften gegründet werden. Schließlich kam man überein, daß man vereint zusammenkommen wollte, das Wo, Wie und Wann wurde künftigen Beratungen überlassen. Am Silvesterabend hatte Liszt auf der Altenburg eingeladen. Im dritten Stock waren drei Zimmer hergerichtet. Nachdem mehrere Hochs ausgebracht waren, hielt Hoffmann eine Heerschau über die Mitglieder. Er brachte die Eigentümlichkeiten der einzelnen, absonderliche Neigungen und kleine Schwächen in scherzhaften Versen vor. Dann konstituierte sich der Verein. Mitglieder waren bei der Gründung: Liszt, Hoffmann, die Musikdirektoren Stör und Montag, die Mitglieder der Hofkapelle:

11   Kapp, Liszt.   161

Singer, Coßmann, Walbrül, Hofschauspieler Ed. Genast, die Musiker: Bronsart, Cornelius, Pruckner, Alexander Ritter, Ferd. Schreiber und Eugen von Soupper, Pohl, Dr. I. Rank und Raff.

Der Name „Neu-Weimar-Verein" war von Hoffmann vorgeschlagen und nach langer Debatte angenommen. Als Vereinstag wurde der Montag 7 Uhr abends bestimmt und zum Versammlungsort ein Zimmer im Stadthaus gemietet. Präsident wurde Liszt, Vizepräsident Hoffmann, Geschäftsführer Schreiber. Um die Mitglieder an die Vereinsabende zu fesseln und ihnen Gelegenheit zu geben, selbst mitwirkend sich zu beteiligen, wurde ein handschriftliches Witz- und Scherzblatt begründet und „Die Laterne" benannt, das an jedem Vereinsabend vergeben werden sollte. Raff wurde mit der Leitung betraut.

Hoffmann dichtete ein Vereinslied, das von Liszt in Musik gesetzt und bei festlichen Anlässen im Chor gesungen wurde. Die kühnen Worte lauteten:

1. Frisch auf zu neuem Leben,
Den Frühling in der Brust!
Ein neues freies Streben
Ist Mannesmut und Lust.
Der Himmel steht uns offen,
Das Ziel ist unverhüllt;
Da lohnt sich schon das Hoffen,
Und wird es nie erfüllt.
Trinkt aus! schenkt ein!
So soll es sein
Für jeden allein,
Für all im Verein!
So soll es sein!
Anders nimmer
Trotz Philistergeschrei!
Heut und immer!
Es bleibt dabei!

2. Wir freuen uns am Alten,
Was herrlich sich erweist.
Doch Neues zu gestalten
Treibt mächtig uns der Geist.
Das Stillstehen ist zu Ende,
Die Rücksicht liegt im Grab,
Wir nehmen in die Hände
Getrost den Fortschrittsstab.
Trinkt aus! schenkt ein! usw.

3. Ihr sollt uns Dank nicht zollen
Mit einem Lorbeerreis!
Nein, d a ß w i r e t w a s w o l l e n .
Ist unser Ziel und Preis.
Was wir in Kunst und Leben
Als wahr und schön erkannt,
Das bleibet unser Streben
Bis an des Grabes Rand.

Dieser Neu-Weimar-Verein hatte für die Bewohner der kleinen Residenz etwas offenbar Herausforderndes. Schon der Name war ihnen ein Dorn im Auge. Doch nicht nur die Spießer schüttelten unmutig die Köpfe, auch die Vertreter der alten Zeit (Mittwoch-Gesellschaft) sahen mit Mißgunst auf diese fremden, ganz neue Wege verfolgenden Künstler, die dazu noch vom Hof protegiert wurden. Sie verhielten sich kühl und ablehnend. All diese Reibereien waren vorerst noch von untergeordneter Bedeutung. Liszt stand hoch über ihnen. Alle bedeutenden Musiker, die auf der Altenburg weilten, wurden in den Verein eingeführt. Auch sah er kurz nach der Gründung den bekannten Bildhauer Ernst R i e t s c h e l , der zu den Vorbesprechungen für seine Goethe-

162

Schiller-Gruppe in Weimar weilte, und in diesen Tagen ein lebensvolles Medaillon von Liszt modellierte, bei sich, ebenso Ferd. Hiller.

Zum ersten Mal in der weiteren Öffentlichkeit bekannt wurde der Neu-Weimar-Verein durch eine große Feierlichkeit, die er zu Ehren der Anwesenheit von Berlioz, den er zum Ehrenmitglied ernannte, am 20. Februar 1855 veranstaltete. Berlioz weilte jetzt bereits zum dritten Male in Weimar, das dank der aufopfernden Propaganda Liszts seiner Muse eine gastliche Heimat gewährte. Er dirigierte diesmal zwei Konzerte; am 17. Februar in einem Hoforchester-Konzert Szenen aus Romeo, Sylphentanz aus Faust, Chor aus Cellini, und als Neuheit „La Captive". Seine besondere Weihe erhielt dieser Abend dadurch, daß Liszt selbst sein großes K l a v i e r k o n z e r t E s - D u r mit Orchester (unter Berlioz' Leitung) zum überhaupt ersten Mal zum Vortrag brachte. Cornelius schreibt darüber: „Hier verhält sich das Soloinstrument zum Orchester nicht wie eine ältliche Hausfrau, die eine Gesellschaft von Dummköpfen zum Tee einlädt, um unter ihnen mit ihrem Geist zu glänzen; das Klavier gleicht hier vielmehr einem gescheiten und lebensfreudigen Fürsten, der sich mit einem geistvollen und gebildeten Hofstaat umgeben hat, und nun bald mit seinem alten Minister (Fagott) von wichtigen Geschäften sich unterhält, bald seinem tapferen Heere (Violinen) heiße Schlachten ins Gedächtnis ruft, bald einige schalkhafte Worte an die Hofdamen (Flöte, Klarinette) richtet, ohne daran im geringsten Anstoß zu nehmen, wenn ein Page (Triangel) bescheidentlich sich in die Unterhaltung zu mischen wagt."

Drei Tage später leitete Berlioz ein großes öffentliches Konzert im Theater, in dem sein Oratorium Die Kindheit Christi (deutsch von Cornelius), die Phantastische Symphonie (hierbei hatte Liszt selbst die große Trommel übernommen!) und erstmalig deren Fortsetzung: Die Rückkehr ins Leben, und zwar diese in szenischer Darstellung, zur Aufführung gelangten. Die Aufnahme von seiten des Publikums war eine sehr warme.

Nachdem der Neu-Weimar-Verein es nicht verschmäht hatte, in die Öffentlichkeit zu treten, wurde im Verein selbst viel über seinen Zweck und seine künftige Wirksamkeit gestritten. Der Streit wurde oft sehr heftig, und einige Mitglieder kamen so scharf aneinander, daß ihnen kein anderer Weg übrigblieb, als auszuscheiden. Am 5. März meldete Raff seinen Austritt, bald darauf schieden auch Schade und Pohl aus. Dadurch büßte die literarische Seite des Vereins viel ein, und die musikalische dominierte jetzt völlig. Es folgte eine große Verstimmung, und einige Wochen fand keine Sitzung statt. Mit Raff war Liszt schon zuvor heftig aneinandergekommen, da dieser seine Schrift „Die Wagner-Frage", die ziemliche Angriffe gegen Wagner enthielt, ohne Liszts Kenntnis veröffentlicht hatte. An Raffs Stelle trat sowohl im Verein, als Leiter der „Laterne", wie um Liszt selbst: Cornelius.

11*   163

In diesen Tagen erhielt Liszt ein Schreiben aus Ungarn, das ihn an ein früher gegebenes Versprechen gemahnte. Der Kardinal Johann von Scitovszky, jetzt Kardinal-Primas von Ungarn und Erzbischof von G r a n , ersuchte ihn zu der für den August d. J. in Aussicht genommenen Einweihung der Kathedrale zu Gran eine M e s s e zu komponieren, wie er es ihm bei seinem Besuch in Fünfkirchen 1846 versprochen hatte. Liszt ging sofort an die Arbeit, und bereits am 2. Mai konnte er an Wagner berichten, daß er „gestern endlich damit fertig geworden. Ich weiß nicht wie das Ding klingen wird, — kann aber wohl sagen, daß ich mehr daran gebetet, als komponiert habe." Die Einweihung der Kathedrale und die Erstaufführung der Lisztschen Messe fand jedoch erst im Sommer des nächsten Jahres statt. Wir werden noch näher auf das Werk und seine Vorgeschichte zurückkommen.

Liszt hatte den ganzen Winter über noch keine Theatervorstellung geleitet. Die Verhältnisse und der ewige Geldmangel ließen eine ersprießliche künstlerische Weiterarbeit nicht zu. Seine Zeit war daher hauptsächlich eigenen Kompositionsarbeiten geweiht. Nach Beendigung der Graner Messe beschäftigte ihn hauptsächlich der XIII. P s a l m und die Ausgestaltung der schon in Woronince skizzierten D a n t e s y m p h o n i e. Daneben leitete er die Hofkonzerte und übernahm den beiden eifrigen Förderern neuer Musik G i l l e und Musikdirektor S t a d e in Jena zuliebe die Direktion des VII. Akademischen Konzerts in Jena, dessen Programm seinen Orpheus und sein Klavierkonzert (Pruckner) aufwies. Am 9. April gab es im Theater zu Weimar endlich wieder eine Neuheit, und zwar Schumanns G e n o v e v a , von Liszt einstudiert. Die ersten Akte hatten guten Erfolg, doch der Schluß fiel infolge des schlechten Textes ziemlich ab. Clara Schumann war zwar zu dieser Feier eingeladen worden, aber nicht erschienen. Da besuchte sie Liszt in Düsseldorf, wohin er sich, Ende Mai, anläßlich des dort unter Hillers Leitung stattfindenden Musikfestes, begeben hatte. Auf der Heimreise hatte er in Halle Robert F r a n z begrüßt, für dessen Muse er in einer längeren Würdigung und geistvollen Analyse kurz darauf lebhaft eintrat.

Liszt pflegte mit seinen Schülern häufig nach den benachbarten Ortschaften zu pilgern und im Spazierengehen über Kunstangelegenheiten zu diskutieren. So besuchte er oft das in unmittelbarer Nähe Weimars reizend an der Ilm gelegene Dörichen Tiefurt. Hier machte er eines Tages auf merkwürdige Weise eine Bekanntschaft. Der Organist der Dorfkirche, A. W. G o t t s c h a l g , bewunderte schon seit langem Liszt aus der Ferne, konnte aber nicht zu ihm gelangen, da der Diener auf Geheiß der Fürstin alle lästigen Besucher der Altenburg fernhielt. So hatte er sich eines Tages Liszts Arrangement der Nicolaischen Ouvertüre „Eine feste Burg" gekauft. Er übte nun eifrig das

164

Stück auf der Orgel und plagte sich mit einigen schwierigen Stellen. Plötzlich griffen zwei lange Arme über seine Schulter auf die zweimanualige Tastatur. Liszt stand hinter ihm mit einigen Schülern. „So geht's nicht, lieber Freund! Sie haben falschen Fingersatz. Haben Sie eine Bleifeder?" Liszt notierte die fragliche Applikatur, und nach einigen Versuchen ging die heikle Passage tadellos. Liszt hatte von draußen auf seinem Spaziergang die Klänge gehört und war hereingekommen. Er bot Gottschalg an, ihm weiter Stunden zu geben. Liszt kam wöchentlich einmal nach Tiefurt, spielte auch häufig auf der Orgel seine neuen Sachen. Dem alten Bälgetreter gab er allemal einen ganzen Reichstaler, was diesen zu dem naiven Ausspruch verleitete: „Ach, Herr Doktor, können Sie nicht alle Wochen ein paarmal zu uns kommen?" — Gottschalg blieb von jetzt ab bis zu Liszts Tod stets in seiner Umgebung, wo er sozusagen die Stelle eines Faktotums einnahm. Liszt nannte ihn stets seinen „legendarischen Cantor" und sagte zur Erklärung dieses Beinamens: „Wenn ich selbst einmal zur Legende geworden bin, wird Gottschalg mit mir fortleben."

Während des Juli 1855 hatte Liszt seine drei Kinder zu Besuch auf der Altenburg. Ihre Erzieherin, Madame Patersi, war nämlich in Paris schwer erkrankt und konnte ihr Amt nicht mehr länger versehen. Liszt beschloß daher, die Töchter zu ihrer weiteren Ausbildung jetzt nach Deutschland zu nehmen. Er dachte zunächst daran, sie zu der Protektorin Wagners, Frau J. Ritter, nach Dresden in Pension zu geben. Als diese aber ablehnte, ließ er durch die Fürstin, die gerade in Berlin weilte, Frau von Bülow um diese Gefälligkeit bitten. Diese lebte dort zusammen mit ihrem Sohn Hans, der seit 1. April d. J. am Sternschen Konservatorium in Berlin angestellt war. Sie erklärte sich bereit, die beiden Töchter in ihr Haus aufzunehmen. Am 4. Dezember sollte sie sie von Liszt in Merseburg, wohin er gereist war, um die neue Orgel des Domes zu besichtigen, übernehmen. Da aber Blandine so bettelte, noch einige Tage beim Vater auf der Altenburg bleiben zu dürfen, kehrten sie alle mit Frau von Bülow noch für eine Woche dorthin zurück. Dann reisten die Töchter mit Frau von Bülow nach Berlin ab. An Hans schrieb Liszt damals: „Ich lege sehr viel Wert darauf, daß Du sie sehr e r n s t h a f t arbeiten läßt, denn sie sind, glaube ich, in ihren musikalischen Studien weit genug vorgeschritten, um von Deinen Stunden Nutzen zu ziehen. Mache daher aus ihnen tüchtige Propagandisten der „Zukunftsmusik", wie es sich für sie gehört, und vor allem übe keinerlei Nachsicht in bezug auf sie und laß ihnen keine Fehler oder Puddelei hingehen. Sie haben zum voraus einen ganz gehörigen Respekt vor Dir und es wird Dir nicht schwer fallen, sie gehörig einzupauken." Bülow nahm sich mit Eifer der Studien der beiden Mädchen an und begeistert berichtet er Liszt von ihren „musikalischen Fähigkeiten, die nicht Talent, sondern geradezu Genie bekundeten". Insbesondere das Spiel Cosimas, in dem er „ipsissimum Lisztum" deutlich erkenne, ringt ihm hohe Bewunderung ab. Daniel blieb noch einige Wochen bei seinem Vater und kehrte dann nach Paris in das Lycée zurück.

Die Fürstin und Prinzeß Marie waren den Sommer über nicht in Weimar anwesend. Zunächst weilten sie mehrere Wochen in Berlin, dann in Paris. In beiden Städten suchte die Fürstin mit allen bekannten Künstlern und Geistesgrößen in Berührung zu kommen und Verkehr zu pflegen. Liszt hatte sie zu diesen Reisen ermuntert, „denn Weimar bietet ihnen gegenwärtig wenig Annehmlichkeiten. Glücklicherweise ist in der letzten Zeit die Freude und das leidenschaftliche Interesse, das die Fürstin an den Kunstwerken (Malerei, Skulptur, Architektur) nimmt, wieder erwacht, und da sie seit 20 Jahren nicht in Berlin gewesen ist, so wird es ihr leicht fallen, ihre Zeit in diesem Sinne angenehm und nutzbringend zu verwenden. Ich hoffe, daß sie dort Kaulbach, Rauch und vielleicht sogar Humboldt antreffen wird. Das wird ihr dann mehr wert sein als die Spaziergänge in unserem Park oder unfruchtbare Briefschreibereien." So berichtet Liszt an die „Freundin". Diese Freundin ist Frau Agnes Street-Klindworth, die 1853 bis 55 mit ihren zwei Söhnchen in Weimar weilte und Liszt, der sie im Klavierspiel unterrichtete, sehr nahe trat[1]). Die Briefe, die Liszt nach ihrem Weggang von Weimar an sie richtete, tragen einen sehr herzlichen Charakter; es sind von allen Briefen des Meisters die einzigen, in denen er meist von sich und seinem eigenen Schaffen spricht. Sonst blieb er stets seinem Vorsatz „von den Sachen, von denen das Herz überquillt, nur in der Musik, die seine Muttersprache sei, zu sprechen," getreu. Zur Kenntnis von Liszts Charakter sind diese Briefe von unschätzbarem Wert.

Am 21. Juli 1855 meldet Liszt an Agnes: „Ich habe heute morgen einen Schüler von 13½ Jahren, namens T a u s i g , erhalten. Das ist ein tausiger Kerl, der, wie ich bestimmt glaube, von hier in zwei bis drei Jahren einen außerordentlichen Weg machen wird. Er spielt bereits jedes Werk in einer erstaunlichen Art und Weise und komponiert ganz pikante Sachen." Da Tausigs Vater die Subsistenzmittel verweigerte, nahm ihn Liszt zu sich auf die Altenburg. Er war ein gottbegnadetes Genie, aber ein sehr ungezogener Junge. Liszt sagte oft zu ihm: „Karlchen, entweder wirst du ein großer Lump, oder ein großer Meister." Als er einmal in Geldnöten war, hatte Tausig die Partitur von Liszts Faustsymphonie mit eigenen Noten für fünf Taler verkauft. Gottschalg, der von der Sache hörte, kaufte sie zurück und

---

[1]) Es ging sogar in Weimar das Gerücht, Liszt wolle sie heiraten. Mit der Fürstin gab es bis zu ihrem Weggang von Weimar um ihretwillen (wie später anderer Künstlerinnen wegen) heftige Verstimmungen.

kam gerade damit auf der Altenburg an, als das ganze Haus wegen des Verlustes des noch ungedruckten Manuskriptes in größter Aufregung war. Ähnliches soll Tausig öfters praktiziert haben, doch sah ihm Liszt seines großen Talents wegen diese Unarten immer wieder nach.

Im Herbst folgte Liszt noch zwei Einladungen nach auswärts. Am 26. September wohnte er dem Konzert zur Feier der Einweihung der neuen Orgel des Merseburger Doms bei, in dem sein Schüler Winterberger seine aus diesem Anlaß geschaffene Fuge über B-A-C-H zum Vortrag brachte, und drei Wochen später (18. Oktober) dirigierte er auf Einladung Abts in einem Konzert zu B r a u n s c h w e i g seinen Orpheus und Prometheus, die einen nachhaltigen Erfolg errangen. Zu seinem Geburtstage (22. Oktober) war Liszt wieder in Weimar. Hier wartete seiner eine sinnvolle Überraschung: Am Abend des Festtags war Einladung von über 100 Personen auf der Altenburg, wobei nach dem Souper ein Festspiel „Des Meisters Walten" aufgeführt wurde. Der Verfasser war ein ungarischer Pfarrer namens Gustav Steinacker, der sich Liszts wegen in Weimar niedergelassen hatte, wo er Goethes Gartenhaus bewohnte. Dieses Festspiel schilderte Liszts umfassende Wirksamkeit als Künstler und Mensch in einzelnen lebenden Bildern mit verbindendem Text. Die Tableaux stellte Prof. P r e l l e r. Die Handlung war begleitet und zuweilen unterbrochen durch Musikstücke, die nach Andeutungen des Verfassers aus Werken Liszts und derjenigen Männer, für deren Anerkennung er gekämpft, zusammengestellt waren. Den Höhepunkt bedeutete das Schlußbild, in dem Prinzeß Marie als Genius der Freude in griechischem Gewand Liszts Büste mit der ihm in Ungarn geschenkten goldenen Krone bekränzte, wozu Liszts Festklänge ertönten. Anderen Tages fand eine Geburtstagsfeier im Neu-Weimar-Verein statt, bei der Genast mit längerer Rede, in der er Liszt mit Columbus verglich, einen Lorbeerkranz überreichte, auf dessen Blätter die neuesten Werke Liszts mit goldenen Buchstaben verzeichnet waren. Gleich dem kühnen Seefahrer, sagte er, verlasse Liszt den sicheren Hafen des festen Landes und begebe sich, begleitet von wenigen, aber auserwählten Getreuen, trotz des Geschreis der Menge, trotz des Gespötts der Philister mutig auf das weite, stürmische Meer, um eine neue Welt zu suchen, deren Dasein ihm durch göttliche Offenbarung kund geworden. Zum Schluß seiner Rede deutete er auf die grünen Blätter des Kranzes und verglich die darauf verzeichneten Werke Liszts sinnreich mit den grünen Inseln, die er auf seiner mühevollen Fahrt entdeckt habe als hoffnungsvolle Anzeichen des nahen Landes. Liszt erwiderte darauf, daß er dem Vergleich insofern zustimme, als er sich unter die Zahl der getreuen Matrosen rechne, die anderen Führern in die neue Welt folgten. Bei Gründung des Neu-Weimar-Vereins sei vor seinen Ohren zum erstenmal der Ruf „Land" erklungen, da er gesehen, daß eine Anzahl

Männer, die wüßten, was sie wollten, sich zu ernstem kräftigen Streben verbunden habe. Noch viel sei zu überwinden, bis man hoffen dürfe, das ersehnte Land zu erreichen, und der bevorstehende Kampf sei nicht sowohl
gegen Sturm und Wetter, als vielmehr gegen ein totes, sumpfiges Meer zu
führen, das sich jedem rüstigen Fortschreiten entgegenstelle. Doch dürfe man
keinen Augenblick den Mut verlieren und müsse stets eingedenk sein, daß alle
Waffen der Gegner sich dereinst gegen sie selbst kehren würden. Unseres
Strebens dürften wir uns nicht schämen, solange wir ihm in Ehrbarkeit, Bescheidenheit und Ehrlichkeit treublieben, und bei aller Ehrfurcht gegen die
großen Meister der Vergangenheit (die alle ihrer Zeit auch „Zukunftsmusiker"
gewesen), dürften wir nicht vergessen, daß es dem lieben Gott gefallen habe,
auch uns zu schaffen, und daß es unsere Pflicht sei, für das Unvergängliche,
Göttliche in der Kunst, das sich zu jeder Zeit in der Menschheit offenbare,
mutig in den Kampf zu gehen! Nachdem er alle aufgefordert, wie bisher so
auch fernerhin fest zusammenzuhalten, brachte er dem Verein ein lautes Hoch,
das einen freudigen und begeisterten Widerhall bei allen Anwesenden fand.
Später toastete Liszt nochmals auf den als Gast anwesenden Rubinstein, und
in frohester Stimmung wurde der festliche Abend beschlossen. — Wenige Tage
später verließ Liszts trefflicher Schüler Pruckner Weimar, um einem Ruf an
das Konservatorium in Stuttgart zu folgen. Der Neu-Weimar-Verein gab ihm
ein glänzendes Abschiedsfest.

Noch ehe sich Liszt nach Berlin begab, wo er anfangs Dezember das
5. Orchesterkonzert des Sternschen Orchestervereins mit nur eigenen Kompositionen dirigieren sollte, fiel die Entscheidung in der seit mehreren Jahren
hin und her gezerrten Berliner Tannhäuserangelegenheit. Um
zu verhüten, daß der Tannhäuser in Berlin das Schicksal seiner früheren Werke
teile, die dort nach wenigen Vorstellungen abgesetzt worden waren, hatte
Wagner die Bedingung gestellt, daß Liszt zur Einstudierung der Oper dorthin
berufen werde:

„Mir hat das Glück aber einen Freund geschenkt, wie
er selten noch dem Freundesbedürftigen verliehen
wurde: Dieser ist meine zweite Seele; was ich fühle und vermag, fühlt
und vermag er; was er für mich tut, ist mir so eigen, als täte ich es. Ich
spreche von einem der genialsten Künstler unserer Zeit, dem in Berlin selbst
einst schwärmerisch gefeierten, mir so über alles teueren Franz Liszt.
Ihm verdanke ich es einzig, daß mein Künstlername jetzt existiert, daß mich
noch Hoffnungen für mein künstlerisches Schaffen erfüllen, und daß namenlich
auch das Dasein dieses Tannhäuser Ihnen nur zur Erfahrung kommen konnte.
Wenn ich Ihnen jetzt meinen stärksten Wunsch dahin ausdrücke: Sie möchten
ganz dieselben Rechte, die Sie dem Autor in bezug auf die Aufführung seines

168

Werkes zugestehen würden, meinem Freunde Liszt übertragen — so mögen Sie bedenken, w a s Sie durch die Erfüllung dieses Wunsches bewirken! Sie geben mir die volle Sicherheit, daß mein Werk vollkommen in einem Geiste und so, wie ich es nur selbst zu erreichen vermöchte, aufgeführt werde: meinem Freunde geben Sie aber die schönste Genugtuung für sein aufopferungsvollstes Streben, meinen Werken Anerkennung zu verschaffen; Sie machen ihm es möglich, sein unter so erdrückend schweren Umständen begonnenes und mit rastloser Energie fortgesetztes Freundschaftswerk mit dem Gipfel der Erreichung zu krönen: Sie geben ihm so den Lohn, den ich zu schwach bin, seinem liebevollen Ehrgeize zu zahlen."

Da aber der Intendant von Hülsen nicht darauf eingehen wollte, hatte Wagner nach langen Verhandlungen schließlich die Partitur wieder zurückgezogen. Liszt befand sich nun in einer unangenehmen Lage, da er persönlich in dieser Angelegenheit nichts tun konnte, ohne sich bloßzustellen, das Stagnieren der Sache aber für Wagner durch den pekuniären Ausfall sich unangenehm fühlbar machte. Deshalb versuchte er, indirekt durch den Großherzog von Weimar den ihm sehr zugetanen König von Preußen für den Plan zu gewinnen. Er hoffte, daß der Tannhäuser nun vom preußischen Hof befohlen und er zur Einstudierung der Oper durch den König selbst berufen werde. Damit wäre Hülsens Widerstand gebrochen gewesen. Aber das Erhoffte geschah nicht. Da wandte sich Hülsen durch Alwine Fromman, eine Freundin Wagners in Berlin, zum letztenmal an diesen direkt. Wagner, der durch die schon Jahre anhaltende Ablehnung Berlins große pekuniäre Verluste erlitten, verzichtete nun um des Geldes willen, gedrängt von Otto Wesendonk, auf seine Forderung und gab den Tannhäuser bedingungslos für Berlin frei. Das war eigentlich eine schwere Kränkung Liszts. Aber dieser edle Mensch verstand sofort den inneren Kern der Frage und war weit davon entfernt, es Wagner übelzunehmen: „Über die Berliner Tannhäuserangelegenheit wollen wir uns keine grauen Haare wachsen lassen. Ich sah es im voraus so kommen, obschon ich für mein Teil nicht dazu beitragen konnte, noch mochte. Ich gewähre gern deinen Berliner Freunden die Befriedigung, welche sie in diesem Ausgang der Sache finden, und hoffe, daß sich noch manche andere Gelegenheiten treffen werden, wo ich Dir nicht überflüssig oder unbequem sein kann."

Am 25. November traf Liszt in Berlin ein. Es galt, die Stätte, an der er einst als Virtuos die unerhörtesten Triumphe gefeiert hatte, nun auch als Komponist zu erobern. „Über dem Künstler steht die Kunst. Als herrschender Künstler bin ich aus Berlin ausgezogen; als Diener der Kunst kehre ich wieder zurück," äußerte Liszt bei einem Toast in den damaligen Tagen. Es hatte sich in Berlin ein Komitee gebildet, in dem sich Bülow, Laub u. a. befanden, das die für ihn veranstalteten Ehrungen leiten sollte. Liszt wurde von einer großen Schar Musiker am Bahnhof empfangen und ihm zu Ehren am andern Morgen eine Begrüßungsmatinee veranstaltet. Dann begannen die Proben zu dem Konzert. Das Orchester wurde ihm bereitwilligst zur Verfügung gestellt und war schnell durch Liszts liebenswürdige Art für ihn gewonnen. Am 6. Dezember fand das Konzert in dem überfüllten Saal der Singakademie statt. Der ganze Hof, und von auswärtigen Künstlern Joachim, Rubinstein, Singer u. a. wohnten ihm bei. Das Programm enthielt: 1. Les Préludes. 2. Ave Maria für gemischten Chor mit Orgel. 3. Klavierkonzert Es-dur (Hans von Bülow). 4. Torquato-Tasso. 5. XIII. Psalm für Solo, Chor und Orchester. Das Publikum bereitete Liszt einen sehr freundlichen Empfang und nahm die Werke beifällig auf. Zum Schluß wurde er dreimal gerufen. Doch die Presse zerpflückte anderen Tags den Lorbeer auf die unbarmherzigste Weise. Die meisten Blätter wiesen klipp und klar nach, daß Liszt sich auf einer falschen Bahn befände und unfähig sei, etwas Ordentliches zu schaffen. Doch ließ sich Liszt dadurch nicht deprimieren. Er meinte nur: „Im übrigen sehe ich mehr und mehr, wie traurig es ist, in dieser Welt Ideen zu haben, welche nicht die der Allgemeinheit sind, und bis zu welchem Grade peinlich die Stellung eines Musikers von meinem Schlage ist. Doch was auch kommen mag, ich werde versuchen, meine Pflicht zu tun." Nach dem Konzert fand ein Festmahl statt, an dem 300 Personen teilnahmen. Liszt erwiderte auf die vielen Ansprachen und schloß mit den Worten: „Die Ehre aber, die mir heute zuteil wird, zähle ich zu den freudigsten meiner künstlerischen Laufbahn!" — Nachdem er noch einige Tage mit seinen Kindern bei Bülow verbracht hatte, während deren ihm dieser seine aufkeimende Liebe zu Cosima gestand, und auf Aufforderung Hülsens an einigen Klavierproben des gerade in Vorbereitung befindlichen Tannhäuser teilgenommen hatte, kehrte er am 14. Dezember wieder nach Weimar zurück. Doch schon anfangs Januar weilte er von neuem in Berlin, um der Première des Tannhäuser beizuwohnen und Wagner ausführlichen Bericht über Aufführung und Aufnahme zu übermitteln.

Von hier begab er sich direkt nach W i e n , wo er die Leitung des M o - z a r t f e s t e s übernommen hatte. Es bestand aus zwei großen Konzerten (am 26. und 28. Januar) Mozartscher Werke, denen eine festliche Menge, an ihrer Spitze Kaiser und Kaiserin, beiwohnten. Schon nach dem Schlusse der g-moll-Symphonie wurde Liszt lebhaft gerufen, am Ende des Konzertes aber brach stürmischer Zuruf und jubelnder Beifall aus. Liszt mußte sich zweimal zeigen. Zuletzt nahm man den Kranz, der die Mozartbüste seither geschmückt hatte, herab, und der Bürgermeister überreichte ihn Liszt unter dem Jubel des Hauses. Zur Erinnerung an das Fest übergab der Gemeinderat dem Künstler einen silbernen, reich vergoldeten Taktstock und eine hierfür geprägte goldene Erinnerungsmedaille. In Wien verkehrte Liszt viel mit seinem Vetter Eduard, und ihr seit 1851 bestehendes herzliches Verhältnis wurde neu bekräftigt. Durch ihn machte er auch die Bekanntschaft des jungen Musikers Johann H e r b e c k , der damals zwar nur einen kleinen Kirchenchor leitete, an dem Liszt aber später einen eifrigen Verehrer und Förderer gewinnen sollte.

Nach Weimar zurückgekehrt, mußte er die Proben zu dem neueinstudierten Cellini eifrigst in Angriff nehmen. Dieser ging in Anwesenheit B e r l i o z' am 16. Februar als Festvorstellung für die Großherzogin Mutter wieder in Szene. Berlioz hatte einige Tage zuvor ein Konzert in Gotha geleitet, bei dem Liszt zugegen gewesen, und führte jetzt auch in Weimar in einem Konzert zugunsten des Orchester-Pensionsfonds erstmalig seinen ganzen F a u s t auf. Die Aufnahme war eine enthusiastische, und Berlioz wurde dreimal gerufen. Bei dem diesmaligen Aufenthalt hörte Berlioz auch den Lohengrin — und verließ gelangweilt das Theater. Alle Versuche Liszts, ihn der Wagnerschen Muse zu nähern, blieben erfolglos. Wagner urteilte ganz richtig: „Mich wird er n i e recht kennen lernen; die Unkenntnis der deutschen Sprache wehrt ihm dieses; er wird mich immer nur in trügerischen Umrissen sehen können." Es sprach bei Berlioz in seiner Abneigung gegen die Wagnerschen Werke auch eine gewisse Rivalität mit, und er trug es Liszt sehr nach, daß dieser seinem Nebenbuhler den Weg zum Erfolg bereitet hatte. Berlioz' Mißstimmung gegen Wagner wirkte auch erkältend auf sein Verhältnis zu Liszt. Hörte zwar mit Berlioz' zunehmender Verbitterung und Undankbarkeit gegen Liszt ihr bisheriger intimer Verkehr allmählich auf, so blieb doch Liszts stetiges Eintreten für die Berliozschen Werke davon unberührt. Der Fürstin Wittgenstein gegenüber äußerte Berlioz während seines Weimarer Aufenthaltes eines Tages seine große Vorliebe für Virgil und meinte, daß das erste und vierte Buch der Aeneide einen wundervollen Vorwurf zu einem musikalischen Drama abgeben würde. Die Fürstin unterstützte ihn in diesem Plan und eine eifrige Korrespondenz in den nächsten Monaten legt davon beredtes Zeugnis ab, welch beträchtlichen Anteil sie an dem Zustandekommen des Werkes, das den Titel T r o j a n e r erhielt und später ihr gewidmet wurde, für sich beanspruchen darf.

Mitte Juni wohnte Liszt einem Musikfest in Magdeburg bei und sprang für den erkrankten Litolff im letzten der vier Orchesterkonzerte, das u. a. die Neunte Symphonie brachte, als Dirigent ein. Tausig, Singer und Coßmann aus Weimar wirkten dabei als Solisten mit. In diesen Tagen waren übrigens auch die Partituren und Klavierauszüge von neun der Symphonischen Dichtungen zur Ausgabe gelangt. Die Zeitungen waren sofort darüber hergefallen, und eine Kritik verstieg sich sogar zu dem Satz: „Es scheint, daß Liszt wirk-

lich unfähig ist, sich von seiner Unfähigkeit als Komponist zu überzeugen."
Liszt dagegen meinte: „Wie denn auch andere über die Dinge aburteilen
mögen, so bleiben sie für mich die notwendige Entwicklungsstufe meiner
inneren Erlebnisse, die mich zu der Überzeugung geführt haben, daß E r -
f i n d e n und E m p f i n d e n nicht sogar vom Übel in der Kunst sind." An
einen Freund schreibt er ironisch: „Das Reich des Erfolges ist in Deutschland ungemein schwierig zu erschließen. Um hier ans Ziel zu gelangen, muß
man nicht nur, wie der Autor des „Propheten", das Glück haben, Talent zu
besitzen, sondern auch das Talent besitzen, Glück zu haben."

Der Weg, auf dem Liszt Neues schaffen zu können meinte, basierte auf
der Überzeugung, daß der Musiker die Anregung zum Schaffen aus außer-
musikalischen Ideen, aus den Gebieten der Literatur oder bildenden Künste
schöpfen dürfe. Liszt war also Anhänger der sogenannten P r o g r a m m -
M u s i k, aber nicht einer solchen, die sich darauf verlegt, eine Dichtung
wortgetreu musikalisch zu illustrieren, gewissermaßen dem Dichter Maler-
dienste zu leisten, sondern einer solchen, die aus der Stimmung des anregenden Werkes heraus ein s e l b s t ä n d i g e s Kunstwerk schafft. Liszt er-
niedrigte seine Kunst nicht zur Dienerin einer anderen, er begnügte sich nicht
mit dem Ausmalen von Äußerlichkeiten; an die Stelle der Tonmalerei setzt
er die T o n d i c h t u n g. Die äußeren Vorgänge sind ihm nicht das Wichtige, sondern die Stimmungen, Gefühle und Gedanken, die durch sie im Menschen hervorgerufen werden. Die Idee des Stückes wird ihm die Hauptsache,
und die Schilderung der Äußerlichkeiten betont er nur deswegen zuweilen in
seinen Kompositionen (aber als Nebensache!), um eben durch sie beim Hörer
die gewünschten Empfindungen auszulösen. Der Titel des Orpheus z. B.
will nicht besagen, daß Liszt die Orpheus-Sage musikalisch malen, sondern
die Aufnahmfähigkeit des Hörers, seine Gedanken für eine bestimmte Richtung vorbereiten wollte, auf daß er der symbolistischen Deutung, die Liszt,
den tiefen Grundgehalt der Sage ausschöpfend, in seinem Werk bietet, mit
seinem Gefühl zu verfolgen vermag. Orpheus ist Liszt das Symbol der Kunst,
die, wie der Orpheus der Sage, die wilden Tiere des Waldes, die wilden Leidenschaften des Menschen in der Brust bezähmt; Eurydike das versunkene
Ideal, das die Kunst für kurze Zeit wieder hervorzuzaubern, zum Leben erwecken kann; Mazeppa der an sein Schicksal gefesselte Genius usw. Kurz,
Liszt geht in seinen symphonischen Dichtungen immer auf den Kern des
Themas ein, das er vom speziellen Fall zu einer allgemeinen Idee zu erweitern
und musikalisch zu vertiefen sucht. — Die F o r m, in der Liszt seine Werke
schuf, hält er von jedem Schema frei. Der dichterische Stoff bedingt die
musikalische Form. Am deutlichsten zeigt sich das in der alle anderen weit
überragenden Schöpfung Liszts, der F a u s t - S y m p h o n i e. Keiner der

172

zahlreichen Komponisten, die sich durch Goethes Faust zu musikalischen Werken anregen ließen, ist dem Dichter selbst so nahe gekommen, hat den Gehalt der Faustdichtung so restlos ausgeschöpft, wie Liszt. Er folgt nicht den Goetheschen Worten, sondern er gestaltet uns die Idee des ganzen Gedichts. Diese verkörpert sich ihm in drei Gestalten: Faust, Gretchen und Mephistopheles. So gliedert Liszt sein Werk in drei Sätze, in denen er je einen dieser Charaktere zu schildern sucht. Zunächst das mächtige Ringen Fausts, das Streben des Menschen nach Erkenntnis, sein sich kühn aufbäumender Trotz und seine vorübergehende Verzweiflung. Dann Gretchen in ihrer ganzen keuschen Jugendblüte und Innigkeit. Schließlich Mephisto, dieses Prinzip der Negation. Im Mephistosatz hat Liszt eine Meisterleistung geschaffen und gezeigt, was Programm-Musik im richtigen Sinn bedeuten kann. Wenn es selbstverständlich war, die Gestalten Faust und Gretchen durch bestimmte Themen zu charakterisieren, so bot die Gestaltung des Mephisto große Schwierigkeiten. Liszt wählte dem Geist der Dichtung folgend den Weg, Mephisto nicht durch ein eigenes Thema darzustellen, sondern ihn durch sein Tun zu kennzeichnen. Er läßt ihn, den Geist der Zerstörung, mit dämonischer Freude über die Themen Fausts herfallen und sie der Reihe nach vernichten, bis zur Unkenntlichkeit entstellen. Auch an Gretchen wagt er sich heran. Doch über sie hat er keine Gewalt, ihre Themen trotzen seinen wildesten Angriffen, an ihr scheitert seine Macht. Ganz folgerichtig hat Liszt das Werk, um ihm einen krönenden Abschluß zu geben und dem Gedanken der Dichtung völlig gerecht zu werden, durch den Chorus Mysticus beschlossen, dem als Hauptmotiv in der Solostimme das Gretchenthema unterlegt ist (wieder ganz logisch, denn ihr ist ja der Sieg zu danken), während im Chor rhythmisch das Faustthema enthalten ist. Beide sind nunmehr in Erlösung vereint. — In keiner Komposition Liszts ist die Vereinigung seines genialen Wollens mit dem Vollbringen so geglückt, wie hier. Jede Intention hat ihre treffende Verkörperung erfahren. Das ist bei Liszt sonst nicht immer im gleichen Maß der Fall. Ein großer Gedanke ist zwar stets aus Liszts symphonischen Dichtungen unschwer zu erkennen, aber er ist nicht immer schlackenlos zum Ausdruck gekommen. Er selbst empfand dies deutlich: „Niemand fühlt genauer als ich das Mißverhältnis, welches in meinen Kompositionen zwischen dem guten Willen und dem tatsächlichen Vollbringen steht. Indes ich fahre fort zu schreiben aus innerem Bedürfnis und alter Gewohnheit. Sein Ziel hoch zu stecken, ist niemand verwehrt: es zu erreichen bleibt in Frage."

Die erste Pflegestätte dieser vielgeschmähten Lisztschen Musenkinder wurden die bereits zuvor rühmlichst bekannten L o h k o n z e r t e zu Sondershausen. Hier fanden allsonntäglich von Juli bis September am Ende des geschmackvoll angelegten Parks, im sogenannten „Loh", große Orchester-

173

konzerte statt, zu denen Fremden wie Einheimischen (meist 2000 bis 3000 Personen) der Eintritt freistand. Es war dies eine Anordnung des kunstsinnigen Fürsten von Schwarzburg-Sondershausen, der die Kapelle vollständig aus eigenen Mitteln besoldete. Der bewährte Dirigent Ed. Stein (1853/64 in Sondershausen) führte auch die symphonischen Dichtungen Liszts wiederholt „mit ganz ungemeiner Begeisterung und Trefflichkeit", wie Liszt sagt, auf, und Liszt selbst war oft mit mehreren seiner Schüler zugegen.

Anfang August traf endlich von Ungarn der definitive Bescheid ein, daß Liszts Messe am 31. d. Monats zur Einweihung des Graner Doms aufgeführt werden sollte. Da er selbst die Proben leiten wollte, reiste er bereits am 8. August von Weimar nach Pest. Hier und in dem 2½ Stunden entfernten Gran rüstete er mit den vorhandenen Kräften alles für eine ehrenvolle Wiedergabe. Der endgültigen Inangriffnahme des Werkes waren langwierige Verhandlungen vorangegangen. Niederträchtige Intriguen hatten mehrfach versucht, die Aufführung der Lisztschen Messe zu hintertreiben. Die Seele der Opposition war Liszts Jugendfreund Graf Leo F é s t e t i c s , der sich ihm gegenüber auch jetzt noch als Freund gab, während er brieflich den Kardinalprimas beschwor, „nicht als Maezen dieses musikalischen Unsinns zu figurieren und seinen ruhmvollen Namen nicht dafür herzugeben, daß dieser musikalische Gallimathias gegenüber der musica sacra Protektion finde!" Nur dem mutigen Eintreten des B a r o n A u g u s z ist es zu danken, daß diese Kabalen unwirksam blieben und die Aufführung der Graner Messe zur Einweihung der Basilika zustande kam.

Am 26. August wurde unter Liszts Leitung eine öffentliche Generalprobe in Pest abgehalten, die 6000 fl. zum Bau der Leopoldstätter, heute St. Stefan-Basilika, einbrachte. Am 31. August 1856 kam die von nun an als G r a n e r M e s s e getaufte solenne Messe Liszts unter seiner Leitung im neugeweihten Dom im Beisein Ihrer Majestäten und aller Notablen Ungarns während des Gottesdienstes zur Uraufführung. Der Eindruck litt unter der schlechten Akustik der Kathedrale, bei der alle Töne sich in der Kuppel verfingen und eine Kakophonie verursachten. Erst in der am 4. September in der Stadtpfarrkirche zu Pest wiederholten Aufführung kamen alle Schönheiten des Werkes zur Geltung. Die Partitur wurde in der k. k. Staatsdruckerei zu Wien auf Staatskosten gedruckt.

Die Graner Messe bedeutet im Schaffen Liszts einen sehr wichtigen Moment: Liszt hat seine Berufung zum Reformator der Kirchenmusik, die er schon lange theoretisch anstrebte, erstmalig in die Tat umgesetzt und zwar mit günstigstem Erfolge. Er selbst schreibt an die Freundin: „Ich habe hiermit ernsthaft Fuß gefaßt als katholischer Kirchenkomponist, denn dies ist ein unbegrenztes Kunstgebiet, das eifrig zu pflegen ich die Berufung in mir fühle.

174

Für nächstes Jahr werde ich eine neue Messe schreiben, die in Kalocsa aufgeführt werden soll. Der verständige Teil der Geistlichkeit hat mich nach der ersten Aufführung meiner Messe anerkannt, und die Zahl meiner enthusiastischen Anhänger wächst unter der Geistlichkeit stetig — meine früheren und neuerlichen Studien von Palestrina, Lassus, Bach, bis zu Beethoven leisten mir beste Dienste, und ich habe das volle Vertrauen, daß ich in drei bis vier Jahren völlig Besitz ergriffen habe von der geistigen Domäne der Kirchenmusik, die seit Jahrzehnten nur durch Dutzendmittelmäßigkeiten besetzt wird, die in Wahrheit nicht ermangeln, mir vorzuwerfen, ich schreibe keine ‚Kirchenmusik' — was zutreffend wäre, wenn ihre minderwertigen und aufgeputzten Werke dafür gelten könnten. Hier handelt es sich wie auch anderswärts darum, bis auf den Grund zu gehen und in die lebendigen Quellen vorzudringen, die bis in Ewigkeit fließen werden."

Liszt verweilte nach den Festlichkeiten einige Tage in P e s t , wo er, sobald er sich öffentlich zeigte, stets mit begeisterten Eljenrufen begrüßt wurde, und dirigierte am 8. September noch ein Konzert im Nationaltheater für den Orchester-Pensionsfond, worin Les Préludes, die wiederholt werden mußten, und Hungaria zu Gehör kamen. Am Morgen desselben Tages war außerdem seine kleine Messe für Männerstimmen in der sogenannten Herminenkapelle von dem Primas selbst zelebriert worden. Bei einem Mittagsmahl, das Liszt in diesen Tagen bei den Pester Franziskanern einnahm, bei dem er übrigens auch den damaligen Bischof H a y n a l d kennen lernte, mit dem er später viel verkehrte, äußerte Liszt seine große Sympathie, die er von jeher für diesen Orden hege. Er wurde darauf zum Konfrater, zum Tertiarier des Franziskaner-Ordens ernannt, eine Auszeichnung, die ihn stolz und glücklich machte.

Veranlaßt durch Liszts Erfolge in Ungarn erließ der Intendant des Nationaltheaters, Graf Ráday, ein Preisausschreiben über 80 Dukaten für das beste Originallibretto aus der ungarischen Geschichte oder Sagenwelt, das von Liszt als Ungarische Nationaloper komponiert werden sollte. Das zweite und drittbeste Textbuch sollte den ungarischen Komponisten Erkel und Doppler überlassen werden. Doch verwirklichte sich dieser Plan, soweit er Liszt betraf, nicht. Über Wien, wo Johann Strauß am 15. September in Anwesenheit Liszts den Mazeppa spielte, und zwar mit solchem Erfolg, daß er wiederholt werden mußte, begab sich Liszt nach P r a g , wo ihm zu Ehren eine Wagnerwoche arrangiert und seine Graner Messe am 28. September gesungen wurde.

Am 1. Oktober traf Liszt wieder in Weimar ein, um es in Begleitung der Fürstin und Prinzeß Marie jedoch am 5. schon wieder zu verlassen und endlich den so lange versprochenen und immer wieder hinausgeschobenen Besuch bei W a g n e r in der Schweiz auszuführen. Nun verwirklichte er sich

175

und diesmal für längere Zeit. Doch wollte sich ihr Zusammensein leider nicht immer auf der Höhe der herrlichen Tage von 1853 halten. Der Grund hierfür lag an der Fürstin, die mit allen Berühmtheiten der Züricher Gelehrtenwelt Fühlung zu gewinnen und sie um sich zu scharen suchte. Sie veranstaltete zahlreiche Feste und Zusammenkünfte im Hotel Baur an lac, dessen erste Etage sie bewohnte. Was Zürich an bedeutenden Persönlichkeiten beherbergte, war anwesend. Dieser geräuschvolle Trubel war durchaus nicht nach Wagners Geschmack und er suchte ihm so oft als möglich aus dem Wege zu gehen. Die eigentlichen Weihestunden waren die, in denen Bruchstücke aus den Nibelungen mit Liszt am Klavier und Wagner als Sänger versucht wurden. Den Höhepunkt dieser Züricher Tage bildete der Abend des 22. Oktober, Liszts 45. Geburtstag, an dem im Hotel Baur vor einem zahlreichen, festlichen Publikum der erste Akt der Walküre mit Liszt am Flügel, Wagner als Siegmund und Hunding und der Frau des Kapellmeisters Heim als Sieglinde vollständig vorgeführt wurde. Die Aufnahme war enthusiastisch. An einem anderen Abend trug Liszt seine erst vor kurzem beendete Dante-Symphonie auf dem Flügel vor. Herwegh feierte den tiefen Eindruck dieser Stunde in zündenden Versen. Auch Wagner war heftig erschüttert. Diese „Seele des Danteschen Gedichtes in reinster Verklärung", wie er Liszts Werk nannte, wurde später Wagner gewidmet und ist von jeher sein Lieblingskind unter Liszts Tonschöpfungen gewesen. Er nannte es mit Vorliebe „unsern" oder „meinen" Dante. Mochte auch der Freund durch das gesellschaftliche Getriebe Wagner oft zu sehr entrückt sein, so daß er darüber später noch häufig Bemerkungen fallen läßt, wie: „Alles tritt mir so mühsam und allmählich ein, um am Ende gar noch mit einem Heere Züricher Professoren geteilt zu werden", oder: „Alle Schwärmerei für unsere Fürstin bringt mich nicht dazu, dieses Teufelsvolk von Professoren zu goutieren", so gab es doch auch einige Stunden, in denen sie sich ganz nahekamen. Eines Abends begleitete Liszt den Freund nach Haus, und bei dieser Gelegenheit schüttete ihm Wagner sein Herz aus über seine häuslichen Sorgen, hauptsächlich wohl über seine tragische Ehe. Da umarmte ihn Liszt plötzlich und drückte ihm einen schweigenden Kuß auf die Lippen. „Mag vieles," sagt Wagner später von diesem Augenblick, „seinen Eindruck auf mich verlieren, was du mir an diesem Abend warst, die wundervolle Teilnahme, die in deinen Mitteilungen auf jenem Nachhauseweg lag, dieses Himmlische in deiner Natur wird mir als herrliche Erinnerung in jedes Dasein hin folgen." Liszts auf ungefähr drei Wochen geplanter Besuch verlängerte sich auf die doppelte Dauer. Der wenig erfreuliche Grund war eine Erkrankung Liszts, der nahezu 14 Tage das Bett hüten mußte. „Ungeachtet meines Unwohlseins," meldet er an A. Stern, „verlebe ich hier mit Wagner prächtige Tage und durchsättige mich an seiner Nibelungenwelt, von welcher

176

unsere Handwerksmusiker und leeres Stroh dreschenden Kritiker noch keine Ahnung haben können." Den Abschluß der Festtage bildete nach Liszts Genesung ein Ende November unternommener Ausflug nach St Gallen, wohin sie der dortige Musikdirektor eingeladen hatte. Liszt, der die Gelegenheit benutzen wollte, Wagner einmal etwas eigenes mit dem Orchester vorzuführen, nahm an, und Wagner sagte die Direktion der Eroica zu.

„Hier," erzählt Wagner in der Autobiographie, „logierten wir zusammen im Gasthof „Zum Hecht", wo die Fürstin uns für diese Zeit gleich wie im eigenen Hause bewirtete. So hatte sie auch mir mit meiner Frau ein Zimmer neben dem für sie privatim bestimmten angewiesen, was uns leider aber eine höchst schwierige Nacht bereitete. Frau Caroline hatte einen ihrer schweren Nervenbeängstigungsanfälle bekommen, und um die peinigenden Hallucinationen, von denen sie dann geplagt war, fern zu halten, war ihre Tochter Marie genötigt, ihr die ganze Nacht über mit absichtlich erhobener Stimme vorzulesen. Hierüber geriet ich nun in unerhörte Aufregung, namentlich auch über die mir unbegreiflich erscheinende Rücksichtslosigkeit gegen die Ruhe des Nachbarn, welche sich in diesem Vorgange ausdrückte. In der Nacht um zwei Uhr sprang ich aus dem Bette, klingelte anhaltend einen Kellner wach, um mir in einer der entferntesten Lagen des Gasthofes ein Nachtquartier anweisen zu lassen. Wir zogen richtig um diese Stunde aus: Dieses ward nebenan bemerkt, verursachte aber keinerlei Eindruck. Sehr verwundert war ich am andern Morgen, Marie ganz unbefangen, ohne die mindesten Spuren von dem Abenteuer, wie gewöhnlich erscheinen zu sehen, und erfuhr nun, daß man in der Umgebung der Fürstin an dergleichen Exzesse vollständig gewöhnt war. — Auch hier füllte sich das Haus bald von allerlei Eingeladenen; und das Leben im „Hecht" stand dem im „Hotel Baur" bald in nichts nach."

Das Konzert selbst fand am 23. November statt. Der erste Teil unter Liszts Leitung umfaßte Orpheus und Les Préludes und zwei Gesangsromanzen von Gluck. Der zweite die Eroica unter Wagners Dirigentenstab. Liszts Kompositionen machten auf den Freund einen tiefen Eindruck: „Liszts ,Orpheus' hat mich tief eingenommen, dies ist eine der schönsten, vollendetsten, ja unvergleichlichsten Tondichtungen. Der Genuß des Werkes war für mich groß. Verdienstlicher für das Publikum waren die Préludes, sie mußten wiederholt werden. Liszt fühlte sich durch meine ungeheuchelte Anerkennung seiner Werke sehr beglückt," schreibt Wagner an Otto Wesendonk. Das Publikum bereitete beiden Meistern große Kundgebungen, und am nächsten Tag wurde ihnen in ihrem Hotel ein Festmahl gegeben. Nach diesem so unerwartet improvisierten Musikfest geleitete Wagner die Freunde noch bis Rorschach und kehrte dann allein nach Zürich zurück. Im Hinblick auf die gemeinsam verlebte Zeit berichtet er an Wesendonk: „Als Resultat des diesmaligen

Lisztschen Besuches darf ich mitteilen, daß meine Freundschaft zu ihm nicht
vermindert, sondern wesentlich gestärkt worden ist. Der liebenswürdige Eifer,
mit dem er schließlich mir bekennen mußte, meiner noch sehr bedurft zu haben,
um in die eigentlichen Tiefen meines Werkes eingeweiht zu werden, hat alle
in mir entstandene Beklemmung über manche Kundgebung einer oberfläch-
lichen Auffassung angenehm gelöst Im übrigen hat mein Umgang mit den
beiden Damen, und namentlich mit der Fürstin, schließlich doch einen günstigen Eindruck auf mich gehabt: Ich bin gegenüber der großen Herzensgüte
der Fürstin zu größerer Milde und Beherrschung meiner so sehr reizbaren
Empfindung gestimmt worden, so daß ich jetzt in meine Einsamkeit wie aus
einer Schule zurückkehre, mit dem Gefühle, etwas gelernt zu haben."

Ehe Liszt nach Weimar zurückkehrte, hielt er sich mit der Fürstin noch
längere Zeit in M ü n c h e n auf, wo sie viel mit Wilhelm von Kaulbach verkehrten, der von Liszt ein treffliches Gemälde schuf und dessen H u n n e n -
s c h l a c h t Liszt zu der in den nächsten Monaten ausgeführten symphonischen Dichtung gleichen Namens anregte. Liszt gedachte auch noch andere
Gemälde seines Freundes zu Vorwürfen für Tondichtungen zu machen, und
zwar den ganzen Zyklus, den dieser für das Berliner Museum geschaffen. Es
schwebte ihm eine Art „Weltgeschichte in Bildern und in Tönen" vor. „Mein
Gedanke, alle diese Gemälde oder einige analoge zu komponieren, bestärkt sich.
Sobald ich den Dichter gefunden habe, dessen ich bedarf, werde ich es aus-
führen. Denn alle diese Stoffe eignen sich wunderbar für die Musik wie für
die Dichtkunst." Der Plan gelangte nicht zur Ausführung. — Erst Mitte Dezember 1856 traf Liszt wieder in Weimar ein. Seine Gesundheit war noch
nicht völlig wiederhergestellt und er kränkelte den ganzen Winter hindurch.
Er hielt sich daher ziemlich zurück und widmete sich eigenen Arbeiten. Eine
Schiller-Symphonie (Ideale), die Hunnenschlacht und die Seligpreisungen
(später in das Christus-Oratorium aufgenommen) wurden zunächst in Angriff
genommen. Auch ein Text Otto Roquettes, „Die heilige Elisabeth" harrte bereits der Vertonung.

Von den Schülern verließen die bekanntesten Weimar, und alle trugen
den Ruhm ihres Meisters in die Welt. Als Ersatz kamen neu zu Liszt:
F. Schreiber, L. Hartmannn, Ratzenberger u. a. Die von Liszt längst
geplanten Orchester-Abonnementskonzerte konnten auch diese Saison nicht
verwirklicht werden, da Weimar immer noch keinen Konzertsaal besaß. Die
Quartettabende von Singer, Stoer, Walbrül und Coßmann, bei denen jetzt sehr
häufig die treffliche Sängerin E m i l i e G e n a s t (später Frau Merian) mitwirkte, blieben die einzige musikalische Gabe. Emilie Genast war eine Tochter des Regisseurs und wurde von Liszt, dessen Lieder sie als eine der ersten
öffentlich zu singen wagte, sehr verehrt und geschätzt. Er schenkte ihr eines

178

Tages ein Heft seiner Lieder mit der Inschrift: „Der liebenswürdigen und mutigen Vertreterin meiner abstrusen und schlecht zu rezensierenden Lyrik, verehrungsvoll und dankbar."

Mit der Leitung des Tannhäuser nahm Liszt am 26. Dezember 1856 seine so lange unterbrochene Tätigkeit an der Oper wieder auf und war bei dieser Gelegenheit Gegenstand lebhaftester Ovationen. Am 8. Januar 1857 folgte ein Konzert im Theater zugunsten der Orchester-Pensionskasse, in dem sich Liszts talentvoller Schüler Bronsart von Weimar verabschiedete. Hier erklangen zum ersten Male die B e r g s y m p h o n i e und Liszts zweites K l a -
v i e r k o n z e r t, A - d u r, letzteres von Bronsart, dem es in Erinnerung hieran auch später gewidmet wurde, in meisterlicher Weise auswendig zum Vortrag gebracht. Liszt wie sein Schüler wurden herzlichst gefeiert.

Nicht von gleichem Erfolg begleitet war leider das am 26. Februar in L e i p z i g stattfindende Orchester-Pensions-Konzert, dessen zweite Hälfte nur Lisztsche Kompositionen unter eigener Leitung des Komponisten brachte. Liszt hatte die Aufforderung zu diesem für ihn sehr bedeutungsvollen Abend dem Konzertmeister David zu verdanken, an dem er stets einen treuen Freund besaß. Leipzig war immer noch konservativ, von den Neueren höchstens Schumann geduldet, Neu-Weimar aber geradezu verhaßt. Liszt wurde zwar bei seinem Erscheinen freundlichst begrüßt, und auch die Préludes fanden eine beifällige Aufnahme, doch der Mazeppa ward unbarmherzig niedergezischt. Es war ein förmlicher Kampf zwischen den paar Applaudierenden und der pfeifenden und hohnlachenden Menge, die, durch den Beckenschlag in Mazeppa aufgeschreckt, in laute Heiterkeit ausbrach. Die Wahl dieses Stückes war keine glückliche, da es für die dem Neuen schon feindlich gegenüberstehenden Zuhörer in seiner titanenhaften Kraft allerhand Angriffspunkte bot. Zwischen den beiden Orchesterstücken stand das erste Klavierkonzert, mit dem Bülow einen kaum bestrittenen Erfolg errang. Drei Tage später leitete Liszt eine Aufführung des Tannhäuser in Leipzig. Nach Schluß der Ouvertüre erntete er großen Jubel. Im Verlauf des Abends wurde jedoch mehrfach demonstrativ gezischt. Der teilweise Mißerfolg des Leipziger Konzerts wurde für Liszt verhängnisvoll: die Presse klammerte sich jahrelang an diese Tatsache, die auf Liszts gesamte Komponistentätigkeit verallgemeinert wurde. Hier begann die Zeitungshetze, die sich in diesem Jahr, das allerdings reichlichen Anlaß dazu bot, zu den widerlichsten Beschimpfungen und persönlichsten Angriffen auswuchs. Man nannte Liszt u. a. einen „berüchtigten Nichtkomponisten, dessen Tonschmierereien direkt eine Herausforderung zum Zischen und Pfeifen seien". Leipzig und die größten Konzertsäle Deutschlands blieben Liszts Werken auf Jahrzehnte verschlossen.

Die journalistische Katzenmusik fand sehr rasch in W i e n ihre Fortsetzung. Hier wurden die Préludes in einem der Gesellschaftskonzerte ausgezischt und von der gesamten Presse mit Ausnahme des gesinnungstüchtigen Zellner abgelehnt. An der Spitze der Gegner marschierte Eduard H a n s - l i c k , der Liszt noch bis an sein Ende viel zu schaffen machen sollte. „Sein Aufsatz ist perfid, aber im ganzen anständig, es wäre mir übrigens ein leichtes, seine Argumentierung auf ein Null zu reduzieren, und ich halte ihn für gescheit genug, um dies auch zu wissen."

Es ist übrigens nicht uninteressant, demgegenüber festzustellen, daß Hanslick noch im Jahre 1849, ehe aus dem Saulus ein Paulus geworden oder, wie Liszt sagt, ehe er „son rôle d'importance" zu spielen hatte, in der Wiener Zeitung lebhaft für die Programmusik eintrat, ja daß er sogar noch im Oktober 1854 in einem überschwenglichen Bittschreiben Liszt für den geeigneten Gesinnungsgenossen hält, seinem Buch „Vom musikalisch Schönen" eine einführende Vorrede voranzustellen, was Liszt aber abschlug.

An das Wiener Konzert knüpfte sich noch eine andere bittere Erfahrung für Liszt an. Sein früherer Freund, der Bankier Simon L ö w y , nahm während des Lisztschen Werkes nicht seinen gewohnten Abonnementplatz ein, sondern verkroch sich in einen Winkel des Saales, wo man ihn nicht kannte. „Freundschaft ohne Mut und Flamme bleibt mir etwas Fremdes. Wann habe ich ihm denn Veranlassung gegeben, sich meiner zu schämen? Stehe ich denn nicht in der ganzen Kunstwelt als ein nobler Kerl da, der seiner Überzeugung getreu alle schnöden Mittel und gleisnerischen Umtriebe verachtend, ein hohes Ziel wacker und ehrlich anstrebt?" schreibt Liszt in gerechter Empörung an Vetter Eduard. Enttäuschungen dieser Art sollten nicht die einzigen bleiben.

Die kommenden Monate war Liszt viel leidend. Seine in Zürich aufgetretene Hautkrankheit, die sich durch immer wieder an anderen Stellen ausbrechende Geschwüre an den Beinen äußerte, zwang ihn, häufig das Bett zu hüten. Auch die Fürstin durfte wegen Rheumatismus mehrere Wochen das Zimmer nicht verlassen. Liszt versah zwar nach Möglichkeit seine Dirigententätigkeit, nur schwang er jetzt häufig den Taktstock im Sitzen, was ihm sonst ein Greuel war. Am 24. April führte er in einem Orchesterkonzert den umgearbeiteten Prometheus auf und errang einen geradezu stürmischen Erfolg. Diese Neufassung mit dem verbindenden Text von Pohl hatte sich glänzend bewährt. Am 10. Mai gab es in der Oper sogar eine Uraufführung des talentvollen jungen Musikers und späteren Weimarer Hofkapellmeisters Ed. L a s - s e n Oper: Landgraf Ludwigs Brautfahrt.

Mitte Mai begab sich Liszt nach A a c h e n . Er war wiederholt zur Leitung des N i e d e r r h e i n i s c h e n M u s i k f e s t e s eingeladen worden. Nachdem er zweimal abgelehnt, hatte man eine Deputation nach Weimar entsandt, die ihn schließlich zur Übernahme bewog. Das Fest fand vom 31. Mai

180

bis 2. Juni statt. Liszt hatte von Anfang an mit einer erbitterten Opposition zu rechnen, da eine Minderheit mit allen Mitteln versucht hatte, Hiller mit der Leitung zu betrauen. Doch hatten während des Festes selbst die Gegner wenig Glück. Liszts befeuernde Leitung führte die aus über 500 Mitwirkenden bestehende Schar trotz mancher unerwartet eingetretener Hindernisse zu einem unbestrittenen Sieg. Der erste Tag brachte Beethovens Ouverture zur Weihe des Hauses und Händels Messias; letzteren nahezu ohne Auslassungen. Bei der Aufführung wurde jedoch der Bassist heiser, so daß die meisten Arien seiner Partie gestrichen werden mußten. Frau von Milde (Weimar) erregte enthusiastischen Jubel. Der zweite Tag wies als Hauptnummern eine Bachsche Kantate, „Die Flucht aus Ägypten" aus Berlioz' L'enfant du Christe und Liszts Festklänge auf. Liszt wurde stürmisch gefeiert. Das Orchester blies Tusch und er wurde viermal gerufen. Über 200 Blumensträuße bedeckten das Podium, und die Tochter des Bürgermeisters überreichte ihm einen mächtigen Lorbeerkranz. Am dritten Tage war das Solistenkonzert, in dem Bülow Liszts Es-dur-Konzert spielte. Es fand nur geringen Anklang. Am Ende gab „Freund" Hiller durch einen Pfiff auf dem Hausschlüssel das Zeichen für eine gegen Liszt gerichtete Demonstration. Zum Schluß des Festes wurde Liszt von der Stadt Aachen eine goldene Medaille überreicht und ihm von der Menge begeisterte Ovationen dargebracht. Doch begann in der Presse Tags darauf wieder ein wahrer Hexensabbat. An der Spitze stand Hiller in der Kölnischen Zeitung mit seinen „Briefen über das Aachener Musikfest", die Liszt auf die gehässigste Weise angriffen. Dabei scheute er sich nicht, in einem Briefe an Liszt sein aus persönlichen Motiven der Rivalität entsprungenes Benehmen auch noch durch künstlerische Beweggründe decken zu wollen.

Liszts vornehme Natur litt natürlich unter solch niedriger Kampfesweise, zumal sie von ihm früher nahestehenden Persönlichkeiten angewandt wurde, unsagbar. Ironisch schreibt er nach seiner Rückkehr nach Weimar: „Nach den mancherlei Anstrengungen, denen ich mich bei dem Aachener Musikfeste unterziehen mußte, um eben der unparteiischen Kritik den deutlichsten Beweis zu liefern, daß ich mich ebensowenig zum Dirigenten als zum Komponieren qualifiziere, und höchstens Ansprüche erheben könnte auf einen bescheidenen Platz in dem Zukunftsmusik-Invalidenhospital, dessen Gründung von den Potentaten und Rettungsmännern der vereinigten Konservatorien und musikalischen Wissenschaft nächstens zu erwarten ist — (selbstverständlich dürfte dieses Institut nur in Australien errichtet werden, da bei der Liberalität der Herren die Gründer auch den Zweck verbinden, sich unbequeme und Verderbnis bringende Leute aus dem Wege zu schaffen) — kehrte ich noch etwas leidender als ich abreiste nach Weimar zurück . . ."

Doch harrte seiner ein noch viel schmerzlicherer Schlag: Von einem

181

der intimsten Freunde, mit dem ihn seit Jahren ein herzliches Band verknüpfte, von Joseph J o a c h i m, erhielt er ganz unerwartet folgenden Brief: „Ich bin Deiner Musik gänzlich unzugänglich; sie widerspricht allem, was mein Fassungsvermögen aus dem Geist unserer Großen seit früher Jugend als Nahrung sog. Wäre es denkbar, daß mir je geraubt würde, daß ich je dem entsagen müßte, was ich aus ihren Schöpfungen lieben und verehren lernte, was i c h als Musik empfinde, Deine Klänge würden mir nichts von der ungeheuren, vernichtenden Öde ausfüllen . . . So muß ich denn auch Deine letzte liebevolle Aufforderung zur Teilnahme an den Festlichkeiten in Weimar, zur Feier Karl Augusts unbefolgt lassen, ich achte Deinen Charakter zu hoch, um als Heuchler gegenwärtig zu sein."

Wie erinnerlich, hatte Joachim am 1. Januar 1853 Weimar, wo er über zwei Jahre gewirkt, verlassen, und einen Ruf nach Hannover angenommen. In Weimar hatte er sich der neuen Richtung vollständig angeschlossen, sodaß Bülow erfreut an Uhlig berichten konnte: „Joachim verspricht ein sehr heißer und tüchtiger Kämpe für die gute Sache zu werden. Wie hat sich dieser Mensch verweimaranert! oder vielmehr entleipzigert!" Man hat später versucht, das wenig taktvolle Benehmen Joachims damit zu entschuldigen, daß er von Anfang an der Komponistenrichtung Liszts feindlich gegenübergestanden und deswegen Weimar verlassen habe. Doch ist das durchaus irrig. Als er einige Wochen in Hannover weilte, schickte er Liszt seine Hamlet-Ouvertüre mit folgendem Schreiben: „Der Kontrast, aus der Atmosphäre hinaus, die durch Ihr Wirken rastlos mit n e u e n Klängen erfüllt wird, in eine Luft, die ganz tonstarr geworden ist von dem Walten eines nordischen Pflegmatikers (Intendant Graf Platen) aus der Restaurationszeit, ist zu barbarisch! Wohin ich auch blicke, keiner, der dasselbe erstrebt wie ich; keiner statt der P h a l a n x g l e i c h g e s i n n t e r F r e u n d e in Weimar. Die Kluft zwischen dem heftigsten Wollen und dem unmöglichsten Vollbringen gähnte mich verzweifelt an. Ich griff da zu Hamlet. Ja Sie werden, mein immer nachsichtiger Meister, die Partitur durchsehen und meinend, ich säße neben Ihnen, stumm wie immer, aber mit Begierde Ihrer musikalischen Weisheit zu lauschen, mir raten. 21. März 1853." Auch später übersandte er dem „Steuermann, dessen Leitung er willig folge" noch mehrere seiner Kompositionen zur Prüfung. Über Liszts ungarische Phantasie für Klavier und Orchester urteilt er noch 1854: „Die Freiheit der Form hat etwas so fesselndes, daß selbst die eingefleischtesten Klassiker mit wahrer Liebe mitzigeunerten," und er bittet am 16. November 1854 Liszt, ihm die Aufführung einer seiner symphonischen Dichtungen in Hannover zu gestatten: „Denkst Du noch an Dein Versprechen, mir eine Deiner symphonischen Dichtungen hier anzuvertrauen; wenn Du es tust, so denk' dann auch an m e i n e Freude und an die Anregung,

182

die m i r dadurch würde. Ich bilde mir ein, daß mein Fortschreiten und Gedeihen Dir nicht gleichgültig geworden sei!"

Joachim weilte alljährlich mehrere Tage, ja Wochen, als Gast auf der Altenburg, und auch Liszt besuchte ihn zweimal in Hannover. Er hatte am Musikfest in Karlsruhe teilgenommen, sich Wagner für die Nibelungen zur Verfügung gestellt, ja mit beiden Meistern das brüderliche „Du" gewechselt. Wie kam dieser plötzliche Umschwung? Als die Hetze gegen Liszt einsetzte, er und seine Werke öffentlich so gut wie diskreditiert waren, hielt es Joachim für geraten, sich im Hintergrund zu halten, von der neuen Richtung sich zurückzuziehen. Als ihn Liszt aber einlud, an Festlichkeiten in Weimar aktiv teilzunehmen, da mußte er sich entscheiden, und er schrieb jenen wenig feinfühligen Absagebrief. Ein späterer Ausspruch Liszts: „Joachim mußte sich ja von mir lossagen und mich in Berlin verleugnen, um sich dort durchzusetzen und die Stellung zu erreichen, die er jetzt einnimmt," trifft den Nagel auf den Kopf. Doch bei seiner Absage, die Liszt, der der Ansicht huldigte: „Die Schande der Undankbarkeit zu tragen, scheint mir ein schlimmeres Los als die Zwangsarbeit eines Galeerensklaven", furchtbar erschüttern mußte, blieb Joachim keineswegs stehen. Er ließ sich sogar dazu verleiten, ö f f e n t l i c h gegen Liszt, dem er so viel verdankte und dem er einst so nahe gestanden, vorzugehen. Er erließ in Gemeinschaft mit Brahms, Grimm und B. Scholz jene berüchtigte öffentliche Erklärung, in der es u. a. hieß: „Die Unterzeichneten erklären, daß sie die Produkte der Führer und Schüler der sogenannten Neudeutschen Schule, welche teils die Grundsätze der Brendelschen Zeitschrift praktisch zur Anwendung bringen und teils zur Aufstellung immer neuer unerhörter Theorien zwingen, als dem innersten Wesen der Musik zuwider, nur beklagen und verdammen können!"

Mag man sich zu dem früheren Verhalten Joachims stellen, wie man will, dieser öffentliche Angriff auf Liszt ist durch nichts zu rechfertigen und wirft auf den Menschen Joachim kein schönes Licht. Auch seine spätere Darstellung dieser Vorfälle, die in dem Satze: „Amicus Liszt magis amica musica" gipfelt, ist nur ein Beschönigungsversuch. Liszt brach den persönlichen Verkehr mit Joachim natürlich sofort ab. Auf den Künstler aber, den er den „König aller Geiger" nannte, ließ er nie etwas kommen und sprach von ihm stets mit größter Anerkennung.

Peter Cornelius charkterisierte das Verhalten der Gegner Liszts in bezug auf Rubinstein, der sich auch wenig dankbar erzeigte, sehr treffend: „Rubinstein sympathisiert mit dem neuen Liszt nur in einem: daß er Rubinsteins Werke aufführt. Da ist alles bewundernswert, aber weiter geht seine Anerkennung nicht. Diese Leute machen es mit Weimar, wie manche modernen Geister mit dem Christentum. Sie preisen dessen Früchte oder Zweige, ge-

183

nießen von ihnen und leugnen den Stamm und ignorieren die Wurzel. Eine
Weimarschule gibt es nicht für sie. Sie freuen sich nur des eigenen Vorteils
und wollen nicht einsehen, daß dieser nur eine Konsequenz von hundert anderen zusammenhängenden Bedingungen ist, deren Bestehen ihnen gleichgültig, ja widerwärtig ist."

Zu Beginn des Jahres 1857 war Daniel, Liszts begabter Sohn, von Paris,
nachdem er mit besonderer Auszeichnung bei der Konkurrenzprüfung das
Lycée verlassen hatte, nach Weimar gekommen. „Daniel wird geraume Zeit
bei uns bleiben. Er ist ein liebliches Kind — hat Verstand und Herz, einen
angenehmen Charakter und ein hübsches Äußere. Jetzt weiht ihn sein Vater
ein wenig in die musikalische Sprache ein. Aber der Knabe ist dermaßen begabt, daß er imstande wäre, trotz der Wahl einer ganz anderen Laufbahn,
wie sein Vater ebenfalls Komponist zu werden. Den Vater überraschte geradezu der feine musikalische Sinn des Kindes," berichtete die Fürstin Wittgenstein an Herweghs nach Zürich. Daniel besuchte dann Cosima in Berlin
und begab sich nach Wien zu Onkel Eduard, um an der Universität das Studium der Rechte zu beginnen. Er hatte sich die diplomatische Laufbahn erkoren. Liszt gebrauchte den Sommer über eine Badekur in Aachen, die endlich Erlösung von dem Beinübel brachte, und weilte darauf einige Tage in
Berlin, wo am 18. August in der Hedwigskirche die Trauung von Cosima mit
Hans von Bülow stattfand. Blandine hatte sich zu ihrer Mutter nach Paris
begeben, wo sie den Juristen, späteren Minister Emil O l l i v i e r kennen lernte,
der sich am 22. Oktober in Florenz mit ihr vermählte. Somit wußte Liszt
seine Kinder in sicherer Hut, und er hatte seine Verpflichtungen gegen sie
treulich eingelöst. Seine eigene Verbindung mit der Fürstin war jedoch immer
noch ungewiß. Auf die Einzelheiten des verzweifelten Ringens um ihre dauernde Vereinigung und die schweren Opfer, die ihnen auferlegt wurden, werden wir noch zurückzukommen haben. Hier sei nur erwähnt, daß die gesellschaftliche Stellung der Fürstin bereits 1857 unhaltbar geworden war. Hatte
man sich anfangs dank der Zuvorkommenheit der Großherzogin Maria
Paulowna über das „Ärgernis" hinweggesetzt, so nahm man doch allmählich,
zumal sich der Hof auch offiziell Zurückhaltung auferlegen mußte, an dem „Un-
moralischen", des gegenwärtigen Zustandes Anstoß. Die Fürstin wurde in
Weimar ziviltot gemacht, ja es kam sogar bis zum Verlachen auf der Straße.
Selbst in der Gesellschaft ereignete sich eines Tages dank der Betätigung der
christlichen Nächstenliebe von seiten des Hofpredigers Dittenberger ein peinlicher Vorfall. Als dieser bei einer Einladung des sächsischen Gesandten der
Fürstin vorgestellt werden sollte, lehnte er ab mit der Begründung, es wäre
ihm unmöglich, sich einer Dame vorstellen zu lassen, gegen die, wenn sie
zu seiner Gemeinde gehöre, amtlich einschreiten würde! Eine ähnliche Takt-

184

losigkeit ließen sich auch andere Mitglieder der Gesellschaft der Fürstin gegenüber zuschulden kommen bei den großen Septemberfestlichkeiten. Als sie das Zimmer betrat, in dem für sie ein Fenster zur Besichtigung der Enthüllungsfeier des Goethe-Schiller-Denkmals reserviert war, zog sich alles verächtlich vor ihr zurück. Liszt und die Fürstin brachen daher alle Beziehungen zur Weimarer Gesellschaft ab.

Diese Festlichkeiten fanden vom 3. bis 5. September 1857 statt. Viele berühmte Gäste hatten sich dazu eingefunden. Auch Liszts Vetter Eduard und Herbeck aus Wien waren zugegen. Am 3. September, dem 100sten Geburtstag Karl Augusts, wurde der Grundstein zu seinem Denkmal gelegt, abends Goethes Iphigenie aufgeführt. Der nächste Tag brachte die Enthüllung des Goethe-Schiller-Standbildes von Rietschel und der Wielandstatue von Gasser. Liszt hatte zu dieser Feier auf Wunsch des Großherzogs eine Art Weimarscher Nationalhymne, die bei festlichen Gelegenheiten stets gesungen werden sollte, das W e i m a r s c h e V o l k s l i e d (Text von Peter Cornelius) komponiert. Der Abend des 4. September brachte ein Festgedicht von Dingelstedt: Der Erntekranz und ein recht geschmackloses Potpourri einzelner Akte aus Werken von Goethe-Schiller mit berühmten Schauspielkräften. Der Schlußtag stand dafür ganz unter dem Zeichen Liszts. Ein großes Theaterkonzert mit bedeutend verstärktem Orchester brachte unter des Meisters Leitung nur Lisztsche Kompositionen, darunter zwei zum allerersten Mal. Schillers An die Künstler eröffnete den Abend, ohne nachhaltigen Eindruck zu hinterlassen, worauf die diesen Sommer im Verlauf von drei Wochen komponierte symphonische Dichtung D i e I d e a l e (gleichfalls nach Schiller) folgte. Das Werk befremdete; es fand zwar eine beifällige, aber kühle Aufnahme. „Ü b e r a l l e n G i p f e l n i s t R u h", eines der stimmungsvollsten und gehaltreichsten Lieder Liszts, wurde dagegen stürmisch da capo verlangt. Den zweiten Teil des Programms füllte die F a u s t - S y m p h o n i e , die hier ihre Erstaufführung erlebte. Diese Krone aller Faustmusiken und zugleich des Lisztschen Schaffens fand mit Ausnahme des Mephistosatzes eine recht verständige und von Satz zu Satz enthusiastischere Aufnahme. Dieses Konzert bezeichnete für den Komponisten Liszt wohl den Höhepunkt seiner Weimarer Tätigkeit und zugleich die letzte große Tat, die er an dieser Stätte ungehindert durch feindliche Intrigen vollbringen durfte.

Mit diesen Festlichkeiten hatte F r a n z D i n g e l s t e d t sein Amt als Intendant der Hofbühne angetreten. Der mündlichen Fürsprache Liszts beim Großherzog dankte er seine Berufung. Liszt hatte ihn schon 1850 als Dramaturgen gewinnen wollen. Von da an weilte Dingelstädt öfters zu Besuch in Weimar, 1850 war auch sein Drama „Das Haus des Berneveldt" hier gegeben worden. Ein klarer Kopf und auch dichterisch beanlagt, aber ehrgeizig und

185

rücksichtslos, und wenn es sich um sein Aufkommen handelte, ein Streber, hat
er sich zweifellos große Verdienste um Weimars Schauspiel, aber auf Kosten
der Oper erworben; sein Verdienst schlug Weimar eine Wunde, die das kurze
Aufblühen bitter bezahlen ließ; denn als sich ihm eine Chance bot weiterzu-
kommen, verließ er sofort die Stätte seines Siegs. Anfangs gestaltete sich das
Verhältnis Liszts zu Dingelstedt angenehm, und es mag auch von diesem nicht
mit Vorbedacht oder in Liszt feindlicher Absicht gehandelt worden sein, als er
die Stimmung bei Hof für sich ausnutzte. Dingelstedt war in einem für ihn
günstigen Moment in Weimar aufgetaucht. Karl Alexander hatte längst nicht
mehr das Interesse an der Oper wie zuvor. Sein Ehrgeiz war, Weimar auch
auf literarischem Gebiete wieder auf die frühere Höhe emporzuheben, ein
Unternehmen, das von vornherein zur Fruchtlosigkeit verurteilt war. Bei
seinen mannigfachen Kunstinteressen zersplitterte er die ihm in bescheidenem
Maße zur Verfügung stehenden Mittel. Warnend hatte Liszt seine Stimme erhoben: „Der prächtige Satz ‚Divide et impera' findet immer nützliche Anwendung in der Politik, aber nicht in den Fragen der schönen Künste und ihrer
Protektion. Hier ist Beharrlichkeit und bei der Sache bleiben erforderlich."
Doch vergebens. Der Großherzog wollte Deutschland eine neue Maler- und
Dichterschule geben und rief eine Institution nach der anderen ins Leben. Doch
ehe noch eine davon Lebensfähigkeit erlangt hatte, war sein Interesse bereits
erlahmt, um sich einer neuen Sache zuzuwenden. Da hierfür jedesmal neue
Geldmittel gebraucht wurden, scheiterte das frühere Projekt meist an pekuniären Schwierigkeiten. Und die Folge dieser Vielseitigkeit war, daß keiner
der sich überdies befehdenden Künste die Mittel geboten werden konnten, sich
zu einem dauernden Höhepunkt aufzuschwingen. Dabei ließ Karl Alexander
gerade d a s Gebiet, auf dem Weimar zweifellos eine Weltbedeutung gewonnen
hätte und auf dem die Vorarbeiten schon bis nahe ans Ziel gefördert waren,
die Musik, seinen Händen entgleiten. An dem größten Kunstwerk seines Jahrhunderts, W a g n e r s N i b e l u n g e n, ging er aus kleinlichen Bedenken vorüber und ließ Weimar zu einem Vorort Bayreuths herabsinken, ohne dafür auf
anderen Gebieten, auf denen es schon durch seine Vergangenheit zum Epigo-
nentum verurteilt war, irgendwelchen Ersatz finden zu können.

Noch von Zürich aus hatte Liszt, als er 1856 bei Wagner zu Besuch weilte,
dem Großherzog geschrieben: „Es dünkt mich nicht nur schicklich, sondern
notwendig und u n e r l ä ß l i c h , daß Wagners Nibelungen an e r s t e r Stelle
in Weimar zur Aufführung gebracht werden. Diese Aufführung ist ohne Zweifel keine einfache, keine leichte; sie erfordert ausnahmsweise Maßnahmen, wie
z. B. die Erbauung eines Theaters und das Engagement eines den Absichten
Wagners genau entsprechenden Personals. An Schwierigkeiten und Hinder-
nissen wird es kaum fehlen, doch geruhen Eure Königliche Hoheit nur e r n s t -

186

lich zu wollen und alles wird wie von selber gehen. Was den materiellen wie moralischen Erfolg anbelangt, so scheue ich mich nicht, die Bürgschaft dafür zu übernehmen, daß er Sie nach allen Seiten hin zufriedenstellen wird."

In Weimar, dem Hort des klassischen Dramas, sollte in einem eigens errichteten Nationaltheater die Geburtsstätte des Musikdramas, das spätere Bayreuth, erstehen. Der Großherzog war anfangs dem Plan nicht abhold, ja der Platz war bereits ausgewählt. Doch zweifelte er schließlich an dem Sieg der Sache und wollte so große Ausgaben nicht an ein nach seiner Meinung unsicheres Unternehmen wagen. So scheiterte die Angelegenheit an der Geldfrage. Dem fürstlichen Gönner fehlte gerade im entscheidenden Augenblick der Glaube an das künstlerische Bekenntnis seines Freundes. Aber mit dem Tage, an dem die endgültige Entscheidung in dieser Sache gefallen war, war auch die aufopfernde Tätigkeit Liszts an der Weimarer Oper aussichtslos geworden, seinem kühnen Ringen war damit der alles krönende Schlußstein geraubt, Ziel und Zweck genommen. Und es bedurfte nur äußerer Anlässe, um die Frage akut werden zu lassen. Liszt sah voraus, wie alles nun kommen mußte. Als er von der verhängnisvollen Unterredung mit dem Großherzog zurückkam, äußerte er zu Frau Merian in tiefster Betrübnis: „Heute hat mir der Großherzog etwas abgeschlagen, was er einst noch bitter bereuen wird." Und er hat recht behalten! Wagner gab auf die Kunde von dem Verzicht Weimars die Weiterkomposition des „aussichtslosen" Werkes zunächst auf und wandte sich dem Tristan zu, von dem er sich baldige Aufführungen versprach. Der Grund aber für das negative Verhalten des Großherzogs war, daß er das Geld für andere Kunstzweige, die ihn zurzeit lebhafter interessierten als die Musik, verwenden wollte, und zwar zunächst für das Schauspiel. In diesem Augenblick trat Dingelstedt sein Amt an und gewann sofort dadurch ein Übergewicht über Liszt. Die Oper wurde zugunsten des Schauspiels mehr und mehr zurückgedrängt, die ihr zur Verfügung gestellten Mittel immer geringer, infolgedessen auch die von Liszt beantragten Neuaufführungen, wie z. B. des „Rienzi", und Gastspiele brauchbarer Sänger häufig abgeschlagen.

Am 21. Oktober, dem Vorabend von Liszts 46. Geburtstag, wurde im Stadthaus die zehnjährige Wirksamkeit Liszts am Weimarer Theater durch ein Festessen, an dem 120 Personen teilnahmen, gefeiert. Ein darnach improvisierter Ball vereinigte die Gäste bis zum frühen Morgen. Anderen Tages beging man den Geburtstag auf der Altenburg in festlicher Weise: die Aufführung eines von Treumund (Steinacker) verfaßten Festspiels „Des Meisters Bannerschaft", in dem Liszts Verdienste um die unter seiner Führung heranwachsende Jugend verherrlicht wurden, und Musikvorträge Lisztscher Werke füllten aufs angenehmste die Zeit.

187

Einer Einladung von Chordirektor Fischer in D r e s d e n folgend, übernahm Liszt am 7. November die Leitung eines dortigen Hoftheaterkonzertes zugunsten des Opernchors. Er führte Prometheus und den Dante auf. Bülow war mit seiner jungen Gattin zugegen, und auch die Fürstin war mitgekommen. „Was hatte ich den Meister vergeblich gefleht, den Dante 1857 bei dem Dresdener Konzerte durch zugänglichere kleinere Stücke zu ersetzen! Andere Einflüsse (Fürstin) hatten die Oberhand. Der Prometheus, der gefiel, wurde von dem mißfälligen Eindruck des Dante totgemacht und das Terrain in Dresden auf lange verdorben," meldet Bülow. Einige der schlimmsten Preßangriffe, die natürlich wieder kräftig einsetzten, fertigte Bülow in dem glänzend geschriebenen Artikel „Das Literatentum mit Gewalt in der Musik" ab. Doch konnte er den Schaden, der durch die ungeschickte Wahl des Dante, der wie 1856 der Mazeppa in Leipzig an das unvorbereitete Publikum Dresdens viel zu große Anforderungen stellte, hervorgerufen war, nicht mehr ausgleichen.

Nachdem Liszt ein Weiterschreiten auf dem Pfad, für die zeitgenössische Produktion auf dem Gebiet der Oper erfolgreich einzutreten, unmöglich gemacht war, wandte er sich gänzlich den Werken der Klassiker zu, die übrigens auch bisher nicht vernachlässigt worden waren. Er wählte sich auch hier Aufgaben, die nicht alltäglich waren; so vor allem G l u c k. Nachdem er schon früher drei Werke dieses Meisters gebracht hatte, folgte am 26. Dezember neueinstudiert A l c e s t e und zwar mit nur eigenen Kräften. Das Ehepaar Milde feierte in diesem Werk einen neuen Triumph. Doch die Weimarer hatten nicht viel Verständnis für solche Leckerbissen. Berlioz schrieb sehr treffend auf die Kunde von der lauen Aufnahme an die Fürstin: „Was mich nur erstaunt, ist, daß man die Spießer ins Theater läßt, wenn man dort solche Werke aufführt. Wenn ich der Großherzog wäre, so würde ich an einem solchen Abend jedem dieser guten Leute einen Schinken schicken und zwei Flaschen Bier mit der Bitte, zu Hause zu bleiben."

Mit dem Beginn des neuen Jahres trat L a s s e n, der auf dem Konservatorium in Brüssel den ersten Preis erhalten und dessen „Landgraf Ludwigs Brautfahrt" in Weimar beifällig aufgenommen worden war, an Stelle von Musikdirektor Götze als Kapellmeister an der Weimarer Oper ein. Da Liszt an ihm neben Stör eine tüchtige Kraft unter sich besaß, zog er sich immer mehr von der Direktion zurück und trat nur noch bei besonderen Gelegenheiten hervor. So arrangierte er am 27. Januar 1858 eine M o z a r t f e i e r. Die Gegner erhoben natürlich sofort ein wüstes Geschrei: Mozart, den Liszt nicht „ausstehen könne", in der Höhle der Zukunftsmusik! Doch wie zuvor in Wien, so bewährte sich Liszt auch diesmal als einer der feinsinnigsten Interpreten Mozartscher Muse. Das Programm brachte in historischer Reihenfolge Stücke aus Mozarts Jugendoper Il Re Pastore, die g-moll-Symphonie, die da capo verlangt wurde, das Finale des II. Akts aus Idomeneus und Dies irae. Die Aufführung des Schneiderschen Singspiels Der Schauspieldirektor beschloß die würdige Feier.

Anfangs März 1858 verließ Liszt auf mehrere Wochen Weimar. Die medizinische Fakultät der Prager Universität hatte beschlossen, ein Institut zur Unterstützung dürftiger Doktoranden der Medizin zu errichten. Zur Gründung des Fonds für diesen wohltätigen Zweck sollte ein großes Konzert gegeben werden. Man wandte sich an Liszt. Mit der ihm eigenen Humanität und Bereitwilligkeit sagte er zu und traf am 5. März in P r a g ein. Das Konzert fand am 11. statt und brachte Die Ideale, das A-dur-Klavierkonzert und die Dante-Symphonie. Schon die Ideale fanden dankbare Zuhörer, am Schluß des Konzerts aber erhob sich ein wahrer Beifallssturm. Liszt wurde von der ungefähr 4000köpfigen Menge sechsmal gerufen und ihm ein Lorbeerkranz überreicht. Das Klavierkonzert spielte Tausig „admirablement", wie Liszt schreibt, und errang auch mit einer ungarischen Rhapsodie solchen Erfolg, daß er eine Lisztsche Polonaise als Zugabe spielen mußte. In einem wenige Tage später stattfindenden Konservatoriumskonzert sollte Liszts Tasso gespielt werden, und aus Gefälligkeit gegen Direktor Kittl übernahm der Meister selbst die Leitung. Im selben Konzert trug ein anderer Schüler von ihm, R. Pflughaupt, das Es-dur-Klavierkonzert vor. Tasso mußte wiederholt werden.

Von Prag aus folgte Liszt einer Einladung nach W i e n , wo er am 22. und 23. die Graner Messe dirigierte. Nach erbitterten Kämpfen und Intrigen war endlich die Aufführung durchgesetzt worden. Doch wurde sie schließlich nur dadurch ermöglicht, daß die vier Solisten von Pest herüberkamen, da den Wiener Theaterkünstlern von der Intendanz die Mitwirkung verboten ward. Man war bei Hof nicht gut auf Liszt zu sprechen, weil er sich vor zwei Jahren geweigert hatte, zu einem Hofkonzert als Solist sich engagieren zu lassen. Die Aufnahme der Messe war freundlich, und selbst die Presse, wenn auch meist absprechend, so doch sehr gemäßigt. Baron von Augusz kam von Pest herüber, durch ihn ward eine Aufklärung der Mißverständnisse, die die Verstimmung des Hofes gegen Liszt hervorgerufen hatten, erreicht. Liszt wurde daraufhin vom Kaiser in Audienz, um die er nachgesucht hatte, empfangen, um sich für den Druck der Graner Messe, der auf Staatskosten besorgt war, zu bedanken. Liszt erhielt das Ritterkreuz des Ordens der Eisernen Krone, mit dessen Verleihung die Erhebung in den erblichen Adelstand verbunden ist. Das Adelsdiplom empfing er am 30. Oktober 1858. Er hatte früher, als man ihn drängte, eine Erneuerung des der Familie verloren gegangenen Adelspatents nachzusuchen, mit der Bemerkung abgelehnt: „E d e l w e r d e n ist viel mehr denn e d e l s e i n von Eltern her". Doch auch jetzt nahm er den Adel nicht, sondern übertrug ihn mit allerhöchster Genehmigung erblich auf seinen Vetter Eduard und dessen Kinder.

Während des Wiener Aufenthalts unterhandelte Liszt auch wegen eines ungarischen Operntextes. Mosenthal sollte ihn aus „Janos", dem Buch des ungarischen Dichters Carl Beck, mit dem Titel „Janko" verfassen. Die Komposition wollte er gleich nach Beendigung der „Heiligen Elisabeth", die er im kommenden Winter fertigzustellen hoffte, in Angriff nehmen. Mosenthal lieferte den Text, doch fand er nicht den Gefallen der Fürstin; auch hatten die zahlreichen Angriffe, die gegen Liszt nach Bekanntwerden seines Buches „Die Zigeuner und ihre Musik in Ungarn" aus seinem Vaterland gegen ihn geschleudert wurden, ihm die Lust an einer ungarischen Nationaloper verdorben. Rubinstein hat später diesen Text unter dem Titel „Die Kinder der Heide" In Musik gesetzt. Sogar ein zweiter Opernplan tauchte noch in diesem Jahre auf: „K a h m e", nach einem Text Roquettes. Aber auch dieser kam nicht zur Ausführung.

Von Wien aus reiste Liszt nach P e s t, um den Solisten seiner Messe einen Dankesbesuch zu machen. Konzerte wollte er nicht geben. Doch erklärte er sich, einem allgemeinen Wunsch folgend, bereit, auch hier seine Messe zu dirigieren. Sie erklang am 10. April im großen Museumsaal. Die Einnahme bestimmte Liszt für das geplante Pester Konservatorium. Da ihm die Summe nach Abzug aller Unkosten aber zu gering erschien, legte er noch 1000 Gulden aus eignen Mitteln hinzu. Am nächstfolgenden Tage (Sonntag) wurde die Messe während des Hochamts in der Pfarrkirche wiederholt. Am selben Tag fand die feierliche Aufnahme Liszts als Konfrater in den Franziskanerorden statt. (Die Ernennung war ein Jahr vorher bereits erfolgt.) Sie bedeutete eigentlich nichts weiter als den Ehrenmitgliedstitel einer Gesellschaft und erklärte sich aus Liszts Vorliebe für die Franziskaner von frühester Jugend an.

Auf der Rückreise von Pest nach Weimar hielt sich Liszt noch ungefähr eine Woche als Gast und auf Einladung des Fürsten Konstantin von Hohenzollern-Hechingen in L ö w e n b e r g auf. Dieser hatte 1850 sein Fürstentum an Preußen abgetreten und residierte seither zu Löwenberg in Schlesien, wo er sich als eifriger Musikfreund eine vortreffliche Hofkapelle hielt. Jedem Musikverehrer stand der Eintritt zu den allwöchentlichen Hofkonzerten frei, und der neuerbaute, große Musiksaal des Schlosses war meist dicht gefüllt. Als Kapellmeister hatte er einen begabten jungen Musiker, Max Seifriz, gewonnen, der, wie sein Fürst, der Neudeutschen Richtung sehr sympathisch gegenüberstand. „Fürst von Hechingen bekennt sich offen und rückhaltlos als begeisterten Anhänger der Zukunft. Wagners Faust-Ouvertüre ist sein Ideal. Für die Symphonische Dichtung schwärmt er natürlich," berichtet Bülow.

190

Bereits am 5. März hatte Tausig in einem Festkonzert zur Feier des Namenstags des Fürsten mehrere Kompositionen seines Meisters in Löwenberg vorgetragen. Für April stand ein noch größeres Fest bevor. Der Fürst hatte Bülow als Interpreten und Liszt als Dirigenten seiner vielangefeindeten neuen Schöpfungen gleichzeitig eingeladen. Bülow war schon einige Tage früher eingetroffen und hatte bereits in einem Konzert mitgewirkt; am 25. April spielte er unter Liszt das Es-dur-Konzert und eine Polonaise. Das verstärkte Orchester vermittelte in sehr guter Ausführung die Festklänge, Tasso und Préludes. Jetzt war Fürst Konstantin für immer der Lisztschen Muse gewonnen, und Löwenberg wurde zu einem der wenigen Orte, wo man während des folgenden Jahrzehnts Lisztsche Werke stets in würdiger Aufführung hören konnte. Nachdem Liszt noch wenige Tage mit Bülows in Berlin geweilt hatte, kehrte er am 2. Mai nach Weimar zurück. Als Diener hatte er auf dieser Ruhmesfahrt, wie stets, wenn er allein reiste, den Posaunisten der Weimarer Kapelle, Große, bei sich, der ihm als treues Faktotum überallhin folgte.

Liszt widmete sich wieder seinen kompositorischen Arbeiten. Das Theater nahm ihn wenig in Anspruch, da wegen sechsmonatlicher Zurückgezogenheit der Frau von Milde an kein neues Werk gegangen werden konnte, alles andere aber nicht in seinen Bereich fiel. Im Schülerkreis gingen wieder Veränderungen vor: T a u s i g zog sich die Ungnade der Fürstin zu und wurde von der Altenburg für eine Zeitlang verbannt. Er soll sich „der Unaufrichtigkeit gegen Liszt und des Undanks gegen Hans von Bülow schuldig" gemacht haben. Liszt sandte ihn zu Wagner nach Zürich, dem sein Besuch eine große Freude bereitete. Auch Ratzenberger, Bauer und Rothfeld verließen Weimar, dafür kamen der begabte Russe Nélisoff, Dietrich und die schöne Ingeborg Stark (spätere Frau von Bronsart). Julius Reubke, der sich vor kurzem in Leipzig niedergelassen hatte, wurde den Freunden durch den Tod entrissen. Cornelius widmete ihm einen ergreifenden Nachruf. Dieser hatte sich im Herbst 1856 nach Bernhardshütte zurückgezogen, um seinen B a r b i e r v o n B a g - d a d , zu dem er den Text selbst verfaßt hat, der übrigens Liszts Mißfallen in hohem Maße erregte, zu komponieren. Zeitweise tauchte er in Weimar für kürzere Zeit auf, um im April 1858 mit der vollendeten Partitur zurückzukehren. Er übergab das Manuskript Liszt mit folgender Widmung:

„Franz Liszt, seinem Meister, Freunde und Gönner, widmet diese Blätter als ein geringes Zeichen seiner Bewunderung, seiner Liebe und Dankbarkeit am 2. April 1858 P e t e r C o r n e l i u s , Weimar."

Die Komposition fand Liszts uneingeschränkten Beifall. „Du weißt, daß Liszt gesagt hat, es habe ihn seit Berlioz' ‚Cellini' keine Opernmusik so interessiert wie die meinige," schreibt Cornelius an seinen Bruder. Der Barbier sollte gleich zu Beginn der nächsten Spielzeit in Szene gehen. Inzwischen

191

begab sich Cornelius, von Liszt mit Empfehlungsbriefen versehen, nach München, um dort eine Musikschule zu eröffnen.

Mitte Juni wohnte Friedrich Hebbel der Aufführung seiner Genoveva in Weimar bei. Er weilte bei dieser Gelegenheit auch öfters auf der Altenburg zu Gast; in seinen Briefen findet sich folgende Schilderung: „Die Fürstin ist eine ältliche Frau, aber voll Feuer und Lebhaftigkeit, ihre Tochter, die ‚Prinzessin‘, ein außerordentlich feines Mädchen mit vornehmen Zügen und Augen. — Abends war auf der Altenburg große Gesellschaft, wo Liszt spielte, was er nur selten tun soll, Zigeuner-Rhapsodien, durch die er mich allerdings auch elektrisierte. Am Klavier ist er ein Heros; hinter ihm, in polnisch-russischer Nationaltracht mit Halbdiadem und goldenen Trotteln die junge Fürstin, die ihm die Blätter umschlug und ihm dabei zuweilen durch die langen, in der Hitze des Spiels wild flatternden Haare fuhr. Traumhaft — phantastisch!" (21. Juni 58.)

Ende August verließen Liszt, die Fürstin und Tochter Weimar, um eine Erholungsreise über München in die Tiroler Berge anzutreten, die sich bis 20. Oktober ausdehnte. Nach seiner Rückkehr widmete sich Liszt alsbald wieder dem Theater. Am 30. Oktober gab es die Erstaufführung von Sobolewskis interessanter Oper C o m a l a , der am 15. Dezember 1858 Cornelius' B a r b i e r v o n B a g d a d folgte. Bei dieser Gelegenheit kam die schon lange sich immer drohender anhäufende Spannung zu einer gewaltsamen Entladung. Das Werk, der erste Versuch, ein aus dem Lisztkreise erstandenes Gebilde zur Anerkennung zu bringen, wurde durch eine, wie Cornelius schreibt, „bestellte, wohl organisierte und zweckmäßig verteilte Opposition" zu Fall gebracht. Die Demonstration richtete sich keineswegs gegen Cornelius oder seine Oper, sondern gegen die ganze Richtung und ihr Haupt Liszt. Dieser zog sofort die Konsequenz: er legte für immer den Taktstock der Weimarer Oper nieder. Daß sein Schritt einer inneren Notwendigkeit entsprang und kein aus einer vorübergehenden Verstimmung entstandener war, zeigen die Worte der Fürstin, die sie anderen Tags zu Cornelius äußerte: „Ohne noch erklären zu können inwiefern, fühle ich, daß Liszt mit dem Niederlegen des Taktstockes eine Periode seines Lebens beendet hat."

Cornelius schildert uns den Verlauf des verhängnisvollen Abends folgendermaßen: „Eine bis dahin in den Annalen Weimars noch nicht erhörte Opposition stellte sich mit hartnäckigem Zischen gleich von Anfang dem Applaus gegenüber. Am Schluß erhob sich ein Kampf von zehn Minuten. Der Großherzog hatte anhaltend applaudiert, die Zischer fuhren nichtsdestoweniger fort. Zuletzt applaudierte Liszt und das ganze Orchester. Frau von Milde riß mich hinaus auf die Bühne. Die Künstler alle nehmen enthusiastisch für mich Partei. Liszt handelt unvergleichlich an mir. Möchten doch nur alle, die sich für

192

192

mich interessieren, mit Leib und Leben für diesen Mann einstehen, welcher der Bannerträger einer neuen Zeit ist."

Woher kam plötzlich diese heftige Gegnerschaft? Was gab ihr den Mut, jetzt auf einmal, nachdem sie bereits jahrelang vorhanden, sich aber nicht an Liszt herangewagt hatte, so kühn ihr Haupt zu erheben? Es mußte ihr durch irgendeine neue Unterstützung der Kamm geschwollen sein. Und diese kam von D i n g e l s t e d t. Mag er nun, wie behauptet wird, die Zischer selbst bestellt haben oder nicht — eines steht fest, daß durch sein Verhalten gegen Liszt, durch sein Bestreben, die Blüte der Oper, die der Entwicklung des Schauspiels und damit seinen eigenen Bestrebungen verdunkelnd im Wege stand, zu brechen, die Oppositionspartei gestärkt und zum Handeln angetrieben wurde. Sein Unmut, den er deutlich merken ließ, machte einer längst vorhandenen Gruppe von Gegnern Liszts Lust und Mut, sich gegen den „unregelmäßigen" und „bedenklichen" Einfluß zu erhitzen. Künstlerische Gegnerschaft, Neid, leidenschaftliche Verstimmung, langverhaltener Groll wider Liszt und geschäftige Liebedienerei für Dingelstedt vereinigte sich zu entschlossener Opposition. Sie war an Stammtischen verabredet, an denen man sich intimer Beziehungen zu dem Generalintendanten erfreute, und von Leuten geleitet, die Dingelstedts Gunst auch noch nach diesem Vorfall genossen. „Liszt will — die Kunst, Dingelstedt — nur sich," schreibt Cornelius sehr richtig.

Zwei Tage nach dieser unglücklichen Barbier-Aufführung leitete Liszt noch eine Beethovenfeier im Theater, deren Verlauf deutlich zeigte, wie planvoll inszeniert der ganze Theaterskandal gewesen war und wie wenig Anteil daran das eigentliche Publikum hatte. Unter den Schlußtakten der Beethovenschen Ouvertüre zur Weihe des Hauses hob sich der Vorhang, und Milde trat vor, um einen von Cornelius verfaßten Prolog zu sprechen, der Beethoven als den Begründer des reinen musikalischen Strebens darstellte und zugleich eine Anspielung auf Liszts Verhältnis zu Beethoven enthielt. Bei dieser Stelle unterbrach jubelnder Applaus den Vortragenden, und am Schluß des Prologs wurde Cornelius stürmisch gerufen. Über den weiteren Verlauf des Abends berichtet uns Cornelius: „Das Konzert nimmt nun mit einer beispielwürdigen Weihe seinen Fortgang. Nach dem Schlusse der A-Dur-Symphonie erhebt sich ein Sturm — dessen Wellen erst dann sich glätten, als Liszt unter dem lautesten, enthusiastischsten Zuruf, unter einem dröhnenden Applaus wieder auf sein Pult steigt, an welchem er heute mit einer Fülle seines Dämons gestanden hatte, daß ich oft nicht wagte, ihn anzusehen — und sich dem Publikum zeigte."

In den Zeitungen tauchten die tollsten Gerüchte und Vermutungen über diese Vorfälle auf. Auch Dingelstedt wurde hart angegriffen. Um sich Liszt gegenüber zu decken, fragte er ganz naiv bei dem Meister an, „ob ihm etwas von den erwähnten Differenzen zwischen ihnen" bekannt sei. Liszt ignorierte diese Anfrage vollständig und verzichtete auf eine weitere Mitarbeit im Theater. Es ist zu bedenken, daß Liszt hierzu ja nie verpflichtet war, sondern sich f r e i - w i l l i g, um des künstlerischen Fortschritts willen, der Aufgabe unterzogen hatte. Mit dem Augenblick aber, wo man sich nicht scheute, einem Werk, das er auf die Bühne zu bringen für würdig fand, die Aufnahme zu versagen, konnte von seiner Weiterarbeit keine Rede mehr sein. Denn um nur das zu diri- gieren, was anderswo oder durch andere bereits akkreditiert war, konnte er seine kostbare Zeit nicht opfern. Man hätte annehmen müssen, daß Liszt nach dem Vorfall vom Hof aus unter irgendeiner Form eine Anerkennung, gewisser- maßen ein öffentliches Vertrauensvotum zuteil werden würde; aber nichts derartiges geschah. Sein ausführlicher Brief an den Großherzog wirft scharfe Streiflichter auf die ganze Weimarer Zeit und ist zum richtigen Verständnis der Begebenheiten von höchster Bedeutung:

„Gnädigster Herr! Eure Königl. Hoheit haben nicht nur gewünscht, son- dern befohlen, Ihnen die Bedingungen anzugeben, von denen die Wirksamkeit meiner weiteren Mitarbeit an Ihrem Theater abhängt. Als Ihr Diener ge- horche ich, doch kann ich nicht umhin, zu bemerken, daß ich damit sowohl gegen meinen Wunsch als gegen mein persönliches Interesse handele. Wie ich schon die Ehre hatte, Ihnen, gnädigster Herr, zu sagen, ist es mir unmöglich, in dieser Saison meinen Platz am Dirigentenpult bei einer anderen Vorstellung wieder aufzunehmen, als bei dem Vorspiel von Halm, für das ich in dem Falle die Musik zu schreiben versprochen habe, daß es, wie man mich versicherte, beim Weimarer Schillerfest eine Stelle finde. Es wäre mir daher erwünscht gewesen, dem von mir zu Sagenden nicht den Anschein einer heftigen Erregt- heit oder vorübergehenden Unzufriedenheit zu geben; um so mehr als es nicht unangebracht ist, daran zu erinnern, daß, wenn die neuerlichen Vorfälle als letzte Tropfen das Maß zum Überlaufen brachten, dies Maß zuvor schon voll war. In jedem Fall, ob früher oder später, hätte ich Eurer Königl. Hoheit zu bedenken geben müssen, daß, sei es mit Herrn von Dingelstedt, sei es mit jedem anderen Intendanten, die zu engen Grenzen, die ich mir gesteckt sah, mir nicht mehr erlaubten, meine bisherige, wohl oder übel ermöglichte Tätig- keit in einer Ihrer und meiner würdigen Weise fortzuführen. Ich weiß sehr wohl, daß man leichtes Spiel hat, mich als einen Verschwender, einen Phan- tasten hinzustellen, der die Bühne zugrunde richten würde, besäße er die nötige Autorität, auf ihr nach Gefallen zu schalten und zu walten. Gleichwohl hat weder im Verlauf meines Wanderlebens, noch während der zehn Jahre meiner Weimarer Tätigkeit irgend jemand das Recht gehabt, mir einen durch mich erlittenen Verlust vorzuwerfen. Fange ich's anders an als andere, so bin ich nicht der einzige, selbst im Bereich des Geschäftlichen. An den Früchten

194

kennt man den Baum, nach den Ergebnissen beurteilt man die Methode. Der Theaterkasse z. B. habe ich kein Defizit gebracht — im Gegenteil, und obwohl ich mich zu der Theorie bekenne, daß Rücksichten dieser Art, sobald es sich um Hof- oder Kunstfragen handelt, stets in zweite Reihe zu treten haben. Nicht meine Schuld ist es, wenn die Kurzsichtigen nicht erkennen, daß gewisse und zwar sehr wichtige Vorteile sich nur als Folge gewisser anderer, die vorangehen müssen, aus Rücksicht auf Rücksichten, erreichen lassen.

Es ist möglich, daß Eure Königl. Hoheit durch die zu meinen Ungunsten verbreiteten Vorurteile so weit beeinflußt sind, um meine Art und Weise ungern zu sehen und eine Unklugheit darin finden, mir das winzige Maß von Bewegungsfreiheit zuzuerkennen, das man mich zwingt zu fordern. Als die nötige Garantie würde es mir nur erscheinen, wenn Sie, gnädigster Herr, Ihre Zustimmung dazu erteilen würden, daß mir faktisch und rechtlich vorbehalten bliebe zu bestimmen:

1. Über zwölf Opernvorstellungen im Laufe einer Theatersaison, und zwar sowohl über zwei oder drei ganz neue Werke meiner Wahl, als über Wiederaufnahme von früher gegebenen Opern unter meiner Leitung oder unter der eines von mir zu bezeichnenden Musikdirektors.

2. Über eintretendenfalls zu schließende oder zu lösende Engagements im Opern- oder Orchesterpersonal.

3. Über den den Mitgliedern des Orchesters oder der Oper zu erteilenden Urlaub, nach Besprechung mit der Intendanz rücksichtlich des Repertoirs.

4. Über Abschluß des Engagements eines fremden Künstlers in der Saison für zwei oder drei von mir zu wählende Rollen.

5. Über die dem Orchester- und Opernpersonal versprochenen Avancements und Gratifikationen, was in den diesbezüglichen Anzeigen zu erwähnen wäre.

Was ich hier ausdrücklich begehre, ist mir zwar niemals ganz abgeschlagen, aber doch nur sparsam, bisweilen wie eine Art von Gnade gewährt worden, die man eher geneigt war zu verweigern, indem man den Inhalt unter Formen verhüllte, was zu Verdrießlichkeiten führte. Vermied ich seit je, Eure Königl. Hoheit mit dergleichen zu unterhalten, so geschah dies, um Sie nicht unehrerbietig in diese Wirtschaftsdetails einzumischen, die nicht ohne Unannehmlichkeit, oft zu meinem Nachteil ablaufen.

Wollen Sie mir diese erweiterte Machtbefugnis zugestehen, gnädigster Herr, so wäre dies die einfache Anerkennung dessen, daß ich ein vernünftiger, der gebührenden Rücksichtnahme auf Ihre Wünsche, wie auf andere gerechtfertigte Anforderungen zugänglicher Mann bin. Wie aber kann ich glauben, daß Eure Königl. Hoheit in meine Betätigung einiges Vertrauen setzen, wenn Sie diese Annahme abweisen? Vertrug ich mich bisher jederzeit mit den Per-

13*   195

sonen, mit denen ich zu tun habe, so liegt geringe Wahrscheinlichkeit vor, daß
dies anders werde, nachdem mir die mir schuldigen Rücksichten garantiert
worden sind.

Zudem handelt es sich keineswegs darum, die äußere Stellung irgend-
eines anderen zu beeinträchtigen. Niemand würde dadurch seine Position ge-
schmälert, seine Eitelkeit gekränkt sehen. Es ergäbe sich für mich selbst nur
die Möglichkeit, gewissenhaft das wenige zu leisten, was ich für unumgänglich halte, um dem Vertrauen Eurer Königl. Hoheit zu entsprechen, das ich zu
besitzen scheine, indem ich auf meinem Platz stehe.

Meine äußere Stellung ist so ungünstig und in mehr als einer Beziehung
so peinvoll, daß sich meinem ernsten Ausblick in die Zukunft nur neu zu er-
duldende Verluste zu eröffnen scheinen. Die geringen Ersparnisse, die ich meinen früheren Erfolgen danke, genügen mir, um ein paar Jahre in Zurückgezogenheit zu leben, wo ich mich ohne Störung, ohne tagtäglichen Verdruß, ohne die
Notwendigkeit lokaler Beziehung der Vollendung einiger großer Werke widmen kann, die Sammlung und geistige Ruhe erheischen. Daß man meinen
Kompositionen so Übles nachsagt, muß mich im Grunde nur ermutigen, denn
unbedeutende Hervorbringung bekämpft man, selbst wenn es Parteisache ist,
nicht mit so erbitterter Heftigkeit. Sie müssen also entweder sehr schlecht
oder sehr gut sein. Die tapfere Begeisterung, die sie denen einflößen, die sich
mit ihrem Studium befassen, trägt dazu bei, mich zu überzeugen, daß sie nicht
zur Kategorie von Orontes Sonett gehören. Was ich noch schreiben werde,
wird, hoffe ich, einen dauernderen Widerhall finden, als ich ihn von meiner persönlichen Mitwirkung bei Theater und Konzerten zu erwarten habe. Mit
Weiterführung meines Amtes, gnädigster Herr, gebe ich Ihnen, was keine
Summe zu vergüten vermag: meine Zeit, die mein Renomee ist. Die Dankbarkeit kann mir jegliches Opfer auferlegen, nur nicht ein unfruchtbares!

Sollte ich in einer anderen Saison wieder beim Theater eintreten, so
könnte dies — selbst wenn Eure Königl. Hoheit mir die für mein Wirken uner-
läßliche bescheidene Machterweiterung bewilligten — nur mit einem Werke geschehen, das mit der durch mich repräsentierten Richtung vollkommen in Einklang steht und neu genug ist, daß ich, wenn ich es dem Publikum vorführe,
die Verantwortlichkeit dafür zu übernehmen habe; man hat Ihnen, gnädigster
Herr, mit einer Art Geringschätzung von den ,Experimenten' gesprochen, mit
denen ich sozusagen Ihre Güte überhäufte. Es sei mir erlaubt, wiederholt
darauf hinzuweisen, daß man die Bedeutung der Theater nach ihrer Initiative
bewertet, die notwendigerweise die e r s t e n Aufführungen in sich begreift, die
man als ,Experimente' zu verleumden sucht. Vermöge dieses Grundsatzes fol-
gere ich, daß die Opern Wagners, die (dank der mir zuteil gewordenen gnä-
digen Unterstützung Ihrer Kaiserl. Hoheit) schon auf dem Repertoir stehen

196

und die gleich anderen Meisterwerken zu leiten stets ehrenvoll sein wird, meiner nicht mehr bedürfen. Die darnach streben, den Weg zum Ruhm zu beschreiten, stehen nicht vor schon eroberten Pforten still.

Welche Entscheidung Eure Königl. Hoheit auch zu treffen geruhen, ich zweifle nicht, daß es die beste sein werde. Es ist mir nicht unbekannt, daß nicht nur der Künstler, daß auch die Kunst selbst als ein unnützer Luxus gelten kann, daß ich in gewissem Sinn den Weimaranern als überflüssig erscheine, daß ich von allen Seiten nur Mißtrauen begegne, daß man mich gern in einer alltäglichen spießbürgerlichen Existenz untergehen sähe.

Die feindlichen Elemente können mich grausam verwunden, nicht aber erniedrigen, und je mehr sie mich bedrohen, um so mehr nur schulde ich es mir, und einer anderen, die mir teuerer ist als das Leben und jede Genugtuung dieser Welt, daß man einst, wenn ich nicht mehr bin, sagen könne, ich hätte ein besseres Los verdient. — Ich liebe die Einsamkeit, aber eine vollkommene, und Eure Königl. Hoheit wollen in jeder Beziehung geneigtest darüber entscheiden, indem Sie mich meines Dienstes entheben. Ich bitte nur, überzeugt zu sein, daß ich die Dankbarkeit unveränderlich bewahre, aus der ich mir stets eine Ehre machen werde, um der Freundschaft willen, die Sie, gnädigster Herr, während langer Jahre zu bezeugen geruhten

Ihrem untertänigsten und ergebensten Diener

14. Februar 1859, Weimar.   F. L i s z t."

Dieser Brief ist in einer für Liszts sonstige Art verwunderlichen Schärfe und Deutlichkeit abgefaßt und läßt klar erkennen, wie tief ihn innerlich die ganze Angelegenheit verletzte. Seine zehnjährige mühevolle Aufopferung für Weimars Ruhm und Größe hätte einen anderen Abschluß verdient.

Als der Großherzog, wie er Liszts Entlassungsgesuch entgegennahm, ausrief: „Das ist ein hübscher Dienst, den Herr von Dingelstedt uns geleistet hat!" erwiderte Liszt ruhig: „Herr von Dingelstedt ist gerade so, wie man ihn haben will."

Ganz im Innern Liszts ist in Erinnerung hieran ein Stachel zurückgeblieben, und wie rege sich auch in späteren Jahren der Verkehr mit Karl Alexander wieder gestaltet hat, die innere Herzlichkeit stellte sich nur selten ein. Solche Wunden vernarben zwar, aber sie machen sich doch wieder fühlbar. Daß man Liszt in dem Augenblick, als er darangehen wollte, die Früchte seines Tuns zu ernten, die mühevolle Kampfperiode durch die Haupttat, Wagners Nibelungen, zu krönen und dadurch Weimar für alle Zeiten seine Bedeutung zu sichern, aus Kurzsichtigkeit hindernd in den Weg trat und ihn wie irgendeinen beliebigen anderen einfach gehen ließ, bleibt tief beklagenswert.

197

III. Liszts Weggang von Weimar

Liszt hatte den R i e n z i längst in Weimar geben wollen, war aber nie mit seinem Wunsch durchgedrungen. Jetzt entstand, hervorgerufen durch ein Mißverständnis, das sich nur aus der immerhin stark ausgeprägten Charakterverschiedenheit der beiden Freunde und der gereizten Stimmung, in der sich beide damals befanden, erklären läßt, eine heftige Verstimmung mit Wagner, die vorübergehend ihre Freundschaftsbeziehungen trübte. Wagner schreibt darüber an seine Frau Minna:

„Mit dem Rienzi war es eine eigne Sache. Du weißt, wie lange dort immer schon die Oper heraus sollte. Es scheint, daß Liszt bei Hofe, namentlich durch Dingelstedt, hingehalten wurde. Ich hatte Liszt aufgegeben, mir dafür ein besonders anerkennendes Honorar auszuwirken, da meinte er schon, ich sollte es nur nicht zu streng machen, denn er habe Schwierigkeiten, überhaupt nur die Oper herauszubringen. Schon das empörte mich. Endlich schreibt mir vor einiger Zeit Dingelstedt einen offiziellen Anfragebrief wegen Rienzi, und welches Honorar ich forderte. Ebenso kurz schrieb ich ihm zurück: Ich hätte nie in Weimar ein Honorar gefordert, sondern erhalten, was man für schicklich gehalten hätte! Antwort: So biete er mir 25 Louisdor an, nach der ersten Aufführung auszuzahlen. Diesen Brief schickte ich an Liszt, machte mich etwas darüber lustig, und bemerkte nur, daß ich gewohnt wäre, von jedem Theater meine Honorare sogleich für die Partitur zu erhalten. Er ließ mich nach einiger Zeit bitten, doch Dingelstedt nicht ohne Antwort zu lassen, da dieser sehr darauf hielte. Da ekelte mich denn endlich die Sache; ich schrieb an Liszt einen Brief, den er aufweisen können sollte, und worin ich sagte, es läge mir gar nichts an der weimarischen Aufführung des Rienzi usw., gab zu verstehen, daß man mich allenfalls noch herumkriegen könnte, wenn man mir sofort ein anständiges Honorar zuschickte. Darauf — ehrlich gesagt — hatte ich es eigentlich nur abgesehen."

Sehnsüchtig harrte Wagner, der sich in größter Geldnot befand und schon alles Versetzbare aufs Leihamt getragen, auf den Erfolg seines Schreibens und die Geldsendung aus Weimar. Endlich, als er in der Sylvesternacht 1858 nachhause kommt, findet er einen Brief Liszts; erfreut stürzt er darauf zu, reißt ihn auf — und findet eine ernste Auseinandersetzung über die mißlichen Weimarer Verhältnisse und die Nachricht, daß er im Einverständnis mit seinem letzten Briefe den Rienzi in Weimar zurückgezogen habe. Der weitere Inhalt von Liszts Schreiben, seine Freude über den ersten Akt des Tristan, die Ankündigung der Dante-Symphonie und die Dedikation der Oper „Diana von Solange" durch den Herzog von Koburg — das alles klingt Wagner unter dem niederschmetternden Eindruck seiner Enttäuschung wie Hohn. Bissiger Gal-

198

genhumor kommt über ihn, die Spannung löst sich in einem Brief an den Freund, dessen Worte einem Hagelwetter gleich auf den Armen niederprasseln mußten. Die großen zittrigen Schriftzüge zeigen deutlich die starke Erregung und die Nachwirkung des Sylvesterpunsches. Wagner schreibt:

O liebster! liebster Franz!

Du antwortest mir viel zu pathetisch! Laß mich Dir meinen letzten Brief ganz humoristisch realistisch kommentieren! — Was Dingelstedt! Was Großherzog! Was Rienzi! — Alles dummes Zeug. — Ich brauch' Geld. Hätte nur der unglückliche Nachtwächter allenfalls die lumpigen 25 Ldrs. sogleich geschickt, so war mir alles gleich. Aber nun noch diese Ankündigung „nach der ersten Aufführung" — (alberner Kerl!) Du sprichst über mich viel zu zart mit den Leuten. Sag' ihnen, Wagner macht sich den Teufel aus Euch, Euren Theatern und seinen eigenen Opern; er braucht Geld; das ist alles! Hast denn auch Du mich nicht verstanden? Habe ich Dir denn nicht deutlich und bestimmt gesagt, daß ich um jeden Preis nur Geld zusammen zu treiben suche! Dich nicht gebeten, in Koburg usw. meine Opern (Lohengrin oder Fliegenden Holländer) zu vermitteln! Um Gottes Willen, was soll ich mit Diana de Solange machen? Muß ich solche offenbare Verspottung von Dir erleben? — Kein Wort? Kein Geld? —

Nun gut! Ich habe jetzt nicht zehn Gulden mehr; kann die Miete nicht zahlen; kann meiner Frau nichts schicken, die mir vor 14 Tagen schrieb, daß sie nur noch wenig habe. — Dies Alles aber ist vorübergehend. Nächste Ostern und wenn der Tristan fertig, habe ich mehr als ich brauche. Nur jetzt läßt mich alles sitzen. Alles! Alles! Nirgendsher sehe ich einer bestimmten Einnahme entgegen. — Und nun erhalte ich — — Diana de Solanges! Es ist um verrückt zu werden! Ich sehe, Du k e n n s t die Not garnicht — Glücklicher! —

Oder macht man mir Vorwürfe, daß ich nicht schlechter lebe? Mein Franz, wenn Du den zweiten Akt von Tristan sehen wirst, so wirst Du zugeben, daß ich viel Geld brauche. Ich bin ein großer Verschwender; aber wahrlich, es kommt etwas dabei heraus. — Das weißt Du. Aber denk nur daran. Und glaube nie, daß ich Querelen mit Dingelstedt, Herzog oder sonst wem, wirklich ernst nehme. Ich brauche von der Welt nur Geld; sonst habe ich A l l e s! — Den Übermutsparoxismus hast D u zu verantworten, durch Deine Freude über den ersten Akt des Tristan. Wenn Du den zweiten kennen wirst, so wirst Du mir auch verzeihen, wenn ich heute nichts anderes schreie als — Geld! Geld! — Gleichviel wie und woher. Der Tristan zahlt alles wieder! — Wenn ich ganz verrückt werde, telegraphiere ich Dir noch mit meinem letzten Napoleon! — Adieu! Gut Neujahr!

199

Schick Dante und Messe! Aber zunächst — Geld! Honorar — für Gott weiß was! Sag Dingelstedt, er wäre ein Esel, so lang er wäre. Und dem Großherzog, seine Dose sei versetzt — wahr! Er soll sie mir einlösen. —

Aber nur sonst mir nie ernsthaft und pathetisch schreiben! Gott! Ich hab doch schon letzthin gesagt, daß Ihr langweilig seid. Hat denn das garnichts gefruchtet?

Besserung zu Neujahr! Das wird eine schöne Geschichte werden! Oh! Oh! Gute Nacht!   Dein R. W."

Diesem Brief ließ Wagner zwei Tage später noch eine ernsthafte Klarlegung seiner Lage folgen und entwickelte darin den Plan einer Fürsten-Unterstützung für ihn. Liszt, dem die exaltierte Art Wagners fremd war, verstand nun den Silvesterbrief falsch und fühlte nur den verletzenden Undank und Egoismus Wagners heraus. Er antwortete:

„Um nicht mehr der Gefahr ausgesetzt zu sein, Dir durch „p a t h e t i - s c h e e r n s t e" Redensarten lästig zu fallen, schicke ich den ersten Akt des Tristan an Haertel zurück, und werde mir ausbitten, die übrigen erst nach ihrem Verlagserscheinen kennen zu lernen. —

Da die D a n t e - Sinfonie und M e s s e nicht als Bank-Aktien gelten können, wird es überflüßig, sie nach Venedig zu senden. Als nicht weniger überflüssig erachte ich auch fernerhin telegraphische Not-Depeschen und verletzende Briefe von dort zu erhalten. —

In e r n s t e r g e t r e u e s t e r

                                        Ergebenheit verbleibt Dir
4. Januar 1859.   F. Liszt.

„Liszt hat mir einen traurigen Jahresantritt bereitet," berichtete Wagner an Bülow. „Es sollte mir leid tun, wenn sein Stolz ihn davon abhalten sollte, so bald einzugestehen, daß er in einem entscheidenden Punkte gegen einen Freund sich so auffallend durch ein Mißverständnis habe täuschen lassen. Daß er dies einsehen werde, zweifle ich jedoch keinen Augenblick, und halte mich der Fortdauer seiner Freundschaft sicher, wiewohl ich wünschen muß, das Übel, an dem unsere Freundschaft offenbar leidet, den Mangel eigentlicher persönlicher Bekanntschaft und Umganges, gebessert zu sehen. Ich erkenne nämlich jetzt mehr wie je, daß ich gegen Liszt mich nicht ganz gehen lassen darf, und eine gewisse Sorgsamkeit auf mein Verhalten zu ihm verwenden muß. Mein Humor ist ihm ganz fremd."

Wagners Antwort an Liszt: „Mein Freund! Jetzt bist Du es, den ich leidend und trostbedürftig sehe. Denn die unerhörten Zeilen, die Dir jetzt an mich möglich waren, müssen aus einer furchtbaren inneren Gereiztheit entsprungen sein . . ." klärte das Mißverständnis auch sofort auf und veranlaßte Liszt zu den Worten: „Dein Gruß bringt mir wieder· das zaubervolle Vergessen von allem dem, was uns immer fernbleiben soll. Hab Dank dafür — und laß uns weiter gedulden."

Damit war diese Gefahr, die ihrer Freundschaft gedroht hatte, zwar glücklich beseitigt. Daß ein solches Mißverstehen aber überhaupt möglich war und daß das Freundschaftsbündnis in gewissem Sinne doch ein einseitiges blieb, das war nicht aus der Welt zu schaffen; die absolute Zurückhaltung von seiten Liszts, soweit sie sein Innenleben und sein Schaffen betraf, wurde nur noch verschärft. Mehrmals bat ihn Wagner dringend um sein Vertrauen; doch immer erfolglos. So am 23. Februar 1859:

„Jetzt aber, Lieber, teile Dich mir auch einmal ausführlicher mit. Über alle Deine Widerwärtigkeiten muß ich nur immer durch andere, endlich wohl gar durch Zeitungen hören. Das ist nicht recht, auch nicht, wenn Du es kurz tust. Das stellt Dich mir zu untraulich ab. Ich muß näher sehen, um zu wissen, wohin ich meine Hand legen soll, die Dich so gern freundlich berühren möchte. Daß Du zu groß, zu edel, zu schön für unser liebes Krähwinkel-Deutschland bist, daß Du unter den Leuten wie ein Gott erscheinst, dessen Glanz sie nicht zu ertragen gewohnt und gewillt sind, ist natürlich, wenn es auch erst an Dir klar werden konnte, weil nie vorher eine so lichte und wärmevolle Erscheinung in Deutschland gerade zutage kam. Aber inwiefern dieses erbärmliche Verhalten Dein Herz berührt, Dich erzürnt und erbittert, möchte ich gern wissen, ich, der ich so empfindungslos gegen ähnliche Berührungen geworden bin, daß es mir oft schwer fällt, den Fleck zu erspähen, wo diese Berührung eigentlich vor sich geht. Bedenke ich, was Du Glücklicher alles hast, welche Kronen des Lebens und der Ewigkeit sich auf Dich herabsenken, übersehe ich Dein trauliches stets Dir edel schmeichelndes Haus, doch eigentlich frei von ernstlicher, gemeiner Lebenssorge, gewahre ich, wie Du durch Deine Person, durch Deine ewig Dir geweihte Kunst alles um Dich beglückst und entzückst, so wird es mir schwer zu erkennen, wo Du eigentlich leidest. Und doch leidest Du, und leidest tief. Das fühle ich! — Sei nicht stolz und schreibe mir bald einmal, so recht voll und breit, wie ich es leider zu Deinem Verdruß gewiß Dir zu oft mache."

Der Grund von Liszts Zurückhaltung lag einmal in seiner Natur, die stets nur zu geben liebte, — eigenes Leid schweigend allein trug und stolz jede Hilfe verschmähte, daneben aber auch in der bewußten Förderung dieser Eigenschaften durch eine dritte Persönlichkeit: die Fürstin Wittgenstein.

Wir haben gesehen, daß sich schon bei dem Züricher Aufenthalt 1856 zwischen der Fürstin und Wagner dem das oben geschilderte Treiben hochgradig unsympathisch war, und der noch öfters spöttische Bemerkungen über

201

die „Professorenwirtschaft" machte, kleine Mißhelligkeiten ergaben. Das Schwerwiegendste blieb die Frage: wie stellte sich die Fürstin zu Wagner? Anfangs ging sie zwar enthusiastisch in ihrer Begeisterung für Wagner mit Liszt zusammen. Aber schon beim Lohengrin zeigten sich Gegensätze: sie fand dies Werk „durchaus lyrisch und undramatisch und weit unter dem ‚Tannhäuser‘ stehend", und auch ihr Brief an Wagner betreffs der Auffassung der Ortrud atmet wenig wagnerischen Geist. Für die theoretischen Schriften Wagners hatte sie gar kein Verständnis, ja sie ging sogar so weit, sie „des großes bêtises" (großen Blödsinn) zu nennen und jede Diskussion darüber abzulehnen. Zu den späteren Werken Wagners konnte sie, wie wir noch sehen werden, überhaupt keine Stellung mehr finden. Daneben glaubte sie in ihrem Übereifer für Liszt befürchten zu müssen, daß Wagners Ruhm den ihres Freundes überstrahlen oder schädigen könne, und hielt es daher für ihre Pflicht, mit ihrem schwerwiegenden Einfluß einer allzu engen Annäherung der beiden Meister entgegenwirken zu müssen. Ganz allmählich entfremdete sie so die beiden Freunde. Als die Fürstin kurz vor Wagners Ehekatastrophe im „Asyl" auf seinen Hilferuf an Liszt durch einen Brief an Minna und Wesendonks vermittelnd eingreifen wollte, kam es zu einer persönlichen Kränkung, die die Gegensätze noch verschärfte. Liszt wurde immer zurückhaltender, und als Wagner, der den Grund bald durchschaute, sich in einem Brief an Bülow offen darüber aussprach, kam es zu völligem Bruch zwischen ihm und der Fürstin. Er hatte an Bülow geschrieben:

„So gibt es vieles, was wir unter uns gern zugestehen, z. B. daß ich seit meiner Bekanntschaft mit Liszts Kompositionen ein ganz anderer Kerl als Harmoniker geworden bin, als ich vordem war. Wenn aber Freund Pohl dieses Geheimnis sogleich à la tête einer kurzen Besprechung des Vorspiels von „Tristan" vor aller Welt ausplaudert, so ist dies einfach mindestens indiskret, und ich kann doch nicht annehmen, daß er zu solcher Indiskretion autorisiert war? . . . Herrn Pohl möchte daher von uns beiden etwas mehr Diskretion zu empfehlen sein, denn ich glaube, er kompromittiert Liszt, wenngleich er auch die Fürstin befriedigen sollte — doch muß ich Dir im Vertrauen klagen, daß ich jetzt gar keinen rechten Stil mehr finde, Liszt zu schreiben. Ich quäle mich seit Wochen mit dem Vorhaben eines Briefes an ihn. Wohl könnte ich es mir leichter machen, denn nie erhalte ich eigentlich einen Brief von Liszt, sondern höchstens nur Antworten auf meine Briefe und diese jedesmal von ein- bis zweimal kürzer als meine Briefe. Es drängt ihn somit nichts zu mir. Rede ich ihn an, so ist er der vortrefflichste Freund, den man sich denken kann, aber — er redet mich nicht an. Woher nehme ich's nun, ihm immer wieder Anreden zu adressieren? . . . ich weiß, daß Liszts generöse Natur beim letzten Konflikt jedesmal siegt; seine im Dante

202

eingeschriebenen Zeilen bezeugten mir eine schöne Aufwallung, ein nobles Schamgefühl über seine vorangehende Schwäche, in der er vermutlich Insinuationen zu einem laueren Benehmen gegen mich gewichen war. Somit wird Liszt mir stets eine erhabene, tief sympathische, hoch bewunderte und geliebte Erscheinung bleiben; aber — an wohltuende Pflege unserer Freundschaft wird nicht viel mehr zu denken sein. Er ist mir in der Vernachlässigung dieser Pflege augenfällig vorangegangen; ich k a n n jetzt nichts anderes mehr, als ihm folgen, ich hätte ihm fortan z u v i e l z u v e r s c h w e i g e n und damit ist keine Freundschaftspflege möglich. Ich finde jetzt keine Worte mehr zu ihm. Phrasen aber mag ich ihm nicht schreiben, dazu ist er mir zu lieb. — Was zu seinem Nachteile ihn beherrscht, möge er es dadurch erkennen, daß ihm klar wird, was er dadurch notwendig verliert."

Diesen Brief schickte Bülow Liszt ein, der sich darauf zu der Fürstin, die damals gerade in Paris weilte, folgendermaßen aussprach:

„Hans teilte mir einen Brief von Wagner mit, dessen Sinn ziemlich mit Ihren Vermutungen übereinstimmt. Ohne sich geradeheraus auszudrücken, und in dem sogar eine gewisse Sorgfalt im Ausdruck bewahrt wird, die er sonst nicht beachtet, geht aus diesem Briefe klar hervor, daß er die trennen will, die Gott zusammengeführt hat, d. h. Sie und mich. Er beklagt sich über meine Zurückhaltung . . . kurz, er scheint Hans beibringen zu wollen, daß Sie auf mich einen schlechten und meiner wahren Natur widersprechenden Einfluß ausüben. Wenn es Wagner nicht wäre, der diesen albernen Gedanken erfunden hat, so würde ich mich hüten, diese Abgeschmacktheit überhaupt zu beachten. Jedesmal, wenn man versucht hat, mir in dieser Tonart zu kommen, machte ich sofort Schluß, indem ich eine solche Unwahrheit als eine dreifach mir zugefügte Beleidigung ansah. Wagner wohnt jetzt 16 Rue Newton. Vielleicht sehen Sie ihn, ich rate Ihnen fast dazu, aber behandeln Sie ihn sehr sanft, denn er ist krank und incurable. Daher muß man ihn einfach lieben und versuchen, ihm soviel als möglich dienlich zu sein."

Doch die Fürstin besuchte ihn nicht. — Liszts Stellung zu Wagner war jetzt natürlich eine ungemein schwierige. Er war gewissermaßen nach beiden Seiten gebunden. Wagner charakterisiert diesen Zustand treffend in einem Brief an Mathilde W e s e n d o n k :

„Auch an Liszt dachte ich, von dem kenne ich doch nun keinen Zug, der mir ihn nicht eigentlich liebenswürdig darstellte: die Schatten seiner Natur liegen nicht in seinem Charakter, sondern hier und da einzig in seinem Intellekt; er wird von dieser Seite her leicht beeinflußt und verliert sich in Schwäche. Seit lange habe ich ihm nicht mehr geschrieben. Ich kann einem so lieben Menschen nur intim schreiben: Geschäfte habe ich nicht mit ihm. Nun aber gewiß zu sein, unsere Innigkeiten immer vor Z w e i eröffnet zu sehen,

203

das ist doch nicht zu ertragen; es wird ja da alles auf einmal Gaukelei und Absicht. So ist's hier aber: Liszt ist ein gänzlich geheimnisvoller Mensch geworden, und nicht seine innige Einheit, sondern seine offenbar gemißbrauchte Schwäche haben ihn in eine unschöne Abhängigkeit gebracht. Ich habe ihm, oder leider vielmehr den beiden! — endlich traurig, aber bestimmt erklärt, ich könne ihm (oder ihnen) nicht mehr schreiben. Der Arme opfert nun schweigend alles und leidet alles; er glaubt nicht anders zu können, aber er liebt mich immerfort, wie er mir immer ein edler, höchst teuerer Mensch bleibt. Nun denken Sie sich, wie rührend sich dann und wann ein Gruß zu uns stiehlt. Wir finden Mittel, im Vertrauen uns dann und wann die Hand zu drücken, wie ein durch die Welt getrenntes Liebespaar."

Dies ist nun auch wirklich genau zu beobachten: Seit dem oben erwähnten Brief Wagners an Bülow treffen wir ¾ Jahre lang auf keinen Brief Liszts im Briefwechsel mit Wagner, nur ein knappes Geburtstagstelegramm. Sowie dann die Fürstin nach Rom abgereist ist, fließen die Mitteilungen wieder zahlreicher, um dann, als auch Liszt nach Rom gezogen, auf lange Jahre hinaus völlig zu verstummen. Erst als Liszt den Staub Roms wieder abgeschüttelt hatte und zeitweise allein in Deutschland lebte, treffen sich die beiden Freunde wieder, um sich jetzt bis zu ihrem Tod nicht mehr zu trennen. —

Bülow hatte in B e r l i n eine rege Propaganda für die Zukunftsmusik begonnen und hierfür mit großen Kosten eigene Orchesterkonzerte arrangiert. 1858 hatte bereits das erste stattgefunden, und am 14. Januar 1859 folgte ein zweites, das u. a. Liszts Ideale brachte. Nach diesem Stück erhob sich eine gut vorbereitete Opposition. Bülow trat an das Dirigentenpult zurück und sagte: „Ich bitte die Zischenden, den Saal zu verlassen, es ist hier nicht üblich zu zischen." Darauf verstummte der Lärm, aber in den Zeitungen entbrannte ein ernster Kampf ob dieser Anmaßung. Die Folge war, daß Bülow sofort ein zweites Konzert für den 27. Februar ankündigte, zu dem Liszt seine Mitwirkung zugesagt hatte und dessen Defizit die Fürstin begleichen zu wollen sich erbot. Liszt reiste am 24. Februar nach Berlin und sagte vergnügt beim Abschied: „Ich habe mir auf den Paß setzen lassen: Zweck der Reise: Ausgepfiffen werden!" Doch es kam anders. Schon bei seinem Erscheinen am Dirigentenpult stürmisch begrüßt, fanden diesmal die Ideale unter seiner Leitung ungeteilten Beifall, desgleichen die von Bülow vorgetragenen Klaviernummern. Liszt wohnte auch mehreren Hofkonzerten bei und wurde von den Majestäten huldvollst ausgezeichnet. Zusammen mit Bülow, der sich nach Prag begab, um das diesjährige Medizinerkonzert, das ebenfalls Lisztsche Kompositionen versprach, (Festklänge und Mazeppa), zu dirigieren, reiste Liszt von Berlin ab.

Kurz nach seiner Rückkehr verließen die Fürstin und Tochter Weimar und begaben sich für sechs Wochen nach München. Die zahlreichen Reisen der Fürstin in den früheren, wie namentlich in diesen Jahren, waren durch die Weimarer gesellschaftlichen Zustände, die sich in bezug auf ihre Person immer unangenehmer gestalteten, bedingt. In München bahnte sich der Verkehr mit Prinz Konstantin Hohenlohe-Schillingfürst, dem Flügeladjutanten des Kaisers von Österreich, an, der am 9. August des Jahres zur Verlobung mit der Prinzessin Marie führte. Liszt blieb allein auf der Altenburg, wo u. a. die Seligpreisungen, die er später in sein Christus-Oratorium aufgenommen hat, entstanden. Ende des Monats weilte Liszt für zehn Tage als Gast des Fürsten Hohenzollern in Löwenberg und wohnte am 9. Mai dem Konzert seines Schülers D a m r o s c h in Breslau bei, in dessen Rahmen der Künstlerchor sehr günstige Aufnahme fand. Ende Mai traf er zu den Vorbereitungen der Tonkünstlerversammlung in Leipzig ein, zu der auch die Fürstin und Tochter sich einstellten.

Die Gelegenheit des 25jährigen Jubiläums der einst von Schumann begründeten Neuen Zeitschrift für Musik hatte ihrem jetzigen Leiter Brendel den Gedanken eingegeben, eine große Erinnerungsfeier zu veranstalten und dazu eine mit musikalischen Aufführungen, mündlichen Vorträgen und Besprechungen verbundene T o n k ü n s t l e r - V e r s a m m l u n g nach Leipzig einzuberufen. Diese fand vom 1.—4. Juni 1859 statt. Ging die Anregung auch von einer bestimmten Richtung aus, so sollten doch keineswegs parteiliche Sonderinteressen gefördert werden; im Gegenteil, die Versammlung wollte zur Überbrückung der schroff aufgetretenen Gegensätze beitragen. Fürst Konstantin von Hohenzollern-Hechingen hatte Brendel durch Liszt eine große Summe zur Verfügung gestellt, um die ziemlich beträchtlichen Unkosten der musikalischen Veranstaltungen bestreiten zu können, so daß alle Festlichkeiten bei f r e i e m Eintritt für die Gäste stattfanden.

Ein F e s t k o n z e r t am Abend des 1. Juni im Stadttheater eröffnete die Feierlichkeiten. Der leitende Gedanke des Programms war, wie der von Adolf Stern gedichtete Eröffnungsprolog ausführte, in kurzen, aber charakteristischen Hauptzügen ein Gesamtbild der hervorragendsten Bestrebungen der Nach-Beethovenschen Periode zu entwerfen. Die erste Hälfte des Programms: Mendelssohns Ouvertüre zu Meeresstille und glückliche Fahrt, Arie aus Berlioz' Cellini, Duo von Schubert (Bülow und David) und die Manfred-Ouvertüre von Schumann dirigierte der Leipziger Kapellmeister Riccius, während die zweite: Wagners Tristan-Vorspiel, Schumanns Melodram Heideknabe, Duett aus Holländer, Klavierstücke von Chopin und Liszt (Bülow), Lieder von Robert Franz (Herr von Milde) und Liszts Tasso von Liszt geleitet wurde. Er wurde zum Schlusse viermal gerufen und der Tasso da capo verlangt, ein Begehren, dem der vorgerückten Stunde wegen jedoch nicht entsprochen werden konnte.

205

Ein geselliges Zusammensein hierauf im Schützenhaus brachte die einzelnen Festgäste einander näher. Der zweite Tag bot nachmittags Liszts Graner Messe vor ungefähr 3000 Zuhörern in der Thomaskirche unter Leitung des Komponisten und daran anschließend das offizielle Festmahl im Schützenhaus. Unter vielen anderen Reden toastete Dr. A m b r o s (Prag) auf Liszt, den „Beschützer und Erhalter der Kunst". Den dritten Tag hatte man wissenschaftlichen Vorträgen und beratenden Sitzungen eingeräumt.

Den eigentlichen Kern der Verhandlungen bildete ein von Louis K ö h l e r offiziell eingebrachter, aber von Liszt angeregter und in längerer, glänzender Rede begründeter Antrag betreffend „D i e G r ü n d u n g e i n e s a l l g e - m e i n e n d e u t s c h e n M u s i k v e r e i n s aus der Vereinigung aller Parteien, zum Zwecke, das Wohl der Musikverhältnisse und der Musiker tatkräftig zu fördern." Dieser Antrag wurde nach längerer Debatte am folgenden Tag zum Beschluß erhoben. Es wurde eine Kommission von sieben Vertrauensmännern, darunter Liszt, Brendel, Köhler, Ambros und andere, gewählt, die die Vorarbeiten erledigen, die Statuten aufsetzen sollten; alles weitere blieb einer späteren Versammlung vorbehalten, die in noch zu bestimmender, durch die Neue Zeitschrift für Musik bekanntzugebender Zeit in Leipzig zusammentreten sollte. Den Abschluß des dritten Tags bildete Bachs h-moll-Messe unter Leitung des Leipziger Musikdirektors Karl Riedel in der Thomaskirche, die des vierten eine Festvorstellung von Schumanns Genoveva im Stadttheater. Damit erreichte das in jeder Hinsicht bedeutungsvolle Fest sein Ende. Anderen Tags schloß sich für die aus nicht allzu großer Ferne herbeigekommenen Musiker noch ein gemeinsamer Ausflug nach Merseburg an, wo ein Orgelkonzert stattfand, bei dem Liszt mit Ferd. David ein Adagio von Bronsart für Orgel und Violine zum Vortrag brachte. Dann schlug auch für die ausdauerndsten der Festgäste die Trennungsstunde.

Kaum war Liszt nach Weimar zurückgekehrt, als die Residenz durch das Hinscheiden der Großherzogin-Mutter (23. Juni 1859) in tiefe Trauer versetzt wurde. In Maria Paulowna verlor Liszt eine wahre Freundin und Förderin seiner Pläne. Sie war es, die ihn ehemals an Weimar gefesselt hatte und deren reifem Kunstverständnis er die Erfolge der ersten Weimarer Jahre verdankte. Auch in der Ehescheidungsangelegenheit der Fürstin hatte sie sich als treue Freundin bewährt. Der Neu-Weimar-Verein hielt für sie eine Gedächtnisfeier ab, in der Liszt seine Rede mit den nur zu wahren Worten schloß: „Mit dem heutigen Sarge ist Alt-Weimar begraben." — Was übrigens den Verein anbelangt, so ließ er seit längerer Zeit viel zu wünschen übrig. Seit dem Eintritt Dingelstedts und seiner sich bald anbahnenden Spannung mit Liszt war das Vereinsleben sehr mangelhaft. Liszt erschien nur noch selten und nur bei besonderen Anlässen.

206

Schon am 15. Oktober fand die Hochzeit der Prinzeß Marie mit Fürst Hohenlohe statt, und der „gute Engel der Altenburg", wie man sie nannte, verließ Weimar, um nach Wien überzusiedeln. Hiermit fiel auch für Liszt und die Fürstin der zwingende Grund fort, ihre unangenehme Lage in Weimar weiterhin zu erdulden, und er trug sich bereits damals lebhaft mit dem Gedanken, Weimar zu verlassen, wie folgender Brief an den Großherzog zeigt:

„Die Nachrichten, welche ich in der Scheidungsangelegenheit erhalte, beweisen klar, daß eine geheime böse Absicht fortfährt, dabei zu herrschen. Unter diesen Umständen ist meine Stellung in Weimar unhaltbar. Solange es sich darum handelte, eine minderjährige Tochter gegen stärkere Gewalten zu schirmen, hat man das Unerträgliche ertragen; aber gegenwärtig sehe ich voraus, daß ich, trotzdem es mir schwer fallen würde Sie zu verlassen, mir demnächst fern von Weimar einen Lebensmodus werde suchen müssen, der anderwärts für mich weniger beschwerlich sein wird als hier, — weniger systematisch hinderlich nach außen und gedrückt im Inneren."

Dies mag wohl auch der Grund gewesen sein, daß sich Liszt gegenüber der wiederholt ausgesprochenen Absicht des Großherzogs, anläßlich der Schiller-Zentenarfeier am 10. November endlich die Goethe-Stiftung zur Tat werden zu lassen, sehr passiv verhielt. Er hatte zehn Jahre umsonst dazu gedrängt, und nach den bisherigen Erfahrungen glaubte er nicht mehr an eine ernste Durchführung des Plans. Zur Feier von Schillers hundertstem Geburtstag hatte Liszt, der von jeher ein großer Verehrer des Dichters war, sich bereit gefunden, zu Halms Festspiel ‚Vor 100 Jahren', die Musik zu schreiben und selbst zu dirigieren, desgleichen ein Festlied im Volkston zu einem Text von Dingelstedt. In einem Orgelkonzert des Weimarer Organisten Professor Töpfer kamen auch zwei neue Kompositionen Liszts zur Aufführung: der 23. und 137. Psalm, die tiefe Ergriffenheit weckten. Auch ein literarisches Werk hatte diesen Sommer die Presse verlassen, das schon öfter zitierte Buch: Die Zigeuner und ihre Musik in Ungarn. Es erregte in Ungarn böses Blut, weil man sich aus falschem Patriotismus daran stieß, daß Liszt die ungarische Musik auf fremde Ursprünge zurückführte.

Zu Ende des Jahres traf Liszt noch ein harter Schlag. Sein Sohn Daniel, der seine Universitätsferien bei seiner Schwester Cosima von Bülow in Berlin verbrachte, erkrankte schwer an einem Brustleiden, dem er am 15. Dezember im Alter von 20 Jahren erlag. Liszt war zwei Tage zuvor auf die beunruhigende Nachricht hin in Berlin eingetroffen. In seinen Armen verschied der Sohn. Seine letzten Worte waren: „Je vais préparer vos places!" Auf dem katholischen Friedhof in der Liesen-Straße wurde er bestattet. Liszt weihte dem Andenken des so früh entrissenen, hochbegabten und allseitig beliebten Kindes sein ergreifendes Tonstück „Les Morts". —

207

Da die Scheidungsangelegenheit der Fürstin immer noch auf Widerstand bei den kirchlichen Behörden stieß, beschloß sie, um dem ersehnten Ziel endlich näher zu kommen, sich selbst nach Rom zu begeben, um an Ort und Stelle die Einwilligung der Kirche zu ihrer Vermählung mit Liszt zu erreichen. Am 17. Mai 1860 verließ sie Weimar. Liszt blieb auf der Altenburg zurück, um hier ihre Rückkehr abzuwarten, die spätestens im Herbst erfolgen sollte. Er widmete sich eifrig der Umarbeitung früherer und der Vollendung neuer Werke. Der 13. P s a l m und die H e i l i g e E l i s a b e t h beschäftigten ihn zunächst. Daneben entstanden noch einige Lieder (u. a. „Drei Zigeuner"). Liszt litt anfangs schwer unter der Trennung von Carolyne, deren mutiges Ringen um ihr Glück ihn sehr erschütterte. Infolge der fortwährenden Aufregungen und Nervenanspannungen, die die Berichte über den schwankenden Fortgang ihrer Angelegenheit in Rom hervorriefen, war Liszt meist in gereizter oder melancholischer Stimmung. In diesen Tagen nahm er oft seine Zuflucht zu einem gefährlichen Beruhigungsmittel, an das er sich während seiner anstrengenden Virtuosenreisen zur Überwindung der Strapazen gewöhnt hatte, dem Kognak. Bei der geregelten Lebensweise auf der Altenburg hatte er dieser Untugend wenig frönen dürfen. Die Fürstin war sehr wachsam, und wenn sie verreist war, findet sich sehr häufig die besorgte Anfrage in ihren Briefen, ob er auch in diesem Punkt die Hausregel stets beachte. Etwas Wein oder Kognak verlangte Liszts Konstitution infolge der Gewöhnung, und er war eigentlich auch sehr mäßig. Nur wenn er Ärger oder Aufregungen hatte, stürzte er ein großes Glas in einem Zug hinunter. Jetzt, da er allein zu Haus war, verbrachte er die Abende häufig wieder im Neu-Weimar-Verein; er nahm sich gewöhnlich vorzüglichen Kognak mit, der dann als Punsch oder auch pur getrunken wurde. Bei seiner damaligen Gemütsverfassung, namentlich wenn eine erregte Debatte anhob, was bei dem immer noch gespannten Verhältnis mit Dingelstedt keine Seltenheit war, konnte ihm sein Lieblingsgetränk zuweilen gefährlich werden.

Am 25. April 1860 verließ Hoffmann von Fallersleben, der vom Hof schon seit längerer Zeit seiner allzu undiplomatischen Offenheit wegen kaltgestellt worden war, Weimar, um beim Herzog von Ratibor die ihm durch Liszt verschaffte Bibliothekarstelle anzunehmen. Der Neu-Weimar-Verein gab seinem Mitbegründer ein Abschiedsfest, auf dem Liszt in längerer Rede Hoffmanns Verdienste um den Verein feierte und mit den Worten schloß: „Die schönsten Stunden, die ich hier verlebt, habe ich dir mitzuverdanken." An dem Scheidenden verlor Liszt einen treuen Freund, dessen Weggang ihn gerade jetzt doppelt schmerzen mußte. Besuch lieber Freunde und Künstler boten ihm alleinige Aufheiterung. Anfang Juni wohnte er einer Schumannfeier in Z w i c k a u bei, von wo er „etwas gelangweilt und nervös gereizt", wie Bülow

208

schreibt, zu einem von Hans geleiteten Konzert in M a g d e b u r g eintraf, bei
dem seine Préludes und sein Goethemarsch große Wirkung erzielten.
  Liszt wurde von einer tiefen Gemütsdepression befallen: „Ich kann nichts
sagen und nichts hören, das Gebet allein erleichtert mich in seltenen Augenblicken, aber ach! ich kann nicht mehr anhaltend beten, so übermächtig ich
auch das Bedürfnis danach empfinde. Gott verleihe mir die Gnade, diese
moralische Krisis zu überstehen, und möge das Licht seines Erbarmens in
meine Finsternis strahlen!" In diesen Tagen verfaßte er sein T e s t a m e n t.
Hierin heißt es u. a.:
  „Was ich seit zwölf Jahren Gutes tat und dachte, verdanke ich derjenigen, die ich so glühend wünschte Gattin zu heißen — was menschliche
Niedertracht und die kläglichsten Schikanen bisher hartnäckig verhindert
haben: Jeanne — Elisabeth — Carolyne. All meine Freude stammt von ihr,
und meine Leiden suchen stets bei ihr Linderung. Sie ist nicht nur voll und
rückhaltlos mit meiner Existenz, meiner Arbeit, meinen Sorgen und Lebenslauf
verbunden und vereint, indem sie mir half durch ihren Rat, mich unterstützte
durch ihre Ermutigungen, mich neubelebte durch ihren Enthusiasmus . . .;
mehr als das, sie hat sogar oft auf sich selbst verzichtet, indem sie dem entsagte, was ihre Natur unbedingt erforderte, um meine Lasten besser tragen
zu können, die sie zu ihrem Reichtum und einzigen Luxus gemacht hat! —
Ich werfe mich in Gedanken vor ihr auf die Knie, um sie zu segnen und ihr
zu danken als meinem Schutzengel und meinem Vermittler bei Gott, ihr, die
mein Ruhm, meine Ehre, meine Verzeihung und Wiedergenesung bedeutet,
die Schwester und Braut meiner Seele! — Wie soll ich die Wunder ihrer
Ergebenheit, den Mut ihrer Opfer, die Größe, den Heldenmut und die unbe-
grenzte Zärtlichkeit ihrer Liebe beschreiben? Ich wünschte, ich besäße un-
erhörtes Genie, um in den erhabensten Tönen diese hehre Seele zu besingen...
Wie ich Carolyne das wenig Gute schulde, was in mir ist, so schulde ich ihr
auch den kaum beträchtlichen Teil äußerer Güter, die ich besitze — mit einem
Wort, das wenige was ich bin und das sehr wenige das ich besitze.
  Ich danke mit Verehrung und zärtlicher Liebe meiner Mutter für ihre
ständigen Beweise von Güte und Liebe. In meiner Jugend nannte man mich
einen guten Sohn; es war gewiß kein besonderes Verdienst meinerseits, denn
wie wäre es möglich gewesen, kein guter Sohn mit einer so treu aufopfernden
Mutter zu sein. — Sollte ich vor ihr sterben, so wird ihr Segen mir ins Grab
folgen . . . .
  Es gibt in unserer zeitgenössischen Kunst einen Namen, der jetzt schon
ruhmreich ist und der es immer mehr werden wird — Richard Wagner. Sein
Genius ist mir eine Leuchte gewesen; ich bin ihr gefolgt — und meine Freundschaft für Wagner hat immer den Charakter einer edlen Leidenschaft beibehal-

14   K a p p , Liszt   209

ten. Zu einem gewissen Zeitpunkt (vor ohngefähr 10 Jahren) hatte ich für
Weimar eine neue Kunstperiode geträumt, ähnlich wie die von Karl August,
wo Wagner und ich die Koryphäen gewesen wären wie früher Goethe und
Schiller, — aber ungünstige Verhältnisse haben diesen Traum zunichte
gemacht."

Da die Mitteilungen der Fürstin aus Rom jetzt verheißungsvoller lauteten, eilte Liszt Mitte Oktober nach W i e n, um einiges noch mündlich zu erledigen und sich mit dem Geschäftsführer der Fürstin zu besprechen. Hier
besuchte er auch Hebbel, der in einer Gesellschaft am 18. Oktober seine Nibelungen vorlas. Zur Feier seines Geburtstages, zu dem man diesmal besondere
Ehrungen vorbereitet hatte, traf Liszt wieder in Weimar ein. Die Stadt brachte
ihm einen Fackelzug dar und ernannte ihn zum Ehrenbürger. An dieser Huldigung hatten sich auch mehrere Vereine der Umgegend beteiligt. Die Altenburg wurde illuminiert und ein großes Festmahl in der „Erholung" beschloß
den Abend. Am 24. November wohnte Liszt der Taufe seines Enkelkindes in
B e r l i n bei, das die Namen Daniela, Senta erhielt. Kurz darauf erkrankte
Cosima schwer, und man fürchtete bereits ein ähnliches Schicksal wie das
Daniels, doch besserte sich langsam ihr Befinden. Zu Weihnachten kam endlich in Weimar der Rienzi heraus; Liszt hatte Wagner zuliebe mehrere Proben
geleitet, die Direktion der Aufführung aber von Anfang an schroff abgelehnt.

Wie sich die musikalischen Verhältnisse Weimars gestaltet hatten, zeigt
folgende Briefstelle von Cornelius vom Dezember 1859: „Liszt verläßt Weimar im nächsten Frühjahr. Die dortigen Verhältnisse sind in richtiger Konsequenz jener Zerwürfnisse gesunken, Dingelstedt hat die künstlerische Stellung
Weimars mit solchem Erfolg auf seinen Standpunkt herabgebracht, daß er
schon in diesem Jahr ein Defizit hat und nächstens einen sechsmonatlichen
Urlaub ansuchen wird. Die von Stör geleiteten Abonnements-Konzerte sind
reaktionär und so, wie man sie eben in Itzehoe oder Buxtehude auch hört.
Wenn Liszt von Weimar fort ist, dann wird's dort heißen: „Ja das war einer!"
und wenn er einmal nicht mehr lebt, wird's die ganze Welt sagen. Solange
aber gilt Liszts Wort: Mundus vult Schundus."

Liszt selbst äußert über seine nächsten Zukunftspläne: „Ich warte den
Frühling ab, um dann wahrscheinlich weiterzuziehen — natürlich nicht, um in
München, Berlin oder auswärts, wie es heißt, meine gern aufgegebene Kapellmeistertätigkeit aufzuwärmen — wohl aber zu dem mir wichtigeren Zweck,
meine Arbeiten ungestörter fortzusetzen, als es mir in Weimar möglich ist.
Wenn ich mich nicht täusche, so steigert sich meine Produktionskraft wesentlich, indem sich manches in mir läutert und anderes noch mehr konzentriert."

Inzwischen hatte sich die Stimmung am Weimarer Hofe wieder zugunsten
Liszts geändert. Der Großherzog schien nicht abgeneigt, Liszt in allen Punk-

ten entgegenzukommen, um ihn in Weimar zu halten. Man bot ihm sogar an, mit Dingelstedt die Intendanz zu teilen; doch war Liszt jetzt nicht mehr geneigt, den Kampf nochmals von vorn aufzunehmen, denn wer konnte wissen, wie lange das Verhältnis Dauer haben würde: „Man ist hier (in Weimarer Kunstkreisen) einig darüber, daß von beregter Seite nie etwas Tatkräftiges geschieht; daß da fast alles in ganz hübschen Gefühlen und in einem Wetterleuchten guten Willens besteht, aber hapert, wenn's ans Helfen geht."

Liszt lehnte in einem langen Schreiben an den Großherzog alle Anerbieten in ziemlich energischem Tone ab. Er sagte u. a.: „Sie berufen sich mir gegenüber häufig auf einen Brief, den ich Ihnen gegen meinen Willen und auf Ihren ausdrücklichen Befehl zu schreiben die Ehre hatte.*) Wohl wissend, daß es zu nichts führen würde, habe ich darin seinerzeit nur zusammengefaßt, was f r ü h e r hätte geschehen müssen und geschehen können! . . . Mein heutiger Brief, der den Zweck hat, Ihnen zu erklären, warum ich die öffentliche Tätigkeit am Theater nicht wieder aufnehmen kann, steht keineswegs im Gegensatz zu dem, auf den Sie sich berufen, denn Hoheit wissen wohl, daß Liebeserklärungen wie diplomatische Anträge, die einmal nicht angenommen wurden, nicht ein Jahr später noch Gültigkeit haben können, da die Zeit das Gefühl, die Umstände und die Lage verändert. Wenn Sie mich vor einem Jahre, was ich allerdings nicht im geringsten erwartet hatte, beim Wort genommen hätten, hätte ich wohl oder übel in den sauren Apfel gebissen und meinen freiwilligen Dienst am Theater noch um ein oder zwei Saisons fortgesetzt. Meine Abwesenheit vom Dirigentenpult wäre eine kurze gewesen, und mein Wiedererscheinen durch den Gebrauch, den ich davon gemacht hätte, hinreichend motiviert gewesen, denn ich hätte ungern geschmollt. Mein Entschluß, mich von dem Publikum zu trennen, datiert nicht von gestern. Der Zufall mußte entscheiden, ob ich es bei Gelegenheit eines Erfolges oder einer Niederlage verlassen sollte. Der Zufall hat gesprochen. Meine Trennung geschah, geschah vollständig. Nach der verflossenen Zeit wäre es unsinnig von mir, dahin zurückzukehren, wo ich nicht bleiben will. Ich bin nahezu vierzig Jahre in der Bresche gestanden und betrachte meine Aufgabe in dieser Hinsicht als völlig erledigt, indem ich keineswegs wünsche, zu warten, bis mich die Müdigkeit eines Greises im Orchester befällt, wie z. B. Spohr, ebenso wie ich nicht daran gedacht habe, das Klavier zu bearbeiten, à la Moscheles, bis zum Erlöschen des natürlichen Temperamentes . . . Jeder Mensch von geistiger Bedeutung hat seine Ideen. Wenn man von seinen Vorzügen Nutzen ziehen will, so kann man dies nur erreichen, wenn man ihn seinen Ideen gemäß handeln läßt. Das als allgemeinen Grundsatz. Für meinen Spezialfall, so bin

---

*) Gemeint ist das auch in diesem Buch auf Seite 194 ff. wiedergegebene Schriftstück vom 14. Februar 1859.

ich nur unter den Bedingungen und in dem Sinne zu haben, daß die Dankbarkeit mich stets Eurer königl. Hoheit verpflichten und mich zu Ihrer Verfügung halten kann, aber sie vermag mir nicht die Verpflichtung aufzuerlegen, mein eigen Selbst zu verneinen und dadurch schlechte Dienste zu leisten. Das Theater zu Weimar hat nur unter Goethe Bedeutung gehabt, und Goethe hatte nicht nötig, in der Öffentlichkeit zu erscheinen. Wenn Sie meine Dienste in musikalischer Hinsicht wünschen, so befreien Sie mich von dem Buchstaben, der tötet, und lassen Sie einfach dem Geiste, den ich vertrete, freies Spiel, einem Geiste der Initiative und des Fortschritts im Reiche der Kunst. In zehn Jahren habe ich eine „Weimarische Schule" gegründet ohne jede Hilfe. Es war mir einzig möglich, gewisse Werke aufzuführen; das ist zwar etwas, aber es war alles. Ich traue keinem anderen zu, zu leisten, was ich mit so geringen Mitteln geleistet habe. Wenn Sie mir aufrichtig helfen, wenn Sie die unterstützen, die ich Ihnen empfehle, wenn Sie sich, mir wohlgewogen, für die Werke interessieren wollen, die ich Ihrer Beachtung empfehle, so verspreche ich Ihnen, daß Weimar in Wirklichkeit das sein wird, was es jetzt nur sehr dem Namen nach und provisorisch ist: Der Sitz der „Neudeutschen Schule". Mein Aufenthalt in Weimar hat einzig und allein schon den Namen dieser Stadt mit dem dieser Schule identifiziert. Wenn ich zehn Jahre in Lübeck verbringe, wird man sagen, die „Lübecksche Schule"! und zwar für länger als zehn Jahre, das versichere ich Sie, denn der Sieg und die Zukunft gehören uns! . . .

Zu Schuberts Geburtstag (31. Januar) veranstaltete der Neu-Weimar-Verein eine S c h u b e r t - F e i e r. die Liszt durch den Vortrag einer der Soirées de Vienne verherrlichte. Auch der Hof wohnte dem reich besuchten Feste bei. Es war für lange Zeit das letztemal, daß man Liszt in Weimar hatte spielen hören. Mitte Februar weilte er zum Geburtstag seines Gönners, des Fürsten Hohenzollern, in Löwenberg, wo in einem Hofkonzert zur Feier seiner Anwesenheit Ideale und Mazeppa gespielt wurden. Hierauf wohnte er in Leipzig den Proben zu Prometheus bei, der Aufführung selbst im 9. Euterpe-Konzert blieb er jedoch fern, da er nur wieder einen Mißerfolg voraussah. Diesmal aber hatte er sich getäuscht: das Werk errang starken Beifall. Die Euterpe-Konzerte, Konkurrenzunternehmen gegen das rückständige Gewandhaus, dirigierten nämlich in dieser Saison Liszts Schüler Bronsart und Weißheimer. Brendel, Kahnt und Julius Schuberth waren in den Vorstand des Musikvereins gekommen, und damit hatte auch die neue Richtung in Leipzig ein Heim gefunden. Vorsichtshalber brachte man zunächst nur klassische Musik, bald jedoch auch Modernes. Die Presse zerfleischte natürlich alles gierig, z. B. brachte die „Deutsche Allgemeine" am 6. II. 61 über das achte Euterpe-Konzert, das Kompositionen von Bronsart und Weiß-

212

heimer darbot, folgenden Bericht: „Eine Kritik dieser Werke zu geben, halten wir für überflüssig, denn erstens gilt von ihnen alles das, was wir schon seit Jahren über die Hervorbringungen Liszts (dessen bloße Kopisten die genannten Herrn sind, auch sogar darin, daß sie, wie er, ihren Pinsel mitunter stark in den Wagner-Berliozschen Farbentopf tauchen) gesagt haben, und zweitens vertragen sie gar keine eigentlich musikalische Sondierung, denn vom musikalischen Kunstwerk haben sie weiter nichts als das Material, die Töne, mit denen sie es aber auch nicht einmal bis zur Definition jenes Philosophen bringen, der die Musik nur als angenehmes Geräusch erklärte."

Zu diesen Euterpekonzerten war Liszt schon öfters von Weimar herübergekommen und meist einige Tage dort geblieben, während deren bei Brendel eifrig musiziert und Unterhandlungen über Zeitschrift und Musikverein gepflogen wurden.

Von Leipzig aus wandte sich Liszt nach P a r i s. Im November des vorhergehenden Jahres war er von Napoleon zum Offizier der Ehrenlegion ernannt worden und hatte dafür längst persönlich seinen Dank abstatten wollen, doch hatten ihm die Nachrichten der Fürstin aus Rom eine Entfernung von Weimar vorerst nicht wünschenswert erscheinen lassen. Er war daher auch bei der mißglückten Aufführung von Wagners Tannhäuser in Paris (Ende März 1861) nicht zugegen gewesen. „Liszt ist durch römische Fragen und Antworten per Telegraph an Weimar gefesselt und denkt im Augenblick nicht entfernt daran, hierher zu kommen. Gott, was hätte der mit seiner Menschenkenntnis und seiner Liebenswürdigkeit für Wagner redlich und tätlich nützen können," schreibt Bülow am 9. III. 61 an Alex. Ritter, und einige Wochen später an Wagner selbst: „Einen gibt's, der hätte Dir viel sein können, Du hättest ihm viel sein können, und das wäre ein anderer Bund geworden, als der der weimarischen Ausgehauenen — es hat zu Eurer beider Entbehrung nicht sein sollen. Die Mittelspersonen, die bekanntlich die Vermittlung oder vielmehr die Vereinigung durch ihr in der Mitte stehen fernhalten, haben das verhindert. Und dann die vielen toten Tagesgespenster, die leider Gottes meinem verehrten Schwiegervater so viele Belästigungen verursachen! das ist einer meiner tiefsten Kummer! Gestern ist Liszt nach Paris abgereist. Hoffentlich geht aus Eurem Beisammensein für beide Teile das hervor, was ich im Interesse meiner heiligsten Geistesangelegenheiten seit lange — bisher fruchtlos — ersehne. Die Stunde, wo Ihr Euch wiederseht, hat für mich einen festlichen, pfingstartigen Charakter." Doch auch jetzt sahen sich die Freunde nicht, der Brief Bülows kam zu spät. Wagner, der von Tag zu Tag in Paris vergebens auf Liszts Besuch gewartet hatte, war schließlich, als er ohne jede Nachricht blieb, an demselben Tag nach Wien abgereist, an dem Liszt in Paris eintraf. Als Wagner nach ungefähr drei Wochen nach Paris zurückkam, traf er Liszt dort noch an. Doch war dieser durch seine gesellschaftlichen Verpflichtungen derartig in Anspruch genommen, daß sie sich kaum sahen. Aber Wagner, dem jetzt der Aufenthalt in Deutschland wieder gestattet war, versprach ihm, bei der im August unter Liszts Leitung stattfindenden Tonkünstlerversammlung in Weimar zugegen zu sein. Liszt, der am 30. April in Paris eingetroffen und bei seinem Schwiegersohn Ollivier abgestiegen war, war in allen Salons der Gesellschaft und auch bei Hof der Gegenstand lebhaftester Huldigungen. Napoleon beförderte ihn auch noch zum Kommandeur der Ehrenlegion und ließ es an keinem Zeichen seiner Huld fehlen. Unter vielen anderen Freunden besuchte Liszt in Paris auch Berlioz, den er sehr „verbittert und niedergeschlagen" antraf; sein Ende schien nahe bevorzustehen.

Auch mit der Gräfin d'Agoult traf er hier wieder zusammen, zum ersten Male seit ihrer Trennung. Liszt schildert diese Begegnung folgendermaßen: „Nelida hat mich durchaus nicht wiedergesehen, um mit mir von irgendwelchen Sachen zu sprechen, die u n s hätten interessieren können, sondern nur weil viele Leute ihr von mir, meinen kleinen Erfolgen und sogar von meinen ‚Bonmots' sprachen. Der Name meiner Töchter wurde nur ganz vorübergehend am Ende meines letzten Besuches, dem Tage meiner Abreise von Paris, gestreift. Und da frug sie mich nur, warum ich Cosima gehindert hätte, ihrem wirklichen Beruf, Künstlerin zu werden, zu folgen! Ihrer Ansicht nach war dies das Passendste. In diesem Punkte, wie in so vielen anderen, konnte ich nun ihre Meinung nicht teilen. Diese krasse Verschiedenheit in unseren Charakteren zeigte sich sogleich bei unserer allerersten Begegnung, als wir nur von den gleichgültigsten Sachen gesprochen hatten."

Liszt war auch bei ihr zum Diner. Über ihre Unterhaltung, bei der er „eine große Menge Steine in die schönen Beete ihrer blumenreichen Rethorik warf," schreibt er dann weiter: „Sie können sich denken, wie sehr all diese Alfanzereien nach meinem Geschmack waren." Liszt besuchte die Gräfin noch einmal am Tag seiner Abreise. Hier kamen sie auf George Sand zu sprechen: „Nelida erzählte, daß Mr. de Girardin sie mit Mme. Sand hatte wieder aussöhnen wollen, aber dieses Wiedersehen hätte noch nicht einmal mit einer scheinbaren Überbrückung des Zwiespalts geendet. Ich bemerkte, sie hätte sie auch zu schlimm verlassen — um sie ruhig wiederzusehen!" — „Aber Sie," antwortete sie, „Sie sind trotzdem ihr Freund geblieben?" — „Ihr Zwist hat allerdings meine Beziehungen zu ihr etwas abgekühlt, denn obwohl ich Ihnen im Innern unrecht gab, so habe ich doch völlig Ihre Partei ergriffen." — „Ich glaube das Gegenteil." — „Ohne irgendwelchen Grund, wie auch sonst oft." — Liszt erzählte dann von seinem künstlerischen Streben: „Als sie mich so von mir reden hörte, von meinem Egoismus und Ehrgeiz,

214

von der vollkommenen Übereinstimmung meiner ehemaligen Bestrebungen mit meinen heutigen Ideen, von der Dauer dieses Ich, daß sie so ,hassenwert' gefunden hatte, da fühlte sie irgendeine Erregung, und ihr ganzes Gesicht bedeckte sich mit Tränen. Ich küßte sie auf die Stirn, zum erstenmal seit langen Jahren, und sagte ihr: ,Ruhig, Marie, lassen Sie mich zu Ihnen in der Sprache des einfachen Mannes sprechen. Gott segne Sie! wünschen Sie mir nichts Böses!' — sie konnte im Augenblick nicht antworten, aber die Tränen flossen reichlicher. Ollivier hatte mir erzählt, daß er sie bei ihrer gemeinsamen Reise in Italien häufig an verschiedenen Plätzen habe weinen sehen, die ihr besonders unsere Jugendzeit zurückriefen. Ich sagte ihr, daß dieses Gedenken mich gerührt habe. Sie antwortete darauf beinahe stammelnd: ,Ich werde immer Italien — und Ungarn treubleiben.' Darauf verließ ich sie leise. Als ich die Treppe hinabstieg, erschien vor mir im Geiste das Bild meines armen Daniel! Es war von ihm in keiner Weise die Rede gewesen während der drei oder vier Stunden, die ich mit seiner Mutter gesprochen hatte!!!" —

Anfang Juni kehrte Liszt mit Tausig, den er in Paris getroffen hatte, nach Weimar zurück. Hier begannen die Vorproben zu der Anfang August stattfindenden Tonkünstlerversammlung. Wagner traf, wie er versprochen, pünktlich ein und verweilte zehn Tage als Liszts Gast auf der Altenburg. (Die Fürstin war ja in Rom!) Zur Schilderung der äußeren Vorfälle dieses Festes erteilen wir am besten einem der Teilnehmer das Wort, Wendelin Weißheimer, der uns davon folgendes anschauliche Bild entwirft: „Nach dem Frühstück brachen alle zu den diversen Proben auf. Von Draeseke war ein sehr kühner ,Germaniamarsch' in Sicht, von Cornelius das reizende Terzett aus seinem ,Barbier von Bagdad', ein Stück von Otto Singer und mein ,Grab im Busento'. Die bedeutend verstärkte Hofkapelle probierte emsig an Liszts Faust-Symphonie. Einmal war zu dieser die Partitur vergessen worden und auf der Altenburg liegengeblieben. Liszt probierte trotzdem das Gretchen auswendig . . . Leider konnte ich nicht der ganzen Probe beiwohnen, denn Liszt kam, mich zu bitten, doch lieber vorsichtshalber die vergessene Partitur herbeizuholen. Wie ich mich den hinunterführenden Treppen der Altenburg im Tannengebüsch näherte, sah ich erst einen Kopf und gleich darauf die ganze Figur eines Herrn zum Vorschein kommen, der die Stufen heraufschritt und fast schon oben angelangt war. Ich sah ihm ins Gesicht und war auf das freudigste überrascht, als ich keinen geringeren als Richard Wagner vor mir sah! . . . Nach der ersten Überraschung begrüßte ich ihn des lebhaftesten. Sofort erkannte er mich wieder und frug, ob er Liszt im Hause fände. Ich sagte, im Hause sei niemand; alle weilten in der Probe zum Festkonzert. Nach einem Augenblick der Überlegung fragte ich ihn, ob er nicht Lust habe, mir dorthin zu folgen; es wäre dies ein reizendes Zusammentreffen mit Liszt und allen. Gleich willigte er ein, stieg mit mir die Treppen wieder hinunter und folgte mir durch die Stadt ... Bei der Probelokalität angekommen, bat ich ihn, einen Augenblick zu verweilen und mich erst hineingehen zu lassen. Lächelnd blieb er stehen. Ich stürmte die Treppe hinauf in den Saal direkt zu Liszt mit den Worten: ‚Wagner ist da!' Sofort kommandierte Liszt dem Orchester: ‚Halt! ehe wir weiter probieren, bereitet einen orentlichen Tusch vor!' Alle sahen erwartungsvoll nach der Türe, durch welche ich bereits wieder verschwunden war. Im nächsten Augenblick stand Wagner am Eingang des Saales. Bei seinem Anblick brach ein unbeschreiblicher Jubel aus. Das Orchester schmetterte aus Leibeskräften, Liszt stürzte auf Wagner zu und beide lagen sich lange in den Armen. In manchem Freundesauge zeigten sich Tränen der Freude und der Rührung. Es hatte sich um die sich herzlich Küssenden und Umarmenden eine dichte Gruppe gebildet. Jeder bemühte sich, einen Kuß oder wenigstens einen Händedruck von dem großen Meister zu erhalten. Des Umarmens schien kein Ende zu sein mit Bülow, Cornelius, Tausig und vielen, vielen anderen ... Die Aufführung der Faust-Symphonie unter Bülows Leitung fand wie auch das folgende Konzert im Großherzoglichen Hoftheater statt. Sie ging exzellent vonstatten... Erwähnenswert ist noch das Bankett im alten Stadthaus am Markt und besonders die Versammlung in den Räumen des Schießhauses, wo in langen Reihen Hunderte tafelten und meist dem Gerstensaft zusprachen. Brendel hatte das Fazit der Weimarer Begegnung gezogen, worauf Liszt dem wieder heimgekehrten Freund ein donnerndes Hoch ausbrachte, welchem Wagner nun eine längere, aus dem Stegreif gehaltene Rede folgen ließ, in welcher er schließlich die Anwesenden aufforderte, ‚treu bei der Fahne zu bleiben und dies sowohl ihm wie seinem hehren Freunde Liszt mit Herz und Hand zu geloben'. Man kann sich kaum den Jubel vorstellen, mit dem diese Worte aufgenommen wurden. Die beiden Gefeierten liefen Gefahr, von den massenhaft Anstürmenden aus Liebe fast erdrückt zu werden."

Am 9. August verließ Wagner die gastliche Altenburg. Er selbst berichtet über seinen Weimarer Aufenthalt in der Autobiographie u. a.: „Nächst der Faustsymphonie war das Gelungenste die Musik zu „Prometheus"; besonders ergreifend aber wirkte auf mich der Vortrag eines von Bülow komponierten Lieder-Cyclus: „Die Entsagende" durch Emilie Genast. Außerdem boten die Aufführungen des Festkonzertes wenig Erfreuliches, worunter eine Kantate von W e i ß h e i m e r „Das Grab im Busento" zu rechnen ist; wogegen es zu einem wahren und großen Ärgernis mit einem „Deutschen Marsche" von D r a e s e k e kam. Diese wunderliche Komposition des sonst so begabten Menschen, welche wie im Hohn verfaßt aussah, wurde aus nicht leicht zu verstehenden Gründen von Liszt mit herausfordernder Leidenschaft protegiert; Liszt bestand auf der Durchführung des Marsches unter Bülows Direktion. Auch diese gelang schließlich Hans, und zwar auswendig, doch führte dies endlich zu einem unerhörtem Ärgernis. Liszt, welcher infolge der jubelnden Aufnahme seiner eigenen Kompositionen nicht zu bewegen war, dem Publikum sich ein einziges Mal zu zeigen, erschien bei der schließenden Aufführung des Draesekeschen Marsches in der Proszeniumsloge, um dem Werke seines Schützlings, welches von den Zuhörern endlich mit unaufhaltsamem Mißmut zurückgewiesen wurde, mit weit hervorgestreckten Händen und donnernden Bravorufen zu applaudieren. Es entspann sich hierüber ein völliger Kampf, welchen Liszt allein, zorngeröteten Antlitzes mit dem Publikum führte. . . . .

Außerdem bemerkte ich, daß Liszt in diesen Tagen anderweitig großen Ärger zu erleiden hatte. Wie er mir selbst gestand, war es ihm darauf angekommen, den Großherzog von Weimar zu einem auszeichnenden Benehmen gegen mich zu bewegen; er wollte, daß dieser mich mit ihm zur Hoftafel einladen sollte; da jener Bedenken fand, einen noch jetzt vom Königreich Sachsen ausgeschlossenen politischen Flüchtling zu bewirten, vermeinte Liszt wenigstens den weißen Falken-Orden für mich durchsetzen zu können. Auch dieses war ihm abgeschlagen worden." —

Die wahre Bedeutung dieser Tonkünstlerversammlung, deren musikalischen Höhepunkt die Faust-Symphonie bildete, lag auf der theoretischen Seite. Hier trat der 1859 in Leipzig angeregte „A l l g e m e i n e D e u t s c h e M u s i k - v e r e i n" wirklich ins Leben. Liszt hat der noch heute bestehenden wichtigen Institution bis an sein Lebensende seine regste Förderung angedeihen lassen und nach Möglichkeit keine der stattfindenden Tonkünstlerversammlungen versäumt. Die Haupttätigkeit des Vereins, der sich die Pflege der modernen Tonkunst und Förderung der Tonkünstler zur Aufgabe gestellt hat, zerfällt in eine künstlerische: Tonkünstlerversammlungen mit Aufführungen neuer oder unbekannt gebliebener Werke, und in eine praktische: Unterstützung von Einzelnen oder Eintreten für die Gesamtheit.

Wenige Tage nach Schluß des Musikfestes rüstete auch Liszt zum Aufbruch. Die Altenburg wurde geschlossen und versiegelt, Liszt wohnte noch einige Tage im Erbprinzen, um alles zu regeln. Der Neu-Weimar-Verein veranstaltete ihm eine große Abschiedsfeier, bei der Cornelius einen wehmutsvollen Toast ausbrachte, dessen Schlußvers lautete:

Drum nehmt, ihr Frohen, Frischen,   In Freuden und in Schmerzen,
Das Glas auf meine Bitt'!   Ob's nah', ob fern es zog:
Und fiel ein' Trän' inzwischen,   Dem ew'gen Künstlerherzen
So trinkt die Träne mit!   Ein donnernd Lebehoch!"

Am folgenden Tag nahm Liszt Abschied von seiner getreuen Kampfes-
schar, dem Orchester, das er in den Löwengarten eingeladen hatte. Auch hier
erhöhte Cornelius durch witzige Verse die Stimmung, indem er alle Instrumente vor Liszt Abschiedsrevue passieren ließ:

„Da sie von ihrem Tonkunstfürsten
Geladen sind zu Bier und Würsten."

Am 17. August 1861 schied Liszt aus Weimar. Daß es für immer sein
sollte, dachte wohl damals niemand. Nachdem er den Herzog von Koburg in
Reinhartsbrunn besucht hatte, verweilte er noch drei Tage beim Großherzog
von Weimar in Wilhelmstal. „Dieser kann den Gedanken, daß ich Weimar
auf längere Zeit verlasse, absolut nicht fassen, und um mir zu beweisen, daß
er darauf rechnet, daß ich auch fernerhin seinem Hause zugehörig bin, hat er
mich zum Kammerherrn ernannt," meldet Liszt an Bülow. Das Diplom dieser
Auszeichnung, die jetzt nur noch wenig Zweck hatte, während sie früher in
Weimar seine Stellung am Hofe wesentlich erleichtert hätte, erhielt er, als er
bereits Gast des Fürsten Hohenzollern in L ö w e n b e r g war. Hier blieb er
drei Wochen. Eines Tages meldete sich bei ihm ein junger Engländer, einer
„seiner Schüler"; doch verbarg sich hinter dieser Verkleidung eine gefeierte
Sängerin, die Liszt nachgereist war, aber ihres eifersüchtigen Gatten wegen
diesen Verkleidungstrick anwenden mußte. Auf gleiche Weise besuchte sie
ihn auch später noch einmal in Rom. Auf das Ewigweibliche hat Liszt zu jeder
Zeit seines Lebens eine geradezu magnetische Anziehungskraft ausgeübt. Er
mußte stets Frauen um sich haben. Die Fürstin Wittgenstein schrieb später
einmal von ihm: „Seine Seele ist zu zart, zu künstlerisch, zu empfindungsvoll,
um ohne Frauenverkehr zu bleiben — er muß in seiner Gesellschaft Frauen
haben — und sogar mehrere, wie er in seinem Orchester viele Instrumente,
mehrere reiche Klangfarben braucht. Leider gibt es so wenig Frauen, die das
sind, was sie sein sollten — klug und gut — seinem Geist entsprechend, ohne
eine frevlerische Hand auf Saiten zu legen, die, wenn sie ertönen, immer
schmerzlich nachklingen! Es ist mir manchmal so traurig zumute, wenn ich
denke, wie sehr verkannt er am Ende bleiben wird. Seine Triumphe erscheinen vielleicht späteren Zeiten als Bacchantenzüge, weil sich einige Bacchan-
tinnen hineingemischt haben. Er hat sie aber nie gerufen. Er war immer
in seiner reinen, geistigen Sphäre zufrieden, solange man ihn nicht heraus-
forderte."

Liszt begegnete jedem Weib, wie dieses es wünschte. Er respektierte,
chevaleresk und edel, wie er war, jede anständige Frau, und man darf seinen
Worten: „ich habe nie ein junges Mädchen verführt" Glauben schenken.

218

Doch drängte sich ihm das weibliche Geschlecht meist auf, ja man ließ ihn nicht in Ruhe, als er ein 70jähriger Greis war. —

Von Löwenberg begab sich Liszt nach Berlin zu Bülows; hier erreichte ihn endlich die Nachricht aus Rom, daß alle Schwierigkeiten überwunden seien, und er zum 22. Oktober, seinem 50. Geburtstage, dort eintreffen solle. Er gab daher den seiner Tochter Blandine versprochenen Besuch in St. Tropez, dem Landsitz Olliviers, auf und trat sofort über Marseille die Reise nach Italien an, wo nach 14jährigen aufreibenden Kämpfen die Erfüllung winkte.

Hiermit fand die ruhmreiche Altenburgzeit, die musikalische Glanzperiode Weimars, wohl der wichtigste Abschnitt in Liszts wechselreichem Leben, ihren Abschluß. Sie zeigte uns den Künstler auf der Höhe seiner Kraft, mutig und zielbewußt seinen künstlerischen Weg verfolgend. Es waren Jahre angestrengtester und fruchtbarster Produktivität, die uns Liszt sowohl als mutigen Vorkämpfer des Fortschritts durch Tat und Schrift, wie als genialen Selbstschöpfer auf neuen, kühnen Bahnen im Zenit seiner Künstlerschaft offenbaren.

IV. Liszt als Schriftsteller

Die Tatsache, daß Musiker selbst als Schriftsteller kämpfend in die Schranken treten, ist zwar schon verhältnismäßig früh anzutreffen (Grétry, Gluck), aber in dem heute allgemein üblichen Umfang erst eine Erscheinung des 19. Jahrhunderts, hervorgerufen durch die Notwendigkeit, sich und ihre Anschauungen gegen eine feindliche Presse zu verteidigen. Das merkwürdige dabei ist, daß die Musiker sich mit ihren Schriften weniger an Fachkreise, als an das große Publikum wenden, indem sie sich hauptsächlich mit ästhetischen und sozialen Fragen befassen und die theoretischen den Pädagogen überlassen. Daß die Musiker zur Feder gegriffen haben, um ihre Kunstrichtung zu verteidigen und klarzulegen, wozu sie die Berufensten sind, ist nur natürlich. Gewöhnlich ist ihre schriftstellerische Tätigkeit ein von dem übrigen untrennbarer Teil ihres Gesamtschaffens. Das beste Beispiel sind Wagners Schriften, die eine notwendige Ergänzung seiner musikalischen Werke bilden. Anders bei Liszt. Auch hier wirkt und kämpft er nicht für sich, sondern in erster Linie für andere und für die Allgemeinheit. In seinen Schriften werden seine eigenen Werke kaum erwähnt. Auch in dieser Tätigkeit kommt Liszts Doppelnatur, die stete Verbindung des Reproduktiven mit dem Produktiven zum Vorschein.

Häufig hat man an Liszts S t i l Anstoß genommen. Man muß zugeben, daß seine Schreibart oft überschwenglich und überladen ist, die Bilder zuweilen gesucht und unklar. Die Ursache ist zunächst die, daß Liszt sich meist der französischen Sprache bediente, die viel bilderreicher ist, was in der Übersetzung fremdartig klingt; ferner der Einfluß der romantischen Schule, die Gefühlsüberschwang liebt. Doch diese Mängel sind im Grunde wenig bedeutend, und die Unebenheiten der Schale können den Genuß am Inhalt nicht trüben. Liszt schreibt nicht planmäßig einem bestimmten Programm folgend, der Anlaß entspringt meist einer inneren Anregung, er sucht sein seelisches Empfinden beim Anhören eines Musikwerks zum Ausdruck zu bringen. „Den Stil kann derjenige nicht begreifen, der die Musik nicht begreift. Wie du aber die Empfindungen genau und scharf mit Worten auszudrücken weißt, die eben nur die Musik in uns zu erregen vermag, dies erfüllt jeden mit Entzücken, der eben jene Empfindungen fühlte, für sie aber noch keine Worte fand," urteilt Wagner begeistert. Liszt hält sich nie streng an das Thema. Die Über-fülle der Gedanken, die nach Gestaltung drängen, das Impulsive seines Ar-beitens lassen ihn auf alle möglichen ästhetische, philosophische oder soziale Fragen abschweifen. Seine Ansichten sind dabei von größter Toleranz und Humanität und so weitsichtig und allgemein gefaßt, daß seine Vorschläge nie den Boden der Durchführungsmöglichkeit verlassen und auch heutzutage das Interesse noch nicht verloren haben. Sind heute manche der behandelten Themen, wie z. B. die Wagnerfrage, endgültig gelöst, so haben die betreffenden Schriften Liszts trotzdem auch jetzt ihren Wert noch nicht verloren, da die Behandlung des Stoffes eine allgemeine und durch ihren Reichtum an Gesichts-punkten so vielseitige ist, daß sie noch immer neue Perspektiven eröffnen.

Am wertvollsten für die Gegenwart sind Liszts k u n s t r e f o r m a t o - r i s c h e Schriften, die hauptsächlich in den Aufsätzen: „Über die Stellung der Künstler" und „Reisebriefe" niedergelegt sind. Auf die nahe Verwandt-schaft dieser Bestrebungen mit den Wagnerschen Schriften haben wir früher bereits hingewiesen. Sie gipfeln in der Überzeugung, daß die Kunst nie hoch genug aufgefaßt werden könne. Sie müsse wieder aus der Sonderstellung, in die man sie gedrängt habe, befreit werden. Mutig tritt Liszt für die Hebung des Ansehens und der Stellung der Künstler ein, die er zum „Bedienstenstande" herabgewürdigt sieht. Er selbst hat zwar darunter nie gelitten, doch er kämpft hier für die Allgemeinheit. Ein Teil der Schuld an diesen Verhältnissen fällt zwar auch den Künstlern selbst zur Last. Diese sucht Liszt in erster Linie wachzurütteln. „Zur Bildung des Künstlers ist vor allem ein Emporwachsen des Menschen nötig." Doch der Künstler ist, lediglich seinen Fachinteressen dienend, in seiner Allgemeinbildung zurückgeblieben. „Der Musiker aber kann nur noch unter der Bedingung Musiker sein, daß nichts Menschliches ihm fremd bleibe, und die Musik kann von den ebenso dem Gefühl wie dem Ge-danken angehörenden Feldern nur dann mit Ruhm und Erfolg Besitz ergreifen, wenn die Musiker eine höhere, geistige Entwicklungsstufe erreichen, als man

220

bisher für ausreichend erachtet hat, wenn sie nicht mehr an der Scholle Ignoranz kleben, wenn ihnen die Ideale des Wissenschaftlichen, des Denk- und Tatmenschen nicht fremd bleiben, so daß auch diese ihrerseits in ihnen und ihren Werken Ideen begegnen, die neu, kühn, genial ihr Nachdenken, Forschen und Urteilen anregen." Wenn der Musiker als Mensch eine höhere Stufe, eine größere Allgemeinbildung erlangt hat, dann wird er auch imstande sein, seine Sache öffentlich selbst zu vertreten, die M u s i k k r i t i k selbst in die Hand nehmen. Auf dem Gebiet der Kritik sei es sehr übel bestellt. Liszt zieht energisch gegen sie zu Feld, nicht aber, um hier zu bessern, was doch wenig Aussicht auf Erfolg verhieße, sondern um dem Publikum die Augen über den wahren Wert der meisten Kritiken zu öffnen, und es zum Selbstdenken anzuregen. Da die notwendige Forderung „kein Kritiker ohne Examen" vorerst unerfüllbar ist, so kommt Liszt schließlich zu dem Ergebnis: „Der Künstler selbst muß Kritiker werden."

Das beste Vorbild, wie die Musikkritik zu handhaben ist, bietet Liszt selbst in seinen k r i t i s c h e n Schriften. Seine musikalischen Taten an der Weimarer Oper begleitete er in der Öffentlichkeit durch seine D r a m a t u r - g i s c h e n B l ä t t e r, in denen er den ausführenden Künstlern mit Ratschlägen zur Hand geht und beim Publikum durch allgemeinverständliche Analysen Verständnis und Interesse für die Werke zu erwecken sucht. Die ausführlichsten sind den Werken Wagners gewidmet. Liszt bleibt als Kritiker stets objektiv und mild. Er erkennt zwar mit scharfem Blick die Schwächen eines Werkes, aber er kehrt sie nur dann stark hervor, wenn sie schädlich zu werden drohen, oder wenn er abhelfend raten kann. „Die Kritik muß selbstschöpferisch wirken," ist ein von ihm stets beachteter Grundsatz. Er sucht durch liebevolles Versenken in die Individualität des Künstlers dessen Eigenart zu erfassen, zu erklären und das, was er selbst erkannt hat, anderen zu übermitteln. Bis zu welchem Grad dieses Nachempfinden Liszt gelang, zeigen treffend Wagners jubelnde Worte: „Du hast mir zum ersten und einzigsten Male die Wonne erschlossen, ganz verstanden zu sein: Sieh, in dir bin ich rein aufgegangen, nicht ein Fäserchen, nicht ein noch so leises Herzzucken ist übriggeblieben, das du nicht mitempfunden."

Am schönsten kommt aber Liszts Kritik zur Geltung in seinem längeren Aufsatz über S c h u m a n n; von all seinen Schriften sind hier die interessantesten Erörterungen über Kritik, Virtuosität, kurz, seine allgemeinen Kunstansichten enthalten. Wichtiger von rein musikalischem Standpunkt aus ist seine Schrift B e r l i o z u n d s e i n e H a r o l d - S y m p h o n i e, in der er eine glänzende Verteidigung der Programm-Musik niedergelegt hat. Sie ist mit überzeugender Wärme, ja mit Herzblut geschrieben, stellt sie doch gewissermaßen eine Rechtfertigung seines eigenen musikalischen Glaubensbe-

221

kenntnisses dar. Die bekannteste und zugleich ergreifendste Schilderung Liszts ist sein einem Gedicht gleichkommendes Werk: F r i e d r i c h C h o p i n. Liszt hat seinem Freund ein unvergängliches Denkmal gesetzt; kein anderer Schriftsteller ist dem Wesen Chopins so nahegekommen. Der „Geist liebevoller Anerkennung des Genius durch den Genius" geht durch dieses Buch, wie Adolf Stahr sagt. Es ist keine Biographie, sondern eine Würdigung der Künstlergestalt Chopins und eine Erklärung seines Schaffens aus seinem Nationalcharakter. Chopin ist der polnische Nationalheros, und erst durch die Kenntnis der polnischen Sitten und Gebräuche gewinnen wir das wahre Verständnis für seine Kunst. Bei Schilderung dieser polnischen Verhältnisse hatte Liszt an der Fürstin Wittgenstein eine zuverlässige Quelle, und vieles im „Chopin" entstammt ihrer Feder.

Sein letztes schriftstellerisches Werk ist das umfangreiche Buch: D i e Z i g e u n e r u n d i h r e M u s i k i n U n g a r n. Es entstand aus seiner von frühester Kindheit an gehegten Sympathie für diese heimatlosen Söhne der Pußta und besteht zum großen Teil aus selbsterlebten Begebenheiten. Der Grundgedanke ist, den Nachweis zu führen, daß die ungarische Musik zigeunerischen Ursprungs ist, und damit eine literarische Ergänzung und Erklärung seiner Ungarischen Rhapsodien zu geben. Wieviel schöne Einzelheiten und Episoden von hohem poetischem Gehalt auch in dieser Schrift enthalten sind, als Ganzes ist sie doch zu weitschweifig und verworren, um einen ungetrübten Genuß beim Lesen aufkommen zu lassen. Sie gehört zweifellos zu den schwächeren seiner literarischen Werke. Die diesem Buch ganz willkürlich eingefügte Abhandlung über die Judenfrage entstammt ebenso wie die ungeschickte Stelle über Erik im Holländeraufsatz der Feder der Fürstin Wittgenstein. Die neu erschienene Volksausgabe von Liszts Schriften ist von all diesen fremden Zutaten gereinigt und ermöglicht es jedem, den Bekenntnissen eines edlen Menschen und heißblütigen Künstlerherzens zu lauschen.

ROM 1861—1869

I. Liszt und die Fürstin Wittgenstein

Als die Fürstin Liszt auf die Altenburg gefolgt war, hatte sie gehofft, die ihrer Vereinigung entgegenstehenden Hindernisse mit einiger Vorsicht leicht überwinden zu können. Es hatte auch einmal den Anschein, als ob sie dicht an das Ziel gelangt sei. Dies war im Jahre 1851, als sie in Eilsen krank darniederlag. Liszt hatte der frohen Hoffnung, die beide damals beseelte, in seinen Festklängen, die er als Hochzeitsmusik für die Fürstin geschaffen hatte, Ausdruck gegeben. Doch war der Siegesjubel verfrüht, die bittere Enttäuschung folgte nur allzu rasch. Trotz der energischen und aufrichtigen Fürsprache Maria Paulownas bei ihrem Bruder, dem Kaiser Nikolaus, gelang es der Fürstin nicht, ihre Scheidung durchzusetzen. Ihre ihr übelwollenden Verwandten, die sie als Polin politisch verdächtigten, hatten in Petersburg zu schwerwiegenden Einfluß. Die Fürstin erhielt von Rußland den Bescheid, sich mit ihrer Tochter in ihre Heimat zu begeben und ihre Sache dort selbst zu führen. Aus Angst jedoch, von ihrem Kind getrennt zu werden oder in irgendeinem russischen Kloster verschwinden zu müssen, weigerte sie sich, dem Gebot Folge zu leisten. Deshalb wurde ihr Paß nicht mehr erneuert, und ihre Güter fielen der Konfiskation anheim. Sie hatte wohlweislich ihr Vermögen zuvor bereits auf ihre Tochter übertragen, der es erhalten blieb. Es wurde aber bis zu Maries Verheiratung unter Sequestur gestellt und der Fürstin nur Erziehungsrevenuen ausbezahlt. Ein Siebentel des Vermögens wurde dem Fürsten Wittgenstein zuerkannt. Dieser hatte als Protestant seine Scheidung mit Leichtigkeit erreicht und sich bald wieder verheiratet. Der Verlust ihrer russischen Bürgerrechte hatte für die Fürstin unangenehme Folgen. Der Hof in Weimar konnte sie offiziell nicht mehr empfangen, und sie wurde von der Hofgesellschaft ignoriert. Hierdurch war ihre gesellschaftliche Stellung in Weimar fast unmöglich geworden; dieser peinliche Zustand machte ihr den Aufenthalt dort zum Martyrium. Für Liszt, der ihr treu zur Seite stand, war die Situation gleichfalls schwierig, da er bei Hof nach wie vor verkehren mußte, sich von der Gesellschaft aber völlig zurückzog. Da endlich, nach der Verheiratung der Prinzessin Marie, wodurch die Möglichkeit, ihr Vermögen doch noch auf die eine oder andere Weise zu erlangen, für Rußland geschwunden war, wurde der Scheidungsprozeß in Petersburg zugunsten der Fürstin entschieden, und auch die russischen kirchlichen Behörden willigten in eine Wiederverheiratung. Doch nun weigerte sich der Bischof von Fulda, zu dessen Diözese Weimar gehörte, diesen Entscheid anzuerkennen und die Trauung vorzunehmen. Es blieb daher nichts anderes übrig, als die Sanktionierung des Papstes selbst zu erlangen, um dadurch den Bischof zu zwingen. Die meiste Aussicht auf Erfolg versprach eine persönliche Leitung der notwendigen Schritte an Ort und Stelle. So entschloß sich die Fürstin selbst nach Rom zu reisen, um ihren Willen durchzusetzen. Sie trat hier mit den einflußreichsten Persönlichkeiten in Verkehr und gewann namentlich in Kardinal A n t o n e l l i einen treuen Ratgeber. Als die Sache aber auch hier nicht vorwärts ging, erschien die Fürstin am 9. September 1860 unvermittelt in einer Audienz des Papstes, dem sie ihr Leid in so eindringlichen Worten zu schil-

223

dern verstand, daß Pius IX. ihr seine Hilfe versprach. Bereits am 22. September tagte das Konzil der Kardinäle in ihrer Angelegenheit und entschied einstimmig zu ihrem Gunsten. Der Beschluß des russischen Konsistoriums wurde in Rom bestätigt und die Vollmacht vom Papst unterzeichnet. Frohen Herzens wollte die Fürstin nun nach Weimar zurückkehren, doch Antonelli riet ihr, lieber in Rom zu warten, bis sie Gewißheit habe, daß ihr keinerlei neue Schwierigkeiten mehr gemacht würden. Und sein Rat war berechtigt. Die Fürstin blieb in Rom und sandte ihren Geschäftsführer Okreszewski mit dem Dekret nach Wien und Fulda. Der päpstliche Nuntius in Wien, Kardinal de Lucca, erkannte wohl den römischen Beschluß an, verweigerte aber dem Bischof von Fulda das Recht, daraufhin eine zweite Ehe der Fürstin schließen zu dürfen. Und weder die Vorstellung der Fürstin, noch eine persönliche Besprechung Liszts, der sofort nach Wien geeilt war, konnten seinen Widerstand besiegen. Dieser rührte hauptsächlich von dem mächtigen Einfluss von seiten des damaligen Erzbischofs, späteren Kardinals G u s t a v H o h e n l o h e her, der mit allen Mitteln gegen die Heirat Liszts mit der Fürstin intrigierte. Später, als er sein Ziel erreicht hatte, warf er sich großmütig zum Freunde Liszts auf. Das Dekret ging wieder nach Rom zurück. Der Papst bestand nicht auf dem gesprochenen Recht, sondern ordnete auf Grund der aus Rußland eingeforderten Akten eine vollständige Untersuchung der Sache an. Auch diesmal fiel der Spruch Roms zu der Fürstin Gunsten aus, der Papst erteilte zum zweiten Mal seine Genehmigung. Um nun alle weiteren Schwierigkeiten zu vermeiden, wurde beschlossen, die Trauung in Rom vorzunehmen. Liszt besorgte alle nötigen Papiere in Weimar, was mit Hilfe des Großherzogs, der ihn in dieser Sache bereitwilligst unterstützte, unauffällig gelang, und sollte ganz insgeheim in Rom eintreffen, wo die Trauung an seinem 50. Geburtstag, am 22. Oktober 1861, vollzogen werden sollte. Liszt kam am 20. in Rom an und empfing am 21. mit der Fürstin in der bereits zur Hochzeitsfeier geschmückten Kirche San Carlo al Corso die Kommunion. Am anderen Morgen früh 6 Uhr sollte die Trauung stattfinden.

Da traf abends spät ein Abgesandter des Papstes ein mit dem Bescheid, daß die Trauung aufgeschoben werden müsse. Es war nämlich zufällig in Rom weilenden reichen Verwandten der Fürstin gelungen, in einer Audienz den Papst davon zu überzeugen, daß die ersten Ehejahre der Fürstin glückliche und die Eheschließung selbst eine freiwillige gewesen sei, sie sich somit eines Meineids schuldig mache. Der Papst forderte daher die Akten nochmals zur Durchsicht ein. Dieser Schlag traf die Fürstin vernichtend. Sie sah die Frucht von vierzehn Jahre langem Ringen unwiederbringlich verloren. Abergläubisch, wie sie war, hielt sie es für eine Fügung des Himmels und weigerte die Herausgabe der Akten. Sie leistete schweren Herzens den Verzicht auf die Vereini-

224

gung mit dem von ihr so heiß geliebten Mann. Dieser Schritt muß eigentlich unbegreiflich erscheinen. Bei der Energie, die die Fürstin während des jahrelangen Kampfes bewiesen hatte, und die vor schlimmeren Geschehnissen als dieser neubevorstehenden Untersuchung nicht zurückgeschreckt war, wäre es ihr wohl gelungen, dieses neue Hindernis zu überwinden. Es mußte also noch etwas anderes mitsprechen. Ein Beweis für diese Vermutung ist die Tatsache, daß die Fürstin 1864, als ihr früherer Gemahl unerwartet starb, sie also ganz frei war und jederzeit die Verbindung mit Liszt schließen konnte, nicht mehr darauf zurückkam. Der Großherzog von Weimar schrieb damals an Liszt: „Seit dem Tode des Fürsten Wittgenstein gibt es keinen menschlichen Grund oder irdische Gewalt, die sich Ihrer Vereinigung widersetzen könnte. Wenn diese daher jetzt nicht stattfindet, so liegt der Grund an Ihnen oder an ihr!" Und der Grund lag an ihr. Die Fürstin gab Liszt freiwillig auf. Sie brachte ihren Herzenswunsch einer I d e e zum Opfer, die allmählich in Rom immer mehr Gewalt über sie gewonnen hatte. Sie selbst schreibt darüber später an Liszt: „Gott allein weiß, was es mich gekostet hat, nicht mehr nach Woronince zurückzukehren, nicht mehr nach Weimar zurückzukehren! Doch dasselbe Gefühl hielt mich in einem wie im anderen Falle davon ab — das Gefühl, daß wir nicht hier auf Erden sind, um einen Platz zu behaupten, sondern einer Idee, eines Werkes willen. Ich habe mich, derselben zugleich entschlossenen und doch wieder zaghaften Eingebung folgend, im Herzen losgerissen von dem schönen Häuschen und den Blumen, die ich unter den Augen meines Vaters und meiner Mutter gepflanzt — wie von den schönen Zimmern, wo ich Sie angebetet, wo ich mein Kind habe aufwachsen sehen! Weimar war damals eine Idee größer als Woronince. — Und Rom ist eine Idee noch größer als Weimar! daher habe ich Woronince für Weimar, und W e i m a r für Rom geopfert — denn Sie sind und werden in Rom größer sein, als Sie es in Weimar hätten sein können!"

Die Fürstin war von je sehr fromm, um nicht zu sagen bigott, und man hatte es in Rom geschickt verstanden, sie darin zu bestärken und ihre Gedanken immer mehr von der Welt abzuziehen und der Kirche zuzuwenden. War sie früher von dem Glauben befangen, daß ihr eine k ü n s t l e r i s c h e Mission zu erfüllen vorbehalten sei: Liszt zum Komponisten zu machen (was, soweit sie dabei in Betracht kam, zwar eine Täuschung war, aber herrliche Früchte gezeitigt hat), so hielt sie sich nun zu einer k i r c h l i c h e n Mission berufen. Sie wollte sich und Liszt der Kirche weihen und ihre Liebe dem höheren Ziel freiwillig zum Opfer bringen. Liszt sollte sich der weltlichen Musik enthalten und fernerhin nur noch in Rom zu Ruhm und Ehre der Kirche fromme Werke schaffen. Daß es ihr gelang, diese Absicht, die auch ihr ein großes Opfer auferlegte, das sie mit Märtyrereifer aber gern auf sich nahm, zu verwirklichen, dazu trugen zwei äußere Umstände bei. Einmal wurde der gegenseitige Verzicht auf die Eheschließung dadurch erleichtert, daß der Liebesbund der beiden von Anfang an, wie ich schon zuvor betonte, hauptsächlich auf einer Seelengemeinschaft begründet war und das sinnliche Moment dabei, wenigstens von seiten der Fürstin, ganz im Hintergrund stand. Sie war auch zuvor eigentlich nur Liszts Freundin, nicht sein Weib, und das konnte sie auch fernerhin bleiben. Durch die eineinhalbjährige Trennung war auch bei Liszt sein Liebesfeuer anscheinend erkaltet, wie zahlreiche Andeutungen in Briefen von Cornelius aus damaliger Zeit vermuten lassen. Trotzdem fühlte sich Liszt der einst so heißgeliebten Frau, die ihm so viel geopfert, fürs Leben verpflichtet, und er war viel zu ritterlich gesinnt, um in diesem Punkt je zu wanken. Nur dieser Umstand ermöglichte es, daß Liszt auf den Verzicht der Fürstin einging, wozu er sich früher wohl kaum bereit erklärt hätte. Daß es der Fürstin fernerhin gelang, Liszt für ihre kirchlichen Pläne zu gewinnen, wurde sehr begünstigt durch des Meisters eigenen Widerwillen gegen das gegenwärtige weltliche Musikgetriebe und durch seine eigene Sehnsucht, sich zunächst davon zurückzuziehen. „Nachdem ich die mir gestellte s y m p h o - n i s c h e Aufgabe in Deutschland, so gut ich es vermochte, zum größeren Teile gelöst habe, will ich nunmehr die o r a t o r i s c h e nebst einigen zu derselben in bezug stehenden Werken erfüllen," schrieb Liszt damals an Brendel.

Er hatte von jeher regstes Interesse an der Kirchenmusik genommen und seit langem ihre Reform angestrebt. Er hoffte nun, in Rom seine Pläne in die Tat umsetzen zu können, ja es mag ihm vielleicht selbst anfangs der Gedanke vorgeschwebt haben, der Reformator der katholischen Kirchenmusik zu werden. Er lieh daher den Vorschlägen der Fürstin ein williges Ohr. Doch um auf dem nunmehr eingeschlagenen Weg auch vorwärts zu kommen, war es nötig, daß Liszt selbst Mitglied des römischen Klerus wurde, denn nur ein Geistlicher konnte Kapellmeister des Papstes werden, eine Stellung, die Liszt hätte bekleiden müssen, um wirklich reformatorisch wirken zu können. Da diese Forderung nun mit einem von Jugend auf gehegten Herzenswunsch Liszts zusammentraf und diesem bereits zweimal aus Rücksicht auf seine Eltern versagten Begehren jetzt kein äußeres Hindernis mehr im Wege stand, so tat er den von der Welt vielfach verlachten oder böswillig gedeuteten Schritt, der nur eine Konsequenz seiner inneren Entwicklung darstellt: er nahm am 25. April 1865 die niederen Weihen. Die Fürstin hoffte damals im Stillen, daß Liszt auf der Ruhmesleiter kirchlicher Ämter höher steige, ja vielleicht gar den Kardinalshut erlange; und in ihren Briefen an höhere Geistliche erwähnte sie häufig, daß in den Reihen des höheren Klerus ein bedeutenderer Mann als Liszt schwerlich aufzuweisen sei, und daß sie nicht verstehe, warum die Kirche sich mit diesem großen Namen nicht mehr schmücke. Daß Liszt

226

selbst solche Pläne vollständig fernlagen, zeigt außer der Tatsache, daß er die Vorbereitungen zum Empfang der höheren Weihen sehr bald aufgab, sein eigener Ausspruch: „Niemand kennt so genau wie Sie den absoluten Mangel meines Ehrgeizes betreffs einer kirchlichen Karriere. Als ich im Alter von 54 Jahren die unteren Weihen nahm, war mir der Gedanke, äußerlich vorzurücken, so fremd wie möglich. Ich folgte einzig und allein in der Einfalt und Redlichkeit des Herzens dem früheren Hang meiner Jugend."

Auch die Fürstin widmete sich ganz dem Dienst der Kirche. Auf Rat und unter der Führung ihr befreundeter Kirchengrößen gab sie sich eifrigst theologischen Studien und kirchenpolitischen Untersuchungen hin, die sie in einer eigens für sich gemieteten Offizin drucken, aber nur teilweis veröffentlichen ließ. Sie arbeitete fast ununterbrochen, und die Zahl ihrer Werke, die jedoch wegen eines sehr schwülstigen und unübersichtlichen Stils wenig genießbar sind, ist eine recht beträchtliche. Ihr letztes und zugleich ihr Hauptwerk, das sie nur wenige Tage vor ihrem Hinscheiden beendete und das erst 25 Jahre nach ihrem Tod veröffentlicht werden soll: „Causes intérieures de la faiblesse extérieure de l'Eglise" umfaßt allein 24 Bände!

Mag der Gedanke der Fürstin, sich und Liszt in den Dienst der Kirche zu stellen, auch den edelsten Absichten entsprungen sein, so ist er doch beiden sehr verhängnisvoll geworden. So groß auch der Fürstin Verdienste um Liszt während der Weimarer Zeit gewesen sind, sie wurde in späteren Jahren sein Unstern. Rom wußte mit Liszts Musik ebensowenig wie mit seinen Reformplänen etwas anzufangen, und er sah sich bald genötigt, wieder Anschluß mit Deutschland zu suchen und zeitweilig Italien zu verlassen. Hierbei konnte und wollte ihn die Fürstin natürlich nicht begleiten. Und so war er gezwungen, im Alter allein und heimatlos in der Welt umherzuziehen. Auch die Fürstin fand in ihrem Tun nicht die Befriedigung und vor allem nicht die Anerkennung, die sie erhofft hatte. Sie versenkte sich immer mehr in mystische Schwärmereien, und das Verständnis für Liszts Kunst und Schaffen ging ihr mit der Zeit verloren. So gingen sie schließlich beide nebeneinander her, ohne sich noch zu verstehen. Liszt litt unsäglich unter den geradezu krankhaften Anschauungen der Fürstin in den letzten Jahren Er sollte stets büßen, beten und mit Engelein Zwiesprache halten. Über die in Liszts Leben wichtigen Punkte: Bayreuth, Pest und Rom konnten sie sich nie unterhalten, da die Fürstin darüber anderer Ansicht war und ihm stets Vorwürfe machte; so beschränkten sich die Briefe der letzten Jahre meist auf leere Aufzählungen äußerer Begebenheiten von seiten Liszts und guter Ermahnungen von seiten der Fürstin. „Die große Niedergeschlagenheit meiner alten Tage besteht darin, mich in Meinungsverschiedenheiten mit Ihnen zu befinden. Es war nicht so von 1847—62. Abgesehen von einigen Streitigkeiten über literarische Punkte und meine Torheiten waren wir in allen wesentlichen Fragen in vollstem Einverständnis. Rom und das Übersinnliche Ihres Geistes haben all das geändert," schreibt Liszt selbst. So war das große Opfer, das sie 1861 gebracht hatten, völlig zwecklos geblieben. Die Fürstin sah an ihrem Lebensabend auf ein verfehltes Leben zurück, und Liszt hatte die letzten Jahre bitter unter den Folgen dieses Schrittes zu leiden.

II. Begebenheiten der Jahre 1861—1869

„Von mir habe ich Ihnen eigentlich wenig zu sagen. Obwohl meine hiesigen Bekanntschaften ziemlich ausgebreitet und anziehender Art sind (wenn auch keineswegs spezifisch musikalisch!), lebe ich im ganzen mehr abgeschlossen, als es mir in Deutschland möglich war. Die Morgenstunden gehören meiner Arbeit und manchmal auch ein paar Abendstunden. Mit der „Elisabeth" hoffe ich in drei Monaten gänzlich fertig zu sein. Bis dahin kann ich nichts anderes unternehmen, weil mich dieses Werk gänzlich absorbiert," berichtet Liszt Ende 1861 an Brendel.

Er wohnte anfangs im Hause Via Felice 113. Die Gesellschaft, in der er verkehrte, bestand hauptsächlich aus dem ihm vom Großherzog empfohlenen Duc de S e r m o n e t a (Michelangelo Caetani), dem berühmten Dante-Forscher; der unter dem Schriftstellernamen Elpis Melena bekannten Baronin von Schwartz, „in deren Salon römische Patrioten und daneben hohe Geistliche, Fremde aller Nationen, Künstler, Musiker und unter diesen Franz Liszt als der überall Erste verkehrten"; Donna Laura M i n g h e t t i, der Gattin des damaligen Premierministers, und ihrer Tochter, der späteren Gräfin Marie D ö n h o f, bei denen Liszt meist Sonntagsnachmittags erschien; Frau Sibylle M e r t e n s - S c h a a f h a u s e n, die jeden Dienstagabend vornehme Gäste bei sich sah, den Malern Peter von C o r n e l i u s, C a t e l, N e r e n z, L i n d e m a n n -F r o m m e l u. a. Auch an den gesellschaftlichen Abenden im Palazzo Caffarelli, wo der preußische Gesandte Graf A r n i m und Legationsrat Curt von S c h l ö z e r wohnten, nahm Liszt häufig teil, desgleichen an den Abenden des Künstler-Vereins. Mit den Koryphäen der römischen Geistlichkeit wurde er im Salon der Fürstin Wittgenstein bekannt, die damals an der Piazza di Spagna No. 93 wohnte und täglich eine Menge Besuche von Geistlichen und Gelehrten empfing. —

Am 10. August 1862 war Liszts Oratorium: Die heilige Elisabeth, das er in Weimar begonnen und an dem er jetzt eifrig gearbeitet hatte, beendet. Zur Erholung ging er darauf einige Wochen in die römische Campagna. Nach seiner

228

Rückkehr begann er mit den Arbeiten an der Missa Choralis und (im November) an seinem größten kirchlichen Werk, dem Christus. Alle Einladungen aus Weimar, London, auch vom Musikverein zu Aufführungen seiner Werke lehnte er ab: „Ich bin fest entschlossen, längere Zeit hier ungestört, unaufhaltsam und konsequent fortzuarbeiten. Die Legende der Heiligen Elisabeth darf nicht isoliert bleiben, und ich muß dafür sorgen, daß die gehörige Gesellschaft für dieselbe heranwächst! Anderen Leuten mag diese Sorge als etwas Geringes, Unnützes und jedenfalls Undankbares und wenig Einträgliches erscheinen; für mich ist es der einzige Kunstzweck, den ich anstreben muß und welchem ich alles übrige zu opfern habe. In meinem Alter ist es ratsam, zu Hause zu bleiben; was man zu suchen hat, findet sich inwendig, nicht auswärts." Auch eine Aufforderung des Konservatorium-Vorstandes in Pest, zur Förderung der ungarischen Musik sein Domizil daselbst aufzuschlagen, schlug er aus: „Möglicherweise aber trifft sich späterhin eine fügliche Gelegenheit, etwas für Ungarn zu komponieren. Nach dem Präzedens der Graner Messe dürfte man mir wohl, z. B. bei einer außerordentlichen Veranlassung, etwa ein Te Deum oder ähnliches anvertrauen. Hierfür würde ich gern mein Bestes leisten, und nur in solcher Weise halte ich es für angemessen, nach Ungarn zurückzukehren."

Der Herbst 1862 brachte Liszt noch eine Trauerkunde. Am 11. September starb seine Tochter Blandine auf Olliviers Landgut St. Tropez, wo sie einige Wochen zuvor einem Knaben das Leben geschenkt. Liszt erkrankte infolge der Nachricht. In der Religion und seiner Arbeit fand er allmählich wieder Trost gegen diesen herben Schicksalsschlag, der ihm nun schon das zweite seiner Kinder in der Blüte ihrer Jahre dahingerafft. „Blandine hat ihre Stätte in meinem Herzen neben Daniel. Beide verbleiben mir als Sühne, Reinigung, Fürbitter mit dem Zuruf „Sursum corda". Solange wir auf Erden sind, müssen wir unser Tagewerk verrichten. Das meine soll nicht brach liegen. Für meine Seelentränen muß ich mir gleichsam Lakrymatorien anfertigen, für meine lieben Lebenden Flammen anzünden und meine lieben Toten in geisteskörperlichen Urnen aufbewahren. Dahin stellt und deutet sich die Kunstaufgabe für mich."

Die gesellschaftlichen Verpflichtungen in Rom fingen an, ihm das Arbeiten nahezu unmöglich zu machen. „Die letzten Monate brachten mir so viele Störungen, daß ich darüber noch ganz verdrießlich bin. Ich muß also meinen früheren Vorsatz konsequent durchführen, und mich gänzlich absperren." Dieses Vorhaben erleichterte ihm ein Anerbieten, das vom Archivar des Vatikans, Pater Theiner, kam, den Liszt von seinem Romaufenthalt 1839 her bereits kannte und schätzte, seine inmitten der Stadt gelegene Wohnung mit zwei Zimmern des den Oratorianern gehörigen Klosters Madonna del

R o s a r i o auf dem Monte Mario, das auch Pater Theiner bewohnte, zu vertauschen. Am 20. Juni 1863 siedelte Liszt in das neue, ungefähr eine Stunde vor der Stadt gelegene Domizil über, das ihm eine herrliche Aussicht über Rom und die Campagna, wie über das Albaner- und Sabinergebirge gewährte. Hier besuchte ihn am 11. Juli P a p s t P i u s IX. und verweilte ungefähr eine halbe Stunde, während der Liszt „eine kleine Probe seiner Geschicklichkeit auf dem Harmonium und seinem Arbeitspianino darlegte". Einige Tage später gewährte ihm der Papst eine Audienz (die erste während seines römischen Aufenthalts) und schenkte ihm eine schöne Kamee der Madonna. Pius IX. war Liszt sehr gewogen und hätte gern dessen kirchliche Musikreform zur Tat werden lassen; doch scheiterte die schöne Absicht am Widerstand und Unverstand der römischen Kardinäle. Gegen deren Wunsch wagte der Papst nicht seinen Willen durchzusetzen; auch Liszt wäre von dem Tage an, an dem dies geschehen wäre, seines Lebens nicht mehr sicher gewesen. Nach dem Tod Pius IX. erloschen Liszts Beziehungen zum Vatikan.

Liszt lebte jetzt ganz zurückgezogen. Zu den wenigen, mit denen er damals verkehrte, zählten die beiden Kirchenfürsten B o n a p a r t e und N a r d i und der russische Gesandtschafts-Sekretär Baron Felix von M e y e n d o r f f und dessen Gattin, eine geborene Prinzessin Gortschakoff. — Eine Aufforderung der Kölner Dombau-Gesellschaft, in einem Festkonzert zu ihren Gunsten zu spielen, lehnte Liszt mit dem ironischen Hinweis auf seine „zeitweilige kompositorische Beschäftigung" ab, desgleichen eine Einladung, in der Petersburger Philharmonischen Gesellschaft zwei Konzerte mit eigenen Kompositionen zu dirigieren. Die Amsterdamer Musikgesellschaft „Zelus pro Domo dei" machte damals eine rühmliche Ausnahme, indem sie sich nicht wie alle anderen an den Virtuosen oder Dirigenten Liszt wandte, sondern dem Komponisten Liszt eine Ehrung zukommen ließ. Sie übersandte ihm anläßlich einer Aufführung der Graner Messe das Ehrenmitglieds-Diplom. Neben eifriger Weiterarbeit am Christus, aus dem ein Bruchstück, der Papst-Hymnus, zur Feier von Petri 1800. Geburtstag im St. Peter gesungen wurde, beschäftigte Liszt die Revision seiner Klavierpartitur der Beethovenschen Symphonien, denen er auch eine Klavierbearbeitung der Beethovenschen Streichquartette folgen lassen wollte. Er befleißigte sich dabei möglichster Einfachheit: „Mein 40jähriges Hin-, Her- und Herumwirtschaften mit dem Klavier macht mich jetzt sehr darauf bedacht, den Spieler nicht unnötig zu quälen und ihm bei mäßiger Anstrengung die möglichste Klang- und Kraftwirkung anheimzustellen. Auch in diesem Bezug ist meine Verbesserungssucht ein chronisches, unverbesserliches Übel geworden. und das Publikum wird nächstens ein ordentliches Probestück davon erhalten durch die neue Auflage der Beethovenschen Symphonien."

Am 21. März 1864 veranstaltete Liszt im Saal der neuen Kaserne eine

230

Accademia Sacra zum Besten des Peterspfennigs. Er hielt sich zwar von dem Musikleben Roms zurück, aber der Kirche zuliebe trat er hier einmal an die Öffentlichkeit. Er spielte selbst einige religiöse Stücke. Bei dieser Veranstaltung wirkte die päpstliche Kapelle durch Chorgesänge mit, und vier Kardinäle hielten kirchliche Vorträge. Die Einnahme des Abends betrug zirka 20 000 Lire. Für den Sommer d. J. stand Liszt eine längere Unterbrechung seiner Arbeiten bevor: Zunächst weilte er Mitte Juli einige Tage als Gast beim Erzbischof Gustav Hohenlohe in der Villa d'Este bei Tivoli, die diesem vom Herzog von Modena auf Lebenszeit abgetreten war, und hieran anschließend in der päpstlichen Sommerresidenz Castel Gandolfo, wo er dem Papst öfters vorspielte. Im August folgte eine längere Reise nach Deutschland. Dies war die erste Wiederkehr seit seinem Abschied von Weimar. Liszt hatte in einer regen Korrespondenz mit Brendel an den Vorverhandlungen zu der dritten Tonkünstlerversammlung teilgenommen und schließlich auf dessen unablässiges Drängen hin sein Kommen zugesagt, falls Bülow die Leitung des Festes in K a r l s r u h e übernähme. „Ich verhehle Ihnen nicht, daß es mir wenigstens ungelegen ist, Rom, wenn auch nur für kurze Zeit, zu verlassen, und man dürfte mir es nicht verübeln, mehr Befriedigung in meiner hiesigen Zurückgezogenheit zu finden, als in den sterilen Widerwärtigkeiten eines sogenannten Wirkungskreises. Gilt es aber wirklich, wie Sie es mir versichern, der guten Sache und einigen lieben Freunden dienlich zu sein, nun, dann soll jedwedes andere Bedenken weichen, und meine Bereitwilligkeit die Probe bestehen. Obwohl mir der Entschluß zur Abreise sehr schwer fallen wird, will ich Anfang Juni meinen Paß nach Karlsruhe visieren lassen und dem dortigen Musikfeste beiwohnen, vorausgesetzt, daß Bülow die Direktion desselben übernimmt."

Den 10. August reiste Liszt von Rom ab und begab sich über Marseille, Straßburg nach Karlsruhe. Hier harrten seiner mannigfache Enttäuschungen. Bülow wurde durch ein heftiges Nervenfieber in München zurückgehalten. Die erbitterten Kämpfe in Berlin für das Durchdringen der neuen Richtung und die aufreibende Tätigkeit als Virtuos und Lehrer an Sterns Konservatorium hatten seine Kräfte völlig erschöpft. Auf Einladung Wagners, der von König Ludwig II. von Bayern aus größter Notlage befreit und nach München berufen worden war, hatte sich auch Bülow nach München begeben. Er wurde als „Vorspieler des Königs" mit einem Gehalt von 2000 Gulden für München gewonnen. Bülow war schon krank in München angekommen, und es war ihm unmöglich, sich nach Karlsruhe zu begeben. Cosima erschien bei ihrem Vater, um ihn von Bülows trauriger Lage in Kenntnis zu setzen. Die Leitung des Musikfestes übernahm daher Kapellmeister Seifriz aus Löwenberg. Von Liszts Werken brachte die vom 22. bis 26. August stattfindende

Tonkünstlerversammlung den 13. Psalm, Mephistowalzer und Festklänge. Außerdem spielte eine Schülerin Bülows, Frl. Topp, seine Sonate. Alle Werke fanden einstimmig begeisterte Aufnahme. Von alten Freunden konnte Liszt wieder begrüßen: Agnes Street-Klindworth, Gräfin Moukhanoff, Mgr. Haynald, Gille, Lassen, Pruckner, Singer, Riedel u. a. Der badische Hof weilte in Baden-Baden und kam nicht zu den Konzerten.

Sofort nach Beendigung der Tonkünstlerversammlung reiste Liszt mit Cosima nach M ü n c h e n. Sein Besuch galt einzig und allein dem kranken Bülow. Wagner, den er beim König in Hohenschwangau glaubte, ließ es sich nicht nehmen, noch am gleichen Tag, Sonntag, den 28. August, nach München zu eilen, um seinen Freund zu begrüßen. An Bülows Krankenlager waren sie nach dreijähriger Trennung wieder einmal vereint. Dienstag nachmittag begleitete Liszt den Freund auf dessen Villa am Starnberger See, wo sie sich über alle Vorkommnisse der letzten Jahre aussprachen. Er berichtete darüber an die Fürstin nach Rom: „Was Wagners Lage anbelangt, so grenzt sie ans Wunderbare! Salomon hat sich getäuscht, es g i b t Neues unter der Sonne. Ich bin davon seit gestern abend vollkommen überzeugt — nachdem mir Wagner mehrere Briefe des Königs an ihn mitgeteilt hat. Im Grunde kann sich ja dadurch zwischen uns nichts geändert haben. Das große Glück, welches ihm, dem ich den Beinamen ‚Der Ruhmreiche‘ beigelegt habe, endlich zugestoßen ist, wird nach Möglichkeit einige Härten seines Charakters mildern. Wagner lehrte mich seine ‚Meistersinger‘ kennen, und ich führte ihm als Gegengabe die ‚Seligkeiten‘ vor, von denen er sehr befriedigt zu sein schien. Die Meistersinger sind ein Meisterwerk an Humor, Geist und anmutiger Lebendigkeit. Das ist heiter und schön, wie Shakespeare.“

Von München begab sich Liszt über Stuttgart nach W e i m a r. Tiefbewegt betrat er wieder die Räume der Altenburg. Hier hauste seit 1862 die Kammerfrau der Fürstin, Auguste Pickel, als Verwalterin. Da der Hof noch nicht in Weimar anwesend war, besuchte Liszt den Fürsten Hohenzollern in Löwenberg und weilte dann noch einige Tage bei Bülows in Berlin. Nachdem Liszt darauf kurze Zeit Gast des Großherzogs von Weimar in Wilhelmstal gewesen war, der ihn von neuem beschwor, nach Weimar zurückzukehren, und nicht verstand, warum die Heirat mit der Fürstin jetzt nach dem Tod des Fürsten Wittgenstein nicht stattfände, traf er am 2. Oktober in P a r i s zum Besuch seiner Mutter ein. Diese wohnte seit Blandinens Verheiratung bei Ollivier. Über St. Tropez, wo er an Blandines Grab gebetet, kehrte er am 18. Oktober wieder in seine römische Einsiedelei am Monte Mario zurück und nahm seine Arbeiten wieder auf. Damals beschäftigte ihn vor allem das Studium und die Überarbeitung eines von einem römischen

Prälaten verfaßten großen liturgischen Werkes, das im Gregorianischen Gesang alle kirchlichen Feiern des ganzen Jahres umfaßte.

Im März 1865 hatte man in Rom nochmals Gelegenheit, Liszts Klavierspiel zu bewundern. Er wirkte wieder in einem Konzert für den Peterspfennig (diesmal im Kapitolsaale) mit. In einem Brief an Brendel schildert er selbst die Vorfälle: „Zum ersten Male vereinigten sich die verschiedenen Kapellen Roms zu einer Aufführung, die im ganzen als ebenso gelungen als günstig aufgenommen zu bezeichnen ist. Das Konzert war dem heiligen Vater anheimgestellt und von ihm akzeptiert. Dieser ausnahmsweise Charakter der Sache, der dann, wie voriges Jahr, in Einklang mit dem Modus der Detaileinrichtung gebracht wurde — (einige Damen der Aristokratie und Kommissäres verteilten die Billetts, für welche nur ein Minimum festgestellt ward, keine Affichen usw.) bestimmte meine Mitwirkung. Ich spielte den ‚Cantique‘ und, da der Applaus nicht endete, fügte ich noch meine Transkription der ‚Charité‘ von Rossini hinzu. Alles, was in Rom Anspruch auf Bildung hat, war zugegen, und der Saal überfüllt."

Ganz insgeheim bereitete sich Liszt inzwischen mit dem Dominikaner Salua zum Examen für die niederen Weihen vor. Daß er diesen Schritt plante, wußten außer der Fürstin nur der Papst und Mgr. Hohenlohe. Dieser war, als er sein Ziel, die Heirat Liszts mit der Fürstin zu vereiteln, gesichert sah, Liszt sehr nahegetreten, unterstützte ihn aufrichtig in all seinen kirchlichen Plänen und suchte ihm alles, so gut er konnte, zu erleichtern. Von ihm empfing Liszt am 25. April die Weihen, und bezog darauf eines der Hohenloheschen Gemächer im Vatikan. Später stellte ihm Hohenlohe ständig drei Zimmer in der Villa d'Este bei Tivoli zur Verfügung. Am Vorabend des Tages, an dem sich Liszt zur Vorbereitung seines Eintritts in den geistlichen Stand in die klösterliche Einsamkeit der Lazaristen zurückzog, spielte er noch in einer glänzenden Gesellschaft im Palazzo Barberini Webers Aufforderung zum Tanz und den Erlkönig, zwei Glanzstücke seiner Virtuosenjahre. Dieser befremdende, und doch wieder verständliche Umstand erfuhr böswillige Auslegung. Es war ein gewissermaßen letztes Abschiednehmen des Virtuosen von der Welt. Die Nachricht, daß er Abbé geworden, rief natürlich das größte Aufsehen und eine Flut von Witzeleien hervor. Liszt ertrug alles mit Gleichmut. Ihm bedeutete dieser Schritt keine Änderung, sondern eine Bekräftigung seiner früheren Gesinnung. Die Welt konnte wegen mangelnder Kenntnis der näheren Umstände diesen Schritt nicht begreifen.

Der im Mai 1865 in Dessau stattfindenden vierten Tonkünstlerversammlung, die seine Hunnenschlacht und den 137. Psalm im Programm führte, wohnte Liszt nicht bei, auch nicht der Uraufführung von Tristan und Isolde in München, aber er folgte anfangs August einer Einladung nach P e s t, um an

dem anläßlich des 25jährigen Bestehens des Konservatoriums stattfindenden
ersten ungarischen Musikfest teilzunehmen und dort die U r a u f f ü h r u n g
seiner H e i l i g e n E l i s a b e t h selbst zu dirigieren. Liszt stieg in Pest
im Stadtpfarrhofe bei Abt Schwendtner ab, der ihn liebevoll aufnahm. Am
15. August fand die Erstaufführung der Heiligen Elisabeth statt. Die Zahl der
Mitwirkenden betrug 500, die der Zuhörer über 2000. Der Beifall war so stark
und die Aufnahme auch von seiten der Kritik eine so warme, daß sofort eine
Wiederholung für den 22. festgesetzt wurde. „Die Aufführung war lobenswert.
Die Teilnehmer in Chor und Orchester erfüllten ihre Aufgabe mit einer Art
heiligem Eifer und an gewissen Stellen mit einem Ausdruck des Enthusiasmus.
Insbesondere die Partie der Elisabeth, die von einer jungen Frau, Mme. Pauli-
Markowics, mit überwältigendem Gefühlsausdruck gesungen wurde, hatte ihre
ganze Glorie," berichtet Liszt an die Fürstin. Hans von Bülow und Cosima,
Eduard Liszt aus Wien mit seiner Frau und Baron von Augusz waren zu diesem Fest herbeigeeilt. Am 17. August folgte ein großes Konzert von nur ungarischen Komponisten: Erkel, Mossonyi, Volkmann und Liszt, der die Direktion
der Dante-Symphonie und zum Schluß des Rákoczymarsches übernahm. Der
Dante erregte solche Sensation, daß Liszt genötigt war, den ganzen ersten Teil
zu wiederholen. Um sich erkenntlich zu zeigen, gab er mit Reményi und
Bülow ein Abschiedskonzert, in dem er selbst die zwei Franziskus-Legenden,
sein Ave Maria und Cantique d'Amour spielte. Die Einnahme, die für Wohl-
tätigkeitszwecke verteilt wurde (davon ⅓ für die neue Kirche der Leopold-
stadt), belief sich auf über 12 000 Mark. Am Gründungstag der Kathedrale zu
O r a n machte Liszt mit Bülows und Abt Schwendtner einen Ausflug dorthin,
um den Kardinalprimas zu besuchen. Von diesem wurde ihm bei der Gelegenheit die Komposition der Krönungsmesse für das österreichische Kaiserpaar in
Ofen für 1867 übertragen. Vom 2. bis 8. September weilte Liszt mit Bülows
und Reményi bei seinem Freunde Augusz in Szegszard zu Besuch. Hier wurde
ihm Sonntag abends eine Serenade dargebracht, die ungefähr 8000 Menschen
vor dem Hause versammelte. Liszt ließ das Klavier an das offene Fenster
rücken und spielte eine ungarische Rhapsodie mit Reményi und den Rákoczy-
marsch vierhändig mit Bülow, wodurch er die Menge in einen Taumel versetzte.

Am 10. September trat er die Rückreise nach Rom an. Die Partitur der
Elisabeth hatte er zuvor Bülow übergeben, weil er sie zunächst nicht veröffentlichen wollte und alle ferneren Aufführungen nur unter Bülows Leitung
stattfinden sollten. Er lehnte daher zunächst viele Anträge betreffs der Elisabeth ab, denn: „Die etwaige Besserung, die, wie man sagt, in meiner Lage
seit kurzem eingetreten ist, ließe sich ungefähr so fassen: Jahrelang in seinen
symphonischen Dichtungen, Messen, Klavierwerken, Liedern hat Liszt nur
verworrenes und verwerfliches Zeug geschrieben, mit der Elisabeth scheint

234

er sich etwas vernünftiger zu verhalten, doch . . . Da ich aber keineswegs gesonnen bin, ein allgemeines Peccavi für meine Kompositionen abzulegen, und die Züchtigungen, welche denselben erteilt wurden, als billige und gerechte anzunehmen, dünkt es mir nicht ratsam, den angeblich mildernden Umständen der Elisabeth übereilt beizupflichten."

In Rom nahm Liszt die Arbeiten am Christus wieder auf. Ein Stück daraus, das Stabat mater speciosa, wurde Anfang Januar 1866 in der Kirche Santa Maria gesungen, und im gleichen Monat im ersten Konzert der unter Liszts Auspizien gegründeten Società Orchestrale zur Eröffnung der Galerie Dantesca in Rom erstmalig seine Dante-Symphonie aufgeführt. Die Zuhörer wußten mit ihr nichts anzufangen; man fand sie zwar geistreich, aber formlos. Für Februar erhielt Liszt eine Einladung des Königs von Bayern, der für den 24. d. M. eine Separataufführung der Elisabeth unter Bülow befohlen hatte. Da Liszt zuvor jedoch eine Zusage nach Paris für den März gegeben hatte, konnte er nicht Folge leisten. Die Elisabeth wurde dreimal in München gegeben; kurz darauf folgte ein Lisztkonzert mit Tasso, Mephistowalzer und Faust-Symphonie, das „von Abschnitt zu Abschnitt sich steigernden Enthusiasmus fand". Der König war begeistert und übersandte Liszt den Michaelsorden.

Am 5. März traf Liszt in P a r i s ein, um auf Einladung des Maire Dufour der in der Kirche St. Eustache stattfindenden Aufführung   der G r a n e r M e s s e beizuwohnen. Der Erfolg war infolge einer sehr mäßigen Wiedergabe ein geteilter, und die Presse focht das Werk an. Berlioz überließ für diesen Abend die Kritik im Journal des Débats seinem Freunde d'Ortigue, der sehr abfällig urteilte. „Transeat a me calix iste", schrieb er u. a. in Bezug auf die Messe. Berlioz selbst nannte sie eine „Verneinung der Kunst". Als einige Tage später im Erardsaal eine symphonische Dichtung Liszts gespielt wurde, lief er ostentativ hinaus, da diese ihm als „das Gegenteil von Musik erschien". Da lud Liszt die bedeutendsten Kritiker zu sich und rechtfertigte, die Partitur in der Hand, sein Werk gegen die haltlosen Angriffe. Man hatte die Messe mehr kritisiert als gehört. Liszt hätte dieser Sache nicht so viel Bedeutung beigelegt, wenn es ihn nicht geschmerzt hätte, daß auch sein Jugendfreund d'Ortigue, der hätte wissen müssen, wie ernst er es mit der Kunst meinte, dasselbe Lied wie die übrigen gesungen hätte. Eine Wiederholung der Messe fand eine bessere Aufnahme. Liszt wohnte während seines Pariser Aufenthaltes wieder bei Ollivier, und zwar in den Räumen, die seine Mutter bis kurz zuvor bewohnt hatte. Frau Liszt hat dieses Auftreten ihres Sohnes als Komponist an der Stätte seiner frühesten Triumphe nicht mehr erlebt. Sie war am 6. Februar d. J. im Alter von 74 Jahren einer Lungenentzündung zum Opfer gefallen. Ollivier und sein Bruder hatten ihr in ihrer letzten Stunde treulich zur Seite gestanden. Liszt wurde in Paris wieder rasch in den Strudel des

235

gesellschaftlichen Lebens hineingezogen; daß er Abbé geworden, schien seine Anziehungskraft nur noch verstärkt zu haben. Er besuchte auch die Gräfin d'Agoult zweimal, und bei dieser Gelegenheit kam es zum endgültigen Abbruch des Verkehrs. Sie hatte zuvor auch diesmal in der Presse durch ihren Schwiegersohn gegen Liszt gewühlt. Von Napoleon III. wurde Liszt wiederholt in Audienz empfangen und erhielt von ihm kostbare Geschenke.

Von Paris aus machte Liszt einen Abstecher nach A m s t e r d a m , wo Bülow für den 25. April ein Konzert übernommen hatte. Den Verlauf dieser Tage schildert Liszt der Fürstin: „Mittwoch, den 25. April, dem Jahrestage meines Einzuges in den Vatikan, fand ein großes Konzert statt mit ,13. Psalm' und mehreren Klavierstücken, worunter ,Der heilige Franziskus auf den Wogen' und die Schubert-Phantasie in meiner Orchestration von Bülow ausgeführt wurden. Es war ein furchtbares Gedränge. Der Psalm ging wunderbar, und als der Beifall mehrere Minuten anhielt, stieg ich auf das Podium, um mich zu bedanken. Da überreichte man mir einen sehr schönen und massiv silbernen Lorbeerkranz mit der holländischen Inschrift: ,Die Kunst, durch die, welche sie ehren, ihrem Helden F. Liszt'." Am 27. April fand ein zweites Konzert Bülows statt mit den Préludes und Klavierstücken und hatte gleichstarken Erfolg; eine sehr gelungene Aufführung der Graner Messe (bereits die achte in Amsterdam!) beschloß am 29. den erfolgreichen Aufenthalt. Auf Wunsch der Königin von Holland machte ihr Liszt vor seiner Rückkehr noch im Haag seine Aufwartung und wurde aufs Liebenswürdigste ausgezeichnet. In Paris verweilte Liszt noch bis Mitte Mai und war eifrig bemüht, in einflußreichen Privatkreisen für seine Werke Verständnis zu erwecken. Der wirkliche Zweck dieses Aufenthalts war, sich als Komponist in Paris durchzusetzen, was für die Zukunft von Bedeutung gewesen wäre. Der Erfolg entsprach den Erwartungen jedoch nur in bescheidenem Maße.

Kurz nach seiner Rückkehr nach Rom verließ Liszt den Vatikan (22. Juni) und zog wieder in seine frühere Wohnung Madonna del Rosario. Hohenlohe war nämlich zum Kardinal ernannt worden und nach Albano übergesiedelt. Seine Gemächer im Vatikan mußten für seinen Nachfolger geräumt werden. Auf dem Monte Mario beendete Liszt den Christus; am 1. Oktober war das große Werk, das ihn mehrere Jahre beschäftigt hatte, vollbracht. Er begann darauf sofort die Krönungsmesse für Ungarn. Da seinem Werk in der Krönungszeremonie nur ein knapper Zeitraum eingeräumt werden konnte und man ihm „Beschränkung auf die kürzest mögliche Dauer" zur Bedingung gemacht hatte, so verzichtete Liszt auf ein weitausgesponnenes Credo und legt ihm statt dessen den einfachen cantus firmus aus der Messe royale von H e n r y D u M o n t (1610 bis 83), allerdings in selbständiger Harmonisation zu Grunde. In 3 Wochen war das Werk beendet. Doch schon am 22. November mußte Liszt wieder sein Domizil wechseln; er zog nun in das Kloster S a n t a F r a n c e s c a Romana, das zwischen der Basilika des Konstantin und dem Triumphbogen des Titus gelegen und herrliche Aussicht auf das Forum und den Palatin gewährte. Freitag vormittags empfing er hier seine Freunde und einige wenige Schüler, meist Italiener. Regelmäßige Teilnehmer an diesen Matineen waren S g a m b a t i und die drei Brüder P i n e l l i, die sich um die deutsche Musik in Italien große Verdienste erwarben, ihr Oheim R a m a c i o t t i, der Däne R a n n k l i d e und Nadine H e l b i g, eine Schülerin Clara Schumanns. Sgambati begründete und leitete damals klassische Konzerte, die im Dantesaal (Via della Frezza) stattfanden und u. a. den Bewohnern Roms zum ersten Mal die Kenntnis der Beethovenschen Symphonien erschlossen. Liszt wohnte meist den Proben und Aufführungen bei.

Inzwischen begannen die Verhandlungen wegen der Aufführung der K r ö n u n g s m e s s e in Ofen, die auf ähnliche Schwierigkeiten stieß, wie einst die Graner Messe und nur durch das energische Eintreten von Liszts Freunden und eine durch sie veranlaßte persönliche Intervention der Königin Elisabeth zu Gunsten des Werkes ermöglicht wurde. Von hoher Stelle erhielt Liszt allerdings keinerlei Ladung, vielmehr war es die Direktion des ungarischen Landeskonservatoriums, die ihn nach der Hauptstadt seines Vaterlandes zum Krönungsfest lud. Liszt traf am 4. Juni ein. Er überbrachte im persönlichen Auftrag des Papstes dem zu krönenden allerhöchsten Herrn eine kostbare Reliquie. Der Kaiser empfing ihn in Audienz und dekorierte ihn hierbei mit dem Komturkreuz seines Franz-Josephs-Ordens. Nach der Krönung wurde er zur Tafel der Majestäten geladen. Zur Krönung selbst, die am 8. Juni stattfand und während der die ungarische Krönungsmesse samt ihrem Instrumentaloffertorium zur lithurgischen Uraufführung kam, hatte Liszt seltsamerweise keine Einladung erhalten; er mußte ihr auf dem Chor unter den Musikern beiwohnen. Wie Abranyi erzählt, hat ihm und dadurch der ungarischen Kunst die vox populi eine solche Genugtuung gegeben, wie sie im Leben einer Nation selten vorkommt. Es geschah nämlich, daß Liszt den Auszug des bereits gekrönten Königs und seines königlichen Geleits aus der Ofener Burg nicht abwartete, um früher in die Stadtpfarre, seine in der Nähe des Krönungshügels und des Schwurplatzes gelegene Wohnung, zu gelangen. Liszt ging zu Fuß. Von der Ofener Mathiaskirche an, über die Kettenbrücke bis zum Schwurplatz, wo die Ableistung des Schwurs stattfinden sollte, bildeten hunderttausende Menschen Spalier, und zahllose Tribünen waren mit vornehmem Publikum besetzt. Jedermann erwartete den Krönungszug. Da brach ein elementares Eljenrufen aus und setzte sich die ganze Linie entlang fort. Alles glaubte, der Festzug komme heran; aber es war inmitten der freigelassenen Feststraße einzig die dahinschreitende Gestalt des Meisters im festlichen schwarzen Abbétalar zu sehen, der sich Schritt für Schritt tiefdankend vor der nicht erwarteten, spontanen Ovation verbeugte. — Wenige Tage später kehrte Liszt nach Rom zurück. Doch Ende Juli bereits verließ er es wieder, um sich, einer Einladung des Großherzogs von Weimar zufolge, nach Thüringen zu begeben. In die kurze Zeit dieses römischen Aufenthalts fällt eine fragmentarische Aufführung des Christus unter Sgambatis Leitung im Dantesaal. Der Eindruck auf die Zuhörer war nicht sonderlich tief.

Am 29. Juli traf Liszt in W e i m a r ein und bewohnte wieder seine Gemächer der Altenburg. Außer wenigen Zimmern der Fürstin hatte man alle Räume des Hauses vermietet, jetzt wurden auch die der Fürstin vom Hof zu anderen Zwecken gewünscht. Liszt sollte dagegen sein „Blaues Zimmer" für immer überlassen bleiben. Doch verzichtete er freiwillig darauf, empört über dieses langsame, unter unklaren Vorwänden versteckte Hinausdrängen. Die Altenburg wurde am Schluß seines diesmaligen Aufenthalts geräumt, verschiedene Sachen öffentlich versteigert, die Möbel, Wertgegenstände usw. in einem Souterrain in Weimar zusammengestellt. — Liszt leitete in Weimar die Einstudierung der Heiligen Elisabeth, die am 28. August zur 800jährigen Feier der Erbauung der Wartburg daselbst erklingen sollte. Zuvor jedoch begab er sich noch nach M e i n i n g e n , wo vom 22. bis 25. die fünfte Tonkünstlerversammlung stattfand. Festdirigent war diesmal Leopold D a m r o s c h aus Breslau. Dieses Musikfest übertraf alle vorhergehenden und hinterließ bei allen Teilnehmern größte Befriedigung. Eduard L i s z t aus Wien, O l l i v i e r aus Paris, Frau von L a u s s o t , die Gattin des Kulturhistorikers Hillebrand in Florenz, die dort die „Società Cherubini" begründet und für die deutsche Musik, namentlich für Liszt, lebhaft eintrat, und Peter C o r n e l i u s waren zu Liszts großer Freude in Meiningen eingetroffen. „Eine leise Befangenheit vor dem geistlichen Kleid, welches der Meister seitdem seinen übrigen Würden zugefügt hatte, wurde augenblicklich Lügen gestraft und behaglich ins Weite getrieben, als wir den unveränderten, geistig immer jungen, teilnehmenden und nachsichtigen Liszt in ihm fanden. Hat er sich in etwas verändert, so ist es nur in der, sein Wesen vollendenden und verklärenden Ruhe des Gemütes, welche er in diesen Übergangsjahren gewonnen hat. Jede Bitterkeit, jeder heftige Ausfall auf ihm Entgegengesetztes ist von ihm abgestreift; er sagt nicht mehr zürnend und eifrig: ‚Werdet anders!', aber seine im strengen Kampf mit dem eigenen Selbst erworbene freundliche Würde macht still Propaganda für sein Wesen ‚deren Überredung sich der Anschauende gern in die Worte übersetzt: ‚Werdet auch so'." So schildert Cornelius den Eindruck, den er beim Wiedersehen mit Liszt empfing.

Liszt war im Programm der Tonkünstlerversammlung vertreten durch den 23. Psalm und die Seligpreisungen im Kirchenkonzert, ausgeführt von dem

238

Salzunger Kirchenchor, durch seine zwei Klavierlegenden (gespielt von Fräulein Heintz) in dem Kammermusikabend des dritten Tages und durch die Berg-Symphonie in dem Schlußkonzert; er erhielt nach Beendigung des Festes vom Herzog von Meiningen das Kommandeurkreuz seines Ritterordens. Nach einem Ruhetag, der zu einem Ausflug nach Bad Liebenstein benutzt wurde, wo abends noch eine Kammermusik-Soiree stattfand, folgte am 28. August das W a r t - b u r g f e s t mit der Aufführung der Heiligen Elisabeth. Die Titelrolle sang Frau Dietz von München, Liszt selbst dirigierte. Die Wirkung dieses populärsten Werkes Liszts war in der historischen Umgebung des Wartburgsaals eine geradezu überwältigende, der Enthusiasmus durchbrach alle Grenzen der Hofetikette und löste sich in einen nicht endenwollenden Jubel. Anderen Tages wurde unter Müller-Hartungs Leitung das Werk in der Stadtkirche zu Eisenach wiederholt. Nachdem Liszt noch 14 Tage beim Großherzog in Wilhelmstal geweilt, begab er sich zum Besuch Bülows nach M ü n c h e n.

Die Familienverhältnisse im Bülowschen Hause standen dicht vor einer Katastrophe. Die Ehe zwischen Hans und Cosima, die sich schon lange tragisch gestaltet hatte, war auf die Dauer nicht mehr aufrecht zu halten. Cosima strebte schon seit Jahren mit allen Fibern ihres Herzens zu Wagner hin, der in ihr endlich die Frau finden sollte, die ihm das langentbehrte Familienheim bescheren und eine ihm auch geistig nahestehende Mitarbeiterin und Mitkämpferin werden sollte. Als Bülow, dessen Gesundheit bei diesen Ereignissen eine dauernde Schädigung erhielt, von den Beziehungen der beiden zueinander erfuhr, war es bereits zu spät. Es handelte sich jetzt nur noch darum, der Welt gegenüber einen Modus vivendi zu finden. Liszt unternahm daher einen Abstecher von München nach Basel, der nur ein Vorwand für den geplanten, aber geheimgehaltenen Besuch bei W a g n e r in Tribschen war, wo dieser seit der Münchener Katastrophe sein herrlich gelegenes Asyl aufgeschlagen hatte. Liszt traf früh am Nachmittag in Tribschen ein und blieb allein mit Wagner bis zum späten Abend. Dann wurde musiziert. Liszt spielte die Meistersinger-Partitur prima vista vollendet vom Blatt, und Wagner sang dazu. Über den dritten Akt war Liszt am meisten entzückt — so etwas könne niemand machen als Wagner, erklärte er mehrere Male, da er vor Staunen und Entzücken aufhörte, um diese Stellen noch einmal zu spielen. Um Mitternacht begab man sich zur Ruhe, denn Liszt reiste schon den nächsten Morgen um 5 Uhr wieder weiter. Zweck und Inhalt seines Besuchs hielt er damals streng geheim, er sagte nur, als er nach München zurückgekehrt: „Ich war bei Wagner, das ist das beste, was ich getan habe, es ist mir, als ob ich Napoleon auf St. Helena gesehen hätte." Heute ist uns die Ursache dieses plötzlichen Besuchs längst kein Geheimnis mehr. Die Besprechung der Wagner-Bülowschen Familienangelegenheiten war der Gegenstand des langen Gesprächs. Man hatte sich dahin geeinigt, daß Cosima, Bülows wegen, noch ruhig einige Monate bei ihm ausharren solle, um dann im kommenden Frühjahr die Trennung unauffällig bewerkstelligen zu können. Doch dauerte es nicht lange, da siedelte Cosima mit den Kindern in Bülows Abwesenheit ständig zu Wagner nach Tribschen über. Liszt brach daraufhin, so schwer es ihm auch fiel, bis auf weiteres jeden Verkehr mit Wagner, wie mit seiner Tochter ab. —

Ende Oktober 1867 war Liszt wieder in Rom eingetroffen, doch das gesellschaftliche Leben belästigte ihn während der folgenden Wintermonate derart, daß an ein Arbeiten nicht zu denken war. Ein Requiem für Männerstimmen unter dem Eindruck des tragischen Endes des Kaisers Max von Mexiko komponiert, war die einzige Frucht der Arbeit des ganzen kommenden Jahrs. „Ich habe einen trostlos unfruchtbaren Winter verbracht, der banalsten Neugierde der Leute ausgesetzt. Ein prächtiges amerikanisches Piano, das der Verfertiger selbst mir an Weihnachten gebracht hatte, diente der wachsenden Flut von Besuchen zum Vorwand." An Fastnacht, wie in der Fastenzeit war es namentlich unter den Fremden Modesache, das amerikanische Klavier unter Liszts Händen nicht zu hören, aber es gehört zu haben. „So wurde das herrliche Instrument für mich die reinste Last," klagte Liszt dem Großherzog von Weimar.

Der Tonkünstlerversammlung, die im Juli in D e s s a u abgehalten wurde und seinen 13. Psalm wie den Künstlerchor brachte, konnte er, da ihn die Entscheidungen über seine Tätigkeit in Rom gerade jetzt zurückhielten, zu seinem Leidwesen nicht beiwohnen. Er wollte sich in diesem Augenblick nicht zu weit von Rom entfernen und machte daher in diesem Jahr nur eine Reise in die Umgebung und zwar mit seinem Freund Abbé S o l f a n e l l i. „Wir begannen unsere Reise mit einer Pilgerfahrt nach M a d o n n a d e l l a S t e l l a, in wildromantische Gegend mit einer in Felsen gehauenen Kapelle, wo der Großvater meines Freundes vor einigen 80 Jahren als Eremit starb. Von dort wanderten wir nach Assisi" (wo Liszts Schutzheiliger gelebt) „und Loretto, wo wir uns einige Tage bei seinem Vater, einem ausgezeichneten Priester, aufhielten. Schließlich gewährte uns sein Onkel, der Graf Fenili, vom 14. Juli bis 30. August in G r o t t a M a r e an der Küste des Adriatischen Meeres die liebenswürdigste Gastfreundschaft. Unsere Hauptbeschäftigung des Herzens und des Geistes bestand darin, gemeinsam unser Brevier zu lesen, sei es an dem Strand, sei es in einem Zitronen- oder Orangenhain, den wir auf unseren Wegen antrafen." Nach seiner Rückkehr nach Rom zog er sich, um ähnlichen Störungen wie im vergangenen Winter zu entgehen, in die V i l l a d ' E s t e zurück. Seine Hauptbeschäftigung bildete hier die Revision der bei Cotta erschienenen Weber- und Schubert-Ausgaben und die Niederschrift seiner Klavierschule „Exercices techniques du pianiste". Auch die Korrekturen der bei Kahnt in Leipzig er-

240

schienenen Heiligen Elisabeth hatten lange Zeit in Anspruch genommen. Liszt widmete das Werk König Ludwig II., dem er wegen seines beispiellosen Eintretens für die Kunst höchste Sympathie und Verehrung entgegenbrachte. Hatte dieser ideal veranlagte Fürst doch den Plan aufgegriffen und vertrauensvoll zur Tat werden lassen, den Liszt früher so gern in Weimar verwirklicht hätte. Ihm hatte seinerzeit kein so weitblickender und opferwilliger Gönner zur Seite gestanden, wie er Wagner jetzt in Ludwig II. beschieden war.

Da Liszt allmählich erkannt hatte, daß all seine Bemühungen, der katholischen Kirchenmusik wieder aufzuhelfen, an dem passiven Widerstand des maßgebenden römischen Klerus scheiterten, und daß man mit seinen Werken in Italien durchaus nichts anzufangen wußte, wurde er den Bitten seiner Freunde zur Rückkehr nach Deutschland zugänglicher. Er fühlte das Bedürfnis, wieder engere Fühlung mit der Musikwelt zu nehmen und sich aus den Aufführungen seiner eigenen oder anderer interessanter Werke neue Anregungen für sein Schaffen zu gewinnen. So entschloß er sich, seinen ständigen Aufenthalt in Rom aufzugeben und alljährlich wieder längere Zeit in Deutschland zu verbringen und nur der Fürstin zuliebe einige Monate des Jahres, die dann in möglichster Abgeschiedenheit eigenen Arbeiten gewidmet sein sollten, in Italien zu verweilen. Hatten auch die Jahre des römischen Aufenthalts (1861—1869) kein einschneidendes Ergebnis gezeigt, so entstammten ihnen doch für die Zukunft hochbedeutsame Werke, vor allem das Oratorium Christus. Wie die Altenburgzeit uns den S y m p h o n i k e r Liszt auf neuen Bahnen wandelnd zeigte, so war in diesen Jahren der K i r c h e n - k o m p o n i s t in ihm zur Reife gelangt.

WEIMAR — PEST — ROM 1869—1886

I. Charakteristik dieser Jahre

Nachdem Liszt seine Zusage gegeben hatte, alljährlich einige Monate wieder in Weimar zu verbringen, handelte es sich darum, ihm dort wieder ein behagliches Domizil einzurichten. Die Altenburg war geräumt und in andern Besitz übergegangen; sie wäre wohl auch für Liszt allein nicht geeignet gewesen. Die Wahl fiel auf die H o f g ä r t n e r e i , ein idyllisch am Eingang des Parks gelegenes Häuschen, das der Hofgärtner bewohnte. Hier wurde die erste Etage: drei kleine Zimmer und eine Dienerkammer, für ihn herge-

16   Kapp, Liszt.   241

richtet. Großherzogin Sophie war selbst bemüht, das Mobiliar zu des verehrten Meisters Bequemlichkeit auszuwählen. Man hatte ursprünglich wohl nur an eine Sommerwohnung gedacht, wofür die Räume mit ihrem entzückenden Ausblick in das Grün des Parks, dem sie umklingenden Gesang der Vögel, der den meist früh um 5 Uhr aufstehenden Meister zu wecken pflegte, wohl ausreichend waren; für einen Daueraufenthalt, zumal im Winter, genügten sie nicht. Man hatte unberücksichtigt gelassen, daß es sich um die Wohnung eines nahezu Sechzigjährigen handelte, dem ein solches Heim keine Befriedigung mehr gewähren konnte. Die Wohnung besaß z. B. keine Küche, und als Liszt in späteren Jahren mit dem aus dem Restaurant geholten Essen seiner Gesundheit wegen nicht mehr vorliebnehmen konnte, ergaben sich manche Kalamitäten. In der kleinen Küche des Parterre mußte nun auch seine Mahlzeit, die meist aus Konserven bestand, da es für die Zubereitung an Zeit und Raum mangelte, von seiner Haushälterin Pauline beschafft werden.*) Jetzt begann sich das Fehlen einer liebevollen weiblichen Fürsorge und eines trauten Heims, das sich in späteren Jahren mit zunehmenden Altersbeschwerden natürlich noch empfindlicher bemerkbar machte, bitter zu rächen. Tagsüber gefeiert und umschwärmt, kehrte Liszt abends in sein einsames Haus zurück, angewiesen auf die Hilfe fremder bezahlter Diener. Seine weiche, empfindsame Natur mußte dies Los des alternden Junggesellen viel schmerzlicher fühlen, als jeder andere. Graf Géza Zichy erzählt einen Vorfall, der ein grelles Licht auf sein meist unter heiterer Laune verborgenes inneres Weh wirft: Liszt war eines Abends eingeladen, doch da die Dame des Hauses erkrankt war, wurde die Gesellschaft in letzter Stunde abgesagt. Zichy traf Liszt im Hausflur seiner Wohnung, als er gerade betrübt zurückkehrte. „Sehen Sie, Géza, das ist das Los eines alleinstehenden alten Künstlers, auf der Treppe, auf der Straße . . . Dem Diener gab ich Urlaub, nun ist niemand in meiner Wohnung, der Ofen kalt, alles finster. Ja, ja, wir haben Feste, hell erleuchtete Salons, doch nie ein Heim. Die Töne verklingen, die Herzen verlöschen, und der Rest ist Schweigen." Zichy nahm seinen Arm, um ihn in seine Wohnung zu führen und ihm Gesellschaft zu leisten, eine heiße Träne fiel auf seine Hand! . . .

Mit Liszts abermaligem Einzug (Mitte Januar 1869) in Weimar nahm die Residenz wieder einen ungeahnten Aufschwung, wenn auch ganz anderer Art wie früher. In das öffentliche Musikleben der Stadt griff er nicht mehr ein, wenngleich seine Anwesenheit auch Einfluß darauf hatte. Er wirkte als Magnet auf die deutsche Künstlerwelt, und alle eilten sie herbei, um bei ihm

---

*) Jetzt Frau Apel, war bereits als Mädchen der Fürstin auf der Altenburg, dann bis zu Liszts Tod dessen Haushälterin in der Hofgärtnerei, die sie heute noch als Kastellanin des Lisztmuseums bewohnt.

242

Rat zu holen, ihre Werke, Manuskripte seiner Durchsicht zu unterbreiten und seinen Unterricht zu empfangen. Weimar war das Mekka der Tonkunst geworden, zu dem die jungen Musiker wallfahrteten, um sich hier die künstlerische Weihe zu holen. Von 1869 datiert die Ausdehnung von Liszts Lehrtätigkeit, die sein kompositorisches Schaffen allerdings allmählich in den Hintergrund drängte. „Nur möchte ich Zeit finden, einige Seiten Noten hier zu schreiben; es wird aber schwer gehen, denn bereits sind ein halb Dutzend Pianistinnen aus Berlin, Hamburg etc. angelangt; bald wird das Dutzend voll werden und noch mehr Messieurs kommen, die sich alle beeifern, Ruhm und Glück zu erwirken."

Sobald Liszt Weimar betrat, entwickelte sich in der Hofgärtnerei regstes Leben. Die heranwachsende Jugend drängte sich um den Nestor, um seinen Lehren zu lauschen. Mancher Sommer versammelte 40 bis 50 Kunstjünger. Liszt gab auch jetzt keine „Stunden". Im Musikzimmer der Hofgärtnerei prangte ein Bechsteinflügel. Der Erbauer hatte ihn als Aufmerksamkeit für Liszt gesandt und ließ ihn alljährlich durch einen neuen ersetzen. Dreimal in der Woche von 4—6 kamen die Schüler um vorzuspielen. Liszt ruhte gewöhnlich nach dem Essen, und die Schüler versammelten sich inzwischen im Park oder im Flur, bis des Meisters weißer Kopf sich am Fenster zeigte oder der Diener die Tür des Musikzimmers öffnete. Jeder legte die Noten des Stückes, das er vortragen wollte, auf den Tisch. Liszt trat herzu und wählte sich etwas aus. Wenn er eine seiner eigenen Sachen in die Hand bekam, sagte er häufig: „Wer spielt denn dieses dumme Zeug?" Dann erscholl es: „Ich, lieber Meister." Er gab einem dann scherzend einen Backenstreich und sagte: „Na, lassen Sie mal hören." Felix Weingartner beschreibt eine solche „Stunde", der er bei seiner ersten Begegnung mit Liszt 1883 beiwohnte, folgendermaßen: „Der erste Eindruck konnte einen Neuling wohl einschüchtern. Bereits auf der Treppe hörte ich heftiges Schelten. Beim Öffnen der Tür gewahrte ich Liszt, von einer Menge von Personen umgeben, vor dem Klavier stehen, an dem ein blasser Jüngling saß, der recht schlecht gespielt haben mußte, denn Liszt kanzelte ihn unbarmherzig herunter. ,Glauben Sie, daß ich dazu da bin, ihre ungewaschene Wäsche zu waschen?' rief er in höchster Wut und warf die Noten auf die Flügeldecke. Kaum jemals, auch nicht nach recht minderwertigen Darbietungen, habe ich Liszt wieder so zornig gesehen, wie gelegentlich unserer allerersten Begegnung. Der Jüngling stahl sich wie ein begossener Pudel vom Klavier fort, und Liszt wandte sich heftig um, wodurch sein Blick zufällig gerade auf mich fiel; sofort wurde er ruhig und sah mich fragend an. Ich nannte meinen Namen und berief mich auf meinen Brief. ,'s ist gut, 's ist gut', brummte er und gab mir freundlich die Hand. Ich bewunderte die Selbstbeherrschung, mit der er seinen Unmut dem fremden Ankömmling gegenüber so rasch gedämpft hatte. Nun betrachtete ich ihn genauer. Die hagere, hohe Gestalt, die ich nach seinen Bildern erwartet hatte, fand ich ncht mehr; er war beleibt, und sein Rücken war ziemlich gekrümmt, was ihn kleiner erscheinen ließ als er war. Auffallend helle Augen blitzten aus dem mächtigen Kopfe hervor, von dem langes, schneeweißes Haar in unverminderter Fülle herabfiel. Der Gang war etwas schlürfend. Es kamen nun einige belanglose Vorträge, die Liszt mahnend und verbessernd unterbrach. Mitunter spielte er selbst einige Takte, und es war denkwürdig, zu sehen, mit welch spielender Leichtigkeit er technische Schwierigkeiten überwand, an denen sich andere die Finger zerbrachen. Wahl und Reihenfolge der Vorträge bestimmte er in zwangloser Weise; seine Bemerkungen waren kurz und treffend. Herzlich und rückhaltlos lobte er, wenn Bedeutendes geleistet wurde. Tadel kleidete er oft in das Gewand des umschreibenden Sarkasmus, aber nicht jeder war feinhörig genug, ihn richtig zu verstehen und hielt für Lob, was in Wirklichkeit scharfe Verurteilung war. Die Unfähigkeit mußte schon sehr offen hervortreten, wenn er ungeduldig werden sollte; aber selbst dann vermochte er mitunter ein Wort zu finden, das die Ablehnung wenigstens scheinbar milderte. Einmal spielte eine sehr hübsche junge Dame eine Chopinsche Ballade ganz dilettantenhaft. Liszt ging aufgeregt herum und murmelte: ,Heiliger Bimbam! Heiliger Bimbam!' Wir alle waren begierig, was erfolgen würde. Als sie geendet hatte, ging er freundlich auf sie zu, legte die Hand wie segnend auf ihre Locken, küßte sie auf die Stirn und sagte leise: ,Heiraten Sie bald, liebes Kind — adieu!' Endlich wurde ich zum Spielen gerufen. Ich hatte Klavierstücke mitgebracht, die später unter dem Titel ,Phantasiebilder' erschienen sind. Ein unerwarteter harmonischer Übergang in den ersten Takten veranlaßte Liszt, mir ein ermunterndes ,Bravo' zuzurufen, das er an einer späteren Stelle wiederholte. Im dritten Stück mißglückte mir eine Passage in der linken Hand. ,Nicht pudeln!' unterbrach er, mir die Hand haltend, ,das tut man nur auf dem — Konservatorium,' und ich mußte die Stelle nochmals spielen, die mir nun auch gelang. Auf die Konservatorien war Liszt schlecht zu sprechen und ließ bei jeder Gelegenheit seinen Spott gegen diese Anstalten los; mit Vorliebe belegte er sie mit dem Ehrentitel ,abgestandene Eierspeisen'."

Über die Art seines Unterrichts erzählt Bernhard S t a v e n h a g e n: "Liszt ist sehr unberechenbar. Aber hat er einmal Neigung zu jemand gefaßt, so läßt er sie fast niemals wieder schwinden. Ebenso ist es aber für gewisse ihm unsympathische Personen schwer, ja beinahe unmöglich, ihm beizukommen. Wen er nicht mag, oder wer ihm gleichgültig (das sind die anständig — mäßig Talentierten), die haben eine höllisch gefährliche Luft um sich, und es hagelt Spott. Denn Technik imponiert ihm nicht im mindesten

244

er setzt sie einfach als selbstverständlich voraus. Sein ganzes Lehren erstreckt sich mit gelegentlichen technischen Winken auf den g e i s t i g e n Gehalt einer Komposition. Starke Techniker, die daneben musikalisch unbedeutend sind, werden von ihm geradeso malträtiert und auf ein Konservatorium (vor allem Leipzig und Stuttgart) verwiesen, wie durchaus mangelhafte Schüler. Und doch lernt man, wenn man fertig ist, kolossal auch in technischer Hinsicht. Doch man muß fertig sein, um ein Auge für die technischen Geheimnisse des Meisters zu haben. Und an Bevorzugte geht er verschwenderisch mit seinem Rate um. Er ist pietätvoll gegen Bach, Beethoven, Chopin bis zum Exzeß. Spielt die beiden ersten ebenso einfach — groß und dennoch von Poesie und Romantik durchtränkt. Er empfindet stets, was er spielt. Der jüngste von uns kann nicht mehr schwärmen, als er für Beethoven. Einen unbezwinglichen Haß aber hegt Liszt gegen alle sogenannte anständige, aber ‚gemachte' Musik. Sein größter Tadel ist: ‚Sie verdienen gut rezensiert zu werden'."

Wie einst auf der Altenburg, so fanden auch in der Hofgärtnerei allsonntäglich von 11—1 Uhr Matineen statt. War es dort die Verbindung des gesellschaftlichen Verkehrs mit musikalischen Darbietungen, die diesen Veranstaltungen ihr eigenartiges Gepräge verlieh, so beschränkte man sich hier auf rein musikalische Genüsse. Eine erlesene Zuhörerschaft, darunter der Großherzog von Weimar, wohnte diesen Konzerten stets bei. Zur Eröffnung wurde meist ein neues Kammermusikwerk vorgeführt, bei dem Liszt häufig selbst mitwirkte, dann produzierten sich die Schüler oder anwesende Künstler. Außer diesen Matineen wurden zeitweise bei Liszt oder der Baronin Meyendorff kleine musikalische Gesellschaften arrangiert, allerdings nur noch bis zum Beginn der achtziger Jahre. Eine ständige Einrichtung der letzten Jahre war dagegen der Sonntagnachmittag im „Schloß Stahr am See", wie Liszt es scherzweise nannte. Die beiden Töchter seines Freundes Adolf Stahr waren noch auf der Altenburg seine Schülerinnen gewesen und hatten sich nach des Vaters Tod im Haus des Rechnungsrats Hey am Schwansee in Weimar ein Heim gegründet und eine Musikschule eröffnet. Liszt war ihnen stets ein väterlicher Freund und bezeigte auch an ihren Schülerinnen das regste Interesse. Jeden Sonntagnachmittag wurde in ihrem Haus musiziert, und diese Soireen erwarben sich bald auch außerhalb Weimars allgemeine Anerkennung.

Liszt liebte es, Jugend um sich zu haben, und verkehrte mit Männlein und Fräulein in gleich ungebundener, liebenswürdig heiterer Weise; sein „sonniges Wesen", wie Wagner es nannte, machte sich allenthalben fühlbar. Gelegentliche Differenzen mit seinen Intimsten wurden bald ausgeglichen, da er am unwiderstehlichsten war, wenn er sich eines kleinen Verstoßes gegen die

245

Gerechtigkeit schuldig wußte. Das Leben der „Jungen" war stark Bohème bei durchschnittlich sehr angespannter Arbeit. Es gab Kneipereien, Liebschaften mit obligaten Eifersüchteleien und kindischen Intrigen — alles war harmloser Natur. Im Spiegel des weimarischen Philistertums nahm sich dies natürlich viel schlimmer aus, und der Klatsch machte selbst vor Liszts eigenster Person nicht halt. Daß sich in einer so großen Zahl auch manchmal Unwürdige befanden, die Liszts große Güte mißbrauchten, ist zwar betrübend, aber eigentlich nicht sehr verwunderlich. Beklagenswerter als solche Ausschreitungen war der Umstand, daß Liszt in seiner allzu großen Güte und Weichheit (aber nur in den letzten Jahren) „Schülern" Zutritt in die Hofgärtnerei gestattete, die überhaupt nicht Klavier spielen konnten, aber mit irgendwelchen hohen Empfehlungen versehen sich bei dem alten Herrn einzuschmeicheln verstanden. Es konnte daher vorkommen, daß man manchmal, wie Bülow einmal spottete, gerade bei Liszt das schlechteste Klavierspiel hören konnte. Doch Liszts selbstlose Aufopferung ließ sich auch durch einige auf unfruchtbares Land gefallene Samenkörner nicht irre machen.

Zu den alljährlich sich wiederholenden Gepflogenheiten gehörten auch die originellen Ausflüge nach J e n a und S o n d e r s h a u s e n , die häufig auf fünf bis sechs festlich geschmückten Wagen unternommen wurden. Gille veranstaltete in Jena jeden Sommer ein sog. „Bratwurstfest". Nachmittags fand dann gewöhnlich dort ein Konzert statt, das Liszt persönlich dirigierte, am Abend folgte eine kleine Kneiperei in Gilles Garten bei Bier und mehreren hundert gebratenen Würsten. Erst nach Mitternacht kehrte die frohe Künstlerschar, in ihrer Mitte der Meister, nach Weimar zurück.

Die Ausflüge nach Sondershausen galten den Lohkonzerten. Von diesen im äußeren Rahmen meist sehr ähnlichen Veranstaltungen entwirft die Lisztschülerin Pauline E r d m a n n s d ö r f e r - F i c h t n e r folgende anschauliche Schilderung: „‚Liszt kommt zum morgigen Lohkonzert' — diese freudige Kunde ging von Mund zu Mund. Unser liebes Sondershausen hatte alljährlich etlichemal den Vorzug, Liszt in seinen Mauern begrüßen zu dürfen, und seine Muse, wie seine Person selbst, wurde dort stets in enthusiastischer Weise gefeiert. Erdmannsdörfer (von 1870—80 in der thüringischen Residenz als Hofkapellmeister tätig) war damals ebenso verschrien wie als eifrigster Pionier der neudeutschen Schule anerkannt. Es war mir die Erlaubnis gegeben worden, zu Meisters Empfang den Hofgarten plündern zu dürfen, und ich war gerade bei der Arbeit, unser Künstlernest in einen Blumengarten umzuwandeln, als ein Notenpaket aus Weimar eintraf, das u. a. Liszts Hexameron enthielt, auf dem Liszt geschrieben hatte: ‚Meiner lieben Partnerin Pauline!' Es war daher kein Zweifel, daß der Meister sie mit mir vierhändig spielen wollte. Ich kannte sie aber damals noch gar nicht, und da ich sie beim Durchblättern sehr schwer fand, legte ich sie zu unterst in das Paket, in der Hoffnung, Liszt werde es vergessen. Nachdem wir am Sonntagmorgen den Meister am Bahnhof in Empfang genommen, fuhren wir zu uns, wo alle Geladenen, darunter Prinz Leopold, erschienen waren. Als das kalte Büfett seine Schuldigkeit getan hatte, spielte ich auf Liszts Wunsch mit Petri und Wihan Raffs c-moll-Trio, dann folgte eine Reihe Solovorträge, zum Schluß spielte der Meister mit mir sein ‚Concert pathétique‘, darauf als stürmisch verlangte Zugabe seinen Rákoczymarsch, der zu meinem Schrecken die Erinnerung an den Hexameron bei Liszt wachrief. Ich wollte mich ‚verflüchtigen‘, ward aber bald gefangen und zu Liszt gebracht, der, herzlich lachend, auf meinen flehenden Blick antwortete: ‚Nur Mut, ich nehme die Sache auf mich.‘ Das hat er dann auch treulich getan, denn alle schweren Passagen spielten seine Hände, auch wenn sie mir zugeschrieben waren. So hat er es mir sehr leicht gemacht in seiner allzeit rührenden Güte gegen mich. Nachmittags drängte man den Meister an den Flügel und er poetisierte einen Schubert — wunderbar, zum Nievergessen.“

Allen, denen es vergönnt war, die Märchenburg der Hofgärtnerei in diesen Jahren zu betreten, sind die Tage in herrlichstem Gedenken geblieben; ihr Zauber wird nie verlöschen — leider aber auch niemals wiederkehren.

II. Begebenheiten der Jahre 1869—1886

Während Liszts römischen Aufenthalts hatte sich manches in Weimar verändert: Dingelstedt war 1867 einem Ruf nach Wien gefolgt; seine Stelle als Intendant des Weimarer Theaters hatte Freiherr von Loën angetreten. Dieser war von Haus aus Offizier, hatte sich aber von jeher für Kunst interessiert und darüber Aufsätze in Gutzkows Unterhaltungen geschrieben. Hierdurch war Liszt auf ihn aufmerksam geworden und hatte ihn dem Großherzog empfohlen. Unter Loëns Leitung nahm die Weimarer Oper bald wieder einen erfreulichen Aufschwung, und Liszt stand ihm, für den er als Menschen große Achtung hegte und zu dem er bald in freundschaftliche Beziehungen trat, mit seinem Rat getreu zur Seite. Auch hatte man an höchster Stelle inzwischen die begangenen Fehler zum Teil erkannt, und bemühte sich, soviel noch möglich davon wieder gutzumachen. Liszt hielt sich von der Öffentlichkeit zunächst fern, in der Gesellschaft allerdings gab es für ihn kein Entrinnen. Von Besuchern wurde er geradezu überlaufen und konnte kaum zu Atem kommen. Auch der Hof beanspruchte ihn oft für sich.

Am 25. Januar spielte er aus freien Stücken im Hofkonzert, um die Hörer für den durch Reiseverspätung Reményis unvorhergesehenen Ausfall der Solonummern zu entschädigen, und wohnte wenige Tage später dem Orchester-konzert im Theater bei, in dem seine Bergsymphonie zur Aufführung gelangte. Bronsart, Rubinstein und Tausig konzertierten auf Einladung des Hofes während Liszts Anwesenheit in Weimar und feierten mit ihrem verehrten Meister ein frohes Wiedersehen. Schüler hatten sich vorläufig nur vier eingefunden, unter denen sich namentlich Anna M e h l i g und der kleine J o s e f f y aus-zeichneten. Über Gotha, wo er den ihm sehr getreuen Herzog Ernst besuchte, und Meiningen, wo er einem Konzert zugunsten des Eisenacher Bachdenkmals beiwohnte, begab sich Liszt am 25. März nach W i e n. Hier sollte seine Heilige Elisabeth unter Herbecks Leitung aufgeführt werden. Liszt wohnte wie stets im Hotel Elisabeth, siedelte aber bald zu seinem Vetter Eduard in den Schotten-hof über, wo er von nun an alljährlich, und zwar meist an seinem Namenstag (2. April) als Gast weilte.

Die Aufführung der Elisabeth fand am 4. April im Redoutensaal mit Fräulein Ehnn in der Titelrolle statt und erntete so einmütigen Beifall, daß das Werk am 11. wiederholt werden mußte. Herbeck berichtet darüber: „Der Erfolg übertraf meine kühnsten Erwartungen. Gleich nach der Instrumental-einleitung ungeheurer Applaus. So ging es nach jeder Nummer und nach den Abteilungsschlüssen nahmen die Hervorrufe Liszts kein Ende." Schon vor Liszts Ankunft hatten in einem Gesellschafts-Konzert seine Préludes und sein Es-dur-Konzert, das Sophie Menter spielte, einen unbestrittenen Erfolg er-rungen. Man hatte die Künstlerin erst ausgelacht und ihr ein Fiasko prophezeit, als sie das „Triangelkonzert" auf das Programm setzte. Doch bestand sie ener-gisch auf ihrem Willen und errang einen vollen Sieg. Liszt besuchte sie in Wien, um ihr zu danken; von hier an datiert ihre Freundschaft, die bis zu Liszts Tod währte. In Wien war auch Baron Augusz erschienen und über-redete Liszt, noch einen Abstecher nach Pest zu unternehmen, wo zwei große Konzerte ihm zu Ehren vorbereitet wurden. Zögernd sagte Liszt zu. Zuvor jedoch hatte er noch Bülow in Regensburg Rendezvous gegeben. Dieser kon-zertierte dort seinem Schwiegervater zu Gefallen zugunsten des Peterspfennigs und spielte ausschließlich Lisztsche Werke. Liszt versprach Bülow zu der für August geplanten Rheingoldaufführung in München einzutreffen. Zu der auf allerhöchsten Befehl stattfindenden sechsten Wiederholung der Heiligen Elisa-beth in München, die Bülow am 10. Mai dirigierte, konnte Liszt jedoch nicht erscheinen, da es ihn drängte, nach Rom an seine Arbeit zurückzukehren.

Am 26. und 28. April fanden die zwei Lisztkonzerte in Pest statt: Erkel dirigierte den Dante und Hungaria, Liszt selbst die Krönungsmesse. Der Erfolg war durchschlagend, und die Liszt dargebrachten Ovationen standen denen in Wien nicht nach. Von Pest aus trat er sofort die Rückreise nach R o m an. Hier harrte seiner die Arbeit an der für den kommenden Sommer geplanten

Beethovenkantate nach dem Text von Adolf Stern, und an zwei neuen Werken, die er noch zu vollenden hoffte: ein Oratorium St. Stanislaus von Polen und St. Stefan, König von Ungarn.

Das Bülow gegebene Versprechen, der Aufführung des Rheingold beizuwohnen, zwang Liszt, Mitte August seine Arbeit zu unterbrechen und nach München zu eilen. Doch hatten sich hier inzwischen weittragende Umwälzungen ereignet. Bülow nahm, als Cosima sich von ihm getrennt, seine Entlassung, da er eine Stelle, die er seiner Freundschaft mit Wagner verdankte, unter den obwaltenden Umständen nicht mehr bekleiden konnte, und die ständigen beruflichen wie privaten Aufregungen seine Gesundheit untergraben hatten. Liszt billigte den vollständigen Rücktritt Bülows von München keineswegs und riet ihm, da er ihn als Pionier der modernen Richtung dort um jeden Preis zu halten bestrebt war, wenigstens seine Stellung am Konservatorium beizubehalten. Doch Bülow floh die Münchener qualvollen Erinnerungen. Hans Richter sollte als Bevollmächtigter Wagners nun an Bülows Statt das Rheingold dirigieren, doch erklärte er nach der Hauptprobe, die Verantwortung wegen der mangelhaften Inszenierung nicht auf sich nehmen zu können, und trat zurück. Die Aufführung mußte daher um einige Wochen verschoben werden, und die zahlreich herbeigeeilten Freunde Wagners reisten unverrichteter Sache wieder ab. Auch Liszt kehrte direkt nach Rom zurück. Mit seiner Tochter und Wagner mied er jede Berührung; auch Bülow, der jetzt in Berlin weilte, sah er nicht, aber dessen Mutter besuchte er wiederholt. Nach seiner Rückkehr nach Italien hielt sich Liszt nur kurze Zeit in Rom auf und begab sich für den ganzen Winter nach der Villa d'Este, um ungestört arbeiten zu können. Die lyrische Legende „St. Staneslawie" des Polen Siemienskiege, die ihn zu seinem Oratorienplan angeregt hatte, sandte er Cornelius zur Übersetzung. Es ist ziemlich sicher, daß Liszt diesen Stoff, der ihn, wie die Folgezeit deutlich erkennen läßt, wenig begeisterte, nur wählte, um der Fürstin Wittgenstein, die als begeisterte Polin die Glorifizierung des Polenbischofs wünschte, eine Freude zu bereiten. Mit der zunehmenden Abkühlung ihrer Beziehungen geht, wie wir noch sehen werden, auch Liszts Interesse an diesem Werk immer mehr zurück.

Zum Geburtstag des Großherzogs traf Liszt wieder in Weimar ein. Den Höhepunkt des Aufenthalts bei seinen „musikalischen Penaten" bildete die vom 26.—29. Mai 1870 in Weimar abgehaltene Tonkünstler-Versammlung, die in Hinsicht auf den bevorstehenden 100. Geburtstag Beethovens eine Beethovenfeier großen Stils werden sollte. Zum zweiten Mal sah Weimar den Allgemeinen Deutschen Musikverein in seinen Mauern. Man hatte bereits 1861 beschlossen, „in dankbarer Erinnerung an den hohen Schutz, welcher ihm dadurch geworden, daß S. K. Hoheit der Großherzog von Weimar das

249

Protektorat über den jungen Verein huldreichst zu übernehmen geruht hatte, und in gerechter Würdigung der hohen Bedeutung Weimars für alle der Pflege deutscher Kunst gewidmeten Bestrebungen" dieses Fest in Weimar zu begehen. Gar vieles hatte sich in diesem Jahrzehnt verändert. So war Brendel, der verdienstvolle erste Vorsitzende des Vereins, seinen Freunden durch den Tod entrissen. Liszt hatte seiner bei Empfang der Todesnachricht (25. November 1878) mit den Worten gedacht: „Er war ein rechtschaffener, hehrer Charakter und von seltener Art in dem Milieu, in dem er lebte. Vor den anderen und besser als sie hatte Brendel die Idee ‚Weimar' erfaßt und sich ihr rückhaltlos hingegeben. Ich verdanke ihm viel. Die ‚Neue Zeitschrift' hat der Sache, die ich für gut halte, große Dienste erwiesen. Es war nur wenig, wenn man will, nur eine Stimme in der Wüste — aber schließlich es war doch eine Stimme!" Als Nachfolger Brendels war Karl Riedel (Leipzig) an die Spitze des Vereins getreten. Doch ist es hauptsächlich Liszts Verdienst, der ihm bis zu seinem Tod beratend und selbsthelfend zur Seite stand und allen Tonkünstlerversammlungen mit seltener Gewissenhaftigkeit und Pflichttreue beiwohnte, daß der „Allgemeine Deutsche Musikverein", der während seines Aufenthalts in Rom eine Zeitlang zur Bedeutungslosigkeit herabzusinken drohte, sich dauernd auf der Höhe hielt. Zu der Weimarer Beethovenfeier waren von allen Weltgegenden bedeutende Musiker herbeigeeilt. Liszt war der Mittelpunkt und die Seele des Festes. Nach außen hielt er sich zwar auffällig zurück. Er konnte sich trotz dringender Bitten seiner Freunde nicht dazu entschließen, in Weimar selbst zu spielen. Man hatte zwar immer noch in der Hoffnung, Liszt würde schließlich doch in seiner großen Güte sich noch bereitfinden, die Hammerklaviersonate ohne Nennung des Vortragenden auf das Programm gesetzt, doch das Erhoffte geschah nicht, die Nummer fiel aus. Die Wunde, die ihm einst in Weimar geschlagen war, war noch immer nicht gänzlich vernarbt. Erst im Schlußkonzert des viertägigen Festes trat Liszt, zum erstenmal seit dem denkwürdigen Beethovenkonzert 1859, in Weimar wieder an das Dirigentenpult, um das Es-dur-Konzert, dessen Interpretation Liszt zuliebe trotz seiner Differenzen mit dem Musikverein und der immer stärker hervortretenden Aversion gegen die „Zukunftsmusik" T a u s i g übernommen hatte, und die IX. Symphonie, den krönenden Abschluß der Veranstaltung, zu dirigieren. In demselben Konzerte hatte zuvor seine Beethovenkantate, die mit dem Andante aus Beethovens Trio op. 97 dem großen Genius huldigt, ehrliche Begeisterung geweckt. Von den zahlreichen Festteilnehmern sei noch der von dem Meister hochgeschätzte S a i n t - S a ë n s hervorgehoben, dessen Name in diesem Jahr zum erstenmal auf einem Programm der Tonkünstlerversammlung erschien.

Liszt verweilte noch bis Mitte Juni in Weimar, um den Sonderaufführungen Wagnerscher Werke, die auf Befehl des Großherzogs im Theater veranstaltet wurden, beizuwohnen, und begab sich darauf nach München, um zu den Aufführungen des Rheingold und der „Walküre" anwesend zu sein. Der persönliche Verkehr mit Wagner hatte zwar vollständig aufgehört und auch mit seiner Tochter Cosima hatte er seit deren Trennung von Bülow keine Fühlung mehr; ja selbst die Kunde ihrer Vermählung mit Wagner erhielt er erst durch die Zeitungen! Doch dieses Mißverhältnis konnte seiner Begeisterung für die Werke des Freundes keinen Einhalt tun. Ein Ausflug von München nach Oberammergau brachte nur teilweise Befriedigung. Die Passionsspiele machten auf Liszt zwar einen erhebenden Eindruck, doch die Musik erschien ihm unerträglich.

Da die politischen Verhältnisse Italiens seine Rückkehr nach Rom nicht wünschenswert erscheinen ließen, folgte Liszt von München aus der Einladung des Barons von Augusz nach dessen Landgut S z e g s z a r d. Hier bot sich ihm im Familienkreis seines Freundes ein behagliches Heim, und er verbrachte drei frohe Monate. Franz S e r v a i s , einer seiner Schüler, war ihm hierher gefolgt, und viele andere Musiker und Freunde weilten auf kurze oder längere Zeit zu Besuch, wie Reményi, Mihalovich, Sophie Menter. Während Liszt in Szegszard in Zurückgezogenheit seinen Arbeiten, die jetzt größtenteils in Korrekturen von Neuausgaben früherer Werke bestanden, lebte, bereitete sich eine für seine Zukunft folgenschwere Entscheidung vor. Durch Baron von Augusz und den Ministerpräsidenten Andrássy waren Schritte unternommen worden, Liszt dauernd für Ungarn zu gewinnen. Die Gründung einer ungarischen Landesmusikakademie und seine Ernennung zu deren Direktor, wie überhaupt zum Leiter der gesamten ungarischen weltlichen wie kirchlichen Musik, stand nahe bevor. Liszt erklärte sich bereit, diesen Antrag anzunehmen und versprach, zunächst die Beethovenfeier Budapests Mitte Dezember zu leiten. Durch dieses „Zurückfallen in die Welt", wie sie es nannte, entstand eine heftige Verstimmung zwischen Liszt und der Fürstin. Sie warf ihm Eitelkeit und Ruhmsucht vor und machte ihm heftige Vorwürfe. Über diesen Punkt, wie später über Bayreuth, wurde zwischen ihnen nie eine Einigung erzielt. Von Szegszard aus stattete Liszt wiederholt dem Kardinal Haynald in Kalócsa Besuche ab. Dieser war eine geistreiche, sympathische Persönlichkeit voll regster Interessen, vor allem ein begeisterter Musikenthusiast. Liszt hatte ihn bereits früher in Rom kennen gelernt und brachte in späteren Jahren stets die Charwoche bei ihm zu.

Am 15. November siedelte Liszt nach Budapest über, um die Proben für die Beethovenfeier zu beginnen, die mit größtem Erfolge unter Anwesenheit des Kaisers vonstatten ging. Abt Schwendtner gewährte ihm wieder seine Gastfreundschaft. Liszt griff nun tatkräftig in das musikalische Leben Pests ein. Zu Weihnachten wurde der erste Teil seines Christus unter seiner Leitung aufgeführt, und auch zwei philharmonische Konzerte standen unter seiner Führung. Das eine war ein durchaus u n g a r i s c h e s K o n z e r t verschiedener Komponisten. Seine ungarische Nationalsymphonie Hungaria und das A-dur-Konzert (gespielt von seiner Schülerin Janina) zierten das Programm. Er war auch bestrebt, durch Heranziehung jüngerer leistungsfähiger Kräfte moderner Richtung dem Pester Musikleben einen Aufschwung zu verleihen. Als ersten gewann er den in Wagners Schule herangewachsenen Hans R i c h - t e r als Direktor des Nationaltheaters.

Als Liszt Anfang Mai Pest verließ, um sich nach Weimar zu begeben, war die Frage seiner Übersiedelung nach Pest noch nicht entschieden. Erst Mitte Juni erhielt er das amtliche Dekret, das folgenden Wortlaut führte: „S. K. u. K. apostl. Majestät haben mit Allerhöchster Entschließung vom 13. Juni Euer Hochwohlgeboren in Anerkennung Ihrer im Gebiet der Tonkunst erworbenen Verdienste den k. Ratstitel taxfrei zu verleihen und zugleich einen jährlichen Gehalt von 4000 fl. zu bewilligen geruht."

Jetzt, da es sich um einen alljährlich sich wiederholenden Aufenthalt in Pest handelte, konnte Liszt die Gastfreundschaft Schwendtners natürlich nicht fernerhin in Anspruch nehmen. Baron von Augusz bemühte sich daher um eine Wohnung für ihn, die ihm bis zur Eröffnung der Musikakademie Unterkunft gewähren sollte. Im Hause Palatingasse 20 wurde etwas Geeignetes gefunden. Die Sommermonate 1871 verbrachte Liszt wieder in Weimar, meist mit den Korrekturen am Christus beschäftigt, wohnte auch mehreren Konzerten, in denen einzelne seiner Werke aufgeführt wurden, in den umliegenden Städten bei. So fuhr er am 2. Juli nach Leipzig, wo der Riedelsche Gesangchor ein Kirchenkonzert veranstaltete. Tausig hatte dem Meister hier Rendezvous gegeben. Er war schon sehr erregt angekommen, anderen Tags warf ihn ein typhöses Fieber auf das Krankenlager. Anfangs hegte man noch Hoffnung, doch in der Nacht vom 16.—17. Juli bekam er einen Rückfall und starb gegen Morgen. Die Leiche wurde nach Berlin überführt. Für Liszt bedeutete dieses vorzeitige Ende seines Lieblingsschülers und berufensten Nachfolgers einen herben Schlag.

Über Eichstätt, wo Liszt der vierten Generalversammlung der deutschen Cäcilienvereine und den geistlichen Konzerten unter Dr. Witt beiwohnte, kehrte er Anfang Oktober nach Rom zurück. Hier bereitete ihm der Geburtstagsbesuch Bülows eine große Freude. Der Abschluß des Jahres zeigte noch eine schöne Tat Lisztschen Edelmuts: er hatte den Sommer zweimal Robert F r a n z besucht, dessen zunehmende Taubheit ihm die Ausübung seines Amtes unmöglich machte und ihn in eine peinliche materielle Lage geraten ließ. Liszt beschloß sofort Hilfe zu schaffen. Um aber Franz die Beschämung, ein Almosen annehmen zu müssen, zu ersparen, begründete er die „Beethovenstiftung" des

Allgemeinen Deutschen Musikvereins, die den Zweck verfolgen sollte, verdiente Tonkünstler zu unterstützen. Aus dieser Stiftung wurde Franz ein Ehrensold überwiesen, den Liszt aus seinen privaten Mitteln im geheimen noch um 100 Taler erhöhte. Auch in den folgenden Jahren trat er tatkräftig für Robert Franz ein. „Ohne ihn hätte ich verhungern können," äußerte dieser später. Liszt hatte das Wort Adolf Stahrs: „Du solltest eigentlich „Helferich" statt Franz heißen, denn eine hilfsbereitere Menschenseele, wie dich, habe ich in meinem ganzen Leben nie kennen gelernt" wieder einmal wie schon so oft in schönster Weise bewahrheitet.

Ende November 1871 ereignete sich für Liszt in Pest, wohin er kurz zuvor wieder übergesiedelt war, ein peinlicher Zwischenfall. Eine frühere S c h ü - l e r i n, die sich Gräfin J a n i n a nannte, machte auf ihn einen Mordversuch. Im Jahre 1869 war sie zu ihm nach Rom gekommen und hatte sich toll in ihn verliebt. Die anfangs abweisende Haltung Liszts raubte ihr jede Selbstbeherrschung. Ihr wildes Kosakenblut riß sie zu den abenteuerlichsten Wagnissen hin. In grenzenloser Eifersucht bewachte sie, als Mann verkleidet, sein Tun und Treiben und suchte ihn auf jede Weise für sich zu gewinnen. Liszt widerstand in innerem Zwiespalt mit seinem Priestergelübde lange ihren Versuchungen, doch in Tivoli ward sie eines Tages die Seine. Sie folgte ihm darauf (1870) nach Weimar und kompromittierte ihn aufs äußerste durch ihr Benehmen, das in der kleinen Stadt nicht geringes Aufsehen erregte. Als sie eines Tages aus Eifersucht ihn zu erschießen drohte, wurde sie der Stadt verwiesen. Doch in Pest traf sie wieder mit ihm zusammen. Sie begab sich darauf nach Amerika, um Geld zu verdienen. Als jedoch der erwünschte Erfolg ausblieb und sie Liszts Gleichgültigkeit merkte, beschloß sie ihn zu töten. Doch als sie ihm in Pest gegenüberstand, nimmt sie selbst Gift, auf Liszts Beteuerungen jedoch Gegengift. Da sie jetzt erkannte, daß sie ihn doch nicht mehr zu fesseln vermochte, verließ sie haßerfüllt Pest. Liszts Manuskripte, die sie zum Kopieren noch in Verwahrung hatte, verbrannte sie teilweise. Aus Rache veröffentlichte sie einige Wochen später unter dem Pseudonym Robert Franz eine Schrift: „Souvenirs d'une Cosaque", in der sie Liszt auf das schlimmste bloßstellte, und ließ kurze Zeit darauf ein zweites Bändchen „Mémoires d'un pianiste" folgen, das wie eine Entgegnung auf das erste von Liszts Hand aussehen sollte. Diese Veröffentlichungen sandte sie an alle Freunde Liszts, an den Papst, den Großherzog von Weimar usw. Der Skandal erregte namentlich im Hinblick auf Liszts Priesterkleid ungeheures Aufsehen und bereitete ihm große Unannehmlichkeiten. In Rom wurde die Sache sehr übel vermerkt, und nur seinen guten Beziehungen zum päpstlichen Stuhl war es zu danken, daß sie ohne weitere Konsequenzen verlief. Doch zog er vor, dieses Jahr die ewige Stadt zu meiden. Obwohl ihm die Angelegenheit sehr viel

Ärger verursacht hat, gedachte Liszt der Janina auch später nie in gehässiger Weise. Noch wenige Tage vor seinem Tod äußerte er zu Sophie Menter: „Die Janina war nicht schlecht, nur exaltiert."

Auch die Fürstin litt sehr unter solchen Vorfällen, doch suchte sie sich nach Möglichkeit damit abzufinden. Sie hatte ja auch kein Recht, Liszt Vorwürfe zu machen. Als sie ihn aufgab, mußte sie nach den Erfahrungen der Altenburgzeit wohl wissen, daß bei Liszts Naturanlage solche Begebenheiten nicht ausbleiben konnten. Liszt war eben nicht dazu geschaffen, ohne Frau zu leben und einer Frau treu zu sein. Ob er überhaupt je in seinem Leben ein Weib wahrhaft geliebt hat? Es ist zweifelhaft. Der Umstand, daß er oft von verschiedenen Banden gleichzeitig gefesselt war, spricht eigentlich dagegen. Liszt hatte eine gewisse Schwäche dafür, nur Fürstinnen und Gräfinnen seine Geliebten zu nennen; so mag er an dem wahrhaft zu ihm gehörenden Weib vielleicht achtlos vorübergegangen sein. Keine der vielen Frauen, die ihm angehörten, die sich ihm aufdrängten, konnte ihn ganz befriedigen. Die d'Agoult-Jahre waren eine tolle Jugendleidenschaft, die bald verrauscht war, die Beziehungen zur Fürstin Wittgenstein waren mehr eine geistige Freundschaft (der Ausdruck „Seelenzwillinge", den Liszt oft gebrauchte, dürfte wohl zutreffend sein), und daher nie ganz vergänglich, und in späteren Jahren hinderte ihn schon sein geistliches Gewand, in dauernde Beziehungen zu einer Frau zu treten. Da waren es stets mehr oder weniger rasch verglimmende Episoden.

Weihnachten 1871 reiste Liszt nach Wien, um der Aufführung seines Weihnachtsoratoriums (Christus, I. Teil), die unter Rubinsteins Leitung in der Gesellschaft der Musikfreunde stattfand, beizuwohnen. Die Kritik, an ihrer Spitze Hanslick, zerzauste natürlich den Erfolg des Abends rücksichtslos. Von welch vorurteilsvollen, jede wirkliche kritische Betrachtung des Werkes ausschließenden Gesichtspunkten aus man damals noch Liszt gegenüberstand, zeigt am besten B r a h m s' Urteil aus jenen Tagen: „Wir erleben hier den 30. den ‚Christus' von Liszt, und das Ding sieht so fabelhaft langweilig, blöd und unsinnig aus, daß ich nicht begreife, wie der nötige Schwindel diesmal fertiggebracht wird." Bülow weilte zurzeit auch in Wien und gab mehrere Konzerte. Er begleitete Liszt nach Pest zurück und veranstaltete dort zwei Liszt-Soireen, desgleichen einige Tage später in Preßburg, was zur Folge hatte, daß der dortige Kirchenmusikverein*) die ‚Graner Messe' einstudierte.

Solange Liszt in Pest weilte, herrschte dort reges musikalisches Leben. Jeden Sonntag fanden gewöhnlich in der Stadtpfarrei bei Abt Schwendtner Matineen statt, an denen die höchste Aristokratie teilnahm, so Graf Andrássy,

---

*) Der Preßburger Kirchenmusikverein, 1833 gegründet, hat sich überhaupt um die Verbreitung Lisztscher Werke grosse Verdienste erworben. So wurde z. B. die »Ungarische Krönungsmesse« im Zeitraum von 1874—1908 dreißigmal zur Aufführung gebracht.

Kardinal Haynald, Graf Emerich Széchény und die Elite der Schriftsteller- und Künstlerwelt. Liszt selbst oder gerade vorübergehend in Pest weilende Musikgrößen ließen sich hören. Von Schülern Liszts, die in diesen Jahren teils in Weimar, teils in Pest um ihn weilten, seien hier genannt: Emerich Kastner, Anton Urspruch, Géza Zichy, Pauline Fichtner, Laura Kahrer, Johanna Klinkerfuß. Es hatte sich in Pest unter Kardinal Haynald auch ein L i s z t v e r e i n gebildet, der in diesen Matineen Lisztsche Chorwerke zum Vortrag brachte.

Zum Hofkonzert zur Feier des Geburtstages der Großherzogin, an dem Liszt in irgend einer Weise immer aktiv teilnahm, traf er wieder in W e i - m a r ein. Nach wie vor war er hier nur auf die Pflege von Pauline und seinem Diener angewiesen. Im Namen, später sogar im Solde der Fürstin, war ferner Adelheid von Schorn um sein Wohlergehen besorgt. Liszt sah sie, die er schon von der Altenburg her kannte, wo sie mit ihrer Mutter häufig gewesen, sehr gern um sich und nannte sie scherzweise seine „Providence". In den achtziger Jahren änderte sich allerdings dieses Verhältnis in unangenehmer Weise. Liszt empfand sie, die alles, was sich in und um die „Hofgärtnerei" zutrug (sie wohnte zu dem Zweck schräg gegenüber), wortgetreu der Fürstin nach Rom berichtete, wodurch ihm häufig briefliche Mißstimmungen entstanden, als lästige „Aufsichtsbehörde".

In diesem Sommer (1872) sollte nun auch der erste Schritt zur Verwirklichung des B a y r e u t h e r Plans geschehen: die Grundsteinlegung des Festspielhauses. Liszt hatte infolge des Abbruchs seiner Beziehungen zu Wagner dem sich vorbereitenden Bayreuther Unternehmen zunächst ziemlich teilnahmslos und fremd gegenübergestanden. Doch eine Mitteilung Tausigs hatte genügt, und er zeichnete sofort drei Patronatsscheine. „Mein geringes Einkommen gestattet mir leider nicht einen beträchtlicheren Beitrag," schrieb er an Heckel, „indessen bin ich auch seit vorigem Jahr als Mitglied des Allgemeinen Deutschen Musikvereins dem Leipziger Wagnerverein zugesellt, und da Sie so freundlich sind, mich zu Ihrem Mannheimer Mutterverein aufzufordern, erlaube ich mir anbei den Betrag von fünfzehn Gulden für die Jahre 1871/73 zu übersenden." Inzwischen war es auch Frau von Moukhanoffs begeisterten Schilderungen aus Tribschen gelungen, wieder einen brieflichen Verkehr Liszts mit seiner Tochter Cosima anzubahnen. Als nun der Tag der G r u n d s t e i n l e g u n g in B a y r e u t h herannahte, brachte es Wagner nicht übers Herz, an diesem Tage den Freund zu missen, der wie keiner mit dem Werk verwachsen war, das hier später aus der Taufe gehoben werden sollte, und dem er soviel verdankte. Trotz seiner jahrelangen völligen Zurückhaltung wollte er wenigstens den Versuch machen, ihn umzustimmen. Er schrieb daher vier Tage vor der Feier an ihn eine herzliche Einladung. Doch Liszt war bereits zuvor fest entschlossen, n i c h t nach Bayreuth zu gehen, wie schwer es ihm auch wurde. Er glaubte dies der Fürstin schuldig zu sein. Zum letzten Mal siegte in dieser Sache seine ritterliche Rücksichtnahme gegen den Willen der verbitterten, die künstlerische Gestalt Wagners durchaus verkennenden Frau. Als aber das Schreiben Wagners eintraf, da war er tief erschüttert, und der Entschluß, in Zukunft sich von den ihn beengenden Fesseln loszureißen, stand bei ihm fest. Heftig bewegt griff er zur Feder: „Erhabener lieber Freund, tief erschüttert durch Deinen Brief, kann ich Dir nicht mit Worten danken. Wohl aber hoffe ich sehnlich, daß alle Schatten, Rücksichten, die mich ferner fesseln, verschwinden werden, und wir uns bald wiedersehen. Dann soll Dir auch hell einleuchten, wie unzertrennlich von E u c h meine Seele verbleibt, innigst auflebend in Deinem „zweiten", höheren Leben, wo Du vermagst, was Du allein nicht vermocht hättest. Darin beruht meine Begnadigung des Himmels: Gottes Segen sei mit Euch, wie meine ganze Liebe. F. L., 20. Mai 72. Weimar. Es widersteht mir, diese Zeilen mit der Post zu schicken. Sie werden Dir am 22. Mai übergeben werden von einer Frau, welche seit mehreren Jahren mein Denken und Empfinden kennt."

Diese Frau war die Baronin Olga von M e y e n d o r f f, geborene Prinzessin Gortschakoff. Amy Fay gibt in ihren „Musikstudien in Deutschland" von ihrer Persönlichkeit folgende Beschreibung: „Man nannte sie allgemein die schwarze Katze. Sie ist mittelgroß, schlank und dünn, aber außerordentlich graziös, immer schwarz und sehr einfach gekleidet. Doch nichts kann die angeborene Eleganz ihrer Gestalt verbergen. Ihre Gesichtsfarbe ist bleich, ihr Haar dunkel. Sie macht gleichzeitig den Eindruck eisiger Kälte und tropischer Hitze. Der Stolz Lucifers der ganzen Welt gegenüber — grenzenlose Hingebung für den einzelnen. Schön ist sie nicht, in Sprachen und Wissenschaften ist sie aber so unterrichtet, daß sie ihren ältesten Sohn selbst zur Universität vorbereitete." Liszt hatte im Herbst 1863 in Rom ihre Bekanntschaft gemacht. Sie war damals die Gattin des russischen Gesandtschaftssekretärs in Rom. Schon damals fühlte sich die leidenschaftliche Frau von Liszt angezogen und wich ihm oft in Gesellschaften aus, um sich dem Zauber, den er auf sie auszuüben schien, zu entziehen. Doch bald war ihre Widerstandskraft zu Ende. Als 1871 Baron von Meyendorff starb, wandte sie sich an Liszt[*]), frug an, ob es ihm genehm wäre, wenn sie, da sie nicht so bemittelt sei, um mit vier Knaben, die gute Gymnasien besuchen müßten, in einer großen Residenz zu wohnen, nach Weimar übersiedelte, und flehte ihn an, den verwaisten Knaben „Schutz" zu bieten. Obwohl Liszt klar voraussah, wie nun alles kommen mußte, konnte er nicht verneinen, auch stand es ihm ja nicht zu.

---

[*]) Diese Darstellung stützt sich auf noch unveröffentlichte Briefe der Baronin an Liszt.

256

jemandem den Aufenthalt in Weimar zu versagen. Die Baronin siedelte nach Weimar über. Liszt kämpfte anfangs ihrem Liebesbekenntnis gegenüber einen harten Kampf, führte ihn doch diese Leidenschaft wieder in Konflikt mit seinem Priestergelübde, das er erst vor kurzem in der Janina-Angelegenheit gefährdet hatte. Doch siegesgewiß hatte ihm die Baronin geschrieben: „Eines Tages werden Sie sich, wie ich hoffe, nicht weigern, mein Bekenntnis, das ich Ihnen schon am ersten Tage hätte ablegen müssen, voll und ganz zu hören, und es wird Sie sicherlich von dem Druck befreien, der sehr zu Unrecht auf Ihrem viel zu skrupulösen Gewissen lastet." Bald war er dieser Frau verfallen, die allmählich einen gewaltigen Einfluß über ihn gewann. Was ihr diese unwiderstehliche Gewalt verlieh, ist ein Geheimnis, das sich heute noch nicht enthüllen läßt. Man hat zuweilen das Verhältnis der Baronin Meyendorff zu Liszt als eine schwächere Wiederholung des Bundes Liszts mit der Fürstin Wittgenstein bezeichnet, eine Parallele, die manches für sich hat. Seinerseits fesselte ihn vornehmlich die umfassende Geistesbildung und hohe Intelligenz dieser Frau, in deren Heim er anregende Gesellschaft und den im letzten Jahre so bitter entbehrten Ersatz für eine eigene Häuslichkeit zum teil fand. Wenn Liszt in Weimar weilte, verbrachte er stets die Abende mit der Baronin, und bei Konzerten oder Musikfesten auswärts erschien er häufig in ihrer Begleitung, von Rom und Pest aus aber unterhielt er mit ihr einen regen Briefwechsel.

Die Übersendung von Liszts Antwort an Wagner durch die Baronin, die man bei der immerhin seltsamen Art dieses Verhältnisses als taktlos empfand, wirkte in Bayreuth verstimmend. Wagner schob daher seinen Besuch bei Liszt auf. Erst im August wendet er sich von neuem an den Freund: „Kommen wir Dir jetzt gelegen und willst Du uns freundlich empfangen? Wir hätten uns trotz aller Beschwerden und Ermüdungen schon kurz nach dem Empfange Deiner schönen und großherzigen Antwort zu einem Besuche bei Dir aufgemacht, wenn nicht mit der Überbringung jener Antwort verwirrende Umstände eingetreten wären, welche uns über die in Weimar herrschende mißverständliche Stimmung in unserem Betreff in Unsicherheit geraten ließen. Noch jetzt widersteht es unserem Gefühle, unseren Besuch bei Dir als Folge irgend einer Abmachung mit irgend jemanden erscheinen lassen zu sollen, wogegen es uns einzig verlangt, Dich in dem edlen Sinne wieder begrüßen zu können, in welchem ich vorigen Mai ein Wiedersehen mit Dir in Bayreuth ersehnte. Ein Wort von Dir wird genügen, uns sofort über die Möglichkeit der Erfüllung dieses unseres herzlichen Wunsches in das Klare zu setzen. Ich bitte Dich darum. Sogleich nach seinem Eintreffen reisen wir zu Dir ab." Auf Liszts herzliche Einladung hin traf Wagner mit Cosima dann am 3. September zu dreitägigem Besuch in Weimar ein.

Von jetzt an begann wieder der regelmäßige Verkehr. Auf der Rückreise nach Pest weilte Liszt acht Tage in Bayreuth bei Wagner zu Besuch. Die „Versöhnung" war der Fürstin Wittgenstein unerklärlich, die „brennende Wunde", die ihr Wagner einst geschlagen, war noch immer nicht verheilt, und sie machte Liszt bittere Vorwürfe. Auch in Zukunft gab es für sie in dieser Frage keine Verständigung. — „Seit die drei schwarzen Punkte: Rom, Weimar, Bayreuth zwischen uns getreten sind, kann ich Ihnen leider nicht mehr ohne vorsichtige Überlegung schreiben," klagt Liszt bereits 1873.

In P e s t hatte man diesen Winter wiederholt Gelegenheit, ihn spielen zu hören. Am 2. März 1873 veranstaltete er eine Soiree zugunsten Robert Franz', die über 1000 Taler einbrachte, und einige Wochen später wirkte er in einer Wohltätigkeitssoiree mit, die von der Gräfin Anna Zichy veranstaltet war. Die Billets à 15 Gulden waren auf privatem Weg von der ungarischen Aristokratie sofort vergriffen, so daß es ein geschlossenes Konzert war. Auch der Kaiser wohnte dem Abend bei. — Der 8. Februar 1873 war für Pest dadurch ein denkwürdiger Tag, daß die ungarische Kammer fast einstimmig den Fonds für eine ungarische Landesmusikakademie bewilligte. Im vorhergehenden Winter war der von Andrássy eingebrachte Antrag unerwarteterweise durchgefallen, sodaß die Angelegenheit vertagt werden mußte. Liszt erklärte sich bereit, seine Kräfte für einen Teil des Jahres der neuen Anstalt zu widmen, und wurde zu deren Ehrenpräsidenten ernannt. Am 13. April stattete Liszt mit einer größeren Anzahl Freunde P r e ß b u r g einen Besuch ab, wo der um seine Werke hochverdiente Kirchenmusikverein die Graner Messe zur Aufführung brachte. Dieser Ausflug wurde dadurch bedeutungsvoll, daß der von Ludwig Nohl auf dem Bankett am Abend auf Liszt ausgebrachte Toast den Uranstoß gab zu den großen Jubiläumsfestlichkeiten zu Ehren Liszts im kommenden Winter.

Während Liszt noch in Pest weilte, rüstete sich Weimar, wo er auch diesen Sommer wieder zubringen wollte, zu einer musikalischen Großtat. Es sollte zum ersten Male das C h r i s t u s o r a t o r i u m als Ganzes aufgeführt werden. Die Ausführenden waren aus Jena, Sondershausen, Eisenach und Weimar vereint, und das Ehepaar Milde setzte seine Kräfte für das Gelingen ein. Vor einer erlesenen Zuhörerschaft erklang das Oratorium unter Liszts eigener Leitung am 29. Mai 1873 in der protestantischen Kirche. Auch Wagner und Frau waren aus Bayreuth herbeigeeilt, desgleichen Mihalovich, Abranyi u. a. aus Pest. Leider stand die Aufführung, da sich zu wenig Gesamtproben hatten ermöglichen lassen, nicht ganz auf der Höhe. — Der Sommer verlief in der gewohnten Weise. Von den in Weimar anwesenden Schülern seien genannt: Miß Fay, Miß Gaul, Martha Remmert, Otto Leßmann, Leitert und der Russe Metzdorf. Im August folgte Liszt einer Einladung nach

258

Bayreuth und zu Kardinal Hohenlohe nach Schillingsfürst, kehrte dann aber nochmals nach Weimar zurück, um an den Hochzeitsfestlichkeiten des Erbgroßherzogs teilzunehmen. Er spielte am 7. September im Hofkonzert unter Anwesenheit des Deutschen Kaiserpaares die Polacca brillante von Weber und eine seiner ungarischen Rhapsodien und dirigierte andern Tages im Theater Beethovens Neunte. Außerdem hatte er auf Wunsch des Großherzogs zu dem Festspiel: „Der Braut Willkomm auf Wartburg" von V. von Scheffel die Musik geschrieben, das am 23. im großen Wartburgsaal aufgeführt wurde.

Während Liszt darauf drei Oktoberwochen in Rom verbrachte, bereiteten sich in Pest große Dinge vor. Kehrte doch 1873 zum fünfzigsten Male der Tag wieder, an dem Liszts Künstlerlaufbahn ihren Anfang genommen. Mit jenem unvergeßlichen Abend, an dem er als elfjähriger Knabe von Beethoven die künstlerische Weihe empfangen hatte, war er (1823) vor die Öffentlichkeit getreten. Liszts ungarische Freunde wollten die Gelegenheit zu einer Feier seines Künstlerjubiläums nicht vorübergehen lassen. Daß die Bevölkerung Pests bei diesem Ehrentag einmütig mitwirkte, das Fest zu einer Nationalfeier erhob, dadurch hat sie sich ein ehrendes Denkmal selbst gesetzt. Es hatte sich ein „Liszt-Jubiläumskomitee" gebildet, in dem neben der Künstlerwelt auch die ungarische Aristokratie und Geistlichkeit vertreten war. Der Präsident war Erzbischof Haynald, die Seele des Ganzen der Schriftführer Abrányi. Ein Aufruf an die ungarische Nation, ihren „großen Landsmann" einmütig zu ehren, hatte begeisterten Widerhall gefunden. Nachdem bei Liszts Rückkehr nach Ungarn eine Deputation ihn bereits an der Grenze begrüßt, nahmen die Festlichkeiten am 8. November ihren Anfang. Nach einer Serenade, während der sich Liszt wiederholt der jubelnden Menge am Fenster zeigen mußte, vereinigte eine von der Stadt Pest im Hotel Hungaria gegebene Begrüßungssoiree, an der alle Honoratioren teilnahmen, die zahlreich aus aller Welt zusammengeströmten Freunde des Jubilars. Nach dieser mehr intimen Feier fand am folgenden Tag die eigentliche Begrüßung und Würdigung des Künstlers in der Öffentlichkeit durch eine große Matinee im Redoutensaal statt. Eine von Heinrich Gobbi nach Worten von Abrányi komponierte „Lisztkantate", vorgetragen vom Pester Lisztverein, eröffnete die Feier. Hierauf erhob sich einer der gefeiertsten Redner Ungarns, der Reichsrat Paul von Kiralyi, und überreichte Liszt nach einer schwungvollen ungarischen Rede im Namen der Stadt einen goldenen Lorbeerkranz nebst einer Urkunde, wonach die Stadt für alle Zeiten jährlich drei Musiker mit einem Stipendium von 200 Gulden versieht und die Wahl dieser Künstler Liszt für Lebenszeit überläßt. Das war eine Ehrung ganz im Sinne Liszts. Ergriffen trat er vor und vor Erregung und freudiger Dankbarkeit stockend, entrang sich seinen Lippen das Gelöbnis: „Ich bin der Ihre — mein Talent ge-

17*   259

hört Ihnen — Ungarn gehöre ich, solange ich lebe." Es folgte darauf die Überreichung der übrigen Festgaben. Die Stadt Wien übergab durch Hellmesberger zwei kostbare Albums, Intendant von Loën und Kapellmeister Lassen brachten die Glückwünsche Weimars, im Auftrag des Allg. Deutschen Musikvereins überreichte Volkmann einen silbernen Lorbeerkranz. Eine Reihe herzlicher Beglückwünschungen des Preßburger Kirchenmusikvereins, der Gesellschaft junger russischer Komponisten usw., schloß sich an, und ganz zum Schluß reichte ein kleines Mädchen dem Meister einen Lorbeerkranz mit dem Dank der Pester Waisenkinder, zu deren Gunsten Liszt wiederholt konzertiert hatte; ein ergreifender Abschluß der gelungenen Feier. Am Nachmittage gab dann unter Hans R i c h t e r s Leitung in dem geschmückten Redoutensaal eine wohlgelungene Aufführung von Liszts C h r i s t u s dem Fest den künstlerischen Ausklang. Den Höhepunkt der Ehrungen Liszts bildete das große Festbankett am Abend des 10. November. Was Pest und Ofen an bedeutenden Persönlichkeiten besaß, war hier versammelt. Die Wogen der Freude und der Erregung gingen hoch, Toast reihte sich an Toast, kein Mißton trübte die frohe Stimmung. Erzbischof Haynald hielt die Begrüßungsansprache, die mit den kühnen Worten schloß: „Einst ist Liszt zu den Nationen gegangen, jetzt kommen die Nationen zu uns!" Liszt dankte in französischer Sprache; in launiger Weise schilderte er die Beziehungen, die von frühester Jugend an zwischen ihm und Ungarn bestanden, und schloß mit einem Toast auf die Entwicklung der ungarischen Musik. Zahlreiche aus der Fremde eingetroffene Glückwunschtelegramme des Großherzogs von Weimar, Bülows, Wagners, vieler Schüler, Freunde u. a. wurden schließlich verlesen.

Eine Festvorstellung im Nationaltheater und ein durch die Gesellschaft der Musikfreunde in ihren eigenen Räumen veranstalteter Bal paré beschlossen anderen Tags die erhebende Jubelfeier, die zu den seltenen Ereignissen im Reich der Kunst zu zählen ist. Liszt fühlte sich durch diese alles Erwarten weit überragenden Ehrungen der Stadt Pest tief verpflichtet und suchte auf jede Weise seine Dankesschuld zu mindern. Er ließ sich im Verlauf des Winters wiederholt als Klavierspieler in Wohltätigkeitskonzerten hören, dirigierte mehrere Kirchenkonzerte und dehnte seinen Aufenthalt bis Mitte Mai aus. Den goldenen Kranz, den ihm die Stadt Pest zum Jubiläum überreicht, vermachte er zusammen mit anderen wertvollen Geschenken dem Ungarischen Nationalmuseum zum Gedenken an dieses einzige Fest.

Anfang Januar folgte Liszt einer Einladung nach W i e n und spielte zugunsten der Franz Joseph-Stiftung. Er begeisterte auch diesmal, genau wie vor 30 Jahren, die Wiener zu hellstem Enthusiasmus. Der Liszt treu ergebene B ö s e n d o r f e r veranstaltete einige Tage später Liszt zu Ehren in dem Musiksalon seiner Pianofortefabrik eine glänzende Soiree, an der das ganze

260

musikalische Wien teilnahm. Auch hier spendete Liszt zusammen mit Pauline Fichtner verschwenderisch von seinen künstlerischen Gaben. Kaiser Franz Joseph verlieh ihm „in Anerkennung seiner um die Hebung der ungarischen Tonkunst und Förderung von wohltätigen Zwecken erworbenen Verdienste" den Stern zum Komthurkreuz des Franz Joseph-Ordens.

Noch zwei andere denkwürdige Lisztkonzerte fanden dieses Frühjahr (1874) statt. Am 12. Februar traf Liszt, der einige Wochen bei seinem Freund Graf Szechényi in Horpacs zu Gast geweilt, in Ö d e n b u r g ein, um hier, wo sich bei seinem ersten Auftreten als neunjähriger Knabe einst seine Zukunft entschieden hatte, in einem Wohltätigkeitskonzert, veranstaltet von der Fürstin Esterhazy, zu spielen. Er wurde durch eine Deputation der Stadtvertretung empfangen und am Abend selbst vom Bürgermeister durch eine lange Ansprache in deutscher Sprache begrüßt und in jeder Weise gefeiert. Der Reinertrag des Abends belief sich auf 3000 Gulden.

Mitte April endlich begab sich Liszt nochmals nach P r e ß b u r g , um durch seine aktive Mitwirkung bei einem Wohltätigkeitskonzert dem dortigen Kirchenmusikverein, der kurz zuvor zweimal in seiner Anwesenheit die Graner Messe zur Aufführung gebracht hatte, seinen Dank abzustatten. Sophie Menter, mit der er den Walkürenritt vierhändig vortrug, teilte sich auf seinen Wunsch mit ihm in die Ehren des Abends.

Da auch der Hof in Weimar für dieses Jahr eine Lisztfeier plante, was Liszt nicht sehr willkommen war, zog er es vor, für diesmal auf seinen Weimarer Aufenthalt zu verzichten, und begab sich von Pest Mitte Mai direkt nach Rom, um sich Sommer und Herbst hindurch ungestört kompositorischen Arbeiten widmen zu können. Der Großherzog sah daher, wenn auch ungern, von einer Lisztfeier ab und verlieh Liszt statt dessen den Stern seines Hausordens. Daß die künstlerischen Zustände in Weimar auch damals noch keine rosigen waren, zeigt deutlich ein Schreiben Liszts an Loën, das durch die Kunde veranlaßt worden war, Loën wolle Weimar verlassen, um einem Antrage nach auswärts zu folgen: „Nicht weniger als Sie erkannte ich bedauerlicherweise die sozusagen Unmöglichkeit, auf die Dauer einen ‚künstlerischen' Zustand an der Weimarer Bühne aufrechtzuerhalten. Die Parabel von d'Arlequins Pferd, welches anfing, sich ans Hungern zu gewöhnen, als es starb, bietet eine deutliche Belehrung, indes Sie haben die Barke s o geschickt und glänzend gesteuert, daß man wünschen muß, daß Sie gut fortfahren. Übrigens das Gold, welches in anderen ‚Musentempeln' glänzt, verbirgt auch nur mit Mühe viel Flitter. ‚Nicht von der Hand weisen' scheint mir der richtige Maßstab des Edelmannes, der mit Ihrer Weltkenntnis betraut ist; und ich hoffe, daß Sie nach reiflicher Überlegung schließlich meinen recht selbstsüchtigen, aber mit den Allgemein- — und sonderlich Weimars — Interessen übereinstimmenden

261

Wunsch erfüllen, indem Sie dort ausharren, wie auf einer ‚W a r t b u r g d e r K u n s t'. . . Sie werden ‚Tristan und Isolde' geben, sagt man, und einige nicht unwichtige Invaliden des Orchesters pensionieren. Besser spät als nie! Sicher sind die vielfachen Verzögerungen und Einschränkungen des weimarischen Regimes nicht Ihre Schuld, Sie ertragen sie klug, aber sehr gegen Ihren Willen . . . und für mich ist es zu spät, um mich hinein zu verwickeln. Si parva licet componere magnis, ich zitiere das verdrießliche Geständnis des Kanzlers des Deutschen Reiches: ‚Und so habe ich die Erfahrung gemacht, daß man gewissermaßen im Sande ermüdet und seine Ohnmacht erkennt.' (Fürst Bismarck 25. 1. 73.)"

Liszt verblieb eifrig arbeitend bis Mitte Februar 1875 in der Villa d'Este. Das schon in Pest komponierte Melodram D e s t o t e n D i c h t e r s L i e b e (nach einer Ballade von Jókai) wurde druckfertig gemacht, und es entstanden neu die G l o c k e n v o n S t r a ß b u r g nach einer Dichtung Longfellows, auf die ihn die Fürstin aufmerksam gemacht hatte, das Lied G l o c k e n v o n M a r l i n g und die Legende St. C é c i l e. Auch am S t a n i s l a u s hatte Liszt gearbeitet und den Klavierauszug des ersten Tableaus beendet. Da er jedoch mit der Dichtung der folgenden Szenen nicht ganz einverstanden war, brach er die Komposition vorerst ab und übersandte Cornelius das Textbuch. Doch rief diesen am 20. Oktober, ehe er Liszts Wunsch erfüllen konnte, ein frühzeitiger Tod ab. Somit konnte das Werk dieses Jahr nicht weitergefördert werden.

Liszt kam gewöhnlich einmal die Woche nach Rom. Er logierte dann Vicolo dei Greci. Auf demselben Flur wohnten seine Schüler: der Amerikaner Pinner und der Pole Jules de Zarembsky. Beide waren sehr begabte Jünger, die aber noch vor ihrem Meister aus dem Leben schieden. Bei der Fürstin, die Liszt stets abends zum Plauderstündchen besuchte, lernte er auch den deutschen Botschafter Baron von K e u d e l l kennen, in dem er nicht nur bald einen aufrichtigen Freund, sondern auch einen feinsinnigen Musiker schätzen lernte.

Der diesjährigen Tonkünstlerversammlung in Halle, die die Faust-Symphonie brachte, wohnte Liszt ausnahmsweise nicht bei. Natürlich mußte er auch eine Einladung, die von Cincinnati aus an ihn ergangen war, abschlägig bescheiden.

Mitte Februar 1875 traf Liszt wieder in P e s t ein. Die Musikakademie war infolge pekuniärer Schwierigkeiten immer noch nicht zur Tat geworden. Liszt richtete daher ein langes Schreiben an den Kultusminister Trefort, in dem er die „leitenden Gedanken darlegte, die ihm bezüglich der hier zu errichtenden Musikakademie vorschweben". Er wünscht n i c h t, daß „die schon bestehenden Anstalten: das Landeskonservatorium und die Theater-

262

schule mit der neuen Anstalt vereinigt werden. Diese sollen wie bisher fortbe-
stehen. Jährlich seien 25 000 Gulden im Budget für die 'Musikakademie' aus-
geworfen, wovon aber 13 000 auf die Theaterschule entfielen. Daher könne
nur bei „Beschränkung der Tätigkeit auf wenige Lehrfächer, namentlich auf
solche, deren Unterrichtsresultate impulsgebend und befruchtend auf das gesamte Musikleben des Landes einwirken, Ausgezeichnetes geleistet werden".
Hierzu rechne er diejenigen, „welche die höheren Stufen des theoretischen
Unterrichts zur Aufgabe haben, ferner die höhere Ausbildung des kirchlichen
Chorgesanges a capella, eine Lehrkanzel für die Eigentümlichkeiten der ungarischen Musik, und endlich die höchste Stufe des Klavierunterrichts". Der
Unterricht in den übrigen Instrumenten solle dem Landeskonservatorium überlassen bleiben. Als Lehrkräfte schlägt er vor allem zwei vor: Hans von Bülow
zum Direktor der Akademie, und Dr. Witt, den Präsidenten des Cäcilien-
vereins, zum Reorganisator der ungarischen Kirchenmusik. Als Eröffnungs-
termin wünscht Liszt den Spätherbst 1876, damit das bis dahin zustehende Geld
für die erste Anlage und Ausstattung der Anstalt (Bibliothek usw.) verwendet
werden könne. Diesen Vorschlägen wurde in den meisten Punkten statt-
gegeben.

Liszt ließ sich auch dieses Jahr wiederholt in Pest zu wohltätigen
Zwecken öffentlich hören. Am bedeutendsten war seine Mitwirkung bei dem
am 10. März zugunsten Bayreuths von Wagner selbst geleiteten Konzert.
Liszt spielte das Es-dur-Konzert von Beethoven. „Müde, sehr gealtert und
gebückt trat er an das Klavier, es schien, als ob er die Tasten kaum berührte,
und wie durch Magie erscholl eine solche Klangfülle, die Plastik der Beethovenschen Themen trat mit solcher Macht in der Zartheit wie in der Gewalt hervor,
wie vielleicht in dieser unvergleichlichen Weise seine Jugend dies nicht hervorzubringen vermochte." Sonst wies das Programm noch Liszts neueste
Komposition, seine Kantate: Die Glocken von Straßburg auf und mehrere
Fragmente aus dem „Ring" unter Wagners Leitung. Außer dem Musikfest in
St. Gallen war dies das einzige Mal, daß die beiden Freunde öffentlich zusammen in ihrer Kunst tätig waren.

Auf der Reise nach Weimar verweilte Liszt Mitte April 1875 einige Tage
in München, um der Aufführung seines Christus durch den neugegründeten
Hoffbauerschen Gesangverein beizuwohnen. Das Werk hatte großen Erfolg,
und der König befahl sofort eine zweite Aufführung im Hoftheater mit Kräften
der Hofoper. Über Hannover, wo Liszt auf Einladung Bronsarts, damals
Generalintendant der dortigen Hofbühne, bei einer Aufführung der Heiligen
Elisabeth zugegen war und zugunsten des Eisenacher Bachdenkmals mit Frau
Ingeborg von Bronsart ein Konzert gab, das 2000 Taler einbrachte, begab er
sich nach Schloß Loo als Gast des Königs der Niederlande, der die Künstler

263

seines Landes auf das freigebigste unterstützte und förderte. Die bedeutendsten arbeiteten als „Pensionäre des Königs" und unterstanden alljährlich einer Jury, die vom König aus bekannten Fachmännern erwählt wurde. Diesem Preisgericht gehörte dieses Jahr erstmalig, wie noch häufig in späterer Zeit, auch Liszt an und gewann des Königs besondere Sympathie. Den Rest des Sommers verbrachte Liszt, abgesehen von einem 14tägigen Aufenthalt zu den Bühnenproben in Bayreuth, vornehmlich in Weimar. Das Andenken an seine kürzlich verstorbene Gönnerin Frau von Moukhanoff, „eine der hochherzigsten, geistvollsten und universalgebildetsten Frauen", wie sie Bülow nennt, feierte Liszt durch eine Gedächtnisfeier im Tempelherrnhaus zu Weimar, bei der auch seine „ihrem Gedenken gewidmete" E l e g i e zum ersten Male erklang. Noch ein anderes Mal trat er diesen Sommer in Weimar an die Öffentlichkeit, und zwar bei der Denkmalsenthüllung Karl Augusts unter Anwesenheit des deutschen Kaiserpaares. Liszt hatte zu dieser Feier einen „einfach populär gehaltenen Chorgesang geschrieben, dessen Text der König David verschaffte: Der Herr bewahret die Seele seiner Heiligen . . ."

Mitte September begab sich Liszt dann für den ganzen Winter nach R o m. Doch rückten die Arbeiten am „Stanislaus" nicht vor. Die Fürstin schrieb darüber betrübt an Adelheid von Schorn: „Liszt diniert und soupiert sehr häufig in der Stadt — zu häufig — geht nicht nach Tivoli — spielt den scharmanten Gesellschafter und vergeudet so seine Zeit. Seine Schöpfungskraft hat er nicht verloren, wohl aber seine Arbeitslust, und das ist das traurige Resultat von diesen traurigen fünf letzten Jahren . . ."

Inzwischen wurde in Pest die Landesmusikakademie eröffnet. Liszt war dabei nicht anwesend. Seine Wünsche hinsichtlich der Gewinnung von Lehrkräften konnten nicht erfüllt werden. Dr. Witt hatte zwar zugesagt, aber sein Gesundheitszustand machte seine Übersiedelung unmöglich. Und Bülow, auf dessen Mitarbeit Liszt die größten Hoffnungen gesetzt hatte, lehnte ab. Bei Bülow begann zu dieser Zeit der große Umschwung in seiner musikalischen Richtung: er fing an, sich von Liszts Werken allmählich loszusagen, ja sie zu verwerfen, ein Stadium ankündend, das später zeitweise zu geradezu fanatischem Verdammen alles dessen, was ihm früher das Höchste gewesen, ausartete. Wieviel davon auf innere Überzeugung, wieviel auf menschlich-private Gründe zu veranschlagen ist, wird wohl nie aufgeklärt werden. Eines steht jedenfalls fest: so schmerzlich auch dieser „Abfall" einer seiner Intimsten Liszt berühren mußte, und wie sehr Bülows Brahmspropaganda das Vordringen der Lisztschen Werke schädigte, Liszt selbst ließ zeit seines Lebens auf „seinen Hans" nichts kommen. Er liebte ihn nach wie vor, und der persönliche Verkehr blieb stets ein herzlicher. Bülows Bild zierte noch bei Liszts Tod seinen Schreibtisch. Gewisse Persönlichkeiten, unter die auch Bülow gehörte, waren

Liszt unantastbar; an diesem Festhalten konnte ihn n i c h t s beirren. Waren auch ihre Aussprüche und Handlungen oft unfaßbar: Liszt hielt sie hoch und heilig bis an sein Lebensende. „Bülow ist schwer krank, mit ihm darf man nicht richten", oder: „Der Unglückliche ist unleidlich durch seine großen Leiden geworden" — auf solche Weise suchte er ihn stets gegen Angriffe zu entschuldigen.

Zum Direktor der Landesakademie wurde infolge Bülows Absage Franz E r k e l und als Professor der Kompositionslehre Robert V o l k m a n n ernannt, Sekretär war A b r á n y i. Liszt übernahm die Leitung einer Klavierklasse „für Virtuosen und Lehrer". Viermal wöchentlich von 3—6 Uhr hielt er den Kursus ab. Er unterzog sich jahraus jahrein mit größter Gewissenhaftigkeit diesen Verpflichtungen, doch waren die Resultate keine erfreulichen, weil das ihm zur Verfügung gestellte Material zu geringfügig war. Ja, das ganze mit so viel großen Erwartungen ins Leben gerufene Unternehmen, wie Liszts musikalische Tätigkeit überhaupt, scheiterte allmählich an der allgemeinen Gleichgültigkeit gegen seine Bestrebungen. So erlebte Liszt an seiner Pester Wirksamkeit wenig Freude, und oft äußerte er in den letzten Jahren erbittert: „Pest ist eine musikalische Sandbank". Doch er hatte sein Wort gegeben und harrte trotz der reichen Beschwerden, die ihm bei seinem hohen Alter die langen Reisen im Winter verursachten, auf dem übernommenen Posten aus.

Als Liszt Mitte Februar 1876 in Pest eintraf, bezog er zwei kleine Zimmer am Fischplatz, nahe der Stadtpfarrei, in demselben Haus, in dem vorübergehend die Musikakademie eröffnet war. Wenige Tage nach Liszts Ankunft drohte Pest gefährliches Hochwasser. Die Donau war aus den Ufern getreten und hatte weite Landstriche überschwemmt. Wie 1838 so war auch diesmal Liszt sofort bereit, zur Linderung der Not auf seine Weise beizutragen. Er veranstaltete ein Konzert zugunsten der Überschwemmten, das 8000 Gulden einbrachte. Über Wien begab sich Liszt dann Mitte April nach D ü s s e l - d o r f, wo sein früherer Schüler Ratzenberger zwei Lisztkonzerte (Graner Messe, Prometheus) veranstaltete. Am 16. Mai weilte er bei Bronsart in H a n n o v e r zur Faust-Symphonie und veranstaltete daselbst ein Konzert zugunsten des Bayreuther Stipendienfonds, das über 5000 Mark einbrachte. Die zweite Hälfte des Mai war Liszt wieder Gast des Königs der Niederlande auf Schloß Loo als Präsident des Preisgerichts und traf erst Anfang Juni, nachdem er noch zuvor an der Tonkünstlerversammlung in A l t e n b u r g teilgenommen hatte, in Weimar ein, wo ihn der Hof und eine Schülerschar seit langem sehnlichst erwarteten. Doch verließ er schon am 1. August die Hofgärtnerei, um den Monat August in B a y r e u t h zuzubringen.

Hier war endlich nach mühevollen Kämpfen „das große Wunderwerk

265

deutscher Kunst", wie Liszt es nennt, zur Tat geworden, die ersten Bühnen-festspiele verkündeten aller Welt den Sieg des Wagnerschen Strebens. Liszt wohnte in Wahnfried und besuchte alle drei Vorstellungszyklen des Nibelungen-rings. Seine früheren Kämpfe, dieses Werk einst in Weimar durchzusetzen, stiegen wieder lebhaft vor ihm auf, und vorwurfsvoll meldet er dem Groß-herzog: „Was sich hier erfüllt, ist fast ein Wunder. Ich werde nur immer be-dauern, daß Weimar nicht den Anteil daran hat, der ihm zukäme durch seine ruhmreichen Antezedenzien." Den ersten Aufführungszyklus der Festspiele beschloß ein großes Bankett in der Theaterrestauration, an dem ungefähr 700 Personen teilnahmen. Wagner brachte folgenden Trinkspruch auf Liszt aus: „Hier ist derjenige, welcher mir zuerst den Glauben entgegengetragen, als noch keiner etwas von mir wußte, und ohne den Sie heute vielleicht keine Note von mir gehört haben würden, mein lieber Freund — Franz Liszt." Tief-gerührt, kaum der Worte mächtig, erwiderte Liszt: „Ich danke meinem Freunde für die ehrenvolle Anerkennung und bleibe ihm in tiefster Ehrfurcht ergeben — untertänigst; wie wir uns vor dem Genius Dantes, Michel Angelos, Shake-speares, Beethovens beugen, so beuge ich mich vor dem Genius des Meisters."

War doch mit diesem Durchdringen der Wagnerschen Sache eine Hoff-nung seines früheren mutigen Ringens in schönster Weise in Erfüllung ge-gangen. Die Fürstin scheint dagegen Liszts Teilnahme in Bayreuth in schärf-ster Weise mißbilligt zu haben, ja die Verstimmung war eine so heftige, daß Liszt darauf verzichtete, dieses Jahr nach Rom zu kommen. Dagegen drängte es ihn, einen anderen aufzusuchen, der unter den Bayreuther Festtagen schwer leiden mußte: B ü l o w. „Das Wiedersehen war mir ein Bedürfnis, und ich machte mir Vorwürfe, es aufzuschieben und nicht in Godesberg um ihn zu sein. Ach! sogar die Pflichten stehen sich in der Welt entgegen; das ist der härteste Konflikt: und das Leben ist so eingerichtet, daß man sich damit zufrieden geben muß, selbst denen, die man am meisten liebt, fast nicht dienlich sein zu können." Bülow befand sich damals, von den inneren Aufregungen und den maßlosen Überanstrengungen seiner Konzertreisen völlig erschöpft, in einer Heilanstalt zu Godesberg; er war durch die Folgen eines leichten Gehirn-schlages gänzlich zusammengebrochen. Nur sehr langsam erholte er sich. Bronsart bot ihm für die Rekonvaleszenz sein Haus an. Hier traf Liszt im Sep-tember ein und verweilte vierzehn Tage. Bülow berichtet darüber: „Er ist noch immer der wunderbare Zauberer von ehemals, geistig und körperlich rüstiger, als ich's erwartete. Ich vermag ihm aber in seinen Proteusbewegun-gen nicht zu folgen, er ist mir geradezu unheimlich — ich fühle mich ihm total entfremdet." Von Hannover aus kehrte Liszt direkt nach Pest zurück, um den Winter über seine Tätigkeit an der Musikakademie aufzunehmen.

Am 18. März 1877 ließ sich Liszt nochmals öffentlich in Wien hören. Er

266

spielte das Es-dur-Konzert und die Chorphantasie von Beethoven zugunsten des Beethovendenkmals in Wien. Somit dankt auch diese Ehrung des Bonner Meisters zum Teil Liszt seine Entstehung. Nach einem Besuch in Bayreuth fand sich Liszt anfangs April wieder in der Hofgärtnerei ein. Das Hauptereignis des Sommers war die Tonkünstlerversammlung in Hannover (19.—24. Mai 1877). Liszt dirigierte hier seit langem wieder einmal selbst, und zwar die Symphonie fantastique von Berlioz und seinen Dante. Außerdem spielte er am vierten Konzerttag viermal, zuerst mit Frau von Bronsart die Variationen von St. Saëns und sein Concerto pathétique in e-moll; dann allein seinen Cantique d'amour und Ungarische Melodien. Marianne Brandt sang unter seiner Begleitung die Heilige Cäcilie. Zur Eröffnung des Festes wurde im Theater Cornelius' Barbier von Bagdad aufgeführt, erstmalig mit der von Liszt instrumentierten neuen Ouvertüre. Der Erfolg war auch hier infolge des wenig lebensfähigen Textes nur ein halber. Den Abschluß dieser Lisztage in Hannover bildete eine leider wenig erfreuliche Aufführung der Heiligen Elisabeth unter Kapellmeister Bott, der, wie Bülow berichtet, „in halb betrunkenem Zustande die Elisabth 3¼ Stunden lang taktstockbastonadierte, worauf er das Gleichgewicht (nebst Perücke!) verlor, in die erste unbesetzte Parkettreihe fiel, nach dem bekannten Sprichwort aber keinen Schaden erlitt, sondern, durch den Schreck ernüchtert, weiterdirigieren wollte, was sich aber Meister Liszt verbat". Liszt führte dann selbst das Werk glanzvoll zu Ende.

Mitte August fand sich Liszt wieder in Rom ein und begab sich nach der Villa d'Este, um nach langer Pause — „le dehors mange le dedans" äußerte er resigniert — die eigenen Arbeiten wieder aufzunehmen. Und der diesmalige Aufenthalt war reich an erfreulichen Früchten. Aux Cyprès de la Villa d'Este, und andere Stücke, die später in der Sammlung Années de Pelérinage, 3. Band vereinigt wurden, die 2. Elegie (für Lina Ramann) und ein Teil der 14. Kreuzesstationen Via crucis für Chor, Soli und Orchester wurden damals beendet. Die Fürstin schreibt hierüber erfreut an Adelheid von Schorn: „Liszt ist nach Pest abgereist. Seine Gesundheit ängstigt mich sehr, das Klima dort ist kalt — sein Zigeunerleben ist nicht für sein Alter, er reibt seine Kräfte auf — seine Verdauungsorgane sind sehr geschwächt — sein régime ist tödlich — er hat jeden Abend etwas Fieber. Ich ließ den Arzt kommen, da er ihm aber ins Gesicht lachte, so war es recht schwer, etwas zu tun. Die Konstitution ist stark, aber die Jahre nahen sich den siebenzigen! Doch hatte ich eine große erhabene Freude — sein Genius, der in Deutschland abzusterben scheint, lebt in Italien wieder auf. Das Lied, das er für Sie komponierte („Sei still'), war der glückliche Anfang von einer langen Reihe wundervoller Kompositionen, so großartig in ihrem edlen himmlischen Gefühl. Nie hat er noch so komponiert, man möchte glauben, daß er die höchste Spitze der Erde verlassen hat, um im ätherischen Blau zu schwimmen."

Der Sommer 1878 war für Liszt wieder ein recht bewegter. Die Osterwoche weilte er in Wien, wo er mehrmals mit D i n g e l s t e d t, der hier seit 1867 Generalintendant war und mit dem er wieder freundschaftlichen Verkehr pflegte, über eine Bearbeitung des Textes zum Stanislaus konferierte, die seit Cornelius' Tod immer noch brach lag. Dingelstedt ging mit Eifer auf den Plan ein und versprach baldigst eine Bearbeitung. Nach einem kurzen Aufenthalt in B a y r e u t h begab sich dann Liszt nach Weimar. Von hier aus stattete er Ende Mai den „beiden Hans" in H a n n o v e r einen dreitägigen Besuch ab. Bülow hatte auf Bronsarts Zureden seit dem vergangenen Jahr die Hofkapellmeisterstelle in Hannover übernommen. Das ersprießliche Zusammenarbeiten der beiden Freunde wurde jedoch durch Bülows krankhafte Gereiztheit, die ihn häufig in Streitigkeiten mit den Kräften des Theaters verwickelte und bei denen Bronsart als Chef des Instituts ihm nicht rechtgeben konnte, getrübt. Mehrmals gelang es Liszt, hier begütigend einzugreifen, auf die Dauer wurde die Lage jedoch unhaltbar. Bei seinem diesmaligen Besuche dirigierte Bülow Wagners Rienzi. Ironisch meldet er darüber seiner Mutter: „Heute vor 34 oder 33½ Jahren machte ich nach einer Aufführung des Rienzi Liszts Bekanntschaft, bei ihm im Hotel de Saxe eingeführt durch Lola Montez!!! Heute dirigierte Schwiegersohn No. 1 dem Zauberer von Rom, Pest und Weimar dasselbe Erstlingswerk seines Schwiegersohnes No. 2 in Hannover vor . . . . und die Aufführung ging süperb, berauschend, wie aus der Pistole geschossen. Habe ich nötig Dir zu sagen, welche Fülle von Bildern, Vorstellungen, Erinnerungen, Empfindungen, Gedanken mich in diesen Stunden bewegte? Du kannst es mir ja gewiß nachdenken, nachfühlen! Genug — ich grolle keinem Himmlischen, keinem Irdischen — ich stehe darüber."

Kaum nach Weimar zurückgekehrt, nötigte Liszt ein patriotischer Auftrag von Pest, eine längere Reise nach Paris zu unternehmen. Er sollte in der Jury der Pariser Weltausstellung Ungarn vertreten. „Ohne jemals ‚Geschwätz-Patriotismus' zu treiben, stelle ich gern bescheidenst meinen Mann, wo es gilt, für Ungarn etwas zu tun," schreibt er an Eduard. Liszt wohnte in Paris, das er seit 1866 nicht mehr besucht hatte, im Hause Erard, zu dem er schon als Knabe in freundschaftlichen Beziehungen gestanden, und besuchte einige seiner früheren Freunde, u. a. Viktor Hugo. Er beschleunigte seine Rückreise, um noch rechtzeitig zu der Tonkünstlerversammlung in E r f u r t einzutreffen. Hier spielte Bülow unter Liszts Leitung das Klavierkonzert von Bronsart, es folgten unter Erdmannsdörfer Liszts Zwei Episoden zu Lenaus Faust und zum Schluß wieder unter seiner eigenen Direktion die Hungaria. Bronsart und Bülow folgten dann dem Meister auf einige Tage nach Weimar. Hier begannen

268

die Festlichkeiten zum 25. Regierungsjubiläum des Großherzogs. Zahlreiche Fürstlichkeiten waren dabei anwesend. U. a. wurde im Park ein Morgenkonzert veranstaltet, bei dem jeder Weimarer Kapellmeister ein Stück eigener Komposition dirigierte. Liszt rechnete sich auch dazu und leitete seinen Carl Alexander gewidmeten Festmarsch. Nachdem er nochmals eine Woche in Bayreuth verbracht hatte, konnte er endlich Mitte September in der Villa d'Este Erholung von den beschwerlichen Reisen und Ruhe und Sammlung finden. Die Via crucis wurde jetzt beendet und ein neues Werk, Septem Sacramenta, Responsorien für Soli, Chor und Orgel, begonnen.

Kurz nachdem Liszt wieder in Pest eingetroffen, erreichte ihn die Kunde von dem Ableben seines innigst geliebten Vetters Eduard. Dem Begräbnis konnte er krankheitshalber nicht beiwohnen. Doch war sein erster Gang bei seinem nächsten Aufenthalt in Wien mit Eduards Witwe zu dessen Grab. Liszt weilte die erste Aprilwoche in Wien, wo zur Vorfeier der silbernen Hochzeit des österreichischen Kaiserpaares in dem Konzert der Gesellschaft der Musikfreunde unter seiner Direktion die Graner Messe mit Einlagen aus der Krönungsmesse (Graduale) und Christus (Seligkeiten) aufgeführt wurde. Sie brachte ihm einen vollen Erfolg. „Gestern abend erstrahlte die Graner Messe zum erstenmal in ihrem vollen Glanze," erzählte er der Fürstin. Der Richard-Wagnerverein ehrte seine Anwesenheit in Wien durch eine Soiree im Bösendorfsaale. Das Orchester leitete Felix M o t t l , der hier zu Liszt in Beziehungen trat, die sich bald herzlich gestalten sollten; Mottl weilte während der folgenden Jahre häufig in Weimar und ist ein treuer Vorkämpfer der Lisztschen Muse gewesen. Auf Liszts Empfehlung wurde 1880 auch seine Erstlingsoper Agnes Bernauer in Weimar (und zwar erfolgreich) zur Aufführung gebracht. Liszt revanchierte sich für die ihm auf der Soiree des Wagnervereins erwiesenen Ehrungen dadurch, daß er sich selbst zu guterletzt an den Flügel setzte und durch eine duftige Improvisation über Chopinsche Nocturnes die Anwesenden entzückte. Erst nach Mitternacht war das schöne Fest beendet.

Auf der Durchreise wohnte er in Frankfurt a. M. einer wohlgelungenen Vorführung des Christus durch den Rühlschen Gesangverein unter K n i e s e bei und traf Ende April 1879 in Weimar ein. Hier harrte seiner eine bereits beträchtliche Schülerzahl. „Er sah recht jung und frisch aus, trotz der 30 (zu niedrig gegriffen!) Klaviermücken, die ihn seit zwei Monaten umgaukelt haben," scherzte Bülow gelegentlich eines Besuchs in der Hofgärtnerei. Die Pianistenschar, die sich stetig an Liszts Fersen heftete, nahm mit jedem Jahre zu. Ja es weilten oft 50 Kunstbeflissene gleichzeitig in Weimar. Aus diesem Sommer sind besonders zu erwähnen: Karl Pohlig, Bertrand Roth, Eduard Reuß, Heinrich Lutter, Alfred Reisenauer, Arthur Friedheim und die Damen Adele aus der Ohe, Lina Schmalhausen und Vera Timanoff. Am 3. Juni reiste Liszt zur Tonkünstlerversammlung nach W i e s b a d e n, aus deren Programm, das Bülow leitete, Bronsarts Frühlingsphantasie und Liszts Faustsymphonie hervortraten. Bülow ließ sich mit dem Konzert von Tschaikowsky auch als Pianist hören, und sein Schüler Max Schwarz spielte fünf Lisztsche Konzertetüden. Liszt war davon sehr befriedigt und lud den jungen Künstler nach Weimar ein, wo er den Sommer über mit ihm studierte. Einer kleinen Episode sei hier Erwähnung getan: In Wiesbaden wohnte Liszt zufällig mit Franz Abt im gleichen Hotel. Eines Tages, als Abt ihm seinen Besuch machen wollte, wurde Liszt gerade ein Ständchen gebracht. Liszt zog ihn mit hinaus auf den Balkon. „Ein seltenes Zusammentreffen," sagte er lächelnd, „zwei Fränze und zwei Äbte."

Liszt kehrte von Wiesbaden in die Hofgärtnerei zurück, wo er dieses Jahr den ganzen Sommer verblieb. Anfang September 1879 erschien er wieder in Rom. Hier hatte er, da er die meiste Zeit in der Villa d'Este weilte, nur zwei möblierte Zimmer in der Via Bocca de Leone. Das Essen schickte ihm die Fürstin hinüber. Von Schülern waren ihm Reisenauer, Josef Girl, Dora Petersen und Lina Schmalhausen gefolgt. Befand sich Liszt in Tivoli, so fuhren die Schüler zweimal wöchentlich zu ihm durch die Campagna hinaus und waren stets zum Essen seine Gäste. In diesem Herbst wurde Liszt noch eine kirchliche Auszeichnung zuteil. Das Kapitel zu Albano, dem Kardinal Hohenlohe vorstand, verlieh ihm die Würde eines Titular-Kanonikus, was ihm ein Anrecht auf ein Kanonikat gewährte. —

Im Sabinergebirge herrschte diesen Winter große Hungersnot. Kardinal Hohenlohe und Liszt beschlossen daher, in der Villa d'Este ein Wohltätigkeitskonzert zu veranstalten. Das ganze vornehme Rom eilte hierzu nach Tivoli. In diesem Konzert trat zum erstenmal Alfred Reisenauer vor die Öffentlichkeit und erntete mit Liszts Tarantelle einen Riesenerfolg. Zum Schluß ließ sich Liszt selbst hören. Außer dieser Gelegenheit war Liszt den Winter selten sichtbar. Er arbeitete emsig. Die der Fürstin gewidmete M i s s a p r o o r g a n o (für Orgel), der 2. M e p h i s t o w a l z e r, eine Bearbeitung von Händels A l m i r a u. a. entstanden damals. Von der Post, „der Marter seines Lebens", wurde er zwar auch hier nicht ganz verschont, doch erreichte die Zahl der täglich zugesandten Bücher, Noten, Bittgesuche und dergl. lange nicht die in Weimar übliche Höhe. Originell ist die Ablehnung der Durchsicht eines ihm vorgelegten Manuskriptes: „Geehrter Herr! Kompositionen ‚beurteilen' ist nicht meine Sache. Dafür gibt es schon zu viel Leute. Ich begnüge mich, Behagen oder Mißbehagen — manchmal beide gemischt — an den Werken zu empfinden. Gerne akzeptiert die von Ihnen erwähnte Dedikation und zeichnet achtungsvoll freundlichst F. L i s z t."

Mitte Januar 1880 riefen Liszt seine Verpflichtungen wieder nach P e s t.

Er wohnte diesen Winter, da sein neues Heim in dem Neubau der Landesakademie noch nicht fertiggestellt war, im Hotel Hungaria. Hier ereignete sich ein unvorhergesehenes Wiedersehen mit J o a c h i m , der in Pest konzertierte und im gleichen Hotel abgestiegen war. Liszt kam ihm sehr freundlich entgegen, begleitete ihn in die Probe seines Konzerts und sprach seine Anerkennung für Joachims dort vorgetragene Variationen für Violine und Orchester wiederholt aus. „Denn wenn ich auch weiß, daß Sie meine Sachen nicht mögen, so mache ich mir um so mehr aus den Ihrigen und freue mich immer, wenn ich Gelegenheit zu näherer Bekanntschaft mit Ihnen finde." Nur daß sich Liszt Joachim gegenüber nicht mehr des vertraulichen „Du" bediente, ließ den Unterschied zwischen einst und jetzt leise erkennen.

Für Liszts Anwesenheit in Wien während der Karwoche waren große Lisztkonzerte vorbereitet. Er leitete selbst das der Musikfreunde, das seine Messe für Männerstimmen, Ideale und Glocken von Straßburg brachte. Den großen Erfolg des Abends zerzauste wieder die Kritik. Bis zu welchen Gehässigkeiten man sich hinreißen ließ, zeigt folgendes durchaus nicht vereinzelt dastehendes Referat: „Man war übrigens auch diesmal nur gekommen, um Liszt zu sehen, ein Vergnügen, das selbst mit dem Preise, seine Komposition anhören zu müssen, nicht zu teuer erkauft ist. Die Aufführung der Messe, deren äußerer Erfolg dadurch gedeckt werden mußte, daß sich der greise Autor, der weltberühmte Virtuose in eigener, ehrwürdiger Gestalt hinstellte, um als Dirigent einige seiner Person geltende Bravorufe zu provozieren, während die Messe unter anderen Umständen ganz einfach ausgelacht worden wäre, war wohl nicht schön, stand aber keineswegs unter dem Niveau des Werkes." Es folgte noch eine Liszt-Soiree des Wagnervereins und mehrere Kirchenkonzerte unter Hellmesberger.

Von Weimar aus, wo er wieder den ganzen Sommer zubrachte, besuchte Liszt die Tonkünstlerversammlung zu B a d e n - B a d e n (19.—24. Mai) und trat bereits Mitte August, nachdem er noch Bülow, der zuvor 14 Tage in Weimar geweilt und unter Liszts Schülerschar Angst und Zittern erregt hatte, in Bad Liebenstein besucht, die Reise nach Italien an. Von 1880 an bewohnte Liszt, wenn er in Rom weilte, stets im Hotel Alibert unweit der Via del Babuino zwei Zimmer. Die Schüler stiegen auch größtenteils daselbst ab. Der Meister stand wie gewöhnlich bereits um 4 Uhr morgens auf, arbeitete bis gegen 7, um sich danach in die Messe zu begeben. Nach dem Frühstück ruhte er eine Stunde, machte oder empfing Besuche oder arbeitete bis zum Mittagsmahl, das ihm die Fürstin schickte. Nach Tisch ruhte er stets bis 4 Uhr, unterrichtete von 4—6, woran sich einige Whistpartien mit bevorzugten Schülern anschlossen, und ging stets um 8 zum Abendessen zur Fürstin. Um 9 Uhr begab er sich, wie gewöhnlich, zur Ruhe. Die Fürstin lebte damals bereits gänzlich

271

zurückgezogen. Sie verließ niemals ihre Wohnung. und auch zu Haus hielt sie sich vollständig von der Außenluft abgeschlossen. Kein Lichtstrahl drang in ihre Arbeitsklause. Sie arbeitete selbst in den Mittagsstunden nur bei Lampenlicht — vergaß darüber ganz das Essen, ja selbst eine einigermaßen sorgfältige Toilette. „Sie saß im Zentrum eines großen Salons wie eine Spinne in ihrem Netze. Der Saal war mit Möbeln, unter denen sich auch ein großer Bechstein befand, so vollgepfropft, daß man sich nur zu ihr durchschlängeln konnte," berichtet Rohlfs, der sie diesen Winter auf der Durchreise aufsuchte. Wenn Liszt zur Fürstin kam, so mußte er, wie jeder Besucher, im Vorzimmer genau nach der Uhr zehn Minuten „sich auslüften", bevor er eintreten durfte, um keinen frischen Luftzug mit hineinzubringen. Dort saß sie, kauernd über ihren Büchern, in bunte Tücher von den schreiendsten Farben gehüllt in dicken Rauchwolken ihrer nie ausgehenden schweren Havannazigarren, die für sie in doppelter Länge extra hergestellt wurden. Sie versank mit den Jahren immer mehr in krankhaften Mystizismus und hatte für das reale Leben gar kein Verständnis mehr. Ein Beweis ihrer zunehmenden Bigotterie war ihre Sucht, Proselyten zu machen. So versuchte sie z. B. Bülow und seine Mutter zum Katholizismus zu bekehren. Unter diesen Umständen wurde der Verkehr Liszts mit der Fürstin qualvoll und war nur noch ein Opfer, das er der Vergangenheit darbrachte. Doch vergaß er nie, was die Frau einst um ihn gelitten, und harrte daher auch jetzt, wo sie eigentlich kein lebendes Band, sondern nur noch die Erinnerung verknüpfte, in ihrer Nähe aus.

Während des September stattete Liszt Wagners, die sich in S i e n a aufhielten, einen längeren Besuch ab. Hier erhielt er auch durch die Fürstin Hohenlohe aus Wien den Text zum Stanislaus, der nun seinen Beifall fand. Die Bearbeitung, die Dingelstedt Liszt unterbreitet hatte, dünkte ihm für ein Oratorium zu theatralisch und hatte vor allem nicht den Beifall der Fürstin, die Dingelstedt immer noch nicht objektiv gegenüberstand. In dem Erzieher der Söhne der Fürstin Marie Hohenlohe, Erdmann Edler, war dann schließlich der endgültige Bearbeiter des Textbuchs gefunden. Doch wurde die Komposition auch in diesem Jahre trotzdem nicht wesentlich gefördert.

Als Liszt Mitte Januar 1881 nach Pest zurückkehrte, bezog er seine neue Wohnung im Haus der Landesakademie in der Radialstraße. An den großen Musiksaal der Akademie, den drei Flügel zierten, schloß sich unmittelbar, durch eine Schiebetür verbunden, sein großer Salon an. Das in hellblauem Plüsch gehaltene Zimmer war von den Damen der ungarischen Aristokratie geschenkt. Jeder Gegenstand, jedes Möbel trug ein Kunstwerk holder Frauenhand. Zwischen den Fenstern stand ein großer Bösendorfer, ein Geschenk seines Wiener Freundes. Die Zeichnungen von Doré: Franziskus auf den Wogen und die Vogelpredigt bildeten den künstlerischen Wandschmuck.

272

Dieser Salon wurde nur zu großen Empfängen benutzt. Durch ein kleines Eßzimmer gelangte man von hier aus in das Arbeits- und Schlafzimmer Liszts, das sehr einfach gehalten war. Bad, Küche und Dienerzimmer vervollständigten die Appartements. Hier hauste nun Liszt mit seinem Diener. Das Essen bereitete ein älteres Dienstmädchen, namens Marie, oder es wurde aus einem Gasthaus geholt. So war er gänzlich auf die Hilfe und den Umgang mit fremden Leuten angewiesen. Eine Nichte des Barons von Augusz, Frau von Fabry, sah auf Veranlassung der Fürstin zeitweise nach seinen Sachen. Für einen Mann von 70 Jahren war eine solche Junggesellenwirtschaft ohne sorgsame Pflege, deren er oft bitter bedurft hätte, nur auf Kosten seiner Gesundheit durchzuführen, und er litt schwer unter der Einsamkeit. In solcher Lage war er für jede fürsorgende Hand dankbar, und nur hieraus erklärt sich die Vorliebe und väterliche Zuneigung, die er in den letzten Jahren zu einer seiner Schülerinnen hegte, zu Lina S c h m a l h a u s e n. Sie war 1879 auf eine Empfehlung der Kaiserin Augusta zu Liszt gekommen. Die muntere Ausgelassenheit des jungen Mädchens erfreute ihn; sie war namentlich in Pest den ganzen Tag um ihn, und suchte ihm, soweit es in ihren Kräften stand, ein gemütliches Heim zu schaffen. Sie bereitete ihm die Mahlzeiten, sodaß er nicht mehr auf das ihm nicht bekömmliche Restaurantessen angewiesen war und auf seinen Körperzustand· dabei Rücksicht genommen werden konnte, sah nach seiner Garderobe, las ihm vor, kurz sorgte für ihn.

Im Februar 1881 gab Bülow, um damit „eine alte Schuld zu zahlen", wie er sich ausdrückte, noch einmal in Wien und Pest Liszt-Klavierabende. Hanslick leistete sich hierbei in der Neuen freien Presse am 27. II. folgende Kritik über die h-moll-Sonate: „Nie habe ich ein raffinierteres, frecheres Aneinanderfügen der disparatesten Elemente erlebt, nie ein so wüstes Toben, einen so blutigen Kampf gegen alles, was musikalisch ist. Anfangs verblüfft, dann entsetzt, fühlte ich mich doch schließlich überwältigt von der unausbleiblichen Komik, die in diesem krampfhaften Ringen nach Unerhörtem, Kolossalem liegt, in diesem atemlosen Arbeiten, dieser Genialitäts-Dampfmühle, die fast immer leer geht. Da hört auch jede Kritik, jede Diskussion auf. Wer das gehört hat und es erträglich findet, dem ist nicht zu helfen." Liszt war Bülow rührend dankbar. Anfang April verließ er in Begleitung seines Freundes Zichy Pest und spielte mit ihm in einem Konzert zu Preßburg zugunsten des Hummeldenkmals. Von hier aus begaben sie sich über Ödenburg nach Raiding, wo eine Gedächtnistafel an Liszts Geburtshaus enthüllt wurde. Zichy hatte, wie zuvor bereits im Jahre 1856, die Fürstin Wittgenstein das Haus käuflich zu erwerben versucht; doch es war nicht erhältlich.

Die kommenden Sommermonate waren bewegt und anstrengend. Den Bemühungen des Musikdirektors Alexis Holländer war es gelungen, Liszts Anwesenheit bei der Aufführung des Christus durch den Cäcilienverein in B e r - l i n zu erreichen. Liszt traf hier am 23. April ein und stieg im Palais des Ministers von Schleinitz ab, wo seine Enkelin Daniela schon eingetroffen war. Am nächsten Tag fand im Wintergarten eine öffentliche Begrüßungsfeier, ver- anstaltet vom Wagnerverein, statt. Es wurden hierbei Festklänge (unter Mannstädt) und Préludes (unter Leßmann) gespielt. Nach der Feier weilte Liszt noch kurze Zeit bei dem Festbankett, das über 300 Personen vereinte, und wohnte darauf noch der Generalprobe des Christus bei. Die Aufführung fand andern Tags stürmischen Beifall. In Berlin traf durch Liszts Vermittlung Bülow zum erstenmal seit seiner Trennung von Cosima wieder mit einem seiner Kinder zusammen, mit Daniela, und fühlte sich Liszt dafür sehr verpflichtet. Von Berlin aus reiste Liszt direkt nach Freiburg und Baden-Baden, um Kon- zerten beizuwohnen, und kehrte ziemlich erschöpft nach Weimar zurück. Ver- geblich flehte ihn die Fürstin an, sich zu schonen. Bereits Mitte Mai rief ihn eine Einladung zu einem Musikfest nach A n t w e r p e n, veranstaltet von der dortigen Société de musique. Liszt traf in Begleitung der Baronin Meyendorff in Antwerpen ein und stieg im Haus des reichen Patriziers Lynen ab. Stadt und Bürger wetteiferten darin, ihn zu ehren. Am 26. Mai fand das Festkonzert statt. Obwohl der große Harmoniesaal 3000 Menschen faßte und das Billett 10 Franken kostete, war er in der Hauptprobe und zum Konzert überfüllt. B e n o i t dirigierte die Graner Messe, Anna Mehlig spielte das Es-dur-Konzert und Zarembsky den Totentanz, den Liszt hier zum ersten Mal mit Orchester hörte. Nach jeder Nummer wurde Liszt stürmisch gefeiert, zum Schluß hielt der Bürgermeister eine Ansprache und bat Liszt, seinen Namen in das Goldene Buch der Stadt Antwerpen einzutragen. Ein Bankett im Cercle artistique beschloß den Abend. Andern Tags versammelte Lynen in seinem Hause das ganze vornehme Antwerpen. Es wurden lebende Bilder gestellt, die eine Verherrlichung von Liszts Künstlerleben darstellten. Schließlich dankte Liszt durch sein Spiel. Es folgte dann in B r ü s s e l auf Anregung der Lisztschüler Franz Servais und Zarembsky ein Festkonzert, in dem Tasso und Faust- symphonie unter Servais und das Concerto pathétique von Zarembsky und Frau gespielt wurden. Auf dem nachfolgenden Festmahl feierte Fr. G e - v ä e r t, der Direktor des Brüsseler Konservatoriums wie überhaupt die Spitze des belgischen Musiklebens, den Meister mit einem überschwenglichen Trink- spruch und überreichte ihm eine des Lisztfestes zu Ehren von Geerts model- lierte Medaille.

Kaum nach Weimar zurückgekehrt, verlangte die Tonkünstlerversamm- lung zu M a g d e b u r g seine Anwesenheit. Hier dirigierte zum erstenmal Arthur N i k i s c h ein Werk Liszts (Bergsymphonie). Dann konnte er sich endlich einige Ruhe gönnen, soweit sie in Weimar, wo ihn diesen Sommer

45 Schüler umlagerten, überhaupt möglich war. Bülow kam für einige Wochen zu Besuch, desgleichen Daniela. Beide lernten sich hier eigentlich erst richtig kennen. Und durch Liszts und Danielas Einfluß wurde schließlich zwischen Bülow und Cosima in Nürnberg eine Zusammenkunft zuwege gebracht, die auf dessen überreizten Nervenzustand von günstiger Einwirkung war. Während Bülows Anwesenheit in Weimar erlitt Liszt einen schweren Unfall: Er stürzte auf der Treppe der Hofgärtnerei und erlitt Quetschungen am ganzen Körper. Die Sache war an sich keineswegs gefährlich, aber er kränkelte lange und wollte sich nicht mehr völlig erholen. Zur Beruhigung seiner Freunde konsultierte er Volkmann in Halle, der ihm gegen diese Schwellungen heiße Bäder verordnete. Der Verfall seiner Kräfte trat zunehmend ein, und wenn Bülow zu Beginn dieses Jahres noch aus Pest froh Liszts „extraordinäre Körper- und Geistesfrische" rühmen konnte, so schreibt er jetzt besorgt: „Seine Unbehilflichkeit und körperliche (wie leider auch geistige) Schwäche ist in so hohem Grade Tag für Tag zunehmend, daß ihm ein wirkliches Malheur zustoßen könnte, wenn er sich selbst überlassen bliebe." Es erschien daher wünschenswert, daß ihn auf seiner Reise nach Italien jemand begleite, und Daniela leistete ihm denn auch von Bayreuth aus, wo Liszt Ende September einige Tage verweilt hatte, bis Rom Gesellschaft. Ziemlich ermattet langte Liszt hier an und nahm wieder im Hotel Alibert Wohnung. Er war immer sehr müde und schlief oft über der Arbeit ein. Im Gegensatz zu sonst blieb er für Dinge seiner Umgebung recht teilnahmslos. Da er, obwohl das Zimmer stets überheizt war, ständig fror, wurde von einer Übersiedlung nach Villa d'Este abgesehen. Obwohl er sich oft nicht auf den Füßen halten konnte, wollte er doch nie krank sein. Er war durchaus gleichgültig gegen seine Gesundheit und wurde ärgerlich, wenn man sich nach seinem Befinden erkundigte. Auf die Frage: „Wie geht es Ihnen?" antwortete er stets: „Immer gut! Ich beschäftige mich nicht mit Franz Liszt." Allmählich erholte er sich wieder und konnte seinen 70. Geburtstag bei erträglichem Gesundheitszustand begehen. Botschafter Keudell veranstaltete ihm zu Ehren eine musikalische Matinee in dem mit Lisztbildern und -Büsten dekorierten Saal des Palazzo Caffarelli, bei der das neugegründete römische Quintett (Sgambati, Monachesi, E. Masi, Jacobacci und Furino) sich zum ersten Male hören ließ. Von auswärts trafen ungezählte Glückwunschschreiben, Telegramme seiner Freunde und Schüler ein, die dem Meister an diesem Tag ihre Huldigungen darbrachten.

Am frühen Morgen hatte er von der Fürstin nachstehendes Schreiben erhalten: „Cher cher Bon — que votre 70 années commence sous les auspices du soleil qui éclaira le 22 Oc. à Woronince —

Respirons l'Eternité. C'est pour l'Eternité que j'ai désiré vous posséder en Dieu et vous donner à Dieu! — Bonne année et bonnes années cher grand — Je me contente du rôle du valet de chambre de St. Simon, disant tous les matins a son maître — Vous avez de grandes choses a faire. Et Dieu qui donne de quoi les faire donne aussi la récompense ici bas et en haut. En attendant la récompense complète, réjouissons des petits à compte, comme une bonne petite journée — Commencée aux pieds des autels — en communion avec Notre Seigneur — à bientôt devant votre grand thaumaturge; St. François a fait tant de miracles. Il en fera aussi pour vous qui le couvrez de gloire — gloire séculaire. —"

Auch von der Stadt Wien war, „eingedenk seiner hochherzigen Wohltätigkeitsakte", ein offizielles Glückwunschschreiben eingetroffen, und die Wiener musikalischen Körperschaften brachten Liszt in einem Prachtalbum ihre Huldigung dar. In Weimar hatte man den Geburtstag des Meisters durch eine szenische Aufführung der Heiligen Elisabeth festlich begangen, und der Riedelsche Verein zu Leipzig feierte den Tag durch eine wohlgelungene Vorführung des Christus. Der Allgemeine deutsche Musikverein ernannte Liszt, wie bereits in Magdeburg auf der Tonkünstlerversammlung beschlossen war, zu seinem Ehrenpräsidenten und übersandte jedem seiner Mitglieder zur Erinnerung an diesen Tag eine von Wittig modellierte Lisztmedaille. Das künstlerisch auf Pergament gefertigte Diplom, das Liszt durch Keudell an seinem Geburtstage überreicht wurde, hatte folgenden Wortlaut:

„Dem großen Künstler, dem allverehrten und geliebten Meister, der schaffend, leitend und lehrend in seltener Größe und nie rastender Hingebung sein Leben der Tonkunst ruhmvoll geweiht, der nie erreicht und unerreichbar, Millionen entzückt hat — und Tausenden ein leuchtendes Vorbild geworden ist, dessen Namen die Welt bewundernd und unser Kreis voll treuer Liebe wie voll Ehrfurcht nennt:

FRANZ LISZT

bringt zur siebzigsten Wiederkehr seines Geburtsfestes, am 22. Oktober 1881, der allgemeine deutsche Musikverein, welchem der Meister vom Tage seiner Gründung an Teilnehmer, Förderer und Schützer war, seine innigsten Glückwünsche, seinen wärmsten Dank, und ernennt, nicht in der Meinung, den Gefeierten höher zu ehren, aber im Gefühl der innigsten Hingabe, der innersten Zusammengehörigkeit, vom Bewußtsein erfüllt, wie hoch seine Teilnahme uns ehrt, F r a n z L i s z t hierdurch zu seinem E h r e n p r ä s i d e n t e n. So beschlossen in der Generalversammlung des Allgemeinen deutschen Musikvereins zu Magdeburg am 12. Juni 1881."

Liszts Abreise von Rom war auf Ende Januar festgesetzt. Die Fürstin versuchte ihn, im Hinblick auf seine immer noch schwankende Gesundheit,

276

davon zurückzuhalten. Sie schrieb sogar an seine Freunde nach Pest, er sei zu krank, um zu reisen. Dadurch entstand in den Zeitungen das Gerücht. Liszt sei schwer erkrankt. Doch ließ sich Liszt nicht von seinen Verpflichtungen abhalten und traf am 8. Februar 1882 in Pest ein. Hier erholte er sich rasch und gewann die alte Rüstigkeit bald wieder; er konnte sogar in Bülows Konzert zu Preßburg zugunsten des Hummeldenkmals anwesend sein. Um diese Zeit erregte in Pest ein Bild „Christus vor Pilatus" größte Sensation. Es entstammte der Künstlerhand Michael Munkácsys. Liszt machte damals seine Bekanntschaft, und die beiden Männer traten sich rasch näher. Munkácsy versprach für den Sommer einen Besuch in Weimar, um Liszt zu porträtieren.

Anfang April war Liszt dann wieder in Weimar. Unter den Schülern dieses Sommers sind zu nennen: d'Albert, Weingartner, Lutter, von Zeyl, Dingeldey, Bentsch, Emma Großcurth, A. Spiering. Doch schon wenige Tage nach seiner Ankunft reiste er nach Brüssel ab, um der ersten Aufführung der Elisabeth in französischer Sprache beizuwohnen. Recht ermüdet von den anstrengenden Festlichkeiten kam er nach Weimar zurück. Doch bald rief ihn ein Lisztkonzert nach Freiburg und die Tonkünstlerversammlung nach Zürich (9.—12. Juli) wieder ab. Von hier ging er direkt nach Bayreuth, wo die Uraufführung des Parsifal bevorstand. Schon im Mai hatte ihm Wagner den Klavierauszug des Werkes gesandt mit der Inschrift: „O Freund! Mein Franz! Du Erster und Einziger! Nimm hin den Dank Deines Richard Wagner." Liszt war tief ergriffen von diesem Werk, dessen „Pendel vom Erhabenen zum Erhabensten schlage", und schrieb der Fürstin begeistert: „Meine Ansicht bleibt fest: unbedingte, wenn man will, übertriebene Bewunderung. Parsifal ist mehr als ein Meisterwerk — er ist eine Offenbarung im Musikdrama. Man hat mit Recht gesagt, daß Wagner nach dem Gesang der Gesänge der irdischen Liebe: ‚Tristan und Isolde', rühmlichst im ‚Parsifal' den höchsten Gesang der göttlichen Liebe, soweit er es in dem engen Rahmen des Theaters tun konnte, gegeben hat. Es ist das Wunderwerk des Jahrhunderts!"

Nach der Vorstellung gab Wagner den mitwirkenden Künstlern ein großes Festbankett und legte in einem Trinkspruch das rührende Bekenntnis ab: „Als ich, um auf deutsch zu reden, ein ganz aufgegebener Mußjöh war, da ist Liszt gekommen und hat von innen heraus ein tiefes Verständnis für mich und mein Schaffen gezeigt. Er hat dies Schaffen gefördert, er hat mich gestützt, hat mich erhoben, wie kein anderer. Er ist das Band gewesen zwischen der Welt, die in mir lebte, und jener Welt da draußen. Daher sage ich nochmals: Franz Liszt lebe hoch!"

Nach der fünften Aufführung reiste Liszt auf Drängen der Baronin Meyendorff, die ihn dorthin begleitet hatte, zum großen Kummer Wagners nach Weimar zurück und traf erst wieder zur letzten Vorstellung in der Festspielstadt ein. Hier verweilte er noch zur Hochzeitsfeier seiner Enkelin Blandine und kehrte dann wieder in die Hofgärtnerei zurück.

Bald darauf verließ die Baronin Meyendorff aus Gründen privater Natur Weimar und begab sich nach Rom. Hierdurch wurde Liszt, der sonst jeden Abend bei ihr verbringen mußte, freier, und der Verkehr mit seinen Schülern gestaltete sich herzlicher. Bisher hatte er nie Einladungen von ihnen angenommen, doch jetzt weilte er häufiger mit einigen von ihnen im „Erbprinzen". Der Herbst 1882 war die schönste und ungetrübteste Zeit von allen Jahren der Hofgärtnerei. Der Meister selbst wurde wieder jung und froh mit der ihn umgebenden Jugend. Am 29. September gab der junge d'Albert sein erstes Konzert im Saale der Erholung in Weimar. Liszt hatte sich für das eminente Talent dieses Schülers ganz besonders begeistert und protegierte ihn in jeder Hinsicht. Der Hof wohnte dem Konzert bei, und d'Albert erlebte einen großen Triumph. Zur Vorfeier von Liszts Geburtstag, den er seit langem wieder einmal in Weimar beging, gab er in den engen Räumen der Hofgärtnerei ein Abendessen. Anderen Tags fand im Theater ein L i s z t k o n z e r t statt. Hier wirkte d'Albert ebenfalls als Solist mit und spielte unter Lassens Leitung Liszts Es-dur-Konzert und die 2. Rhapsodie, zu der er eine eigene Kadenz geschrieben hatte. Der Großherzog verlieh ihm darauf den Titel Hofpianist. Liszt meinte: Er verdient den Titel vollauf, er hat wirklich süperb gespielt und ehrt zumindest Weimar durch Annahme dieser Auszeichnung so, wie man ihn zu ehren gedenkt. Er muß nun morgen gleich nach dem Hofmarschallamt — auch sich bedanken und keine Formfehler begehen — nun, ich frisiere ihn dafür schon noch zurecht morgen, den frisch gebackenen „Hofpianisten".

Anfangs November erfreute Liszt noch der Besuch Marianne Brandts und Anton Rubinsteins. Liszt betrübte es sehr, daß er ihn nicht als seinen Gast unter seinem Dach beherbergen konnte. Es stand ihm nur das kleine Schlafzimmer der Hofgärtnerei zur Verfügung. (Gille war der einzige, der stets dort logierte. Liszt trat ihm dann sein Bett ab und schlief selbst auf dem kleinen Sofa im Musikzimmer.) Zu Rubinsteins Ehren veranstaltete Liszt eine Gesellschaft von über 40 Personen. Das Essen wurde aus dem Erbprinzen geliefert. So einfach und anspruchslos er für seine Person war, so besorgt und großartig bewirtete er seine Gäste. Die ausgezeichnetsten Leckerbissen durften nicht fehlen. Der Tisch sollte fast brechen vor Reichhaltigkeit. Er entwarf selbst das Menü, was er meisterlich verstand. Einen ebenso erstaunlichen Sinn hatte er für schöne Toiletten. „An Damen kann ich nicht genug Spitzen, Pelze, Juwelen und dergleichen sehen. Bei Männern dagegen halte ich Schmucksachen außer Uhr und Kette für deplaciert. Ich hatte einen schönen Pelz, den ich nie trug, er hing immer auf dem Treppenflur der Hofgärtnerei. Ich war recht froh, als er mir eines schönen Tages gestohlen wurde . . ." Nach dem Rubinsteinsouper, wie stets nach solchen Gesellschaften, wurde nicht musiziert. „Einmal muß das Handwerk ruhen. Rubinstein hört Musik zur Genüge", meinte Liszt. Man spielte statt dessen einige Rubber Whist. Liszt liebte das Kartenspiel; es bildete abends seine einzige Unterhaltung. Die Abende allein zuzubringen, haßte er, er fühlte sich zu verlassen und unglücklich. Er sah daher stets nach dem Essen noch einige Schüler oder Freunde zum Kartenspiel um sich.

Da Frau von Meyendorff diesen Winter in Rom weilte, hielt es Liszt nicht für ratsam, sich dorthin zu begeben. Er verblieb daher bis Mitte November in Weimar und reiste dann zu Wagners nach V e n e d i g (Palazzo Vendramin), wo er bis Mitte Januar 1883 verweilte. Dies war das letzte Zusammensein der beiden Freunde. Der Charakter dieser Zusammenkünfte trug vor allem das Gepräge der Heiterkeit. Als Liszt einmal dem Meister eine seiner Kirchenkompositionen vorspielte, rief dieser am Schluß aus: „Dein lieber Gott macht aber viel Spektakel!" wogegen ihm Liszt zurief, als der Meister sich danach ans Klavier setzte und etwas von Beethoven anstimmte: „Das spiele i c h nun besser!" — Jedesmal wenn der Freund ankam, wurde er von der ganzen Familie mit Wonne empfangen. Einmal illuminierte Wagner sogar in seiner überschwenglichen Freude die ganze große Wohnung und sagte dabei humoristisch-ärgerlich zu den Kindern, da Liszt in seiner Schlichtheit nicht annahm, es sei für ihn geschehen: „Das bemerkt er wieder nicht." An allem was vorfiel, mußte der Freund teilnehmen. Endlich war das erreicht, wonach Wagner sich so lange gesehnt hatte: ein freimütiger, ausgelassener Verkehr, wo in der sicheren gegenseitigen Liebe nichts mißverstanden, nichts empfindlich aufgenommen werden konnte. Daneben wurde aber die ernste Kunst nicht vernachlässigt. Oft spielte Liszt vor, meist Bach oder Beethoven, was Wagner in stiller Andacht in sich aufnahm. Auch theoretische Kunstfragen, wie der Plan der Bayreuther Stilbildungsschule u. a. wurden eifrig erörtert. Daneben genoß Liszt hier zum ersten Male ein rechtes Familienleben, das er bitter hatte entbehren müssen. Mit seinen Enkelkindern verkehrte er in liebevoller Weise, und es ist rührend, ihn in Venedig kurz vor dem Weihnachtsfest trotz seines hohen Alters noch selbst in die Läden eilen zu sehen, um für die Kinder Geschenke einzukaufen und selbst heimzutragen. Die Lebensweise im Vendramin schildert ein Brief Danielas:

„Seine Vormittage bringt er (Liszt) meist allein zu; um 11 Uhr wandere ich zu ihm herüber, da sitzt er in warmer Umgebung mit dem Blick auf den meist sonnenbeschienenen Kanal, tiefgebeugt über Briefe und Noten und arbeitet stetig, etwas später blickt Mama zu ihm herein, und um zwei Uhr versammeln wir uns zum Mittagsmahl. Nach Tisch und seinem kognakfreien Schluck Kaffee schläft er bei sich, bis ihn Bassani oder sonst ein ihm ergebenes Wesen weckt und mit ihm plaudert. Gegen 6 Uhr kommt er zu uns herüber und macht Musik bis zum Abendbrot um ½8 Uhr. Bis zum Schlafengehen um 10 Uhr wird dann Whist gespielt."

So herzlich sich auch das seit dem Jahre 1872 alljährliche Zusammensein der beiden Freunde gestaltete, die scharf ausgeprägte innere Dissonanz der beiden Naturen ließ sich trotz besten Willens von beiden Seiten nicht ganz überbrücken. Wenn Liszt Wagners unablässigen Bitten, dauernd zu ihm überzusiedeln, nicht nachkam (schon seine eingegangenen Verpflichtungen in Weimar und Pest machten das unmöglich) und sich daher oft dessen scherzhaft erzürntes „Geh' du alter Römling" gefallen lassen mußte, so handelte er dabei in dem klaren Bewußtsein, daß ein längeres Zusammensein nur zu Mißhelligkeiten führen müßte. Jeder von beiden war nur zu sehr gewohnt, Mittelpunkt ihrer Umgebung zu sein, und nur Liszts Güte und nachsichtige Verehrung für den Freund, die sich einmal zu dem Bekenntnis verdichtet: „D i r gebe ich stets recht, selbst wenn du mir Unrecht tust. Schelte mich also nach Laune, dieses wird niemals irre machen deinen treuen immerdar Angehörigsten Franciscus", vermied im persönlichen Verkehr geschickt jede Verstimmung. Auch die Lebensgewohnheiten und Liebhabereien waren in den letzten Lebensjahren bei beiden zu verschieden: Wagner liebte die Zurückgezogenheit im Familienoder trautesten Freundeskreis, angeregte Unterhaltung, auch gemeinsame Lektüre. Liszt dagegen bedurfte der großen Welt, er, der Liebling des Salons, mochte sie nicht missen, sie waren ihm Lebensnotwendigkeit geworden. Blieb er aber im kleinen Kreis, so entbehrte er nur ungern seine geliebte Whistpartie, die ihm meist lieber war als jede noch so schöne Lektüre. Hierfür hatte Wagner gar kein Verständnis. Diese Gegensätze, die bei Liszts früheren Besuchen in der engen Abgeschlossenheit Bayreuths nicht so stark zur Geltung gekommen waren, machten sich diesmal in Venedig, wo Liszt sehr viel in Gesellschaften verkehrte, schon recht fühlbar. Beim Abschied meinte Wagner daher scherzend: „Diesmal haben wir uns gegenseitig geniert."

In Venedig hatte Liszt auch die Arbeiten an S t a n i s l a u s wieder aufgenommen, er konnte der Fürstin melden, daß „fast die Hälfte des Werkes für Gesang und Klavier" fertig sei. Außerdem gelang ihm, angeregt durch den Trauergesang eines Gondoliers auf dem Canal grande, eine Elegie, der er den Namen T r a u e r g o n d e l gab. Man hat dieses Stimmungsbild häufig mit Wagners Tod in Zusammenhang gebracht, und Liszt selbst bezeichnete es später als seine „Vorahnung". Mitte Januar nahm Liszt herzlich Abschied von Wagner und kehrte nach P e s t zurück. Er sollte ihn nicht wiedersehen.

Wenige Wochen darauf schied sein großer Freund aus dem Leben. Am 14. Februar trat Cornel Abrányi, Liszts ältester Freund in Budapest, in Liszts Arbeitszimmer und sagte ängstlich beklommen: „Lieber Meister, Wagner ist gestorben." Liszt sah nicht vom Schreibtisch auf, arbeitete ruhig weiter und sagte einfach: „Warum nicht gar." Abrányi sah verdutzt vor sich hin und schwieg. Liszt schrieb ruhig weiter, nebenbei erzählend: „Mich sagte man auch unzählige Male für tot oder schwerkrank und dergl. — Alles Unsinn!" Da trat Taborski mit einem Extrablatt herein und legte es dem Meister lautlos auf den Tisch. Er las es betroffen, zweifelte aber immer noch. „Wenn das wahr wäre, so müßte ich es doch längst erfahren haben." Er telegraphierte sofort an Cosima: „Wie geht es Wagner?" Inzwischen kamen mehrere Beileidstelegramme bei ihm an, aus Rom, Weimar, Wien usw. Liszt konnte nun nicht mehr zweifeln; endlich traf nach mehreren Stunden aus Venedig die Antwort ein: „Mama bittet Sie, nicht nach hier zu kommen, sondern ruhig in Pest zu verbleiben, wir bringen die Leiche mit geringem Aufenthalt in München nach Bayreuth, Daniela." Gefaßt legte er das Blatt nieder und sagte: „Heute er — morgen ich." Es ist ein merkwürdiger Zug von Liszt, daß er Todesnachrichten selbst seiner intimsten Freunde mit solchem Gleichmut hinnahm. Es entsprach dies seiner Anschauungsweise: „Sterben scheint mir einfacher als leben! Der Tod — wenn ihm auch die langen und schreckhaften Schmerzen des Sterbens vorhergehen — befreit uns doch aus dem unfreiwilligen Joche, der Folge der Erbsünde." — Von Cosima selbst erfuhr Liszt keine Silbe, sie ließ ihn nur bitten, vorerst nicht nach Bayreuth zu kommen, ihm aber durch den mit Liszt befreundeten Maler von Joukowsky ihre Wünsche bezüglich der in seinem Besitz befindlichen Schriftstücke Wagners übermitteln. Er blieb daher wie gewöhnlich bis Anfang April in Pest und ging von dort nach W e i m a r.

Hier fand er an Schülern d'Albert, Frau Marie Jaëll und Emma Großcurth vor. Zwei Tage später begab er sich mit Frau Jaëll und Lina Schmalhausen nach M a r b u r g, wo zur Feier des 600jährigen Jubiläums der Elisabethkirche seine Elisabeth aufgeführt wurde. Er wohnte hier bei seinem Neffen Franz von L i s z t, der dort Professor der Rechte war. Die kleine Stadt war reizend geschmückt und suchte ihren erlauchten Gast auf jede Weise zu ehren. Nach der Konzertaufführung wurde Liszt ein Lorbeerkranz und ein Huldigungsgedicht überreicht, das auf ein mit der Statue der Heiligen Elisabeth geziertes Pergament aufgezeichnet war. Das ihm von seinem Neffen gegebene Festmahl weihte Liszt durch den Vortrag der dessen Vater Eduard gewidmeten Des-dur-Etüde. Die schönen Tage im Haus seines geliebten Neffen behielt Liszt noch lange in freundlichem Gedenken. Von Marburg begab er sich zur Tonkünstler-versammlung nach L e i p z i g, wo d'Albert und Reisenauer ihn an der Bahn empfingen. d'Albert spielte beim Musikfest das Es-dur-Konzert und errang, obwohl er durch die kurz vor Beginn des Konzerts bei ihm zum Ausbruch gekommenen Masern sehr behindert war, einen sensationellen Erfolg. Die Anstrengung verschlimmerte seinen Zustand nicht ungefährlich, und Liszt fürchtete bereits, daß d'Albert gleich Tausig, dem er im Spiel und Äußeren so frappant glich, in der Blüte seiner Jugend dahingerafft würde. Langsam erholte sich der junge Künstler. In Leipzig erhielt Liszt einen Brief aus Wahnfried, der ihn ersuchte, seinen Besuch in Bayreuth auch jetzt noch aufzuschieben, da Frau Wagner n i e m a n d sehen könne. Daß Frau Cosima sich von allen Menschen abschloß, wußte Liszt, aber daß auch e r keine Ausnahme bedeuten sollte, das hat ihm bitter wehgetan!

Liszt kehrte nach W e i m a r zurück, wo am 15. Mai die regelmäßigen Stunden wieder begannen. Von den Schülern dieses Sommers seien genannt: d'Albert, Arthur Bird, W. Bache, Burmeister, Dayas, della Sudda-Bey, Eckhoff, Friedheim, Lutter, Reisenauer, Siloti, Pohlig, die Damen: E. Großcurth, Jaëll, E. Koch, M. Remmert, Adele aus der Ohe. Insgesamt waren es 42 Schüler, denen sich durchschnittlich noch 20 Zuhörer zugesellten. Zu Wagners Geburtstag fand im Theater ein großes Wagner-Konzert statt, bei dem Liszt das Parsifalvorspiel und den Karfreitagszauber dirigierte. Am selben Tag entstand sein Streichquartett: A m G r a b e R i c h a r d W a g n e r s. Liszt setzte folgendes Vorwort auf das Manuskript, das Motive aus Parsifal und seinen Glocken von Straßburg verschmilzt: „Richard Wagner erinnerte mich einst an die Ähnlichkeit seiner Parsifal-Motive mit meinem früher geschriebenen „Excelsior". Möge die Erinnerung hiermit verbleiben. Er hat das Große und Hohe in der Kunst unserer Zeit vollbracht! 22. Mai 1883."

Im übrigen verliefen die Tage in der nächsten Zeit gleichförmig. Liszt stand meistens um 4 Uhr auf und arbeitete, bis er von „Lina" um 7 Uhr zur Messe abgeholt wurde, frühstückte dann und ruhte ein Stündchen, um darauf bis zum Mittagessen zu arbeiten. Er speiste meist mit Freunden oder Schülern in der „Armbrust", ruhte nach Tisch bis 4 Uhr, worauf die Stunden folgten, denen sich einige Whistpartien anschlossen; um 8 Uhr ging er zum Abendessen stets zu Frau von Meyendorff, die wieder in Weimar eingetroffen war. Um 9 Uhr begab er sich gewöhnlich zur Ruhe. Der vorübergehende Aufenthalt des vorzüglichen Harfenisten Wilhelm Posse aus Berlin machte Liszt diesen Sommer große Freude. Durch eine seiner Schülerinnen, die mit einem Liszt-Schüler verheiratet war, hatte sich Posse bereden lassen, seine Sommerferien in Weimar zu verleben. Er war bei den Lisztschen Stunden zunächst nur Zuhörer. Da Liszt aber die Harfe sehr liebte, veranlaßte er ihn sehr bald, sein Instrument in die Hofgärtnerei schaffen zu lassen. Durch eine Transkription des dritten der „Liebesträume" errang sich Posse Liszts ganz besondere

282

Anerkennung und Sympathie, und eines Tages hielt ihm Liszt vor Beginn der Stunde folgende Ansprache: „Mein lieber Posse, vielleicht haben Sie auch schon im Leben die Beobachtung gemacht, daß dem Vater ein verkrüppeltes seiner Kinder am meisten ans Herz gewachsen ist. So habe ich hier ein verkrüppeltes Kind meiner Muse und möchte es so gerne von Ihnen für die Harfe übertragen haben." Es war der Angelus aus dem 1. Bande der Années de Pelérinage. Liszt war mit der Arbeit Posses außerordentlich zufrieden. Er schätzte sein Talent und suchte ihm durch Empfehlungen allgemeinere Anerkennung zu verschaffen.

Am 21. September (1883) gab Liszts Schüler Alexander S i l o t i mit seinem Freund und Kollegen A. Eckhoff sein erstes Konzert in Weimar. Er war im Mai dieses Jahres durch Liszts frühere Schülerin Pauline Fichtner zu ihm gekommen und gewann rasch Liszts aufrichtigste Sympathie. Er spielte den Totentanz mit Orchester und mehrere Solopiècen Liszts zu dessen größter Zufriedenheit. Am 19. November unternahm Siloti das Wagnis, in der konservativen Hochburg Leipzig einen Liszt-Klavierabend zu veranstalten, und zwar mit bestem Gelingen. Der Meister war mit mehreren seiner Schüler dabei anwesend. Siloti siedelte hierauf dauernd nach Leipzig über und kam wöchentlich zu den Stunden nach Weimar.

Liszt verbrachte in diesem Jahr zum erstenmal den ganzen Winter in Weimar, da ziemlich heftige Verstimmungen mit der Fürstin eingetreten waren. Doch war dieser Weimarer Herbst und Winter eine für ihn unglückliche Zeit: Er litt unsagbar unter dem Verhältnisse mit der Baronin Meyendorff, die eine unheimliche Macht über ihn hatte, und mit der es wegen einiger Schülerinnen Liszts zuweilen heftige Auseinandersetzungen gab. Es kam noch hinzu, daß zeitweilig erzwungene Exzesse, die bei seinem hohen Alter nicht ungefährlich waren, seinen Gesundheitszustand sehr beeinträchtigten. Einen vielsagenden Einblick in das Verhältnis der beiden läßt nachstehender Brief Liszts an die Baronin zu: „Da ich weiß, daß Ihnen Briefe von mir a n O r t u n d S t e l l e unangenehm sind, so zögerte ich Ihnen zu schreiben. Jedoch ich muß doch um die Erlaubnis bitten, Sie tadeln zu dürfen wegen des Hinweises auf das Coppeliaballet: les Automates. Ich fürchte, dieser schlechte Scherz ist von anderen gehört worden, was mir sehr peinlich wäre. Später haben Sie gestern abend Schlözer [preuß. Gesandter am Vatikan] sehr geistreich geantwortet, aber bald darauf haben Sie mich mit einer dieser, kurz gesagt, Grimassen bedacht, die leider nicht unbekannt sind Ihrem sehr ergebenen Diener L i s z t.

Meiner unmaßgeblichen Meinung nach besitzen Sie zuviel Geist und Urteil, um sie zu solch billigen Bosheiten gewöhnlicher Art zu mißbrauchen."

Mitte Dezember weilte Liszt einige Tage in M e i n i n g e n, um einem Konzert der Hofkapelle unter Bülow beizuwohnen. Er hatte zuvor schon diese

Konzerte einige Male besucht, und sein Lob war überschwenglich: „Diese Konzerte gehören zum Aristokratischsten, zum High Life der instrumentalen Musik in Europa." Bülow hatte, nur um Liszt persönlich einen Gefallen zu erweisen, ganz gegen seine Überzeugung die „Ideale" in das Programm aufgenommen und sich vor der Probe in einer Ansprache an das Orchester entschuldigt, daß er ihnen so etwas zumute. Liszt komponierte zur Erinnerung an die schönen Meininger Tage einen „Bülow-Marsch". Als Bülow am 6. Januar darauf mit seiner Kapelle in Eisenach konzertierte, fuhr Liszt wieder hinüber. Felix Weingartner, der diesen Winter in Weimar weilte und dem Meister seine Oper Sakuntala unterbreitet hatte, begleitete ihn und erzählt von diesem Abend in seinen „Erinnerungen an Liszt" manch reizendes Detail. Am 24. Januar verließ Liszt Weimar und begab sich, da er auch dieses Jahr nicht nach Rom ging, wieder nach Pest. Da sein Diener Achill schwerkrank in Weimar darniederlag, gab ihm Baronin von Meyendorff ihren Diener Karl mit, der bis zu Liszts Rückkehr nach Weimar bei ihm verblieb. In Pest engagierte Liszt durch Mihalovich einen neuen Diener Mitràl oder Mischka, der bis zu seinem Tod um ihn war. Von Pest aus stattete Liszt, wie fast alljährlich, dem nahen P r e ß b u r g einen Besuch ab und dirigierte dort zum 50jährigen Jubiläum des Stadtpfarrers Heidler seine Krönungsmesse, gesungen vom Kirchenmusikverein. Zu seinen Freunden, die Liszt jedesmal bei seinem Aufenthalt in Preßburg aufsuchte, gehörte auch der Stadtarchivar Johannes B a t k a, noch heutigentags ein eifriger Verfechter der Lisztsache.

Anfang Mai (1884) kehrte Liszt über Wien, wo seine prachtvolle Büste von T i l g n e r entstand, nach W e i m a r zurück. Hier fand vom 23.—28. Mai zur Feier des 25jährigen Bestehens des Allgemeinen deutschen Musikvereins die 21. Tonkünstlerversammlung statt. d'Albert, Friedheim und Siloti wirkten dabei als Solisten mit, und den Beschluß bildete die Aufführung von Weingartners Oper Sakuntala. Die Eröffnung des Musikfestes war zur L i s z t - f e i e r gestaltet. Ein von Ad. Stern gedichtetes Festvorspiel, das in der Bekränzung einer Lisztbüste durch die „Nymphe der Ilm" gipfelte, leitete erhebend den Abend ein, worauf eine szenische Aufführung der Heiligen Elisabeth folgte. Auch als Dirigent konnte Weimar noch einmal, und zwar zum letztenmal, den Meister bewundern. Er leitete Bülows Nirwana und zwei Bruchstücke seines Stanislaus. Das eine daraus, der polnische Nationalgesang „Salve Polonia" wurde anderntags auf Wunsch des Großherzogs wiederholt. Mitte Juli traf Liszt zu den Parsifalvorstellungen in B a y r e u t h ein. Man hatte ihn vergangenen Sommer zum Präsidenten der Festspiele ernannt, und er besuchte sämtliche Vorstellungen. Liszt wohnte neben Wahnfried im Hause Siegfriedstraße 1 bei Frau Forstrat v. Fröhlig. Seine Tochter Cosima bekam er während seines mehrwöchentlichen Aufenthaltes in Bayreuth nicht zu Gesicht, da sie

284

außer den geschäftlichen Konferenzen wegen der Festspiele niemand empfing, auch nicht ihren eigenen Vater! Liszt war darüber sehr betrübt.

Liszt blieb dann bis Mitte Oktober in Weimar, umringt von einer zahlreichen Schülerschar, in der außer den bereits bekannten diesmal noch Rosenthal, Sauer, Sally Liebling und van de Sand zu nennen sind. Ende September machte er einen kleinen Abstecher nach M ü n c h e n, um dort einer zyklischen Vorführung des Nibelungenrings beizuwohnen, und besuchte daran anschließend seine Freundin Sophie Menter auf ihrem Tiroler Schlößchen I t t e r. Auch dieses Jahr begab sich Liszt von Weimar nicht nach Rom, sondern sofort nach P e s t. Von hier aus stattete er seinem Freunde Zichy auf dessen Landgut T e t é t l e n einen mehrtägigen Besuch ab. Zichy beschreibt den Aufenthalt Liszts folgendermaßen: „Das Volk empfing ihn mit größtem Jubel, Hunderte von Mädchen drängten an seinen Wagen und warfen Blumen. Liszt war sichtlich gerührt, den Hut im Schoße winkte er allen wohlwollend zu. Tags darauf sagte er zu mir: ,Géza, der Empfang dieser braven Leute hat mich aufrichtig gerührt, ich will mich dankbar erweisen und werde ihnen Klavier spielen. Es macht ja den Leuten zwar keine Freude, mich zu hören, aber mich gehört zu haben, freut sie doch, besonders wenn ein Büffet bereit ist. Also tutti quanti einladen, soviel als der Raum gestattet. Sie und Ihre Kinder müssen auch aushelfen und das große Konzert kann stattfinden.' Und es geschah am 16. September 1884. Nach dem Konzert überbot sich Liszt an Liebenswürdigkeit. Er bediente die Gäste, bot ihnen Speise an, goß ihnen Wein ein. Liszt hatte alle bezaubert, trotzdem er der ungarischen Sprache nicht mächtig war. Zum Schlusse trat ein schneeweißer Bauer vor Liszt, das Glas in der Hand: ,Wie man dich nennt, hat uns der Graf gesagt, was du kannst, hast du uns gezeigt, was du aber bist, das haben wir erkannt, und darum möge dich der große Gott der Ungarn segnen!' "

In Pest herrschte diesen Winter eine bittere Kälte, die Liszt sehr schadete. Er meldet darüber an Lina Schmalhausen: „Dann sage ich hierzu, daß es mit meinem Befinden etwas schlimmer steht als in Weimar. Die Augen schwächen sich, und die Nerven werden noch arroganter. Trotzdem, solange ich Zigarrenrauch vertrage, soll das Geschreibsel fortfahren, zwar gemäßigter als früher, aber genügend um einige musikalische Versprechungen einzuhalten, was mir Mühe und Anstrengung kostet. Nächste Woche bin ich wieder in Rom und Mitte Januar hier zurück."

In Rom aber erholte sich Liszt unter dem Einfluß des warmen Klimas wieder rasch. Er wohnte diesmal im Hotel Viktoria. Die Fürstin berichtete an Adelheid von Schorn: „Als er ankam, war er physisch und moralisch so erstarrt, müde und traurig anzusehen, daß ich zwei Tage nur im stillen weinen konnte. Nach und nach hat das Klima so günstig auf ihn gewirkt, daß seine

285

geistige Liebenswürdigkeit ganz zurückgekommen ist. Ich sehe nur, wie sehr sein Geist von seiner Gesundheit abhängt. Er ißt sehr wenig — kann aber nicht länger als vier Stunden ohne Nahrung bleiben. — Wo nicht, so ist er in einem sehr traurigen Zustand und kann nichts mehr schlucken; — in der Nacht nicht mehr schlafen. Dabei könnte er noch leben, wenn er sich schonte! — Wenn die Menschen sich über ihn erbarmen und ihn nicht immer wie einen jungen Mann behandeln wollten: hier und dort einladen — zu jeder Stunde und in jeden Stock. — Sein Leben hängt an einem Faden. Man sieht es nicht, und doch kann aber der Faden schnell reißen. Glücklicherweise ist seine Konstitution eine sehr starke, sonst wäre er schon längst nicht mehr unter der Sonne."

Am 29. Januar 1885 traf Liszt bereits wieder in Pest ein. Er unterrichtete hier die obersten Klassen der Musikakademie, etwa 20 meist wenig begabte Schüler. An Externen war, neben Lina Schmalhausen, nur August S t r a d a l anwesend. Dieser hatte dem Meister bereits im Sommer 1884 einmal in Weimar vorgespielt und wurde jetzt in Pest sein Schüler. Da Liszt zurückgezogen lebte, so luden diese beiden ihn abwechselnd jede Woche einmal zu einem kleinen Abendessen im Hotel Hungaria oder Königin von England ein. Hierbei waren Liszts Freunde, der Musikalienhändler Taborsky und Cornel Abrányi, stets anwesend. In dem gemütlichen Kreis fühlte sich der Meister ungemein wohl, und die Zusammenkünfte dehnten sich meist bis nach Mitternacht aus. Liszt wurde stets von der Zigeunerkapelle des Hotels mit dem Rákoczy-Marsch begrüßt und ließ sich meist noch einige Stücke, darunter immer ein Cymbal-Solo, vorspielen. Zu Hause besorgte ihm Lina mit einem älteren Dienstmädchen die Küche. Gehackte Schnecken, Rührei mit Pilzen, Frösche, Hirn mit recht viel Zwiebeln zählten zu seinen Lieblingsgerichten, abends aß er immer einen Hering mit Pellkartofieln und gekochtem Schinken, auch rote Rüben und Oliven durften nie fehlen. Vor Ostern brachte Liszt einige Tage bei einer Familie Verga in Rákoza Palota (ungefähr eine Stunde von Pest) zu; Stradal und ein Schüler der Akademie, Stephan Thomann, kamen täglich hinaus. Diese wundervollen Tage blieben allen in schönster Erinnerung. Liszt arbeitete die Wintermonate eifrigst: das kleine Musikstück E n R ê v e, die C z a r d a s, die Bearbeitung des Walzers von Vegh, Teile der U n g a r i - s c h e n P o r t r ä t s und die XIX. R h a p s o d i e waren die Früchte. S t r a - d a l besorgte dem Meister die Abschriften und brachte auch die Rhapsodie im „Konzert der Musikprofessoren" erstmalig zum Vortrag. Liszt war davon sehr befriedigt und übersandte „dem lieben Freunde Stradalus dankend für seine vorzügliche Interpretation" ein Prachtexemplar der Rhapsodie.

Zur Einweihung des ungarischen Opernhauses, vor dem ein Standbild Liszts von Strobel zur Aufstellung gelangte, hatte Liszt 1884 das U n g a r i -

sche K ö n i g s l i e d komponiert. Doch da es Motive eines alten revolutionären Liedes enthielt, standen der Aufführung nach Ansicht des Intendanten „unbesiegbare Hindernisse" entgegen. Das Manuskript des Werkes übergab Liszt daraufhin seinem Freunde Batka, die Preßburger Liedertafel brachte es kurz darauf in ihrem Stiftungskonzert zur Uraufführung. Erkel machte nun den Vermittlungsvorschlag, das Lied statt zur Eröffnung des neuen Hauses bei einer „Extra-Festivität" zur Aufführung zu bringen. Liszt willigte zwar ein, aber es kränkte ihn doch. So wurde das Theater ohne eine Note Lisztscher Musik eröffnet. Der Aufführung seines Königsliedes und des Tasso, die am 26. März unter größtem Beifall stattfand, wohnte Liszt nicht bei. Außer diesem einen Abend wurde von Liszt während des ganzen Winters überhaupt kein Werk gespielt. Man ignorierte ihn vollständig, auch der Direktor der Akademie E r k e l hatte durchaus kein Verständnis für die Bedeutung Liszts, und die Presse war ihm feindlich gesinnt. Der ungarische Nationalcharakter hat kein dauerndes Interesse für Kunst und große Künstler. Ließ sich Liszt öffentlich sehen, wurden ihm freundliche Ovationen gebracht, sonst ließ das Interesse bald für ihn nach. Die Salons, in denen er einst in Frankreich eine so große Rolle spielte, diese Mittelpunkte geistigen Lebens existierten in Pest nicht. Graf Andrássy war der einzige, der sie einzubürgern versuchte. So konnte Liszt das Gefühl, dort eigentlich überflüssig zu sein, nicht fremd bleiben.

Am 12. April fuhr Liszt nach P r e ß b u r g, wo Rubinstein ein Konzert für das Hummeldenkmal gab. Es war sein letzter Aufenthalt in dieser Stadt, die sich um die Verbreitung seiner Werke so große Verdienste erworben. Bei dem sich an das Konzert anschließenden Bankett im Hotel Palugnay toastete Batka: „Herrliche Tage sah Preßburg, als Liszt für das Hummeldenkmal spielte, aber heute vereinigt es die beiden größten Meister des Klavierspiels in seinen Mauern." Da stand Rubinstein auf und sagte: „Das kann ich nicht annehmen. Ich und meinesgleichen sind doch alle nur gemeine Soldaten gegenüber dem Feldmarschall Franz Liszt!" Von Preßburg reiste Liszt über Wien direkt nach W e i m a r. Ende Mai kam er zur Tonkünstlerversammlung nach K a r l s r u h e, die unter Felix M o t t l s trefflicher Leitung einen großartigen Verlauf nahm. Der Großherzog von Baden ehrte Liszt auf jede mögliche Weise. Nachdem Liszt der deutschen Kaiserin in Baden-Baden seine Aufwartung gemacht, wohnte er einem Lisztkonzert in S t r a ß b u r g (3. Juni 1885) bei und begab sich nach A n t w e r p e n, um hier seine Messe für Männerstimmen zu hören. Im Hause Lynens wurden wieder große Festlichkeiten arrangiert. Über A a c h e n, wo Kniese ein Lisztkonzert veranstaltete, kehrte der Meister schließlich Ende Juni nach einer sehr ehrenvollen, ihn aber äußerst ermüdenden Ruhmesfahrt nach W e i m a r zurück. Diesmal erschienen in der Schülerschar als Neulinge Ansorge, Göllerich, der Bülowschüler

287

Vianna da Motta und Bernhard Stavenhagen. Auch Stradal weilte in Weimar. Mehrmals fuhr Liszt nach Leipzig, wo S i l o t i eifrig die Propaganda durch Lisztkonzerte fortsetzte. Zusammen mit Arthur F r i e d h e i m , der zuvor schon in Wien und Berlin durch mehrere Konzerte der Sache seines Meisters zum Siege verholfen, hatte er in einem Lisztabend die Dante- und Faustsymphonie auf zwei Klavieren zum Vortrag gebracht und dabei einen großen Triumph gefeiert. Friedheims durchschlagender Erfolg mit dem Es-dur-Konzert im Gewandhaus hatte den Kampf in Leipzig endgültig zu Gunsten Liszts entschieden. Jetzt war der Boden bereitet, auf dem ein L i s z t v e r e i n ins Leben treten konnte. Sein Zweck war: „diejenigen musikalischen Werke, welche durch gänzliche Vernachlässigung oder seltene Aufführung dem Verständnisse des Publikums verschlossen bleiben, in erster Linie die großen symphonischen Werke Liszts, zur Anerkennung zu bringen." Der Verein, dessen Protektorat der Großherzog von Weimar übernahm, erstand offiziell an Liszts Geburtstag (22. X. 1885). Zum Präsidenten war einstimmig Martin K r a u s e, damals Referent des Leipziger Tageblattes, gewählt worden. Er war häufig Gast in Weimar und von Liszt gern gesehen. Der Vorstand bestand aus mehreren Pianisten, darunter Siloti, Friedheim, Stavenhagen, einigen Rezensenten: Dr. Stade, B. Vogel, Fritzsch und den beiden Leipziger Theaterkapellmeistern Nikisch und Kogel. In der Zeit von Januar bis Mai 1886 veranstaltete der Verein sechs große Konzerte im alten Gewandhaus, in deren letztem die Faustsymphonie unter Nikisch erklang. Dieser Abend legte den Grundstein zu Nikischs Ruhm als Konzertdirigent. Da Liszt erst Mai 1886 nach Deutschland zurückkehrte, hatte er keinem dieser Vereinskonzerte beigewohnt. (Nach des Meisters Tod veranstaltete der Verein zur Feier des 75. Geburtstages ein großes L i s z t f e s t i n L e i p z i g unter N i k i s c h , bei dem die Dante- und Faustsymphonie, mehrere Symphonische Dichtungen, das A-dur-Konzert (Stavenhagen) und Totentanz (Friedheim) aufgeführt wurden. Dieses Fest bedeutete den ersten wahren Triumph der Lisztschen Musik, da das Publikum hier nur durch die Werke selbst und nicht, wie früher so oft, durch die bestechende Persönlichkeit des Meisters zu Beifallsäußerungen hingerissen wurde. Daß der Lisztverein so glänzende Erfolge erzielte und sein Streben so tatkräftig verwirklichen konnte, ist vor allem das Verdienst Martin Krauses. Anfangs hatte er zwar leichtes Spiel, da ihm Dirigenten und Solisten kostenlos zur Verfügung standen, und es ihm an gutem Beirat nicht fehlte. Als aber nach Liszts Tod die ganze Gesellschaft in alle vier Winde auseinanderstob, zeigte er sich des Postens erst völlig würdig, indem es ihm ganz allein gelang, mit höchst bescheidenen Mitteln den Verein auf einer solchen Höhe zu erhalten, daß er seiner Aufgabe gewachsen blieb. Der Posten war lediglich ein Ehrenposten und brachte keinerlei materiellen Ge-

winn. In der Geschichte der Lisztschen Musik gebührt daher Martin Krause
für alle Zeiten ein Ehrenplatz.)

Mitte Oktober 1885 verließ Liszt Weimar und begab sich zunächst nach
M ü n c h e n , um der Aufführung von Cornelius' Barbier von Bagdad beizuwohnen. Ein bei S t r a d a l in dessen Villa am Chiemsee geplanter Besuch
mußte des schlechten Wetters halber aufgegeben werden. Statt dessen weilte
Liszt einige Tage bei Sophie Menter auf Schloß Itter. Über Insbruck, wo
er mit Lina Schmalhausen seinen Geburtstag feierte, traf er am 24. in Rom
ein. Als Schüler fanden sich hier noch ein: Ansorge, Göllerich, Stavenhagen,
Stradal und Thomann. Liszt ging auch diesmal nicht nach Tivoli, sondern
blieb in Rom im Hotel Alibert. Den Heiligen Abend verbrachte er bei Keudell,
den Weihnachtstag im Deutschen Künstlerverein. Ihm zuliebe trat Liszt auch
noch einmal an die Öffentlichkeit. In dem vom Künstlerverein veranstalteten
Lisztkonzert (dem ersten in Rom!) spielte er zum Schluß seine 13. Rhapsodie.
Am 21. Januar verließ er in Begleitung Stavenhagens die ewige Stadt, um
nie mehr dahin zurückzukehren. Noch einmal weilte er in Florenz, wie fast
stets bei seiner Durchreise, bei Frau Laussot-Hillebrand, traf dann in Venedig
mit Baronin Meyendorff zusammen und kehrte darauf nach Pest zurück.

Am 10. März gab die Landesakademie Liszt ein Abschiedskonzert, bei
dem Stradal (Funérailles), Frl. Kriváscy (Don Carlos-Fantasie), Frl. Schmalhausen (11. Rhapsodie) als Solisten mitwirkten. Hierauf veranstaltete Stavenhagen bei Ruscher ein großes Abschiedsessen. Andern Tags wohnte Liszt
noch dem Konzert seines Schülers Thomann bei und reiste dann nachts nach
Wien, von hier nach L ü t t i c h . Nun beginnt sein letzter großer Triumphzug,
der wie einst in den gleichen Städten dem Virtuosen, so jetzt dem Komponisten
ungeheuere Ehrungen und glänzende Feste eintrug. Ein letztes herrliches
Leuchten des Meteors vor dem Verlöschen. Wenn auch die anstrengende
Ruhmesfahrt die Kräfte des nahezu 75jährigen Greises bei weitem überstieg
und wohl sein Ende beschleunigte, so war es doch eine gütige Fügung, daß
er an seinem Lebensabend noch diesen Sieg seines künstlerischen Strebens,
die Anerkennung seiner vielgeschmähten Werke erleben durfte. Schien es
ihm doch das Morgenrot der Zeit zu sein, die, wie er stets unerschütterlich
glaubte, auch einst für ihn und seine Werke kommen mußte.

Nach einem sehr erfolgreichen Lisztkonzert in Lüttich traf der Meister
am 20. März in P a r i s ein. Die Kunde, daß Liszt nochmals an die Stätte
seiner ersten Triumphe zurückkehren würde, hielt die Pariser Gesellschaft
bereits seit langer Zeit in Atem. Bis zu welchem Grad auch damals noch das
schöne Geschlecht durch Liszt fasziniert war, zeigt folgender Brief einer
früheren Schülerin Liszts: „Mon Maitre, Ossiana est à vous chaque
minute de son existence: elle vous aime mieux que tous les autres habitants

19   K a p p , Liszt.   289

de Paris, les plus chaleuveux compris, cela excuse ma derniere lettre qui était si indiscrete ... Maitre je vous aime fort, car d'autres, même les mieux informés se contenteront de penser ce que je dis. Je vous aime imensement, pardonnez moi si j'ai — l'air d'écrire vite ces lignes — — c'est que hélas! je voudrais vous crier de toutes mes forces: venez — venez — venez! —!! et voici ce que je suis obligée d'écrire vous comprenez aisement que je suis hors de moi et que j'arrive péniblement a tracer ces lignes qui me font horreur, mais qui sont la v é r i t é. votre Ossiana."

Ein noch grelleres Schlaglicht auf diese Verhältnisse wirft nachstehendes Schreiben: „D'autant plus que mon mari est un militaire enragé plus que jamais — ce mois ci il va obtenir la noblesse — il ne demandera pas de sitôt — pour retourner à sa famille — il ira de nouveau en Dalmatie et dans l'Herzogovine pour cela j'ai aussi mis le garçon à Kalocsa — afin qu'il reçoit une éducation soignée et égale — et depuis ce temps je suis absolument libre de faire que bon me semble. Eh bien! Monsignore je vous demande franchement et sans cérémonie — voudrez-vous m'avoir comme dame de compagnie pour votre voyage à Londres — car ayant seulement les soins de votre domestique, vous ne pouvez pas faire ce voyage-là — d'autant plus que ce dernier ne parle non plus l'anglais — et s e l o n votre désir je serai grande dame, lectrice ou simple fille de chambre — seulement avoir le bonheur de vous accompagner et de vous être utile en même temps — et je suis très heureuse de parler l'anglais. A ce projet personne n'est initée, ayant mon passe—port en ordre il ne dépend que de vous de m'accorder cette faveur ou non. Depuis quatre ans j'aspire à vous accompagner — voilà enfin une occasion — et je me soumettrais absolument à vos ordres — si vous trouvez mieux qu'on ne sache pas que je suis avec vous — je vous prendrais à une station indiquée. Les frais du billet de voyage — je porterai moi même — car je ne voudrais pas qu'on croit que je voudrais faire un voyage aux dépens des autres — Vous savez au juste pourquoi je veux être avec vous." (9. II. 1886.)

In Paris stieg Liszt im Hotel de Calais ab. Hier traf einige Tage später auch Stavenhagen ein, der sich dem Meister auf seinen nächsten Reisen anschloß. Donnerstag, den 25. März wurde in der Kirche St. Eustache unter Leitung Colonnes die G r a n e r Messe aufgeführt. Obwohl das Billet 20 Franken kostete, war alles Wochen zuvor ausverkauft, und der Erfolg so groß, daß eine Wiederholung auf den 2. April anberaumt werden mußte. Außerdem fanden noch drei Orchesterkonzerte unter Colonne und Lamoureux statt, in denen Symphonische Dichtungen zum Vortrag kamen. Liszt wurde jedesmal stürmisch gefeiert, und auch die Presse verhielt sich im Gegensatz zu 1866 durchweg sehr freundlich. Eine große Soiree bei Erard (über 300

290

Personen) vereinigte dann das ganze vornehme Paris, hier ließ sich Liszt auch noch einmal selbst am Flügel vernehmen. Die Auszeichnungen und Verehrungen überschritten wieder jedes Maß. Die Lisztomanie erhob nochmals in Paris ihr Haupt. Man ließ den Meister schließlich nur mit dem Versprechen ziehen, zu der am 8. Mai stattfindenden Aufführunng der Elisabeth wiederzukehren. Liszt sagte zu. Am 3. April wurde die Reise nach L o n - d o n angetreten, wo Liszt seinem Schüler und treuen Vorkämpfer Walter B a c h e seine Anwesenheit zugesagt hatte. „In London sind wir wie die Fürsten empfangen worden," meldet Stavenhagen seinem Vater, „Frau von Munkacsy ist von Paris aus mitgereist, Mr Lindler (Vertreter von Bechstein) und Mrs. Kingston (Tochter des Chefredakteurs des Daily Telegraph) sind Liszt bis Paris entgegengefahren. In Calais trafen wir Mackenzie (erster Komponist und Dirigent Londons) und Mr. Littleton (Musikverleger). In Dover kamen noch Walter Bache und E. Bach dazu, so daß unser Salonwagen überfüllt war. Wir wohnen also in einem äußeren Viertel Londons in Sydenham (Westend House) bei Littleton. Am Abend unserer Ankunft war eine große Gesellschaft (350 Personen). Liszt spielte jedoch nicht."

In London errang die Elisabeth unter Mackenzie in der völlig ausverkauften St. James Hall einen begeisterten Erfolg, so daß sie acht Tage später wiederholt werden mußte. Das englische Kronprinzenpaar war zugegen, und andern Tags wurde Liszt von der Königin Viktoria im Schloß Windsor zur Audienz gebeten. Er erfreute sie durch drei kurze Klaviervorträge und erhielt von ihr ihre von E. Böhm gefertigte Marmorbüste. Es folgte dann noch eine Reihe weiterer Lisztkonzerte von Bache, E. Bach usw., denen der Meister beiwohnen mußte, daneben gesellschaftliche Verpflichtungen, Theaterbesuch u. dgl., die Liszt kaum zu Atem kommen ließen: „Sehr angespannt und angestrengt in London, so wie in den vorigen zwei Wochen in Paris, sagt Ihnen heute nur herzlichen Gruß, liebe Lina," lautet ein Billet vom 13. April. Um sich von diesen Ermüdungen einigermaßen zu erholen, begab sich Liszt von London aus für die Karwoche zu seinem Freunde Lynen nach A n t - w e r p e n. Doch Ende des Monats rief ihn sein gegebenes Versprechen nach Paris zurück. Hier wohnte Liszt jetzt in dem herrschaftlichen Haus des Malers M u n k a c s y, der in den Tagen seines letzten Aufenthalts ein Öl-gemälde von ihm begonnen hatte. Die Elisabeth hatte in dem 7000 Personen fassenden Trocaderosaal unter Colonne einen großen Erfolg. Ein Unwohlsein zwang Liszt, einige Tage darauf das Bett zu hüten. „Ein dummes Vergessen meines Paletots hat mir eine so starke Erkältung zugezogen, daß ich die vier letzten Tage meines Pariser Aufenthalts im Bette zubrachte. Gestern abend hier angekommen, werde ich noch ein paar Tage das Bett hüten müssen. Ich kann nur mühsam einige Worte schreiben und wollte Ihnen, liebste Lina, nur herzlich guten Tag wünschen," schreibt er am Tag nach seiner Rückkehr nach Weimar (18. Mai).

Sehr ermüdet war Liszt dort eingetroffen. Da hatte sich gleich am ersten Tag seine Tochter Cosima telegraphisch bei ihm angemeldet. Es war das erstemal, daß er sie seit Wagners Tod wiedersah, und ihr Besuch hatte den Zweck, den Vater, der nach den Erfahrungen des Sommers 1884 nicht geneigt war, wieder in Bayreuth zu erscheinen, zu bestimmen, auch dieses Jahr wieder den Glanz der Festspiele durch die Anwesenheit seiner Persönlichkeit, die erst jetzt wieder auf den Reisen des Meisters so viel Zauber um sich gebreitet hatte, zu erhöhen. Der Sache wegen sagte Liszt zu. „Der Besuch meiner Tochter Cosima bestimmte mich," schreibt Liszt an Lina Schmalhausen, „der Vermählung meiner Enkelin Daniela von Bülow mit dem verehrten Herrn Thode in Bayreuth am 3. Juli beizuwohnen und auch den ganzen Zyklus der Parsifal- und Tristan-Vorstellungen vom 20. Juli bis 23. August zu bewundern. Vielleicht paßt es Ihnen, sich dort Anfang August für ein paar Wochen einzufinden." Wenige Tage später: „Meine Augenschwäche verschlimmert sich. Ich kann jetzt nicht mehr lesen, und schreibe nur mit Anstrengung selbst meine überflüssigen Noten, wovon ich doch eine ziemliche Anzahl von Seiten vor meinem Ableben fertigbringen möchte. — Schreiben Sie mit großen Lettern und starker r o t e r Tinte. Wenn möglich kommen Sie auf ein paar Wochen nach Bayreuth . . . Mehr als halb erblindet schreibt Ihnen diese Zeilen F. L." Und noch am 31. Mai heißt es: „Ich verbleibe noch mehr als halb erblindet, liebste Lina. Nichtsdestoweniger schreibt Ihnen vor Ende Juni über die möglich und gewünschte Eventualität ihres Aufenthaltes in Bayreuth."

In dieser Zeit, als der Meister hilflos, fast blind und ohne Pflege in Weimar weilte, war G ö l l e r i c h sein Sekretär. Er las ihm vor, schrieb seine Manuskripte ab, erledigte Liszts Korrespondenz, kurz, er war sein Begleiter, jedoch, was bei Liszts Generosität selbstverständlich war, nicht ohne reichliche Entschädigung dafür zu erhalten. Da sich Liszts Befinden stetig verschlechterte, fuhr er mit Baronin von Meyendorff am 1. Juni nach Halle zu Volkmann, der Wassersucht konstatierte und ihm eine Kur in Kissingen verordnete. Diese sollte nach Beendigung der Bayreuther Festspiele angetreten werden. Baronin Meyendorff wollte ihn am 1. August in Bayreuth abholen und ihn dann selbst nach Kissingen geleiten. Trotz seiner schwankenden Gesundheit ließ es sich Liszt nicht nehmen, mit unglaublicher Energie sämtlichen Proben und Aufführungstagen der Tonkünstlerversammlung zu Sondershausen (3.—6. Juni) beizuwohnen. Diese hatte wider Liszts Willen „zur Vorfeier des sechsundsiebzigsten Geburtstages des Ehrenpräsidenten" zwei Lisztkonzerte in ihr Programm aufgenommen. Das eine brachte: Bergsymphonie, Ideale, Hunnenschlacht und Hamlet, den Liszt hier zum ersten Male vom Or-

chester hörte. Siloti spielte den Totentanz und zum Schluß kam als Erstaufführung die U n g a r i s c h e n C h a r a k t e r k ö p f e, „vortrefflich von Friedheim orchestriert und unter seiner Leitung in Sondershausen aufgeführt". Das
zweite galt einer Aufführung des C h r i s t u s. Auch den geselligen Zusammen-
künften im Hotel Tanne, in dem Liszt wohnte, schenkte er noch seine Gegenwart. Sein Opfermut für seine Freunde kannte eben keine Rücksichtnahme auf
sich selbst.

Am 1. Juli 1886 verließ Liszt Weimar und fuhr nach B a y r e u t h, um
hier an der Hochzeitsfeier seiner Enkelin Daniela teilzunehmen. Henry Thode
hatte ihm zuvor in der Hofgärtnerei seine Aufwartung gemacht. Bis zum Beginn der Festspiele stattete Liszt einem ihm in Paris abgenommenen Versprechen folgend Munkacsy auf Schloß Colpach bei Luxemburg einen längeren
Besuch ab. Stavenhagen war auf dieser Reise sein Begleiter. In Colpach
traf Liszt zu seiner Freude auch den Kardinal Haynald an. Liszt war bereits
erkältet dort angelangt, legte sich aber keinerlei Schonung auf, ja er gönnte
sogar noch einmal (19. Juli) in einem Konzert zu Luxemburg mit drei kleinen
Stücken den Freunden den Zauber seines Spiels. An Lina Schmalhausen meldete er von Colpach am 13. Juli: „Meine elenden Augen versagen mir ihre
Dienste, und ein elender, gewaltiger Husten leistet mir seit mehr als acht Tagen
seine widerwärtige Gesellschaft;" und am 20. folgte die telegraphische Mitteilung: „Morgen Mittwoch nachmittag trifft in Bayreuth ein und erwartet Sie
ergebenst Liszt."

III. Das Ende in Bayreuth

Als Liszt am 21. Juli 1886 in Bayreuth ankam, war er sehr leidend und
hustete ununterbrochen. Er hatte sich auf der Reise von neuem erkältet. Wieder bezog er wie 1884 bei Frau Forstrat von Fröhlig zwei Zimmer mit einem
Vorzimmer für Mischka. Diesmal jedoch hatte er die Zimmer nach dem Garten
zu, in den von seinem Schlafzimmer aus einige Stufen hinabführten. Da der
Meister bereits heftig fieberte, legte er sich sogleich nach der Ankunft zu Bett.
Doch mußte er abends zur Soiree nach Wahnfried. Sollte er doch diesen
Abendgesellschaften als Hauptanziehungspunkt dienen. Cosima ging täglich
früh 6 Uhr zu ihm hinüber, um mit ihm den Kaffee einzunehmen, der von
Wahnfried gebracht wurde. Dann begab sie sich für den ganzen Tag hinauf zum
Festspielhaus. „Sie hat eine ganz erstaunliche Energie und Willenskraft, sie hat
sich jetzt ganz dort ‚oben' einquartiert," sagte Liszt zu Lina, die auf sein Tele-
gramm in Bayreuth eingetroffen war und nun ständig mit Göllerich um ihn
weilte. Liszt war entsetzlich matt und nickte, während Göllerich vorlas, wie-

derholt ein. Schmerzvolle Hustenanfälle, bei denen er am ganzen Körper zitterte, schreckten ihn dann jäh wieder aus dem Schlummer. Wenn ich den Leuten hier in Bayreuth nicht gerade auf der Nase säße, ginge ich zu Bett, aber man läßt mir hier dazu keine Ruhe," meinte er traurig. Zum Dejeuner mußte Liszt zur Fürstin Hatzfeld, nachmittags spielte er mit Leßmann, Stavenhagen und Göllerich Karten. Er zitterte jedoch so mit den Händen, daß es ihm nicht möglich war, die Karten richtig zu unterscheiden, schlummerte auch wiederholt ein. Abends ging er wieder zur Gesellschaft nach Wahnfried.

Freitag, den 23. Juli, hatte sich Liszts Befinden nicht gebessert. Er fieberte heftig. Doch empfing er mehrere Schüler und Besuche und wohnte um 4 Uhr der ersten P a r s i f a l -Aufführung bei. Da saß er, an die Säule der Wagnerschen Loge gelehnt, ganz zusammengefallen, todmüde, ständig das Taschentuch vor den Mund gepreßt, um durch sein Husten die Vorstellung nicht zu stören. Wie recht hatte er in Pest gesagt: „Ich will nun aber entschieden nicht mehr nach Bayreuth gehen — der Pudel hat genügend aufgewartet." Doch als es galt, durch seine Anwesenheit die Hinterlassenschaft seines großen Freundes: Bayreuth, das nach seines Schöpfers unerwartetem Heimgang eine schwere Krise überwinden mußte, zu schützen und zu fördern, da hatte Liszt rasch alle Unbill vergessen und stellte nun in unerschütterlicher Selbstaufopferung seine letzten Kräfte in den Dienst der Sache. Unbegreiflich ist es nur, wie man es zulassen konnte, daß er sein kostbares Leben ohne Bedenken aufs Spiel setzte. Jetzt erfüllte sich das prophetische Wort Wagners zu Cosima: „Dein Vater geht noch aus lauter Chevalerie zu Grunde."

Samstag (24. Juli) blieb Liszts Befinden unverändert. Er empfing wieder mehrere Schüler, darunter Sophie Menter, Siloti, und wurde außerdem noch von mehreren lästigen Besuchen gequält. Abends war er wieder in Wahnfried. Sonntag war der Meister furchtbar erschöpft und gab dem Diener Befehl, außer einigen wenigen niemand einzulassen. Er fieberte stark und schlummerte fast ununterbrochen. Nachmittags war die erste T r i s t a n - Aufführung. Einige Schüler flehten ihn an, nicht zu gehen; doch er erwiderte: „Cosima wünscht es, ich habe es versprochen, zu erscheinen, und gehe." Krampfhaft hielt er sich bis zum Beginn der Vorstellung im Vordergrund der Loge aufrecht. Sein wallendes Silberhaar leuchtete weithin, und er war die Zielscheibe neugieriger Blicke. Doch als es dunkel geworden, zog er sich in den Hintergrund der Loge zurück und saß dort ganz zusammengesunken, mehr schlafend als wachend, fest das Taschentuch vor dem Mund. Sowie im Zwischenakt der Raum erleuchtet wurde, trat er vor an die Logenbrüstung, laut applaudierend und das Publikum dazu animierend.

Den nächsten Tag fühlte sich Liszt viel schlechter. Der Kräfteverfall schritt unaufhaltsam weiter. Der Bayreuther Arzt Dr. Landgraf beging den

294

großen Fehler, Liszt jedes alkoholische Getränk streng zu entziehen. Seine Natur war aber an Kognak und die stärksten Reizmittel so sehr gewöhnt, daß diese plötzliche Abstinenz an sich schon eine Erschlaffung bewirken mußte, den Kräfteverlust also noch vermehrte. Auch das Essen, das er aus Wahnfried erhielt, war nicht nach seinen persönlichen Bedürfnissen und Gewohnheiten ausgewählt, und die Folge war, daß Liszt die ganzen Tage über außer Mineralwasser fast nichts zu sich nahm. Er war an diesem Tag wirklich zu schwach, der Aufführung beizuwohnen. Die ganze Familie Wagner war auf dem Festspielhügel, und da auch Göllerich erkrankte und Mischka öfters seiner Wege ging, so saß der arme Meister gänzlich verlassen mit seinen Todesgedanken zu Hause ohne jede Pflege. Lina, deren Besuch bei Liszt man „drüben" nicht gern sah, schlich dann, als alle zum Festspiel gefahren waren, zu ihm und leistete ihm bis gegen Mitternacht Gesellschaft. „Ich glaube nicht, daß ich von hier wieder aufstehe," sagte Liszt, „ich habe gar kein Zutrauen zu dem Doktor und den vielen Medizinen. Der findet immer, es gehe mir schon wieder besser und dabei fühle ich mich täglich schwächer und schwächer. Warum mußte ich auch gerade h i e r krank werden, mich den Leuten gerade auf die Nase setzen . . . abscheulich!"

Als Lina am anderen Morgen (Dienstag, 27. Juli) um 7 Uhr wieder zu ihm kam, sah er sie todtraurig an, schüttelte seinen Kopf und sagte, wie sich entschuldigend: „Nicht besser." Er klagte, die Nacht wäre für ihn allein so furchtbar lang gewesen, und er habe die ganze Nacht keine Minute geschlafen. Bis jetzt sei kein Mensch bei ihm gewesen, sich nur nach ihm umzusehen. Bald darauf kam Cosima, sich nach seinem Befinden zu erkundigen, und gab beim Fortgehen strengen Befehl, n i e m a n d zu Liszt hineinzulassen. Liszt stand für kurze Zeit auf, doch bald fühlte er sich zu ermattet und legte sich wieder nieder. Er sollte das Bett nicht mehr verlassen! Die ganze Nacht lag er wieder im Fieber allein. In Wahnfried war große Soiree, sodaß sich niemand um ihn kümmern konnte. Am Mittwoch kam Dr. Fleischer aus Erlangen, konstatierte schwere Lungenentzündung und verordnete größte Ruhe. Infolgedessen wurde das Zimmer Liszts für jeden unerbittlich gesperrt. Im Vorzimmer wurde Stavenhagen postiert, und Cosima kam selbst mehrmals am Tage, um zu kontrollieren. Auch Lina wie Adelheid von Schorn, die früher den Meister öfters gepflegt und seine Natur und Gewohnheiten kannten, wurden gleichfalls streng ausgewiesen: Frau Wagner wolle die Pflege mit ihren Töchtern allein übernehmen. Cosima schlief von jetzt an auch im Vorzimmer ihres Vaters. Doch da sie unter Tags die Leitung der Festspiele und zugleich die Repräsentation bei den Besuchen in Wahnfried wie bei den abendlichen Soireen zu erfüllen hatte, lag Liszt meist allein in trüben Gedanken oder Fieberphantasien. Freitag war Liszt fast ununterbrochen im Delirium. Wenn er einmal erwachte, sah er nur seinen Diener, der sich aber um den kranken Herrn durchaus nicht kümmerte. Die Schwestern Stahr und Frau Merian durften mit Mischkas Erlaubnis einen Augenblick an des Meisters Bett treten. Er erkannte sie nicht mehr. Er war ganz abgemagert, sein Körper erbebte in starkem Schüttelfrost und der Atem ging röchelnd. Plötzlich erwachte er und sagte leise: „Wieviel Uhr ist es?" „Neun Uhr, Euer Gnaden." antwortete Mischka. „Heute geht es mir aber sehr, sehr schlecht; ist heute Donnerstag?" Mischka antwortete törichterweise: „Nein, Freitag." Liszt sank in die Kissen zurück und sagte traurig: „Oh, Freitag!" Er war nämlich sehr abergläubisch; am Freitag unternahm er nie etwas, stets behauptete er, er sei sein Unglückstag. Zu Beginn des Jahres 1886 hatte er schon gesagt: „Dies Jahr ist mein Todesjahr, es fängt mit Freitag an und auch mein Geburtstag fällt auf einen Freitag." Um ¾12 Uhr nachts kam Dr. Landgraf und wartete auf Frau Wagner, die erst um 12 Uhr aus dem Festspielhaus zurückkam. Mischka sollte die Nacht an Liszts Bett wachen. Bald war Liszt eingeschlafen. Um 2 Uhr nachts sprang er plötzlich wie ein Rasender aus dem Bett, tobte und schrie. Es waren Laute wie die eines Stiers. Man hörte ihn in der ganzen Umgebung. Er faßte sich immer wieder ans Herz und schrie: „Luft! Luft!" Es wurde sofort nach dem Arzt geschickt. Der Meister hatte Riesenkräfte und stieß Mischka, der ihn zurück ins Bett zwingen wollte, heftig von sich. Als endlich der Arzt nach ungefähr ¾ Stunden kam, lag Liszt schräg über dem Bett, kalt wie ein Toter. Er war vor Schmerzen zusammengebrochen. Der Arzt hielt ihn anfangs für tot. Erst nach langen Einreibungen kam wieder etwas Leben in ihn; er erlangte aber das Bewußtsein nicht wieder.

Samstag vormittag wurde an Dr. Fleischer (Erlangen) telegraphiert. Cosima blieb den ganzen Tag und die folgende Nacht am Bett ihres Vaters. Dr. Fleischer verordnete die schwersten Weine und Champagner, nach denen Liszt, der an den Genuß fast einer ganzen Flasche Kognak täglich gewöhnt war, bisher stets vergeblich verlangt hatte, und erklärte, die Krisis stehe unmittelbar bevor. Falls Liszt diese Nacht überlebe, sei er gerettet. Im ersten Stock des Hauses hatten sich bei Frau von Fröhlig Göllerich, Siloti, Dayas und andere Lisztschüler eingefunden, um die Ereignisse dieser Nacht zu erwarten. Dr. Fleischer stand am Bett und fühlte beständig Liszts Puls, daneben Dr. Landgraf. Bis ½11 Uhr stöhnte Liszt laut. Einmal sagte er noch deutlich: „Tristan". Von ½11 Uhr ab wurde er ganz still, doch sein Atem ging fliegend. Die beiden Ärzte beugten sich mit silbernen Leuchtern über das Bett und lauschten ängstlich den schwächer werdenden Atemzügen. Kurz darauf erhielt Liszt zwei Einspritzungen in der Herzgegend. Sein ganzer Leib erzitterte heftig. Dreimal hob und senkte sich sein Oberkörper, dann fiel seine Hand am Bett herab. Die Ärzte beugten sich nochmals über ihn und verließen,

296

leise einige Worte zu Frau Cosima sprechend, das Zimmer. Diese kniete am Bett nieder. — Das Ende seiner Leiden war gekommen — um 11¼ Uhr hatte sein edles Herz aufgehört zu schlagen. Obwohl Liszt Priester, war ihm die Letzte Ölung versagt geblieben.

Das Sterbezimmer wurde schwarz ausgeschlagen und zu Liszts Haupt eine Wagnerbüste und silberne Kandelaber aufgestellt. Darauf wurde eine photographische Aufnahme gemacht und im Beisein Joukowskys von Weißbrod die Totenmaske abgenommen. Wenig später erschien der katholische Priester, und es wurde für die Familie und die anwesenden Schüler eine kleine Trauerfeier abgehalten. Bis 1 Uhr war die Leiche dann der allgemeinen Besichtigung zugänglich. Hierauf wurde das Sterbezimmer geschlossen und auch den Schülern verboten, bei ihrem Meister Totenwacht zu halten.

Am 1. August war der deutsche Kronprinz, nachmaliger Kaiser Friedrich III., in Bayreuth eingetroffen. Die Stadt trug Festschmuck. Die Festspiele nahmen ihren Fortgang, auch die Familie Wagner wohnte der Vorstellung am 1. August bei. Ja selbst das große Schlußfest aller Mitwirkenden der Festspiele im Restaurant „Zum Frohsinn" wurde auch dieses Jahr im Beisein von Frau Wagner begangen. Kein Ton Lisztscher Musik erklang während der ganzen Zeit in Bayreuth. Weihe- und würdelos war Liszts Sterben und Begräbnis in der Wagnerstadt, die doch zum Teil auch ihm ihr Werden verdankte! Neben der Sonne Wagners gab es für ihn keinen Raum. Die Lisztfreunde litten unter den damaligen Zuständen furchtbar. In einem Brief der Fürstin Wittgenstein heißt es wenig später: „Ich ließ mir die Bayreuther Zeitungen aus der Zeit vom 28. Juli bis 10. August kommen. Denken Sie sich, daß darin nicht ein einziges Mal der Erkrankung Liszts Erwähnung getan ist: wie in einem Badeort, wo man Krankheit und Tod verheimlicht, um bei den Badegästen keine peinlichen Empfindungen wachzurufen. Ich schicke Ihnen die Zeitung vom 2. August, in der man dann ganz unvermittelt — seinen Tod meldet. Dann verheimlicht oder verdunkelt man die Tatsache, daß er Katholik war. Jeder Leser kann meinen, daß er in diesem Atheistennest von irgendeinem freigeistigen protestantischen Pfarrer beerdigt worden sei! — Aus der Nummer vom 11. August können Sie ersehen, daß die, welche drei Jahre lang ihren eigenen Vater nicht sehen wollte [nach Wagners Tod] zehn Tage später in der Kneipe „Zum Frohsinn" weilte! Die beiden letzten Abende war man im Theater, denn die Vorstellungen durften nicht unterbrochen werden und Cosima spielte so sehr den Regisseur, daß sie Tag und Nacht im Theater blieb."

Liszts Sterbezimmer blieb auch am nächsten Tage geschlossen. Doch da bei der heißen Witterung die Auflösung der Leiche rasch fortschritt, und die übrigen Hausbewohner sich beschwerten, verlangte Frau von Fröhlig,

297

daß der Leichnam in den Sarg gelegt werde. Man war darüber in Wahnfried sehr aufgebracht. Frau Wagner erschien selbst im Sterbezimmer, ließ alles, was Liszt gehört hatte, in Körben nach Wahnfried tragen, legte mit ihrem Diener Schnappauf die Leiche in den schleunigst herbeibeorderten braunen Eichensarg und trug ihn selbst mit Schnappauf und Mischka hinüber nach Wahnfried. Hier wurde der Sarg nun im großen Vestibül prachtvoll aufgebahrt.

Am 3. August vormittags wurde die Leiche durch Stadtpfarrer Karzendorfer in Wahnfried eingesegnet. Darauf setzte sich der Trauerzug in Bewegung. Voraus zwei Trauerherolde, dann ein Zug Feuerwehr, Kruzifix und Ministranten, die katholische Geistlichkeit Bayreuths, auf einem offenen, blumengeschmückten Wagen der Sarg. Das Bahrtuch hielten Mottl, Loën, Mihalovich. Daneben schritten Flambeaus tragende Schüler, denen man verwehrt hatte, den Sarg ihres Meisters zu tragen. Dieses Ehrenamt verrichteten Bayreuther Bürger. Hinter dem Trauerwagen schritten Siegfried Wagner, Dr. Thode, Kommerzienrat Groß und Kammerherr von Wedell als Vertreter des Großherzogs von Weimar. Frau Wagner mit Daniela, Fürstin Hatzfeld und Baronin Meyendorff folgten im Wagen. Am Grab hielt Bürgermeister Muncker die Trauerrede. Er knüpfte an die Worte im Tristan an: „Todgeweihtes Haupt, todgeweihtes Herz," gab der Klage um den Verstorbenen, den Meister der Töne, den hingebenden Freund und Förderer der Wagnersache, ergreifenden Ausdruck und legte feierlichst namens der Stadt Bayreuth das Gelöbnis ab, daß die Grabstätte Liszts stets bewahrt und heilig gehalten werde. Mit den Worten: „Ruhe bei uns sanft, mögen die Engelchöre, unter denen in deinem letzten großen Tongemälde die erlöste Seele sich zum Paradiese aufschwingt, mögen sie auch dich ins Jenseits hinaufgeleiten," legte der Redner einen Lorbeerkranz nieder; einen zweiten Kranz spendete er noch im Auftrag der „treuen Stadt Wien". Dann folgte eine endlose Reihe von Blumenspenden.

Über den Ort der letzten Ruhestätte Liszts herrschte zunächst große Ungewißheit. Man hatte in Bayreuth angenommen, daß vor allem der Großherzog von Weimar Schritte unternehmen werde. Doch war von ihm nur die Anfrage eingetroffen: „Wo und wann wird Liszt beerdigt?" Baron von Loën wartete stets auf weitere Informationen, die aber, da die Großherzogin Sophie, Liszts Freundin, zur Kur in Gastein weilte, nicht eintrafen. Später plante der Hof in Weimar, dem Entschlafenen ein Mausoleum auf der Altenburg zu errichten. Doch wurde dieser Vorschlag von Frau Wagner abgelehnt; desgleichen ein von privater Seite unternommenes Ansuchen, Liszts Leiche nach Ungarn zu überführen. Frau Wagner war, wie aus zwei von ihr damals veröffentlichten Briefen deutlich hervorgeht, nur unter zwei Bedingungen gewillt, die Leiche Liszts auszuliefern: „erstens das Verlangen Sr. Kgl. Hoheit des

298

Großherzogs von Weimar, die sterbliche Hülle meines Vaters in der Fürstengruft zu bewahren, und zweitens ein von der ungarischen N a t i o n durch ihre Vertretung in beiden Häusern gefaßter Beschluß, das Andenken meines Vaters durch eine feierliche Überführung seiner Leiche von Bayreuth nach Pest zu ehren." Doch wurden beide Gesuche nicht gestellt. Der Großherzog war einer Beisetzung in der Fürstengruft abgeneigt und die ungarische Nation verweigerte in kleinlicher Gekränktheit wegen Liszts „antinationaler" Schrift: Die Zigeuner und ihre Musik in Ungarn die Einholung der Leiche von Staats wegen. In der Sitzung vom 27. Februar 1887 wurde ein vom Pester Schriftsteller- und Künstlerverein eingebrachter Antrag, namentlich infolge der Gegnerschaft des damaligen Ministerpräsidenten Tizsa, der Liszt einen „gewöhnlichen Komödianten" nannte, abgelehnt. Und die von Abranyi und später von Haynald aus privaten Mitteln geplante Überführung wurde durch die Forderung von Frau Wagner gegenstandslos. Inzwischen waren noch von anderer Seite Ansprüche an die Leiche Liszts geltend gemacht worden. Die Franziskaner, deren Orden Liszt bekanntlich angehört hatte, forderten im Sinn ihres Ordensstatuts den Leichnam für sich. Fürstin Wittgenstein, die nach Liszts Testament aus dem Jahre 1860 als Erbin und Testamentsvollstreckerin galt, unterstützte in einem längeren aus biographischen Notizen zusammengestellten Schriftstück, dieses Gesuch, das sie als einzig Liszts Sinn entsprechend nachzuweisen suchte. Dieser Streitfall, der zu einem Prozeß sich auszuwachsen drohte, erledigte sich durch den Tod der Fürstin, die bereits am 7. März 1887 ihrem großen Freund nachfolgte, nachdem es ihr noch wenige Tage zuvor gelungen war, die Hauptarbeit ihrer religiösen Schriften, das 24 Bände umfassende Werk: Des causes intérieures de la faiblesse extérieure de l'Eglise zu beenden. Auf dem deutschen Friedhof zu St. Peter in Rom ist sie zur letzten Ruhe bestattet. Liszts Requiem gab ihr das letzte Geleit. Ihre Tochter, die Fürstin Hohenlohe zu Wien, trat die Erbschaft ihrer Mutter an. Sofort nach Liszts Tod hatte der Großherzog von Weimar den Gedanken einer „L i s z t s t i f t u n g des Allgemeinen Deutschen Musikvereins zur Förderung der neuen deutschen Musikrichtung" angeregt. Fürstin Hohenlohe stiftete zu diesem Zweck die ansehnliche Summe von 70 000 Mark und verfügte, daß die im Nachlaß Liszts und ihrer Mutter befindlichen Lisztschätze, sofern Liszt nicht selbst anderweitig darüber verfügt, einem L i s z t m u s e u m überwiesen würden. Der Großherzog stellte hierfür die von Liszt bewohnten Räume der Hofgärtnerei in unverändertem Zustande für ewige Zeit zur Verfügung. —

So blieb denn Liszts Ruhestätte Bayreuth. Die Stadt setzte ihm nach Entwürfen seines Enkels Siegfried Wagner ein kleines Mausoleum auf dem städtischen Friedhof. Daß er gerade in B a y r e u t h ruht, mag in Hinsicht auf die Vorfälle seines Leidens und Sterbens manchem schmerzlich dünken, an-

299

dererseits ist es aber auch eine schöne Fügung des Geschickes, daß Liszt gerade dort zur ewigen Ruhe eingegangen ist, wo das künstlerische Ideal, das er zeit seines Lebens verfocht und ersehnte, feste Gestalt annahm, daß ihm gerade d i e Stätte nun die langersehnte Heimat bot, die er durch sein Wirken mit ermöglicht und mit bereitet hat. Hier ruht er nun aus von einem an Triumphen überreichen, aber auch von Enttäuschungen und schwerem Leid nicht verschonten Leben. Sein Sterben in freiwilliger Selbstaufopferung für ein Ideal bildet den würdigen Schlußstein seines Lebens. Wie er stets für andere gelebt und gekämpft, andere gefördert und gestützt, ohne dabei an sich selbst zu denken, so starb er auch im Dienst einer großen Sache. In Liszt waren Elemente einer Christusseele enthalten, er war aufopferungsfähig wie keiner, neidlos und ohne Groll gegen seine Feinde, von größter Wahrhaftigkeit erfüllt, immer nur auf andere bedacht, von unsagbarer, fast sträflicher Güte.

300

LISZTS WERKE

A. Die wichtigsten Original-Kompositionen

I. Instrumentalwerke

a) Für Orchester

Dreizehn Symphonische Dichtungen:
Bergsymphonie — Tasso — Les Préludes — Orpheus — Prometheus — Mazeppa — Festklänge — Héroïde funèbre — Hungaria — Hamlet — Hunnenschlacht — Ideale — Von der Wiege bis zum Grabe.

Zwei Symphonieen:
Dantesymphonie — Faustsymphonie

Zwei Episoden aus Lenaus Faust:
Nächtlicher Zug — Tanz in der Dorfschenke (1. Mephistowalzer).

Zweiter Mephistowalzer.

Märsche:
Goethe-Festmarsch — Huldigungsmarsch — Vom Fels zum Meer! — Ungarischer Festmarsch — Ungarischer Sturm - Marsch — Bülow-Marsch.

b) Für Pianoforte mit Orchester

Zwei Konzerte:
Erstes Konzert in Es-dur — Zweites Konzert in A-dur — Totentanz. (Danse macabre.) Paraphrase über ›Dies irae‹.

c) Für Klavier

Zwölf Etuden.
Grandes Etudes d'après les caprices de Paganini.

Trois Etudes de Concert. (As-dur, f-moll, Des-dur)

Zwei Konzertetuden (Waldesrauschen — Gnomenreigen).

Album d'un voyageur.
Années de Pélerinage (3 Bände).
Grosses Konzertsolo (Concert pathétique)

H-mollSonate.
Zwei Legenden (Vogelpredigt — Franz von Paula auf den Wogen).

Zwei Balladen.
Harmonies poëtiques et religieuses (1—10).

Apparitions (1—3).
Liebesträume (1—3).
Consolations (1—6).
Trois Caprices Valses.
Mephistowalzer (1—4).
Polonaisen (1—3).
Galop chromatique.
Ungarische Rhapsodieen (1—20).

d) Für Orgel

Praeludium und Fuge über B. A. C. H.
Salve Regina.
Messe
Requiem.

II. Vokalwerke

a) Oratorien

Legende von der hlg. Elisabeth.
Christus.
St. Stanislaus (unvollendet).

b) Messen und Psalmen

Missa quattuor. 1848.
Graner Festmesse. 1855.
Missa choralis. 1859.
Ungarische Krönungsmesse. 1866.
Requiem. 1867.
Missa pro organo. 1878.
Psalmen. Nr. 13. 18. 23. 116. 129. 137.

c) Gesänge mit Orchester

An die Künstler.

Glocken des Strassburger Münsters.
Chöre zu Prometheus.
Sonnenhymnus des hlg. Franziscus.
Weimars Volkslied.

d) Gesänge mit Klavier

Gesammelte Lieder (57).
Die Jungfrau von Orleans am Scheiterhaufen.
Die Glocken von Marling.
Tre Sonetti del Petrarca.
Die drei Zigeuner.
Die Vätergruft.
Wartburglieder.

B. Literarische Werke

I. Gesammelte Schriften

Bd. I: Friedrich Chopin.
Bd. II: Essays und Reisebriefe.
Bd. III: Dramaturgische Blätter.
  a) Essays über musikalische Bühnenwerke.
  b) Richard Wagner.

Bd. IV: Aus den Annalen des Fortschritts.
Bd. V: Streifzüge. Kritische, polemische u. zeithistor. Essays.
Bd. VI: Die Zigeuner und ihre Musik in Ungarn.

II. Briefe

Bd. I/II: Briefe 1821—1886.
Bd. III: Briefe an Agnes Street-Klindworth.
Bd. IV/VII: Briefe an die Fürstin Wittgenstein.
Bd. VIII: Nachtrag zu Bd. I/II.
Briefwechsel zwischen Wagner und Liszt.

Briefwechsel zwischen Liszt und Hans von Bülow.
Briefwechsel zwischen Liszt und Großherzog Carl Alexander.
Briefe Liszts an Carl Gille.
Briefe an Carl Gottschalg.
Briefe an Baron Anton Augusz.

ABBILDUNGEN

303

304

Stammbaum der Familie Franz Liszt

Sebastian und Maria List

Georg Adam List

Esterházyscher Kastner, geb. 14. Oktober 1755 zu Ragensdorf; war dreimal verheiratet und hatte 26 Kinder.

Aus erster Ehe:

Adam

ehemals Beamter beim Fürsten Esterházy, geb. 1780, gestorben 3. VIII. 1827 zu Bonlogae; vermählt mit **Anna Lager**, geboren 1791, gestorben 6. II. 1866.

Franz Liszt

geb. 22. X. 1811 zu Raiding, gest. 31. VII. 1886 zu Bayreuth.

Mutter: **Gräfin Marie d'Agoult** geb. 1805 zu Frankfort a. M., gest. 1876 zu Paris.

- **Blandine** geb. 18. XII. 1835 zu Genf, gest. 11. IX. 1862 zu St. Tropez.
- **Cosima** geb. 25. XII. 1837 zu Bellagio.
- **Daniel** geb. 9. V. 1839 zu Rom, gest. 13. XII. 1859 zu Berlin.

Aus zweiter Ehe:

Anton

Bürger, Uhrmacher und Hauseigentümer, geb. 5. VII. 1805, gest. 29. VII. 1876; vermählt mit **Anna Haas**, geb. 21. VII. 1800, gest. 17. XI. 1870.

- **Anna** geb. 19. X. 1826, gest. Fr. VIII. 1840.
- **Rosine** geb. 13. VII. 1829; verm. m. **Theodor Tümel**, geb. 15. VII. 1825.
- **Marie** gest. 1840 bei der Geburt.

Aus dritter Ehe:

Eduard

Ritter von Liszt, Doktor der Rechte, k. k. Generalprokurator usw. geb. 30. I. 1817, gest. 8. II. 1879 zu Wien; vermählt mit:
1) **Caroline Pickhardt**, geb. 27. I. 1827, gest. 4. X. 1854.
2) **Henriette Wolf**, geb. 30. V. 1825.

Aus erster Ehe:

- **Franz** Doktor der Rechte, Geh. Justiz-Rat, Prof. zu Berlin, geb. 2. III. 1851 in Wien; vermählt mit Rudolfine, Freiin Dronlei v. Friedenfels.
- **Caroline** geb. 28. VII. 52, gest. 5. II. 53.
- **Marie** geb. 10. XII. 53; vermählt m. Heinrich von Saar.

Aus zweiter Ehe:

- **Henriette** geb. 24. VII. 60, gest. 12. XII. 64.
- **Hedwig** geb. 5. I. 66.
- **Eduard** geb. 13. III. 67.

Liszts Geburtshaus in Raiding

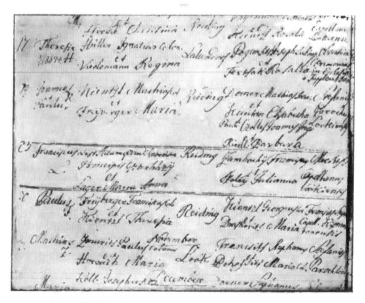

Liszts Taufmatrikel aus dem Kirchenbuch von Raiding

Anna Liszt
Nach einer Photographie
im höheren Alter

Liszts Eltern

Adam Liszt
Nach einer Gravüre
vom Jahre 1810

Franz Liszt im 9. Lebensjahre
Lithographie von Villain

95.

Dienſtag den 28. November 1820.

Ungarn.

Preßburg. Verloſſenen Sonntag, am 26 dieſes in der Mittagsſtunde, hatte der neunjährige Virtuoſe Franz Liszt, die Ehre, ſich vor einer zahlreichen Verſammlung des dieſigen hohen Adels und mehrerer Kunſtfreunde, in der Wohnung des hochgebornen Herrn Grafen Michael Eszterházy, auf dem Clavier zu produciren. Die außerordentliche Fertigkeit dieſes Künſtlers, ſo wie auch deſſen ſchneller Überblick im Leſen der ſchwerſten Stücke, indem er alles, was man ihm vorlegte, vom Blatt weiterte, erregte allgemeine Bewunderung, und berechtigt zu den herrlichſten Erwartungen.

Ofen. Am 18 d. M. Abends verſchied hier einer der älteſten, und in der k.k. Artillerie verdienteſten Veteranen der k.k. Armee, nämlich der pens. Hr. Generalmajor Joachim v. Schönſuß, an Lungen-Schwäche im 43 Lebens-Jahr, das er am 6. d. M. angetreten hatte. Die Hülle dieſes, ſowohl wegen ſeiner militäriſchen Auszeichnungen, als auch wegen ſeines biedern frommen Charakters, verehrteſten Kriegers wurde vorgeſtern Nachmittage, mit den gebührenden kriegeriſchen Ehrenbezeugungen unter Commando des Herrn Brigadiers Generalmajors Wolff. v. Naumel, feierlich, unter zahlreicher Begleitung zur Erde beſtattet.

Kritik in der Preßburger Zeitung über Franz Liszts erstes Auftreten

Karl Czerny

Antonio Salieri

6

Liszt im 12. Lebensjahr
Lithographie von C. Molle

Ferdinando Paër

Anton Reicha

Liszt im 13. Lebensjahr
Lithographie von Leprince (1824)

Liszt im 19. Lebensjahr

ACADÉMIE ROYALE DE MUSIQUE.

Les Bureaux s'ouvriront à 6 heures 1/2. — On commencera à 7 heures 1/2 preeises.
Aujourd'hui Lundi 17 Octobre 1825,

(*PAR EXTRAORDINAIRE*)

La Ire représentation de

DON SANCHE

OU

LE CHATEAU D'AMOUR,

Opéra en un acte ; suivi de

LA DANSOMANIE,

Ballet-partomime en 2 actes, de *M. Gardel*, musique de *Méhul*.

Chant : M^{rs} Ad. Nourrit, Prévost ; Mmes Grassari, Jawurek, Frémont, Sèvres.
Danse dans l'Opéra : M. Paul ; Mme Montessu.
Danse dans le ballet : Mrs Milon, Ferdinand, Coulon, Mérante, Montessu, Capelle, Godefroy,
Mmes Anatole, Montessu, Elie, Hullin, Brocard, Vigneron, Julia, Gaillet, Bertrand, Aline.

LES ABONNEMENS ET TOUTES LES ENTRÉES SONT SUSPENDUS.

S'adresser, pour la location des loges, au bureau de location de l'Académie Royale de Musique, rue Grange-Bateliere, Hôtel-Choiseul.
C. BALLARD, Imprimeur du Roi, rue J.-J. Rousseau, n. 8.

Theaterzettel der Uraufführung des Don Sanche

312

Liszt im 21. Lebensjahr
Zeichnung von Deveria, 1832

Frédéric Chopin
Zeichnung von T. Kwiatkowski

Hector Berlioz nach M. Signol, 1831

Nicolo Paganini
Zeichnung von J. P. Lyser

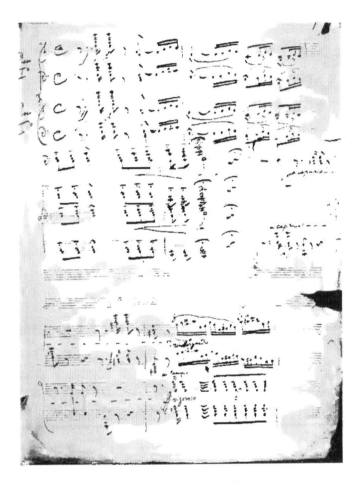

Handschrift Liszts 1834:
Unveröffentlichte vierhändige Bearbeitung
von Mendelssohnschen Themen

George Sand
Gemälde von Eugénie Delacroix

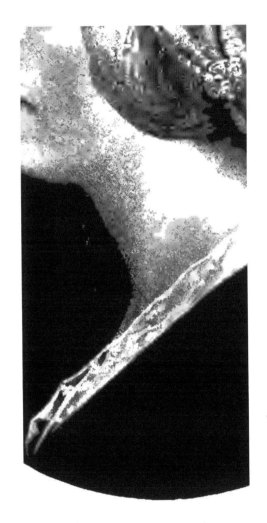

Gräfin Marie d'Agoult

Sigismund Thalberg

Liszt, über dem Leben geformte Gesichtsmaske
(aus Bartalus)

Liszt
Zeichnung von S. Mittag nach Ary Scheffers Gemälde

Liszt im Reisemantel
Lithographie von Kriehuber

GRANDE ACCADEMIA
VOCALE ED ISTRUMENTALE
CHE
F. LISZT

darà Oggi 18 Febbrajo 1858 ad un' ORA POMERIDIANA

NELLA SALA DEL RIDOTTO DELL'I. R. TEATRO ALLA SCALA

PROGRAMMA

I. Gran Settimino (in quattro parti: 1.° Allegro maestoso – 2.° Scherzo e Alternativo – 3.° Andante con Variazioni – 4.° Finale) eseguito dai Signori LISZT, CAVALLINI, MERIGHI, ROSSETTI LUIGI, RAMONI, IVON ed EVERGETTE .... HUMMEL.

II. Duetto nell'Opera – Il Matrimonio Segreto – Cantato dai Signori ROVERE e GIOVANNI LUZIO. .... CIMAROSA.

III. Scena e Cavatina – Se m'abbandoni – Nell'Opera Nitocri – Cantata da Madamigella PLYS. .... MERCADANTE.

IV. Variazioni di Bravura sopra un tema dei Puritani, composti dai Signori LISZT,

THALBERG, PIXIS, HERZ, e CHOPIN &, eseguito dal Sig. LISZT.

V. Duetto nell'Opera = I Pretendenti Delusi = Io di tutti mi contento – Cantato da Madamigella PLYS e dal Sig. ROVERE. MOSCA.

VI. Sinfonia – del Flauto Magico – per 3 Cembali a 12 mani, eseguita dai Signori LISZT, HULLER, PIXIS, SCHOBERLECHNER, ORTIGA e PEDRONI .... MOZART.

C)	Introduzione	. . . .	Liszt
	Variazioni	. . . .	Tritsehm
		. . . .	Liszt
3.°		. . . .	Pixis
4.°	Adagio	. . . .	Herz
5.°	Finale	. . . .	Czerny
		. . . .	Liszt

Prezzo del Biglietto L. 5 Austriache.

I Biglietti si distribuiscono al Camerino del detto I. R. Teatro.

Programm eines Konzerts von Liszt in Mailand am 18. Februar 1858

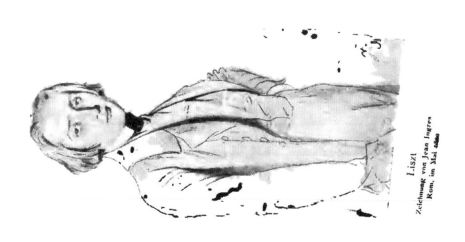

Liszt
Zeichnung von Jean Ingres
Rom, im Mai 1839

Cosima und Blandine Liszt im Jahre 1846
Zeichnung von Henri Lehmann

Daniel Liszt

Liszt-Medaillon von A. Bovy (1840)

Liszt
Berliner Lithographie (1842)

Berliner Karikatur aus
„Das liszt-ge Berlin", 1842

Karikatur auf Liszts Berliner Triumphe, 1842

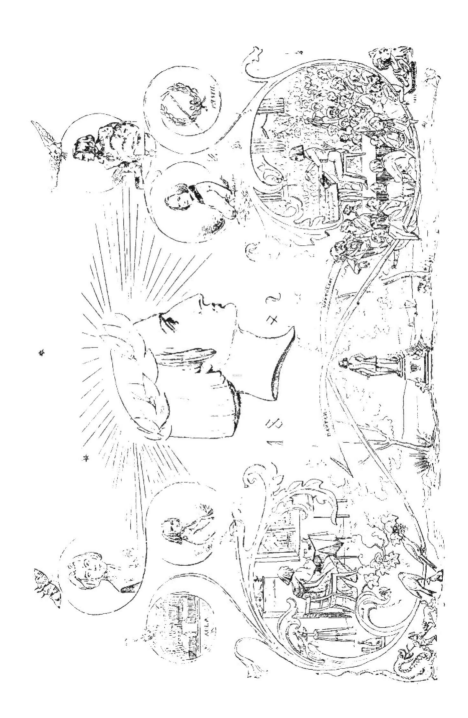

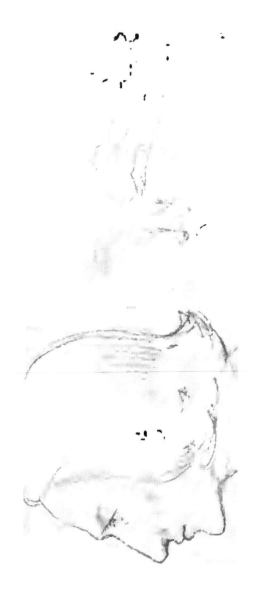

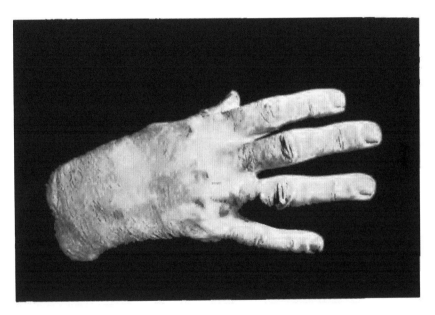

Hand nach dem ... ... Mu ...

Fürstin Carolyne Wittgenstein als Mädchen

Fürstin Carolyne Wittgenstein
und Tochter Marie
Stich von Kriehuber

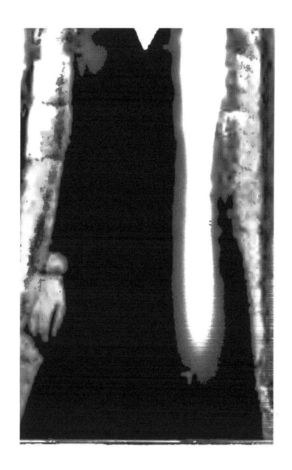

Fürstin Carolyne Wittgenstein

Petersburger Daguerreotyp 184?
Aus La Mara, Liszt und die Frauen

Prinzessin Marie Wittgenstein
Medaillon von Doondori
Aus La Mara. Aus der Glanzzeit der Weimarer Altenburg

Die Altenburg in Weimar
Zeichnung von C. Hoffmann

Großherzogin Maria Paulowna
Gemälde von R. Lauchert

Großherzog Carl Alexander
Louis Held, Weimar phot.

Liszt am Dirigentenpult

Liszt
Aquarellierte Photographie

Richard Wagner
Lithographie von Clementine Stockar-Escher, 1853

Unveröffentlichte Transkription Liszts für Cello und Klavier über das Lied an den Abendstern aus Tannhäuser „für Freund Coßmann transcribirt, Weymar am 10. Juny 1852."

337

Hans von Bülow

Karl Klindworth

Peter Cornelius

Joseph Joachim

Louis Köhler

Franz Brendel

Joachim Raff
Naturaufnahme

Edmund Singer, Bernhard Coßmann, Hans von Bülow

Erinnerungsblatt an das Basler Zusammentreffen
Richard Wagners mit Liszt und dessen Anhang
am 6. bis 8. Oktober 1853

Liszt

Zeichnung von Wilhelm Kaulbach, Stich von C. Gonzenbach

Erinnerungsblatt an das Konzert in St. Gallen am
23. November 1856, das Wagner und Liszt dirigierten

Lithographie von Krichuber (1856)

Handschrift Liszts:
Die Seligpreisungen aus Christus, 1856

Liszt
Gemälde von Richard Lauchert, 1856

Liszt-Medaillon von Rietschel
Aus La Mara: Aus der Glanzzeit der Weimarer Altenburg

Medaillon der Porträts Liszts und Rosas von Milde (1857)
Original im Suermondt-Museum in Aachen

Liszt

Photographie, 1860

Liszt im Samtmantel

Photographie, 1858

44

Liszt

Photographie, 1858

348

Widmungsblatt der Originalpartitur von Peter Cornelius' Barbier von Bagdad

Liszt in
Abbé-Kleidung

Fürstin Wittgenstein im Kostüm
ihrer Audienz beim Papst

Liszt

Gemälde von Stella, 1863 für die Fürstin Wittgenstein gemalt

48

Liszt

Gemälde von Franz von Lenbach nach einer Photographie
der Photographischen Gesellschaft, Berlin

Geehrter Herr MusikDirector,

Durch mehrmalige einstudieren
und Anhören der „Elisabeth"
ist mir das Werk so überdrüssig
geworden dass ich es am liebsten
vergesse. Entschuldigen Sie daher
wenn ich Ihr wohlwollendes Schreiben
nur mit der Bitte beantworte, mich
für ähnliche Angelegenheiten als
abgestorben zu betrachten, und
empfangen Sie die Versicherung der
ausgezeichneten Achtung mit welcher
Ihnen verbleibt   freundlichst Denkend

22 July 69   Rom.   F. Liszt

Ein Brief Liszts aus Rom vom Jahre 1869

Liszt

Photographie von Franz Hanfstaengl,
München, 1869

Liszt

Photographie von Franz Hanfstaengl,
München 1869

Die Hofgärtnerei in Weimar

Liszts Schlafzimmer in der Weimarer
Hofgärtnerei, jetzt Liszt-Museum

Cosima Wagner
Louis Held, Weimar, phot.

Wagner und Liszt

Schattenriß von Willi Bithorn

Porträt Chopins nach einer Zeichnung von Liszt, 1875

Liszt

Gemälde von Franz von Lenbach, 1881

Liszt

Photographie, 1884

Liszt konzertiert vor Kaiser Franz Joseph I. in Budapest

Gemälde. Original im Besitz des k. k. Hof- und Kammerklaviermachers Ludwig Bosendorfer, Wien

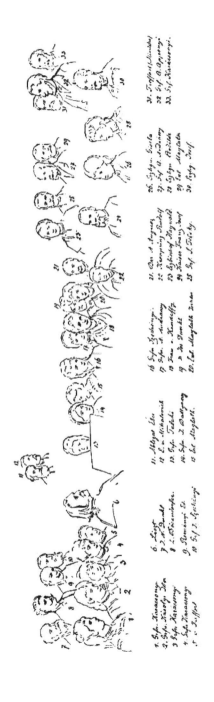

57

Erklärungstafel zum Gemälde Seite 56

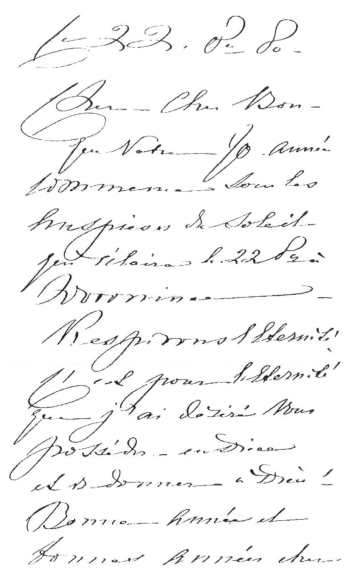

Glückwunschbrief der Fürstin Wittgenstein an Liszt
zum 70. Geburtstag des Meisters

Penno — J'ai contente
de votre de Valet de
chambre de St Simon,
disant tous les matins
à Ton Meste —
Non, avec de grandes
choses à faire —
Il Dieu que donne
d'quoi les faire, donne
rustre la récompense
Nila de le mand

En attendant la ———
récompense ———
complète ——— , Réjouissons
de petits, à complets,
comme — une bonne —
petite ——— journée —
commencée aux
pieds de autels —
En communion
avec Notre Seigneur
à bientôt devant
Notre grand Thaumaturge
St François de Sales —
Minuit. Il en fera Rester [?] pour nous

Prie de tout son cœur — pour te conduire

Liszt - Karikatur

Von Georges Villa

Liszt

Photographie von Kozics Ede, Preßburg

Liszt-Büste von Victor Tilgner

Phot. Kozics Ede, Preßburg

Liszt

Gemälde von Franz von Lenbach, 1884, aus F. Bruckmanns Lenbach-Werk

Liszt

Photographie, 1885

Liszt

Photographie, 1885

Liszt im Kreis seiner Schüler

darunter: Liebling, Siloti, Rosenthal, Friedheim, Sauer, Reisenauer, Gottschalg

Liszt in seinem Arbeitszimmer zu Pest (1886)

Erstmalige Wiedergabe des im Besitz der Hofpianistin Lina Schmalhausen befindlichen Originals

Fürstin Wittgenstein in Rom

Villa d'Este bei Rom

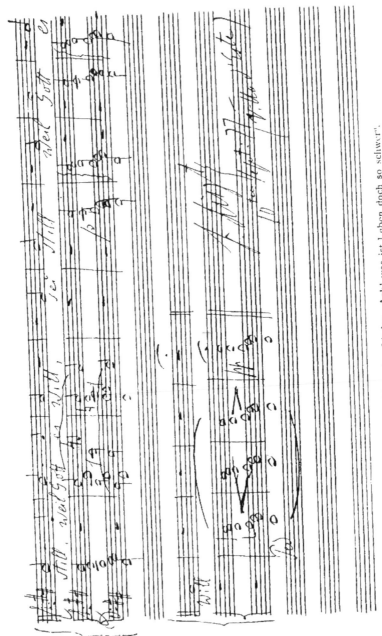

Letzte Seite des Lisztschen Liedes „Ach! was ist Leben doch so schwer".
Text von Nordheim; geschrieben in der Villa d'Este am 10. September 1877

Liszt

Photographie, 1886

Liszt in seinem Heim in der Hofgärtnerei, 1886

73

Liszt

Studie Munkacsys zu seinem Gemälde, 1886

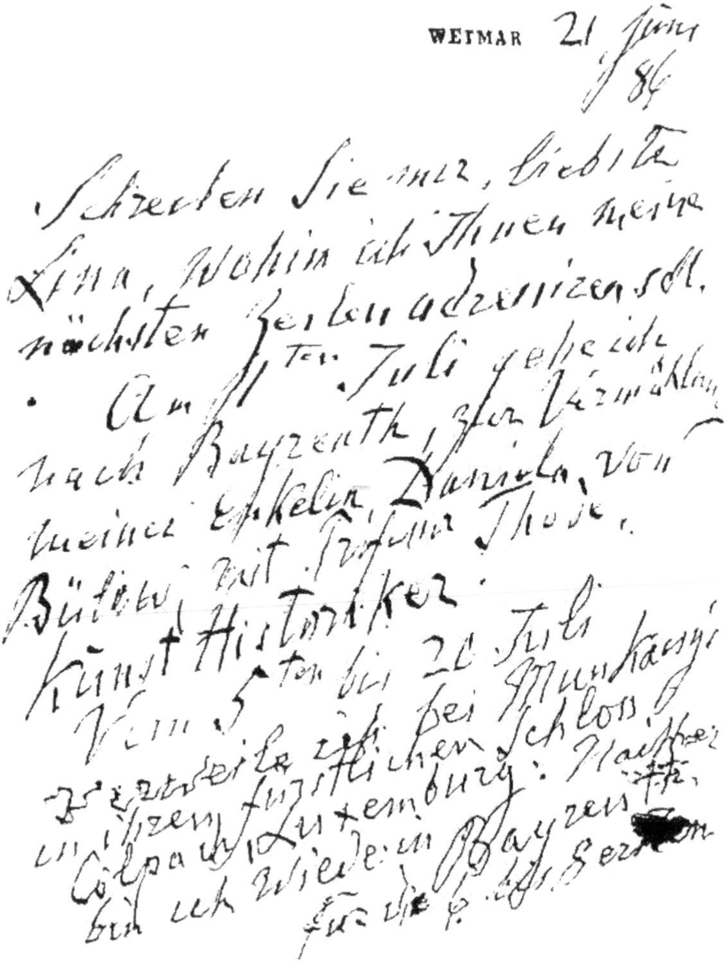

74

WEIMAR 21 Juni / 84

(handwritten letter)

Ein Brief Liszts an Lina Schmalhausen, fünf Wochen
vor seinem Tode geschrieben. Zeigt deutlich, wie sehr
sein Augenlicht bereits nachgelassen hat.

Vorstellungen der Festspiele.
Worauf ich, vor Mitte August,
meine Kur in Kissingen
beginnen werde.
Meine schlechte Schrift
zeigt Ihnen daß mein Augen-
übel sich nicht besser. Das
andere Übel (Fußleiden)
wird wahrscheinlich
mit der Kur vergehen
Seit 3 Wochen muß ich
alle meine Briefe dictiren.
herzlich ergeben
F. Liszt

Liszts Sterbehaus in Bayreuth,
jetzt Wahnfriedstraße 9

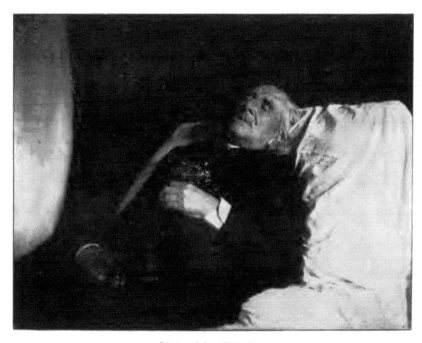

Liszt auf dem Totenbett

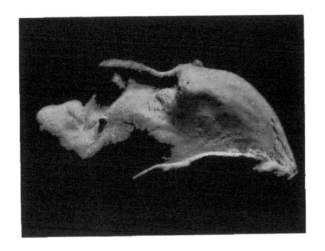

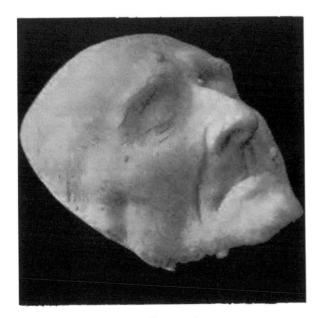

Liszts Totenmaske

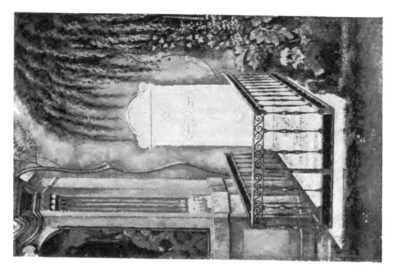

Grab der Fürstin Wittgenstein auf dem
deutschen Friedhof zu St. Peter in Rom

Liszts Mausoleum auf dem Friedhof
zu Bayreuth

Ein Zimmer aus dem Liszt-Museum in Weimar

Das Weimarer Liszt-Denkmal von Hermann Hahn

NAMEN- UND SACHREGISTER

305

306

307

309

Wagner und Liszt

Eine Freundschaft

Geheftet M. 2,50, gebunden M. 3,50

Ein sehr empfehlenswertes Buch. Sein Hauptvorzug besteht darin, daß sich der Verfasser durchaus an die Quellen hält. Als eine höchst zweckentsprechende und überaus nützliche Vorarbeit zu einer umfassenden Liszt-Biographie ist das Kappsche Buch somit freudig und freundlich zu begrüßen.

Bayreuther Blätter.

Das Buch gibt in prägnanten Zügen eine klare Würdigung des Freundschaftsbundes dieser beiden großen Künstler mit einer völlig erschöpfenden biographischen Darlegung.

Frankfurter Nachrichten.

Ein monumentum aere perennius setzt Kapps Buch den idealen Lebens- und Herzensbeziehungen der beiden großen Meister. Nicht nur für eine völlige Orientierung über die äußeren Geschehnisse bildet es einen zuverlässigen Führer, es gewährt auch in das Geistes- und Gemütsleben der beiden Großen tiefe Einblicke und führt ihre künstlerischen und reinmenschlichen Persönlichkeiten innig nahe.

Tägliche Rundschau.

Wagner und die Frauen

Eine erotische Biographie mit 40 Abbildungen

6. Auflage

Preis: Geheftet M. 3,—, gebunden M. 4,—

Urteile der Presse:

Dies Buch mußte einmal geschrieben werden! Es schildert Wagner von der erotischen Seite, aber seine Liebesgeschichte wird zugleich zu einer Geschichte seiner Werke.

Grazer Tagespost.

Es wird die Tausende, denen es vieles Neue bringt, bis zur letzten Seite in atemloser Anteilnahme erhalten.

Neue Musikzeitung.

Das Buch gleicht einem spannenden Roman. Tausende werden das viele ihnen Neue, das es enthält, mit atemloser Spannung verschlingen.

Leipziger Neueste Nachrichten.

Den Hauptteil dieses ausgezeichneten, mit großer Sorgfalt und in elegantem Stil geschriebenen Buches nimmt die Darstellung des Wagnerschen Lebens unter dem Gesichtspunkt der Einwirkung der Frauen ein.

Die Musik.

Der junge Wagner

Dichtungen, Aufsätze, Entwürfe: 1832—1849

Zweites Tausend. Geheftet M. 1,—, gebunden M. 2,—

Die ganze Arbeit repräsentiert sich als eine hervorragende literarische Tat. Es ist ein Buch von eminentester Bedeutung. Neuland in der Wagnergeschichte! Wer sich auch mit dem Schriftsteller Wagner beschäftigen will, muß mit diesem Buch beginnen, es ist die unbedingt notwendige Vorstufe zu den „Gesammelten Schriften". Der Preis ist im Verhältnis zu der Überfülle des Neuen, Herrlichen geradezu minimal.
Saale-Zeitung.

Das Buch ist eine notwendige Ergänzung zu Wagners Gesammelten Werken. Es ist nicht nur für den Gelehrten wichtig, sondern auch für den Wagnerfreund höchst anregend zu sehen, wo und wie Wagner in der Kunst seiner Zeit Wurzeln geschlagen. Rheinische Musik- und Theaterzeitung.

Man wird der Arbeit Julius Kapps und dem fabelhaften Fleiß, mit dem er eine lange Reihe Wagnerscher Schöpfungen dem heutigen Geschlecht als kostbares Geschenk bietet, den schuldigen Respekt zollen. Hamburger Nachrichten.

PAGANINI

Eine Biographie. Mit 60 Bildern.
2. Auflage.

Geheftet M. 5.—, gebunden M. 6.—

Wir haben in Kapps Werk das erste vollständige, das klassische Paganiniwerk. Kein Musiker wird an dieser Biographie vorübergehen können, die, um ein oft mißbrauchtes Wort einmal an der richtigen Stelle zu sagen, wirklich eine geschichtliche Lücke schließt. Grazer Tagespost.

Diese Lebensbeschreibung liest sich wie ein Roman. Ein Buch, das nicht nur jeden Musiker und Geiger, sondern überhaupt jeden gebildeten Leser magnetisch anziehen muß! Wiesbadner Tagblatt.

Hier ist eines jener faszinierenden Bücher entstanden, das seine Leser fast ebenso behext, wie Paganini seine Zeitgenossen, ein Buch, von dem man sich nicht trennen kann, weil es uns bei jedem Lesen neues zu erzählen weiß. Ausgezeichnete Bilder machen den Wert des geradezu klassischen Werkes unübertrefflich. Breslauer Zeitung.

Das Leben des dämonenhaften Geigerkönigs zieht an dem Geiste des gebannten Lesers vorüber, der sicher das Buch nicht aus der Hand legen wird, ehe er über den Ausgang dieses so seltsamen Menschenlebens unterrichtet ist. Berliner Morgenpost.